REMIGIUSZ KOCZY

Krawędź Światów

DZIESIĘĆ

SZARON
www.szaron.pl

Tytuł: Krawędź światów: Dziesięć
Autor: Remigiusz Koczy
Redakcja i korekta: Joanna Rączkowiak
Skład i przygotowanie do druku: DTP Studio GRACE Leszek Kożusznik
Projekt graficzny okładki: Marta Legierska
Druk: Drukarnia Arka, www.arkadruk.pl

Do dystrybucji na terenie całego świata:
Wydawnictwo Szaron, Grzegorz Przeliorz
kom. 503-792-766, (503-SZA-RON)
e-mail: wydawnictwo@szaron.pl
www.szaron.pl

W sprawie zezwoleń należy zwracać się do:

Wydawnictwo Szaron,
Targoniny 43, Dzięgielów 43-445,
wydawnictwo@szaron.pl,
www.szaron.pl.

Cytaty biblijne pochodzą z Biblii Warszawskiej; Brytyjskie i Zagraniczne Towarzystwo
Biblijne, Warszawa 1975.

Wydanie I Ustroń, 2015
ISBN 978-83-63271-60-2

Książkę można nabyć:

Księgarnia i Hurtownia wysyłkowa Szaron
43-450 Ustroń, ul. Ogrodowa 6,
tel. 503-792-766, (503-SZA-RON)
e-mail: wydawnictwo@szaron.pl
www.szaron.pl

SPIS TREŚCI

Prolog

Nisko brzmiący pomruk nadchodził z oddali, ale szczekanie, a właściwie ujadanie psów z pobliskich przedmieść było mocne i wyraźne. Zupełnie jakby przerażone czymś, co zasługiwało na strach. Ów dźwięk dobiegał do miasta z południa i sprawiał wrażenie, jak gdyby zmierzał właśnie w tym kierunku.

Mężczyzna, wysoki i dość przystojny, by podobać się większości kobiet, stał chwilę bez ruchu i wypatrywał czegoś na niebie. Przez jego twarz przemknął szybki, ledwo dostrzegalny grymas, po czym w pośpiechu począł się rozbierać. Jego ruchy były zdecydowane, jakby wynikały z dawno powziętego planu. Kiedy skończył, zwinął ubranie w bezładny kłębek i wcisnął w zagłębienie pod bujnym krzakiem, przywalając kilkoma znalezionymi nieopodal kamieniami. Zupełnie nagi ponownie podniósł wzrok ku niebu. Dźwięk przerodził się w coraz donioślejszy huk wypełniony przejmującym wizgiem. Mężczyzna spojrzał na roztaczające się przed nim jezioro. Tafla wody, jeszcze spokojna, mieniła się wieloma błyskami, odbijając promienie południowego słońca. Po chwili część jeziora zakrył spory cień, a sekundę później woda wzbiła się wysoko w górę, by natychmiast opaść i zakryć w swojej głębi kilkudziesięciometrowej średnicy stalowoszary, owalny kształt, za którym z daleka przywlokła się czarna wstęga gęstego dymu.

Nie czekając, aż spowodowana upadkiem latającej maszyny fala uderzy o brzeg jeziora, nagi człowiek szybkim ruchem wskoczył na pień pobliskiej wierzby i sprawnie ją obejmując, błyskawicznie wdrapał się kilka metrów wzwyż. Tuż potem woda wdarła się szeroką ławą w głąb lasu i stanęła w zagłębieniach terenu niezliczonymi kałużami. Na twarzy mężczyzny pojawił się szeroki uśmiech zadowolenia. Wizualny efekt dysku był świetny, robił niesamowite wrażenie. Do tego dym – czarny i gęsty jak nakazuje poważna awaria. Musiało to widzieć sporo gapiów w położonej nad jeziorem mieścinie, ludność pobliskich wiosek i gromady turystów w rozsianych po okolicy polach namiotowych. Bez wątpienia wszyscy mieli

DZIESIĘĆ

rozdziawione gęby i wytrzeszczone gały, bo właśnie tego wymagało widowisko. Genialne widowisko.

Mężczyzna znalazł się wystarczająco wysoko. Spojrzał w dół pnia kątem oka i rozluźniając chwyt, poddał się przemożnej sile grawitacji. Odstająca od pnia brzozy kora dokonała niszczącego dzieła. Przystojniak być może byłby nim nadal, ale skóra – zdarta z połowy twarzy, ramion, torsu, brzucha i ud – już nie mogła podkreślać jego walorów. Obryzgany świeżą krwią opadł na mokrą trawę bez najcichszego nawet jęku. Zerknął przelotnie na swoje ciało i znów się uśmiechnął, tym razem z nieukrywaną, złośliwą satysfakcją.

Pozbierał się szybko i zgrabnie. Zamachał rękami, uczynił zamaszysty piruet i elegancko pokłonił się nieistniejącej widowni. Należały się brawa! Już on się o to postarał. Uśmiechnął się zjadliwie – będzie bawił się całym sobą. Na brzegu podszedł do pierwszego lepszego drzewa i grzmotnął o nie czaszką. Pomacał się po czole. Jak się bawić, to się bawić. Ustawił się bokiem do pnia i przyłożył z całej siły lewą stroną twarzy o korę, po czym przeciągnął nią po chropowatości ku korzeniom jak marchewką po tarce.

Koniec z nudami. Czas na bal. Jeszcze raz na brzozę i na trawę chlapnęło czerwoną bryzgą. Nieźle. Całkiem nieźle. Okręcił się na pięcie i radośnie gwiżdżąc, poszedł przed siebie. Z satysfakcją wyszczerzył zęby. Świetnie. Bardzo dobrze i miło. Teraz należało już tylko czekać.

* * *

Porzucony przed drzwiami posterunku rower po chwilach trudnego do zniesienia wysiłku wydał metaliczny jęk i z ulgą zamilkł. Długie susy sierżanta Doliny sprawiły, że odległość między wejściem do budynku a gabinetem szefa pokonał wręcz błyskawicznie. Wpadł zdyszany do środka i rzucił czapkę na biurko komendanta.

– Tomeczek! – wyziajał, z trudem łapiąc oddech. – Nie... uwierzysz!

Aspirant Tomasz Mareczek spojrzał na podwładnego z politowaniem – głębokim i pełnym przejęcia politowaniem, na jakie w tej chwili zasługiwał swoim rozchełstanym wyglądem.

– Do jeziora... Coś spadło do jeziora... Ludzie mówią, że to UFO!

* * *

Ambulans błyszczał w słońcu, robiąc świetne wrażenie, ale stał stanowczo zbyt daleko, by wypełnić rolę, do jakiej został przeznaczony. Z powodu mocno pofałdowanego terenu dojazd na miejsce był nie tyle trudny, co wręcz niemożliwy. Sanitariusz biegł do świeżo ufundowanego przez burmistrza wozu już po raz trzeci. Lekarz miejscowego ośrodka zdrowia niestety nie posiadł doświadczenia w udzielaniu pierwszej pomocy w terenie i nie bardzo znając się na zawartości nowego nabytku przychodni, nie wziął do poszkodowanego niemal niczego, co należałoby zabrać w takim przypadku. Ponieważ najbliższy szpital i działające przy nim pogotowie znajdowały się jakieś czterdzieści kilometrów stąd, przygodny znalazca ofiary wypadku, zapewne entuzjasta miejscowej służby zdrowia, zadzwonił do rejonowej przychodni, zamiast do odpowiednich służb na 112. A pan doktor, niesiony nieposkromioną fantazją bez zastanowienia podjął nagłe wyzwanie, podrywając na równe nogi szybko skleconą obsadę ambulansu.

Sanitariusz przybiegł z powrotem z aluminiowym kocem ratowniczym w ręku. Leżący na trawie człowiek eksponował całą swą intymność. Doktor Marcin klęczał przy nim z jednej strony, a z drugiej pielęgniarka Bernatka. Sanitariuszowi przemknęło przez myśl, jak koleżanka znosi widok ułożonego na wznak „półdenata", któremu usiłowali pomóc. Z drugiej strony mężczyzna, wyglądając nieciekawie – obdarty z naskórka, zakrwawiony i brudny – zasługiwał bardziej na współczucie, niż pożądanie.

– Panie Sławku, niech pan to... – rzucił doktor, zerknąwszy na złożony w niewielki prostokąt srebrny pled –... no wie pan...

Oczywiście. Przecież pobiegł do ambulansu, by przynieść koc i nakryć nagość nieszczęśnika. Teraz zamyślił się, widząc odarcia na jego ciele, rozbitą głowę i siniaki. Za nic nie chciałby popaść w taką ruinę. Zapłakałby się i rozpuścił jak cukrowy lizak.

Bernatka, asystując doktorowi z kamiennym obliczem, nie ujawniała żadnych emocji. Wobec niego, kolegi z pracy, przemiłego z natury człowieka, także. Mógłby wnioskować, że w ogóle pozbawiona była jakichkolwiek uczuć. A może po prostu profesjonalizm nie pozwalał na nic poza służbowym „proszę i dziękuję". Bernatka wyda-

DZIESIĘĆ

wała mu się jakaś dziwaczna i niedostępna. Jej koleżanki mówiły o niej, że jest „inna". Najwidoczniej chłodny dystans leżał w granicach jej dziwactwa...

Mężczyzna na trawie, choć pozbawiony przytomności, oddychał miarowo, a jego puls mieścił się w granicach normy. We troje zachodzili w głowę, skąd się tu wziął i co mogło przyczynić się do stanu, w jakim się znalazł. Jakaś niesamowita plotka lotem błyskawicy obiegła przychodnię tuż przed ich wyjazdem, jakoby do sieciowskiego jeziora spadł latający spodek. Akurat! Sieciowo i UFO? Kosmici nie mieliby gdzie spadać, tylko tu, wprost w ramiona spragnionych sensacji urlopowiczów.

Pan Sławek spojrzał na jezioro z perspektywy pagórka zwanego „Malinówką". Od lat w Sieciowie wiało nudą i tylko piękne wczasowiczki przybywające na letni wypoczynek przydawały temu miejscu nieco atrakcyjności. Przebiegł wzrokiem po tafli wody i coś przyciągnęło jego wzrok. W jednym miejscu, jakieś kilkaset metrów od brzegu roiło się od łódek i żaglówek. Zmarszczył brwi i zmrużył oczy, by dostrzec jakieś szczegóły. Zauważył, że w wodzie znajdowali się ludzie, którzy co chwilę znikali pod jej powierzchnią. Jako wytrawny ratownik WOPR-u dobrze wiedział, że nurkowanie w tym rejonie było pozbawione jakiegokolwiek sensu, jeśli pływak nie posiadał akwalungu. Głębokość Sieciówki na znacznym jej obszarze przewyższała największe głębiny Bałtyku. Szukanie czegokolwiek na dnie jeziora wymagało specjalistycznego sprzętu i stanowiło spore zagrożenie dla niewprawionych nurków. Ten rejon stanowił „wrota" czegoś, co można było nazwać zatoką i był wyjątkowo głęboki.

– Panie Sławku, musimy przenieść chorego do karetki. – Głos lekarza wyrwał go z zadumy. – Nie możemy biedaka tak tu zostawić.

To akurat wydawało się oczywiste od samego początku. Nasuwało mu się ważne pytanie.

– Okej. I gdzie go zabierzemy?

– Wydaje mi się, że nic poważnego mu się nie stało... prócz tych zewnętrznych obrażeń... – głośno myślał lekarz – ... choć ta głowa. Nie podoba mi się to miejsce...

Bernatka nachyliła się nieco bliżej, by przyjrzeć się wskazanemu przez doktora zgrubieniu na głowie pacjenta.

– Więc – sanitariusz ponowił pytanie – gdzie mamy z nim jechać?

W jego umyśle pojawiła się nutka podziwu dla lekarza, który bez specjalistycznego sprzętu jest w stanie postawić diagnozę oznajmiającą, że „nic poważnego mu się nie stało".

– Przecież jest nieprzytomny – powiedziała nieco oschle kobieta.

– Właściwie... nie jestem pewien, co z tą głową... – kontynuował rozważania lekarz. – Może do nas, do przychodni. Zadzwonię po S-kę. W końcu kto wie, co mu jest... Ale lepiej, jeśli będzie u nas, niż miałby leżeć tutaj, prawda?

– Może od razu trzeba było dzwonić po tę S-kę? – stwierdziła bardziej, niż zapytała, pielęgniarka. – Byliby już w połowie drogi.

Doktor nawet na nią nie spojrzał.

– Tu zrobiliśmy, co było można. Panie Sławku, bierzemy go na nosze.

W odróżnieniu od doktora, dla pana Sławka atlety ciężar wysokiego mężczyzny nie stanowił żadnego problemu. Mógłby przenieść pacjenta do karetki w pojedynkę i raczej by się tą czynnością nie zmęczył. Gdyby wziąć nieszczęśnika pod jedną pachę, byłby gotów zabrać doktora Marcina pod drugą... Transport rannego wymagał jednak noszy. Należało wspiąć się nieco na szczyt pagórka, a potem dotrzeć jakieś sto metrów do ambulansu. O podjechaniu wozem nie było mowy. Podobnie nie mogli skorzystać z kółek, w jakie były zaopatrzone nosze.

Pan Sławek zabrał się za przełożenie nieprzytomnego na nosze. Wtedy odczuł coś niesamowitego, coś, czego nie czuł jeszcze nigdy, a o czym mawiali mistrzowie.

Padmasana. Tyle razy układał swe ciało w kwiat lotosu i miarowo oddychając, szukał odprężenia. Potrzebował spokoju. Potrzebował harmonii czakr. Oddawał się medytacji, przepływowi energii, poddawał wymianie z energią kosmiczną. Chciał otwartego trzeciego oka, by dostrzec to, co nieosiągalne dla zwykłych ludzi, dostrzec inne poziomy wibracyjne oraz zamieszkujące je byty. Potrzebował nowej mądrości, pragnął rozwinięcia intuicji. Teraz, właśnie w tej chwili odczuł coś, czego szukał w wielu technikach jogi oraz medytacjach, by stać się kimś, by być doskonałym...

Ten człowiek był kimś niezwykłym, kimś kogo warto było poznać. Pragnął z nim porozmawiać, dowiedzieć się, kim jest!

DZIESIĘĆ

Taszczenie nieprzytomnego pacjenta stanowiło wyraźny problem dla niewprawionego w fizyczny wysiłek doktora. Pielęgniarka początkowo próbowała włączyć się w to heroiczne dzieło, ale z powodu honoru mężczyzny – lekarza musiała odpuścić. Zabrała do karetki przyniesione z niej narzędzia i środki opatrunkowe, docierając do niej jako pierwsza. Niebawem na miejsce przybyła pozostała trójka, z wycieńczonym doktorem na czele.

Kiedy tylko opony zetknęły się z asfaltem, nowoczesna karetka ruszyła z piskiem opon, niemal zwijając za sobą gorący asfalt.

✳ ✳ ✳

– Dobrze, że zadzwoniłaś. – Aspirant Mareczek przyszedł do przychodni w mundurze, dlatego u znudzonych czekaniem w kolejce do stomatologa pacjentów, wzbudził niemałe poruszenie. – Gdzie jest?

– W zabiegówce – powiedziała z drżeniem w głosie niewysoka brunetka, która wyszła mu naprzeciw. – Doktor Patrosz kazał zadzwonić, to zadzwoniłam. Czegoś takiego w życiu nie widziałam...

Szybko znaleźli się na miejscu. W pomieszczeniu przebywał doktor, którego Mareczek dobrze znał, ponieważ lekarzy w Sieciowie było zaledwie trzech i znał ich każdy mieszkaniec będący pacjentem ośrodka zdrowia. Obok prężył się potężnych gabarytów jegomość w białym, służbowym kitlu. Przed nim znajdował się powód wizyty – leżący na kozetce, na wznak, przykryty czymś w rodzaju aluminiowej folii, mężczyzna.

– To ja mam co robić – powiedziała brunetka, po czym uczyniła szybki zwrot i zniknęła za zamkniętymi drzwiami. Aspirant znał ją jeszcze ze starych, podwórkowych zabaw i wciąż dziwił się, jak niewiele zmieniła się od tamtych czasów.

Padło niemal równoczesne „dzień dobry". Mareczek spojrzał na pacjenta.

– Gdzie go znaleziono?

– Na Malinówce – odpowiedział lekarz.

– I co mu dolega, skoro uznał pan za stosowne powiadomić policję?

Doktor Patrosz odchrząknął jak ktoś, kto nie jest w pełni pewien zdania, jakie ma paść z jego ust.

– No cóż... może to być dziwne, ale wie pan, co ludzie mówią o tym, co wydarzyło się koło południa...

Aspirant uniósł jedną brew, co jeszcze bardziej onieśmieliło doktora.

– Wiem, że to sezon ogórkowy, wszyscy chcieliby się czymś... no... rozerwać, a UFO to nie lada atrakcja, ale ponoć spadający talerz widziało mnóstwo świadków.

– Ponoć widziało. Co ma wspólnego z tym wszystkim ten człowiek?

– Otóż to, otóż to – rzekł doktor, kiwając głową. – Proszę spojrzeć na niego.

Widok zakrwawionego, mocno poturbowanego mężczyzny budził przykre uczucia.

– Brał udział w jakimś wypadku? – zapytał policjant.

– Właśnie. Obrażenia wskazywałyby na wypadek, ale w pobliżu niczego podejrzanego nie zauważyliśmy. Nikt niczego nie zgłaszał policji?

– Nie – odparł aspirant. – Niczego na ten temat nie wiem.

– No właśnie. Tu zachodzi trudność...

– Może on ma coś wspólnego z tym latającym talerzem? – bardziej stwierdził, niż zapytał sanitariusz.

Mareczek spojrzał na lekarza, a potem na sanitariusza. Obaj wydawali się być tego samego zdania.

Wytrzymał tylko chwilę, po czym parsknął śmiechem.

– Zanim nas pan wyśmieje do końca – powiedział sanitariusz, dotykając ramienia pacjenta ubraną naprędce na dłoń rękawiczką – proszę spojrzeć na to...

Aspirant ocierał poślinione od śmiechu usta. Na widok tego, co zobaczył, zastygł.

– Na Malinówce tego nie zauważyliśmy.

Mareczek pochylił się, by lepiej przyjrzeć się temu, co zobaczył.

– 23-06-2234 – wyszeptał patrząc na niewielki tatuaż.

– Co to może być? – spytał sanitariusz.

– Wygląda jak data... – zastanawiał się doktor.

Mareczek uznał, że to niemożliwe. W końcu mieli 15 lipca 2025 roku. A podróże w czasie to wymysł fantastów.

– Nie sądzę – powiedział cicho.

DZIESIĘĆ

– Więc co? – spytał lekarz.

– Nie mam pojęcia. Może szyfr do jakiegoś zamka, sejfu albo czegoś podobnego. Może symbol czegoś, numer jednostki wojskowej... nie wiem.

– Na co wskazują obrażenia? – zapytał policyjnym tonem. Choć do tej pory sprawę traktował dość lekko, wizytę w przychodni musiał przeklasyfikować.

– No... nie jestem specjalistą w tej dziedzinie... – dukał Patrosz. Aspirant wiedział, że chłopina w ogóle nie jest zbyt dobrym lekarzem. – Ale wydaje mi się, że... musiał brać udział w jakimś nagłym zdarzeniu...

– Taaa...

– Nie mamy tu rentgena – lekarz zdawał się usprawiedliwiać – trudno więc o jakąś szczegółową diagnozę.

– Taaa...

– Jedzie tu pogotowie z Wolczyc. Zabiorą go do szpitala i tam...

W tym momencie człowiek na kozetce drgnął. Przez chwilę oczekiwali na kolejny ruch, ale bez rezultatu. Pacjent ponownie zamarł.

– Dobra... – powiedział do siebie Mareczek i wyjął z kieszeni spodni niewielki tablet. Uruchomienie właściwej aplikacji potrwało parę sekund i odpowiednio kadrując twarz mężczyzny, zrobił zdjęcie. Zanim schował urządzenie do kieszeni, zeskanował jeszcze odciski palców. – Sprawdzę, co to za jaki...

Zadzwoniła czyjaś komórka. Piosenka Bartosiewicz i Krawczyka, przebój sprzed jakiś piętnastu lat albo lepiej, o tym, że nie mogą być razem i osobno też im źle... Telefon odebrał doktor. Sentymentalny jakiś chyba – tyle skojarzyło się Mareczkowi.

– Nie mogę teraz rozmawiać. – Chwila ciszy na słuchanie. – Nie, nie. Jak przyjdę do domu, to powiem... Tak, pa!

Patrzyli na niego – nie wiadomo dlaczego – zupełnie jakby nie miał prawa w tej chwili z nikim porozmawiać.

– Żona... – powiedział nieco stłamszony.

W tym momencie usłyszeli jęk. Spojrzeli na tajemniczego mężczyznę z oczekiwaniem, czy aby znowu nie zakończy na jednorazowym incydencie. Jęknął i zamilkł.

– Taaa...

– Uważa pan, że to UFO to jakaś bujda? – spytał wielki sanitariusz.

Policjant łypnął na niego jednym okiem.

– A pan jak uważa? Według mnie nie ma żadnego UFO.

– Ale przecież mnóstwo ludzi widziało, jak spada. Pół miasta – upierał się pan Sławek.

– A pan widział? – odparował błyskawiczne.

Sanitariusz nieco się zmieszał.

– Panie Sławku, pokaż pan ten SMS – na wpół szepnął Patrosz.

Pan Sławek poddany olśnieniu szybko wydobył swój telefon i jeszcze szybciej odnalazł w nim właściwą wiadomość.

– O!

Aspirant rzucił nań okiem: „KOSMICI SPADLI DO JEZIORA!". Źródłem informacji była jakaś Ilonka.

– Kto to ta: Ilonka? – spytał zgodnie z zasadami dochodzenia.

Pan Sławek uśmiechnął się szeroko.

– Przyjaciółka.

– Przyjaciółka.

Mareczek nie znał owej przyjaciółki, nie był więc w stanie określić miarodajności źródła. Jeszcze raz przyjrzał się nieprzytomnemu. Delikwent był mu obcy. Zupełnie obcy. Nie tak obcy jednak, by zaraz go nazwać kosmitą. Uśmiechnął się pobłażliwie.

– Karetka zaraz powinna tu być. – Doktor Patrosz, wietrząc przegraną, wyraźnie chciał uciąć temat.

– Zbiorowa halucynacja? – kontynuował sanitariusz.

Policjant przyjrzał się atlecie nieco wnikliwiej. Średnio przystojny, jak na chłopski gust, ale na pewno zadbany. Włosy wygolone po bokach, na czubku głowy dłuższe, wygładzone żelem, jak nakazuje panująca moda. Krótko przycięty zarost tworzył jakiś misterny wzór. I ta muskulatura ledwo mieszcząca się w nałożonym na zwykłe ubranie kitlu.

– Owszem, spisek komunistów... – przyznał szczodrze.

– Komunistów? – żachnął się pan Sławek. – Komuniści dawno wyginęli.

– Komuniści, kosmici... To i tamto na „k". Albo i kulturystów – dodał z kpiną.

Na twarzy atlety zagościł wyraz irytacji. Od razu można było dostrzec, że została przekroczona jakaś niewidzialna granica, której przekraczać nie należy. Mareczek w mundurze czuł się jednak bezpiecznie. Oprócz granatowego stroju miał przy pasie broń, która strzelała prawdziwymi pociskami. Na każdy rodzaj przemocy mógł odpowiedzieć w dwójnasób.

– Gdzie ta karetka?! – wysapał doktor.

Obaj spojrzeli nieco zaskoczeni tonem jego głosu.

Nieprzytomny człowiek znowu jęknął, ale tym razem począł wyraźnie ruszać ręką. Tą ręką, na której wypatrzyli dziwny tatuaż. Z jego ust oprócz jęku zaczęły dobiegać jakieś ledwo słyszalne słowa. Wszyscy trzej natychmiast pochylili się nad nim, by lepiej usłyszeć, co ma do powiedzenia. Po chwili spojrzeli po sobie, a wyraz zmieszania na ich obliczach ogłaszał tę samą wieść: nikt niczego nie rozumiał. Wypowiadane słowa były wystarczająco wyraźne, ale język całkowicie obcy.

– Wiecie, po jakiemu to? – pierwszy spytał sanitariusz.

Lekarz tylko wzruszył ramionami.

– Jakiś... – aspirant był pewien, że to nie angielski, nie niemiecki, nie rosyjski i żaden inny, jaki mógłby mu przyjść do głowy. – Slang, może. Albo „starojakiśtam"...

Mareczek czuł się nieco zbity z tropu. Takiego obrotu sprawy nie przewidywał. Przyznać racji także nie miał zamiaru. Być może gość na leżance bełkotał tylko, jak pijani bełkocą bez ładu i składu na tyle skutecznie, że nikt nie daje rady zrozumieć, co też im się kiełbie we łbie.

W tym momencie rozważań pacjent gwałtownie otworzył oczy. Odskoczyli jednocześnie. Policjant na domiar wszystkiego odruchowo sięgnął po broń, co zaraz potem wydało mu się z gruntu bezsensowne, a nawet głupie.

Oprzytomniały powiódł bezwiednie wzrokiem po otoczeniu, niespecjalnie zatrzymując się na stojących w pobliżu ludziach. Doktor opanował się jako pierwszy.

– Ja pan się czuje?

– Gdzie jestem? – jęknął ranny.

– W ośrodku zdrowia.

– W jakim ośrodku?

– Publicznej służby zdrowia – wyrecytował doktor. – Uległ pan jakiemuś poważnemu wypadkowi.

– Wypadkowi... – wymamrotał mężczyzna.

– Jak się pan nazywa? – wtrącił aspirant, mniej czule artykułując słowa niż doktor.

– Nazywam się Norman Bek. Urodzony 23 czerwca 2234 roku. W Warszawie. Z matki...

– Słucham? – przerwał mu policjant.

Mężczyzna popatrzył na niego zbolałym wzrokiem.

– Nazywam się Norman Bek. Urodzony 23 czerwca 2234 roku. W Warszawie.

Nie wiedzieć dlaczego mężczyzna nagle zadziałał tym gadaniem Mareczkowi na nerwy. Spieniona krew wpłynęła na stan umysłu i nie wytrzymał.

– Dość tych pierdół! Szlag mnie zaraz weźmie od tego bredzenia! Gadaj pan, o co tu naprawdę chodzi. Mnóstwo tu dziwaków co lato, łącznie z ekshibicjonistami, a takich miejscowi po prostu nie znoszą. Przylał ktoś za obnażanie się, co?!

– Panie aspirant... – powiedział sanitariusz, zniesmaczony nagłym porywem agresji stróża prawa. – Jakże pan tak...

– Właśnie – zawtórował mu lekarz. – Właśnie!

– Jaki mamy dziś dzień? – zapytał słabo mężczyzna.

– Piątek.

– Data. Chodzi mi o dokładną datę.

– 15 lipca 2025 roku.

Ranny uśmiechnął się szeroko, co spowodowało natychmiastowy grymas bólu.

– Godzina?

Mareczek był już niedaleki eksplozji gniewu.

– 15.45 – dokładny czas podał Patrosz.

– To piękne, naprawdę piękne – rozczulił się nieznajomy. – Za dwie minuty w pańskim ośrodku zdrowia przyjdzie na świat chłopiec, który za trzydzieści lat da podwaliny nowoczesnej filozofii podróży czasoprzestrzennych. To chciałem zobaczyć.

Aspirant złapał kaburę z paralizatorem. W ostatniej chwili jego myśli owładnęły pozostałości trzeźwego rozumu.

– Ale tu nie ma porodówki, proszę pana – zaprotestował lekarz. – Nie przyjmujemy porodów.

Mina mężczyzny świadczyła o czym innym.

DZIESIĘĆ

Za drzwiami nastąpiło jakieś gwałtowne poruszenie. Do środka wpadła znajoma aspiranta, brunetka z rejestracji.

– Panie doktorze, jakaś pani rodzi! – krzyknęła, drżąc z przejęcia. – Szybko! Doktor Mirela prosi do swojego gabinetu!

– Co za pani?! – Patrosz gapił się wytrzeszczonymi oczami to na rejestratorkę, to na poharatanego „proroka z przyszłości".

– Turystka, panie doktorze, nieważne przecież kto, szybko! – wrzasnęła niemal i pociągnęła go za rękaw. Oboje wypadli za drzwi.

– Muszę to zobaczyć – oznajmił podróżnik w czasie i wstał. Aluminiowy koc, jak poprzednio, opadł na podłogę.

Sanitariusz zareagował pierwszy.

– E, e, e! Dokąd to? – mimo braku rękawiczek na dłoniach przytrzymał rannego i ułożył z powrotem na kozetce. – Nie ma mowy!

Policjant Tomasz Mareczek zastygł w nieopisanym szoku. Facet zadziałał na niego jak płachta na byka. Przez jego głowę przemknęło tysiąc myśli, z czego tylko nieliczne zawadziły o rozum. Chaos powywracał mu wszystkie zwoje na lewą stronę. W jednej tylko sprawie był przekonany – popadł w paranoję. Nic innego jak paranoję. Albo ten człowiek to szalbierz, jakiego Sieciowo jeszcze nie widziało. I województwo. I kraj cały.

Z trudem wyszarpał z kabury ostrą broń i przypadł do pacjenta.

– Dobra! – syknął przez zęby. – Gadaj prawdę albo zrobię z tego użytek i po tobie, zanim minie twój czas!

Na pokiereszowanej twarzy „proroka" nie zagościła nawet najmniejsza oznaka strachu.

– Nazywam się Norman Bek. Urodzę się 23 czerwca 2234 roku. W Warszawie. Z matki...

– Szlag mnie trafi! – warknął aspirant i bezceremonialnie wycelował lufę pistoletu w czoło leżącego.

– Rany! Co pan, panie aspirant!!! – Sanitariusz nie zawahał się ani sekundy. Błyskawicznym ruchem odwiódł uzbrojoną dłoń od potencjalnej ofiary zabójstwa. – Opanuj się pan!

Mareczek cofnął się o dwa kroki, opuszczając lufę ku ziemi. Nie wiedział, co się z nim dzieje. Obecność człowieka „zniewiadomoskąd" doprowadziła go do furii. Opadł z sił. Całkowicie.

– Niech pan tę flintę schowa, co? – poprosił pan Sławek. – Tak całkiem, do pokrowca.

Policjant uczynił, o co został poproszony, ale jakoś bezwiednie. Poczuł się zagubiony.

– Może pan dla mnie coś zrobić? – mężczyzna zwrócił się do sanitariusza.

– Jasne – zgoda była szybka i bezwarunkowa.

Pacjent z przyszłości dotknął ramienia pana Sławka. Ten odczuł jakieś dziwne mrowienie w całej ręce. Potem na całym ciele. Następnie przeszedł go zimny dreszcz i na moment zrobiło mu się słabo.

– Czy mógłby pan przynieść mi jakieś ubranie?

– Jasne... jasne... – odpowiedział nieco łamiącym się głosem. Po kilku sekundach siły powróciły, jakby nic się nie stało. Spojrzał na policjanta. Pozostawienie niezrównoważonego gliny z na wpół żywym kosmitą z przyszłości byłoby wielce nierozważne. Musiał zareagować.

– Panie policjancie, pan pozwoli ze mną.

Mareczek bez kłótni potraktował skierowaną do niego kwestię jak rozkaz. Nie miał najmniejszego zamiaru zostawać z tym człowiekiem sam na sam. Ktoś mógłby tej „samotności" nie przeżyć i lepiej, jeśli po prostu wyjdzie.

Wyszli, pozostawiając leżącą tajemnicę samą. Na twarzy miała coś w rodzaju drwiny, a może nawet szyderstwa...

Pierwsze

Choć minął już cały dzień od nieszczęścia, samopoczucie pikowało w dół niczym pozbawiony powietrza szybowiec. Miał do siebie pretensje o karygodny brak profesjonalizmu. Jak mógł pozostawić pacjenta samego i pójść gdziekolwiek, nie zapewniwszy mu właściwego nadzoru? Katastrofa. Dramat. Tragedia. Pacjent zmarł. Człowiek, który przedstawił im się jako gość z przyszłości, nie żyje. Nie wiedział, kim facet był naprawdę, ale intuicyjnie czuł, że to ktoś niezwykły, ktoś, kto mógł dać coś, czego potrzebowały jego czakry, dodać ciału kosmicznej energii, wprowadzić go na wyższy poziom świadomości. To jego wina, że nie dopilnował pacjenta! Właśnie jego wina...

Kiedy przyjechała karetka z Wolczyc, byli w trakcie reanimacji. Lekarz z S-ki nie był w stanie pomóc. Choć cały zespół ambulansu do tej pracy był przygotowany na najwyższym poziomie, nie dali rady...

Padmasana. Ułożył swe ciało w kwiat lotosu i miarowo oddychając, szukał odprężenia. Potrzebował spokoju. Potrzebował szybkiej harmonii czakr. Zmieniał pozycje. Wdech, wydech, wdech, wydech, spokojnie, spokojnie... Trwało to kilka godzin. Początkowo odczuwał poprawę, odprężenie, ale później stało się coś dziwnego. W miejsce spodziewanego rozluźnienia wtargnęło drżenie całego ciała. W duszy pojawiła się niepokojąca wibracja oraz niepewność. Przez krótką chwilę opanowała go trwoga. Odnosił wrażenie, że się gubi, że zapada się w jakąś niewyobrażalną nicość. Wtedy otworzył oczy. Czuł się nieswojo. Zupełnie jakby nie był sam w mieszkaniu.

Oblał go pot. Miał nieco trudności z oddychaniem. Zwykle joga pomagała mu się uspokoić. Tym razem stało się coś zupełnie odwrotnego. Nie wiedział, co to było. Pomyślał, czy aby jednak nie wszedł na jakiś nowy poziom, który okazał się dla niego zbyt trudny. Czytał kiedyś, że joga nie jest bezpieczna, ale nie wierzył w to. Przecież miliony ludzi doznawały relaksacji i odpoczynku zarówno ciała, jaki duszy. Nie wierzył do tej pory...

DZIESIĘĆ

Powróciły wyrzuty.

Pozbierał się i wyszedł z domu.

Słońce przypiekało mimo popołudniowych godzin, na ulicach snuło się co niemiara na wpół roznegliżowanych, szukających rozrywki panienek, ale nic go to nie obchodziło. Sławomir Rzecki szedł przed siebie w iście wisielczym nastroju. Zawalił i tyle.

W dodatku ten dziwny policjant. Wiedział, że jest komendantem posterunku w Sieciowie, widywał go wiele razy, ale nigdy nie miał z nim do czynienia tak bezpośrednio. Doszedł do wniosku, że należało się go bać. Narwaniec jakiś, i tyle. Gdyby nie jego własne bohaterstwo, glina wypaliłby biedakowi prosto w łeb. O, to, to... Ten aspirant. Jak on by mógł załatwić tego Normana... Beka, zdaje się, czy jakoś tak? – zastanawiał się. Przecież wyszli razem i razem wrócili do zabiegówki. Nie, nie mógłby. To nie on, na pewno. Więc kto? A może raczej – co? Właśnie. To po prostu efekt wypadku, jaki mu się przydarzył. To wszystko. Miał obrażenia wewnętrzne, których nie byli w stanie za nic w świecie stwierdzić w tutejszym ośrodku zdrowia i one właśnie wykończyły go na amen.

Nie powinien tak pochopnie osądzać policjanta. Ale z drugiej strony nie miał najmniejszych wątpliwości, że chłopu bije w dekiel. Jak ktoś tak niezrównoważony może nosić broń i pilnować porządku? Może należałoby zgłosić to komu trzeba. Niech zrobią z nim porządek, zanim ucierpi ktoś niewinny. Zastanowi się, jak ugryźć tę sprawę.

Nieopodal przystanku autobusowego wielki telebim wyświetlał reklamę sieci spożywczej sponsorującej zimową olimpiadę w Zakopanem. Jeszcze wczoraj cieszył się z tej imprezy jak małe dziecko. Zgłosił się prawie rok temu do centrum wolontariatu, później udało mu się kupić bilety na skoki narciarskie. Wszyscy liczą na to, że weteran, mistrz nad mistrze Klimek zdobędzie kolejne złoto i pieczętując supremację na świecie razem z drużyną, zakończy wiekopomną karierę, dołączając do mistrza Adama. Chciał zobaczyć to na własne oczy razem z Ilonką, ale gdyby miało się to stać dzisiaj, nie poszedłby...

Ktoś machnął mu na powitanie. Odpowiedział, nie wiedząc nawet, kto to taki. Nie przyjrzał się. Skręcił, by przejść przez ulicę i niemal wpadł pod samochód. Te przeklęte hybrydy! Jeżdżą tak cicho, że trzeba pięć razy się rozejrzeć, zanim wejdzie się na asfalt. Nawet to ich sztuczne mruczenie naśladujące pracę silników nic nie pomaga. Pod ścianą niewielkiej kamienicy stał automat z napojami. Machnął przed czytnikiem zbliżeniówką i krótką komendą zażądał schłodzonej coli. Automat wypluł butelkę, miłym głosem zapraszając do ponownego skorzystania ze swoich usług. Teraz wszystko mruczało, gadało, dziękowało i grzecznie wzywało do korzystania z usług. Jednocześnie prosiło o kartę zbliżeniową i ciągnęło nowe złotki z konta. Całe szczęście, że polska waluta ostała się w dobie kryzysu, jaki pustoszył Europę jeszcze dziesięć lat temu. Kolejne kraje strefy euro padały jak muchy, a Polska rosła w siłę. Dzięki udanym mistrzostwom w nogę w kolejnych latach do kraju ściągały coraz większe rzesze turystów, chcąc obejrzeć Kraków, Wieliczkę, Poznań, żubry w Białowieży, cud Mazur i co tam jeszcze było do obejrzenia. Co prawda nasza reprezentacja skończyła imprezę marnie, ale ojczyzna zyskała. Nawet relacje arabskiej telewizji Al Jazeera sprowadziły nad Wisłę szejkopodobnych śniadych z tysiącami petrodolarów w wypchanych kieszeniach. Zielona wyspa w Europie jeszcze bardziej się zazieleniła. W tym i takie małe Sieciowo odczuło napływ zagranicznych gości.

O dziwo, także kosmitów... albo może raczej ludzi z przyszłości, którzy wchodząc na nowy etap rozwoju, postanowili zwiedzić okolicę i niechcący popadli w tarapaty. Być może ta ewentualność budziła u co poniektórych nieposkromiony śmiech, ale on, człowiek otwarty na świat i cały kosmos, nie wykluczał niczego – także tego. Od dziecięcych lat czytał najrozmaitszą prozę, ze szczególnym upodobaniem takiej, która otwierała umysł na to, co niewidzialne. Wielu ludzi uważało, że jeśli czegoś nie widzą, to tego nie ma. A ciekawe, czy widzieli bakterie? W pewnych szczególnych periodykach czytał o amerykańskim projekcie „Pegasus", który zajmował się możliwością podróży w czasie, więc kto wie?

Sławek miał krótki dyżur nad wodą za Wojtka, któremu przydarzyło się coś, jak to chłopak określił: „niepospolicie pilnego do załatwienia". Posiedzi na wieży, popatrzy na pływających ludzi, może nieco odsapnie po doznaniach dzisiejszego „niepospolicie beznadziejnego" dnia.

DZIESIĘĆ

* * *

Aspirant Mareczek czuł się mocno nieswój. Od incydentu z Normanem Bekiem, czy jak mu tam naprawdę było, minęło już nieco, ale rozchwiane emocje nadal dręczyły kołaczące w bezładzie serce. Ręce trzęsły mu się na samo wspomnienie, że mógł zastrzelić gościa z własnego, służbowego pistoletu. Koszmar. Niewątpliwy i przerażający koszmar. Kim był ten człowiek, nie miał zielonego pojęcia, ale przekonanie, że jawił się kimś niezwykłym, wniknęło w głąb duszy na samo jej dno, by utkwić tam chyba na dobre. Coś było nie tak. Co? Nie miał pojęcia. Wiedział jednak, że podczas tych kilkunastu minut, jakie spędził w jego towarzystwie, stało się coś nieprzewidywalnego, coś strasznego – całkowicie stracił panowanie nad sobą. Nigdy nic podobnego dotąd go nie naszło. Złość, gniew, nerwica, może nawet nienawiść. I agresja. Gdyby coś takiego zdiagnozowano u niego w szkole policyjnej albo chociażby na badaniach okresowych, dalsza kariera w szeregach policji niechybnie by przepadła.

Wrócił do domu. Pusto. Na szczęście był sam. Żona na drugiej zmianie w pracy. Jako wiceszefowa domu wczasowego nad Sieciówką, co drugi tydzień odrabiała popołudniówkę i wracała do domu niemal przed północą. Miał wtedy więcej wolnego czasu. Najczęściej grał w swoje ulubione gry, a żona nie dudrała mu nad uchem, że ją zaniedbuje. Musiał jakoś odreagować stres w pracy, a wirtualna rzeczywistość nadawała się do tego znakomicie. Mógł robić to i tamto, i nikomu nic do tego. To jeździł szybkim samochodem, rozbijając się z pięć razy i więcej, to wspinał się na pionowe skały i spadał w dół, to zaś strzelał na wojnie do wszystkiego, co się rusza. Tam miał prawo być na wskroś agresywny, wściekły i rozpalony do białości. W prawdziwym życiu absolutnie. Nigdy nawet nie śmiał podnieść głosu. A tam, przy tym kimś... z przyszłości...?! Absurd!

Wpakował się w łazience pod deszczownicę i puścił zimną wodę. Da sobie schłodzić przegrzane procesory. Niewykluczone, że właśnie tego potrzebował najbardziej: otrzeźwienia. Lodowata woda szybko zmroziła krew w żyłach. Od razu przypomniało mu się coś, co powinien zrobić już dawno. Wyskoczył z kabiny i tylko owinął się ręcznikiem. Wpadł do salonu.

– Komputer! – krzyknął niemal i zakręcił się tam i z powrotem w poszukiwaniu służbowego tabletu. Znalazł go i nerwowo uruchomił. Komputer wyświetlił obraz na ekranie rozciągniętym w salonie na jego głównej ścianie – centrum wszystkich domowych multimediów. Szybko sparował tablet z komputerem i połączył się z policyjną bazą danych. Podał odpowiednie hasło i baza otworzyła przed nim swe przepastne podwoje. Teraz mógł się upewnić, kim był albo nie był Norman Bek. System wyświetlił pytanie, czego od niego oczekuje. Kilkoma gestami uruchomił właściwą kartotekę.

– Norman Bek – powiedział, głośno literując imię i nazwisko delikwenta.

Baza przejrzała swoje dane, ale nikogo o podanym imieniu i nazwisku nie znalazła.

– Okej – powiedział do siebie z satysfakcją.

Przerzucił wizualizacje denata z tabletu do systemu – jego zdjęcie i odciski palców. To było to, co w natłoku wydarzeń tak beznadziejnie przegapił. Teraz musiał poczekać nieco dłużej. Baza sprawdzi wszelkie dostępne zasoby... Zaśmiał się pewny swego. Wziął smartfon i podał nazwisko abonenta. Po trzech sygnałach odezwał się znajomy głos.

– Cześć, Krzyś. I jak sekcja? – zapytał.

✳ ✳ ✳

Ratownik Sławek wspierał się o barierkę wieży, nie mogąc usiedzieć na plastikowym krzesełku, które mimo miękkiej poduszki, boleśnie uwierało go w tylną część ciała. Gapił się na rozłożonych wokół plażowiczów, którzy mimo popołudniowych godzin otaczali jego ratowniczy punkt widokowy w znacznej liczbie. Bez trudu odróżniał starych i świeżych urlopowiczów po jakości i natężeniu opalenizny. Ci przynajmniej parodniowi zbrązowieli na mahoń, a blade brzuchy innych zdradzały, że są tu co najwyżej od wczoraj.

Ratownik Sławek nawet lubił tę robotę. Mógł pooglądać do woli piękno damskich kształtów i w dodatku za to mu płacono. Etat sanitariusza-kierowcy miał od niedawna, od kiedy urząd ufundował ambulans, i nudził się tam niemożebnie, szukając sobie jakichś zajęć pomiędzy wyjazdami z chorymi po szczegółową diagnostykę w Wolczycach albo jeszcze dalej, w szpitalu wojewódzkim.

DZIESIĘĆ

Wszystko to dzięki pakietom dodatkowych ubezpieczeń, które od kilku lat stały się hitem rynku usług medycznych i ludzie zaczęli z nich korzystać w większym, zapewniającym mu pracę stopniu. W Sieciowie na razie w umiarkowanie większym, ale na karetkę pieniądze się znalazły.

Stał tak i gapił się. W jego umyśle krążyła ciągle ta sama myśl: umarł człowiek. Jeśli z powodu niewyjaśnionych dotąd okoliczności jego śmierci, w sprawę wmiesza się prokurator, będzie tragedia do kwadratu. Ratownik dumał przez moment nad pewnym rozwiązaniem, ale właściwy wniosek nie nastręczał wielu kłopotów. Porzucenie Sieciowa i natychmiastowa wyprowadzka mijałaby się z celem, a rezultat nieprzemyślanego manewru z całą pewnością przyniósłby opłakane skutki. Wszelkie hipotetyczne podejrzenia skupiłby na sobie i kiedy dopadłby go wymiar sprawiedliwości, trudno byłoby cokolwiek wytłumaczyć. A dopadłby bez dwóch zdań. Wtedy koszmar stałby się nie do zniesienia.

Otrząsnął się. Przez moment widział się w roli podejrzanego, a przecież nie mógł sobie nic zarzucić. Chyba nie mógł. W końcu to prokurator zna się na prawie lepiej i wyniuchawszy jakiś wątpliwy kawałek historii o znalezionym na Malinówce kosmicie albo raczej podróżniku w czasie, zada cios jakimś skomplikowanym, wielopunktowym paragrafem.

Wzdrygnął się. Jak się to mogło stać?! Trzeba było od razu dzwonić po karetkę do Wolczyc i nie transportować nieszczęśnika do przychodni. Wszystko spadłoby na załogę S-ki, gdyby zszedł w ich wozie. Pewnie ranny miał obrażenia wewnętrzne i dobili go zarówno noszeniem, jak i jazdą.

Otrząsnął się raz jeszcze. Na myśl przyszła mu ta chwila, w której nieboszczyk ujął go za rękę. No, wtedy nieboszczykiem jeszcze nie był, ale tak jakby już nim prawie zostawał... To uczucie przeszyło całe ciało sanitariusza Sławka czymś w rodzaju grozy. Wtedy nazwałby to dreszczami, czy czymś w tym rodzaju, ale z pewnością był w tym ukryty strach. Dlaczego? Dlatego, że śmierć zaglądała rannemu w oczy, dotknęła pokiereszowanego ciała i przeszła przez niego niczym elektryczny prąd przez przewodnik? A może tamten chciał w ostatniej chwili obdarzyć go jakąś kosmiczną energią albo wizją z przyszłości? Cokolwiek to było, nie poczuł się dobrze. Mógłby rzec, że poczuł się kiepsko. Wtedy uczucie słabości minęło raz dwa. Teraz wróciło wspomnienie o nim i coś w rodzaju zgagi, która paliła nie tyle przełyk, co duszę.

Kim był ten dziwny człowiek? Wierzył, że latający talerz runął do Sieciówki bez dwóch zdań. Ilonka twierdziła, że widziała to na własne oczy i nie śmiał podważać jej zdania w żadnym szczególe. Widziała stalowoszary spodek i kłęby czarnego dymu. Maszyna zatonęła w jeziorze, wzbudzając niemałe tsunami. Od kolegów z plaży słyszał o tym samym. Z miejsca, w jakim pracowali, zobaczyć widowiska nie mogli, gdyż zasłaniał je cypel ze wzgórzem porośniętym wielkimi iglakami. Słyszeli za to huk, a potem wzywanie pomocy przez radio i gorączkowe nawoływanie się ratowników z przystani. Świadków było co niemiara. Jeśli trzeba będzie ich przesłuchać, wystarczy na obdzielenie kilku sądów...

Czy nieboszczyk pochodził z latającego talerza? Miał przeczucie, że tak. A czym był ów talerz? Z pewnością czymś niezwykłym, ponieważ współcześnie – przynajmniej oficjalnie – ludzkość nie dysponowała taką technologią.

Zastanowił się.

Oficjalnie... oficjalnie... oficjalnie?

No właśnie. A może jednak ktoś posiada coś takiego, tylko zwyczajnie się tym nie chwali. Wojsko na przykład. Oni nigdy nie afiszują się czymś, czego nie wprowadzą do użytku na taką skalę, by nie można było już tego dłużej ukrywać. Albo chwalą się, by zastraszyć. Robią to jednak wyłącznie wtedy, gdy nowa technologia jest wypróbowana i gotowa do działań bojowych. Taki latający spodek mógłby mieć jakiś niedopracowany, eksperymentalny rodzaj napędu, który sprawia, że spodki spadają do Sieciówki...

Była jednak jeszcze inna strona tej sprawy. Nieboszczyk miał dar przewidywania przyszłości... Nie, nie, nie. To nie to. On po prostu wiedział, co się za chwilę stanie. Założył, że w ośrodku będzie rodziła jakaś kobieta, choć do tej pory nigdy się to jeszcze nie zdarzyło. Prawdopodobieństwo przewidzenia takiego zdarzenia praktycznie równe zeru. A jednak! On wiedział! Nieprawdopodobne, a prawdziwe. I jak możliwe? Chyba tylko jedna opcja wchodziła w grę i to ta przedstawiona przez nieboszczyka.

DZIESIĘĆ

Ratownik pobębnił palcami po metalowej rurce, o jaką był oparty. Odgłos wydany przez rzeczoną rurkę wskazywał właśnie na to, że istotnie była rurką. Pustka w jej środku przywiodła zaś na myśl rzecz, która nagle jawiła się niezwykle istotną: miał kiedyś walizkę z fałszywym dnem. Otóż to – fałszywe dno! W całej tej sprawie istniało jakieś fałszywe dno, a właściwie nie o samo dno szło, a o to, co ono kryło... Nagle przyszło na niego niewytłumaczalne poczucie jakiegoś spisku, który wisiał w powietrzu niczym morowe powietrze, niosące niechybną zagładę. Obleciał go strach. Zaraz potem coś zupełnie innego: poczuł wszechogarniający wstręt do ludzi, rzeczy, do wszystkich i wszystkiego!

Rozejrzał się wokół swojej wartowniczej wieży. Wszędzie pełno ludzi, którzy w jego oczach stopniowo poczęli się zmieniać, przepoczwarzać, sprawiając wrażenie potworów o obślizgłej skórze i nadętych paszczach. Zamiast rozmów usłyszał charczenie i bulgotanie. Kim byli, nie miał pojęcia, ale wiedział, że nie chce mieć z nimi nic do czynienia. Nigdy! Przerażali go i wzbudzali odrazę.

Popatrzył na jezioro. Dlaczego było krwawoczerwone? Nie miał pojęcia. Gdzieś niedaleko ta krwawa ciecz pieniła się jak zagotowana zupa. Pomiędzy wypryskującymi w górę bąblami co rusz pojawiały się jakieś odnóża, dziwnie się wykrzywiając, jakby uczestniczyły w dzikim tańcu.

Niespodziewanie zatrzęsła się ziemia. Przytrzymał się rurki i trzęsienie się powtórzyło. Do uszu ratownika Sławka dobiegło coś, co mogło być krzykiem, wrzaskiem nawet. Rzucił przelotnie spojrzenie w dół wieży, by sprawdzić, czy grunt utrzyma jego warownię i wtedy dotarł do niego powód tych dziwnych doznań. Pod ratowniczą wieżyczką stała jakaś kobieta i trzęsła nią, ile miała sił, wniebogłosy się przy tym wydzierając. Po chwili zrozumiał zlepek głosek, które złożyły się w wyrazy:

– Czło...wiek to...nie!!!

Jego wzrok powędrował za wskazaniem ręki krzyczącej kobiety. W rzeczy samej – pieniste bąble kryły w sobie chaotycznie rozrzucane ramiona. Nie ulegało wątpliwości, że ktoś tonie! Ratownik WOPR Sławomir Rzecki uśmiechnął się i nie był to miły uśmiech.

– Niech tonie... – cicho syknął przez zęby. – Niech gadzina tonie...

* * *

Mareczek siedział nieruchomo na kanapie dobrych parę minut i niemal nie oddychał. Wszystko, co usłyszał na temat sekcji zwłok podejrzanego o niebycie Normanem Bekiem wprawiło go w osłupienie... Od znajomego patologa, którego poprosił o wykonanie badania, dowiedział się trzech istotnych faktów. Po pierwsze: w ranach pod skórą tkwiły odłamki kory. Po drugie: na plecach, tuż poniżej karku denat posiadał wytatuowane dwie duże litery – N oraz B. I po trzecie: na ramieniu nie stwierdzono najmniejszych nawet cyfr. Przyczyna śmierci po wstępnym badaniu pozostawała nieznana. Należało poddać go dokładniejszym badaniom oraz poczekać na wyniki toksykologiczne.

Aspirant kombinował z niemałym trudem. NB... N oraz B rzecz jasna składało się na Normana Beka, co sprawiło, że tak rozpoczynając nowy etap własnego dochodzenia, nie mógł mieć dobrego nastroju. Obrażenia... Na myśl przyszła mu karkołomna opcja – gość wyskoczył z lecącej nad lasem maszyny i spadł na drzewo. Cudem niczego sobie nie złamał, przeżył, ale jak widać nie na długo. Jeśli w ogóle w tym, co twierdził, tkwiła choć krztyna prawdy...

Mareczek wzdrygnął się. Tok myślenia, jaki nim zawładnął, budził grozę. Oznaczał, że mimo wątpliwości przyjął wersję „Normana Beka" za prawdziwą i podążył jego krętą ścieżką. Jako policjant nie miał doświadczenia w prowadzeniu skomplikowanych śledztw. Charakter pracy posterunku w ogóle nie przewidywał działań operacyjno-kryminalnych. Na co dzień zajmował się porządkiem w mieścinie, drobnymi wykroczeniami, zakłóceniami ciszy nocnej przez balujących turystów oraz mandatami za niewłaściwe parkowanie. Gdyby pracował w pionie kryminalnym, zapewne w naturalny, ale jednocześnie zdystansowany sposób wniknąłby w mentalność ofiary, czy też przestępcy, by lepiej zrozumieć mechanizm przestępstwa. Z tym, z czym przyszło mu się zmierzyć, wyraźnie sobie nie radził. Miał wrażenie, że pod płaszczyzną pozorów kryje się coś jeszcze, czego nie był na razie w stanie ogarnąć...

Wreszcie komputer wyświetlił rezultat poszukiwań osoby odpowiadającej wprowadzonemu do kartoteki zdjęciu oraz odciskom palców. Aspirant Mareczek z wrażenia zrobił wielkie, okrągłe oczy.

DZIESIĘĆ

* * *

Świst powietrza wydobywającego się spod maseczki wreszcie przestał budzić przerażenie. Powróciła zarówno akcja serca, a jak i oddech. Zgromadzeni wokół gapie głośno odetchnęli z ulgą. Młoda, dość ładna dziewczyna otworzyła oczy i półprzytomnie powiodła wzrokiem po tłoczących się w pobliżu ludziach.

Ratownik Sławek ciężko westchnął, gdy wtem oberwał czymś po głowie. Już miał zamiar rzucić się z impetem na napastnika, który właśnie przyłożył mu po raz drugi, gdy zorientował się, że atakującym jest starsza pani, zapewne po sześćdziesiątce, a bronią – przeciwsłoneczny parasol. Kobieta – na pierwszy rzut oka szacowna dama – darła się wniebogłosy, wszem i wobec oznajmiając, jaki z niego ratownik i czego przed momentem się dopuścił! Wydawało mu się, że właśnie uratował młodej panience życie, ale popadła w jakąś nikczemną furię kobieta twierdziła, że jego pierwsza reakcja na wzywanie pomocy okazała się zgoła odmienna: stał jak słup soli i gapił się przed siebie z zimnym uśmieszkiem na cynicznej gębie! Kiedy zaczął się bronić przeciw tak bezpodstawnym oskarżeniom, starsza, jednak mało szacowna pani nieoczekiwanie znalazła przynajmniej kilkunastu zwolenników.

Co było robić?

Myślał szybko i bezładnie, co począć i przyszło mu do głowy tylko jedno rozwiązanie: musiał przeprosić! Zrobił to bezzwłocznie w wielu zdaniach i na różne sposoby. Bezwarunkowo musiał zrobić to skutecznie. Na tyle skutecznie, by całe to zamieszanie nie trafiło do pracodawcy. Wtedy mogłoby dojść do afery. Chwilę się zastanowił. Sprawa nie mogła dotrzeć nie tylko tam. Gdyby o tak poważnym zaniedbaniu dowiedział się jakiś prokurator...

* * *

Aspirant Tomasz Mareczek siedział za swoim biurkiem i kołysał się na fotelu.

– Co ty gadasz? – stwierdził bardziej, niż zapytał sierżant Mirosław Dolina. – Taki cwaniak i tak się urządził...?

Mareczek znacząco marszczył brwi. Oznaczało to nic innego jak niepodważalny triumf. Czuł się jak zwycięzca. Był zwycięzcą! Przeprowadził błyskawiczne dochodzenie i odkrył prawdę.

W czasach szkolnych uwielbiał historie o ludziach, którzy na co dzień żyli jak większość zwykłych obywateli, by nagle, kiedy wymagały tego okoliczności, przeistaczać się w niezwykłych bohaterów ratujących świat. Podziwiał dzieje Supermana, Batmana i Spidermana. Teraz on sam został „Superkimśtam", choć z braku audytorium podziwiać musiał siebie sam. I może jeszcze Dolina. I żona, jeśli jej powie.

– Norbert Bal, oszust. Zakład karny opuścił ledwo tydzień temu. – Sierżant pokiwał głową z uznaniem. – I sam żeś go wynalazł... No... szacuuun!

Aspirant spojrzał z ukosa na sierżanta – swojego zastępcę i szkolnego kolegę. Znali się prawie trzydzieści lat. Kiedyś ganiali po okolicznych lasach, chadzali nad jezioro, potem wspólnie podrywali dziewczyny. Teraz, wraz z trzema posterunkowymi stanowili obsadę „komendy" policji w Sieciowie. Pracowało im się niezgorzej, choć z racji starej znajomości sierżant Dolina, a właściwie Mirek nie przywiązywał żadnej wagi do ogólnie przyjętych w służbach mundurowych zasad. Mareczek był dla niego Tomeczkiem albo jeszcze lepiej – szeryfem – i nic nie mogło tego podważyć. Będąc dowódcą, powinien reagować, ale jako kolega nie widział sensu. Reprymendami, nieistotne jak bardzo usankcjonowanymi regulaminami, nie był mocen niczego zmienić. Mirek taki już był i koniec. Wad posiadał oczywiście znacznie więcej. Na ten przykład bał się samochodu. Niekoniecznie panicznie, ale na tyle skutecznie, by nie siadać z przodu, o miejscu kierowcy nie wspominając. To dla niego właśnie stworzono tylne kanapy i tam się usadawiał, jeśli w ogóle był zmuszony dać się zamknąć w klatce na kółkach, jak mawiał o autach. Z powodu tej awersji nie posiadał prawa jazdy, a gdzie nie był w stanie dojść na piechotę, jeździł rowerem. Miał ich zresztą kilka i każdy służył do innych, wyjątkowych zadań. Mareczek widział je wszystkie, w większości stare rupiecie, o każdym wysłuchał, co należało wysłuchać, ale i tak nie pamiętał, który do czego się nadawał. Wystarczało, że na tym znał się Mirek.

– Ty, a powiedz, co to on niby w tym ośrodku powiedział... – Dolina pomachał kartką z dossier przestępcy. – Ponoć gadał, że przybył z przyszłości, czy coś...

– Taaa. W spodku.

DZIESIĘĆ

– A ty wiesz, że z tym spodkiem to prawda? Ze dwadzieścia telefonów odebrałem albo lepiej, ze czterdzieści. Ludzie byli jak nakręceni i co do jednego nawijali to samo.

Aspirant spojrzał z niedowierzaniem na kolegę.

– I co? Uwierzyłeś? – zapytał z przekąsem.

– Według mnie to nie kwestia wiary, ale faktów. Świadków od groma i nie ma jak ich zeznań podważyć. Tyle.

Mareczek przymrużył oczy, co miało oznaczać: „Uwaga, zaraz kopnę!".

– No i słyszałem, że ten – rzucił okiem na kartkę – Norbert Bal, oszust, przepowiedział przyjście na świat jakiegoś ekstradzieciaka. Prorok? Anioł? Czy gość z przyszłości?

Aspirant powolnym, wyważonym ruchem sięgnął ręką po przedmiot, którego nie musiał specjalnie szukać i położył go na biurku.

– Jeszcze jedno słowo na jego temat... – syknął przez zęby.

Sierżant średnio wyważonym spojrzeniem zerknął na blat biurka, a potem na swojego przełożonego.

– O, kurde! – powiedział trochę niewyraźnie.

Szeryf wyjął pistolet.

✷ ✷ ✷

Sławomir Rzecki miał ostatnich zdarzeń powyżej uszu. I czubka głowy również. Wszystko, co się działo, to znaczy od momentu znalezienia rannego człowieka na Malinówce, przerastało topniejące z każdą minutą siły. Za nic nie potrafił wytłumaczyć sobie, a tym bardziej komuś, co rozegrało się na plaży. Dowiedział się, że mimo wołań o ratunek okazał się niewzruszonym gnojkiem. Dopiero gwałtowna interwencja starszej pani, która zatrzęsła wieżą ratowniczą w samych jej posadach, zmusiła go do podjęcia służbowych powinności. Nie chciał w to wierzyć. Od kiedy został ratownikiem, jego działaniom zawdzięczało życie jakieś... osiem osób. Ratował ludzi w każdych warunkach, także podczas sztormu na Sieciówce. Jakby mógł zignorować czyjeś wołanie o pomoc? No jak?

Miał dość! Rano zadzwonił do szefowej w ośrodku zdrowia, że potrzebuje dwa dni wolnego. To samo uzyskał u kierownika zarządzającego plażą. Zajmie się sobą, odpręży i pozbiera do kupy.

Godzinę spędził w pozycji Baddha Konasana. Oddychał, szukał połączenia z kosmiczną energią. Usiłował odnaleźć spokój duszy. Zrelaksował się. Przynajmniej tak mu się wydawało. Później stanął przed lustrem, naprężył mięśnie i okręcił się wokół własnej osi. Mięśnie. Miał ich sporo i w znakomitej większości były dobrze utrzymane. W piwnicy trzymał sztangi, hantle, ławeczkę i stojak. Oprócz tego rowerek stacjonarny. Ćwiczył regularnie od kilku lat, korzystając z profesjonalnych poradników i rad osobistych trenerów.

Także do tego miał lustro.

– Lustereczko, powiedz przecie, kto jest najpiękniejszy w świecie? – powiedział, ukazując przy tym nieco krzywy zgryz. Hasło zadziałało.

– Zalecam ćwiczenia ogólnorozwojowe, a potem podreperowanie tricepsa. Drukuję zestaw ćwiczeń – orzekło autorytatywnie lustro.

– Dzięki – powiedział, udając wdzięczność, po czym wyjął z domowej drukarki harmonogram ćwiczeń. Zerknął na niego byle jak i cisnął kartkę do recyklinarki, by ta wyczyściła ją i przygotowała do kolejnego użycia. Znał schematy treningowe więcej niż dobrze. Nie musiał ich czytać. Wystarczało dobre słowo lustra, które miało określić jego formę i nieco skorygować niedoskonałości.

Na jednej nodze skoczył do piwnicy, pozginał ciało, wyprostował, napiął, co należało napiąć. Nadzieja, że poczuje się nieco raźniej, nie ziściła się. Stawił się jeszcze raz przed lustrem, ale tym razem nie miał zamiaru o nic pytać. Chciał przyjrzeć się sobie bez żadnego komentarza. Od kiedy rozpoczął wytężoną pracę nad wyglądem, moc przyciągania damskich spojrzeń znacznie wzrosła. Dawno temu, kiedy zasiadał w szkolnych ławach, był mało przystojnym chuchrem. Dziewczyny nie interesowały się nim na tyle, na ile zasługiwał. Ich uwagę przyciągali ci wysocy, dobrze zbudowani, nowocześnie ubrani i ostrzyżeni. Intelekt schodził na plan dalszy, nie mówiąc już o wrażliwości na piękno czy zainteresowanie poezją. Prowadzone przez niego bogate życie wewnętrzne nie przebijało się przez zbyt ciasno naciągniętą na ciało skórę. Był skryty i nie potrafił uzewnętrzniać się przed innymi. Właściwie nawet tego nie chciał.

Od tamtej pory wiele się zmieniło. Z mało atrakcyjnego młodziana wyrósł na herosa. Wygląd, jaki osiągnął ciężką, wytężoną do

DZIESIĘĆ

granic wytrzymałości pracą, budził respekt. Od dawna nie zdarzyło mu się, by ktokolwiek szukał z nim konfrontacji. Nawet wtedy, gdy podpici turyści na jednej z dyskotek wdali się w bójkę, samą swoją obecnością rozpędził ich po kątach. Był kimś. Co do tego nie miał wątpliwości. Zasługiwał na szacunek i wśród wrażliwych na piękno męskiej muskulatury zdobywał go bez trudu. Nieco inaczej miała się sprawa z podbojem damskich serc. Tu miewał kłopoty, które powodowały niestrawności. Drażniła go obojętność kobiet, które znajdowały się w najbliższym otoczeniu – na przykład w pracy. Wybitnie kąsała go znieczulica Bernatki. Była kobietą, więc nadrzędną wartością powinna być dla niej kobiecość i właściwe reakcje na jego męskie walory. A starał się, starał... Nie miał zamiaru jej podrywać ani tym bardziej zdobywać, ale chciał być zauważany i doceniany. Inne panie w ośrodku zdrowia traktowały go nieco lepiej. Nieraz słyszał miłe uwagi dotyczące całokształtu własnej sylwetki. Od konserwatora dowiedział się nawet, że rejestratorki wymieniały się poglądami na temat jego pośladków i były to opinie nad wyraz pochlebne. Bernatka była za to oschła, a momentami nawet obcesowa. Kiedyś spytał ją o coś, by dać wyraz swojego zainteresowania jej życiem, ale zbyła go i niemiło ofuknęła.

Oczywiście nie ponosił samych klęsk. Zdarzały się i takie dziewczęta, które jako płeć piękna i słabawa, znajdowały w jego ramionach pewność oraz wsparcie. Takim dawał bezpieczeństwo oraz zadowolenie, jakiego tylko sobie życzyły. Dla nich dbał o siebie, pielęgnował i ćwiczył. Dla nich wyglądał coraz lepiej.

Dlaczego nie ceniła go Bernatka? Nie miał bladego pojęcia. Nie brakowało mu niczego, co w kobietach wzbudzało pragnienie, a nawet pożądliwość. To wiedział bez dwóch zdań. Był przystojny, dobrze zbudowany oraz inteligentny. Powinna go docenić i okazać uznanie, jakiego bez wątpienia był godzien.

Stał przed lustrem i patrzył na siebie. Coś może jednak należało zmienić? Ale co? Co by to mogło być? Rozebrał się do naga. Naprężył wszystkie muskuły, przybrał srogi wyraz twarzy, po czym uśmiechnął się miło.

Nagle i zupełnie niespodziewanie jego ciało ogarnęła słabość. Od stóp po sam czubek głowy przeszył go zimny dreszcz. Od paru dni panowały upały, nie mógł więc to być dreszcz spowodowany zimnem, nawet jeśli nic na sobie nie miał. Nogi ugięły się pod nim. Zaraz potem ręce zdały się niemożliwie ciężkie i ciągnęły ku podłodze nadwyrężone barki.

Wystraszył się. Przez krótką chwilę stanęło przed nim wyobrażenie nadchodzącej śmierci, po czym dolegliwości minęły. Rzucił okiem na odbitą w lustrze twarz. Zdała mu się dziwna, nieco wykrzywiona, ale należała do niego. Co to takiego? Jakaś choroba? W tym grymasie mógł rozpoznać nutkę irytacji. Może nawet złości. Co prawda denerwował się na wspomnienie koleżanki z pracy, ale żeby aż tak? Wymuskana, ozdobiona wymyślnym wzorem zarostu twarz nie spodobała mu się. Była taka obca... jakby... agresywna. Chciał zmienić jej wyraz, ale nie udało się. Zobaczył w niej nie tylko złość, ale wzbierający gniew.

– Coś należy zmienić! – warknął sam do siebie.

Powoli okręcił się na pięcie, nie spuszczając z siebie oka. Natychmiast przyszło mu do głowy, że trzeba dążyć do doskonałości. Wyszczerzył zęby. Tak! Musi poprawić zgryz. To na początek. Uśmiech nie może budzić żadnych złych skojarzeń. Uśmiech to wizytówka, która w ciągu kilku pierwszych sekund znajomości pozostaje w podświadomości umysłu już na zawsze.

Zbliżył się do tafli lustra. Oczywiście. Krzaczaste brwi. Z tym także należało coś począć. Wydepiluje i będzie super. Kiedy gładził rozczochrane w nieładzie brwi, uwagę przykuły dłonie. Kobiety zwracają uwagę na dłonie. Co prawda nie miał ani wielkich, ani małych, ale nie w tym rzecz. Powinny być zadbane, wypielęgnowane. Pójdzie do specjalistki i wykona profesjonalny manikiur. Od razu rzucił spojrzenie na stopy. I pedikiur. Im też się należało. Wzrok powędrował po nogach. W lustrze widział je lepiej i nie był w stanie podważyć faktu, że nogi miał krzywe. Może nie nadzwyczaj krzywe, ale jednak. Z tym coś uczynić... raczej nic się nie dało. A kobiety patrzą także na to, co powyżej nóg. Znał ćwiczenia na poprawę wyglądu łydek, ud i pośladków. Poćwiczy nieco i niech przykuwa uwagę to, co najpiękniejsze! Trzeba tylko umieć zaznaczyć i eksponować walory, a braki skrzętnie zatuszować. Ważne, by nie zatracić w ciele właściwych proporcji. Nieproporcjonalni ludzie budzą śmiech. Na pewno nie podziw, na którym zależy większości ćwiczących to czy tamto, a kulturystom to już że ho, ho!

DZIESIĘĆ

Wady. Czy miał jakieś wady...? Być może. Gdyby tak udać się do kogoś, kto jest w stanie ocenić Sławomira Rzeckiego bez uprzedzeń, w pełni obiektywnie, a potem jeszcze pomóc. Potrzebował kogoś takiego... Potrzebował pomocy, by być doskonałym, by robić wrażenie, by to wrażenie powalało z nóg. Także pielęgniarkę Bernatkę! Może nawet przede wszystkim Bernatkę, bo jeśli zachwyt jego osobą stanie się i jej udziałem, zdobędzie każdą kobietę. Chciał się uśmiechnąć, ale odbita w zwierciadle mina sugerowała raczej zaciekłość i wzbierającą wrogość. Przez moment usiłował bezskutecznie zwalczyć ten wyraz twarzy. By się uspokoić potrzebował akceptacji. Nie, nie tylko akceptacji – pragnął estymy, czci i adoracji. Jeśli się postara, zdobędzie wszystko, co konieczne, by to osiągnąć. Wtedy będzie ubóstwiany. Wtedy będzie szczęśliwy!

Zasiadł do Svastikasany.

W tym momencie zemdlał.

Mareczek wysłał sierżanta Dolinę w teren, spokojnie zasiadł za biurkiem i nakazał wyszukiwarce systemowej odnaleźć znaczenie hasła „jasnowidzenie". Ekspresowo przeczytał definicję. Wszystko palcem na wodzie pisane. Żadnych naukowych dowodów na istnienie takiego zjawiska. Z drugiej strony amerykańskie wojsko od lat prowadziło badania nad możliwością wykorzystania jasnowidzów do zadań militarnych. He! Pomyślał, że znów nie jest w stanie nic z tego ogarnąć. Nie ma, a jednak jest?! Super! Rzucił na biurko długopis. Odpowiedziało mu zbolałe „Ała!". Popatrzył na pisadło z lekkim niedowierzaniem. Czyżby? Czyżby było aż tak źle? Powiedział, że go zabolało i musiała to być prawda... Wczorajszego popołudnia kupił ten model, ponieważ reaguje na nerwowe zachowania właściciela. Kiedy rozmawiał z sierżantem, długopis trząsł się ze strachu w kieszeni mundurowej koszuli. Czuł to doskonale. Sprzedawca podczas prezentacji tłumaczył, że sensory reagują na tembr głosu, ciśnienie oraz sposób oddychania, a porównując je z próbkami spokojnego właściciela, są w stanie wykryć niepokojące zmiany. Rzut na biurko przedmiot odczytał jako akt agresji i natychmiast zareagował głośnym upomnieniem.

– Niezła jazda... – bąknął pod nosem aspirant. Pogładził pisak palcem – delikatnie, z namaszczeniem i zapytał:

– Czy naprawdę można coś... „jasnowidzieć"?

Długopis nie odpowiedział. Być może tak, jak jasnowidzący używał percepcji pozazmysłowej, a on, zwykły człowiek nie odbierał tych tajemnych fal. Cóż, sprawa Norberta Bala mogła kryć drugie dno. Być może ten facet skrywał jakąś tajemnicę, której nikt już nie odkryje. Był oszustem. Za przestępstwa trafił do więzienia, ale inspiracją do kryminalnej kariery mogły być jego ukryte, parapsychologiczne zdolności... Kto wie? Mało to dziwaków chodzi po świecie?

* * *

Ratownik potrzebował ratunku. Sanitariusz – sanitarki.

Sławomir ratownik i Sławomir sanitariusz ledwo pozbierali się z podłogi. Nie potrzebowali wiele czasu, by zorientować się, że są zupełnie nadzy. Obaj. Nie mieli tylko pojęcia – dlaczego.

Po jakiejś chwili Rzecki usiadł i poczuł mdłości. Dopadła go jakaś schiza, czy coś... Miał niewymownie dość całokształtu – siebie, świata, roboty i jeszcze raz siebie.

Siedział i zastanawiał się, co robił wczoraj. Pił? Ile? Z kim? I gdzie ona jest? Dlaczego nie spał w łóżku, tylko leżał na podłodze przed lustrem?

Bolała go głowa. Nic nie pamiętał. „Nic" to może przesada. Wiedział, że nie chciał iść do pracy, by odpocząć od wszystkiego, ale z tym odpoczywaniem najwyraźniej przeholował. Nieźle musiał zabalować, skoro było mu teraz tak niedobrze. W tych lokalach dla turystów podawali mnóstwo chemicznego dziadostwa, które dawało kopa, ale było niebezpieczne dla zdrowia i życia. Niewykluczone, że poznał jakąś panienkę, ta zakręciła mu w głowie i skończyli u niego, dała mu coś do wypicia, po czym stracił się na dobre i na złe...

Podniósł się na tyle, by przemieścić się w stronę łazienki. Potrzebował zimnego prysznica. Spłucze z siebie poprzedni dzień i jakoś dojdzie do siebie. W przelocie zobaczył swoje odbicie w lustrze – mizerne, godne pożałowania.

Doczłapał do łazienki, gdzie zimna woda spadła na niego niczym grad. Bolało go całe „ja". Wspomnienie o martwym pacjencie wróciło i obiło stłamszone sumienie. Natychmiast powziął solidne

DZIESIĘĆ

postanowienie. Pójdzie wyznać swoje winy. Nie w internecie, osobiście! W świątyni nie był od dawien dawna, ale pamiętał, że za kilka zdrowasiek można tam było kupić parodniową ulgę dla duszy. Jeśli trafi na porządnego kapłana, odpuści mu na dłużej.

Zebrał się w sobie, potem wciągnął na siebie coś świeżego prosto z szafy i wypuścił się na miasto. Niedaleko domu znajdował się przystanek autobusowy. Na sporych rozmiarów wyświetlaczu widniała data. Stanął i patrzył na nią dobrą chwilę. Przetarł oczy i zmrużył powieki. Gorące powietrze falowało, nieco rozmywając litery oraz cyfry. Pomyślał, że to niemożliwe. Umysł – choć zdezelowany i jakby pobity – przypomniał mu, jakiego dnia poprosił o wolne w pracy. Samopoczucie tłumaczyło jedno, a fakty co innego.

– To niemożliwe... – jęknął na tyle głośno, że jakiś przechodzień zwrócił na niego uwagę.

Potrzebował nieco czasu, by dotarły do niego te informacje, których niezbędnie potrzebował do skojarzenia faktów i wyciągnięcia wniosków. Był już ugruntowany w jednej sprawie: Od chwili, kiedy zadzwonił o dwa dni wolnego aż do teraz, minęły zaledwie dwie godziny...! Co się z nim działo w międzyczasie, nie miał bladego pojęcia.

Obok przejechał elektrobus i zabrał pasażerów z przystanku. Sławomir ratownik przypomniał sobie, po co wyszedł z domu. Chciał ratować swoją duszę. Najwyraźniej stało się coś niedobrego z jego duszą. Umarł człowiek i to był początek inicjacji procesu degradującego jego duszę. Nie spodziewał się, że może popaść w taką ruinę...

Ruszył przed siebie. Mętlik, jaki miał w głowie, nie pozwalał mu na logiczne myślenie. Usiłował się pozbierać, wyciągnąć jakieś wnioski, które pozwoliłyby na rozpoczęcie wszystkiego od początku, ale nie potrafił. Patrzył na otaczających go ludzi jak przez mgłę. Tłum nagle zgęstniał. Był zmuszony lawirować na chodniku, by poruszać się do przodu. Nie wiedział, skąd się ci wszyscy ludzie biorą, dokąd zmierzają, dlaczego jest ich tak wielu. Odnosił wrażenie, jakby wchodził do coraz gęstszego lasu. Już po chwili obijał się o pnie.

– Uważaj pan!

Sławek zatoczył się nieco i wpadł na inwalidzki wózek, który stał przed wystawą jednego ze sklepów.

– Bardzo przepraszam... – wydukał i dotknął siedzącego na nim mężczyzny.

W tym momencie Rzecki poczuł coś dziwnego, jakby wychodzącą z niego moc, która znalazła swe ujście poprzez zetknięte z inwalidą palce. Owa moc sprawiła, że na moment zdrętwiała mu cała dłoń.

– Bardzo przepraszam – bąknął jeszcze raz i poszedł dalej.

Po kilkunastu metrach usłyszał za sobą jakieś poruszenie. Ktoś krzyczał, zaraz potem rozległ się płacz. Odwrócił się. Mężczyzna z wózka stał na własnych nogach. Kobieta obok krzyczała i płakała, wymachując ramionami na wszystkie strony.

Sławek pielęgniarz spojrzał na swoje odrętwiałe palce, potem na mężczyznę, jeszcze raz na palce. Nie bardzo rozumiał, czy ów człowiek i palce mają ze sobą jakiś związek. Mężczyzna wyciągniętą przed siebie ręką pokazywał jakby wprost na niego. Rzecki rozejrzał się dla nabrania pewności. Tak, inwalida uczynił dwa, trzy, cztery kroki przed siebie, jakby chciał dojść prosto do niego. Mijający ich ludzie poczęli się zatrzymywać z wyraźną ciekawością na twarzach.

– Proszę pana! – krzyknął mężczyzna. – Proszę zaczekać!

Rzecki nie chciał czekać. W ogóle nie miał zamiaru z nikim rozmawiać. Ciążyły mu jego własne problemy i absolutnie nie godził się na przyjmowanie cudzych. Wiedział, co to choroby i inwalidztwo. Teraz musiał już iść. Obrócił się na pięcie i spiesznym krokiem ruszył przed siebie.

– Proszę nie odchodzić! Pan mi bardzo pomógł! Pan mnie uleczył! – krzyczał mężczyzna.

Sławomir nie chciał tego słuchać. Był oszołomiony i nie rozumiał, co dzieje się z nim samym, a co dopiero wokół niego.

Rozejrzał się mało przytomnie. Szukał świątyni. Właściwie nie szukał, bo dobrze wiedział, gdzie się znajduje. Była całkiem niedaleko. Przechodził obok niej dziesiątki razy, ale w środku nie znalazł się nigdy. Nie pochodził z Sieciowa. Jako dziecko był prowadzony przez rodziców do innego sanktuarium w innym mieście. Od chwili, kiedy usamodzielnił się jako dorosły mężczyzna, nie miał religijnych potrzeb. Do teraz. Choć pamiętał, że wyznawanie win zawsze kończyło się ich triumfalnym powrotem, nie zapominał o uczuciu, jakie towarzyszyło opuszczaniu konfesjonału. Wolność!

DZIESIĘĆ

Właśnie w tej chwili potrzebował uwolnienia. Coś pętało mu umysł, mąciło w głowie i pozbawiało trzeźwości. Co? To mógł wiedzieć tylko profesjonalista. Po kilku minutach znalazł się u bram.

Do środka świątyni prowadziły wielkie, masywne odrzwia.

Nieopodal stała około dziesięcioletnia, szczupła blondynka o lekko kręconych włosach. Jej niebieskie oczy patrzyły na niego z czytelnym smutkiem. Delikatnie ruszała na boki głową, jakby dając mu znak dezaprobaty.

Coś wewnątrz niego kazało odwrócić wzrok. Czuł, że nie powinien podejmować jakiegokolwiek dialogu z tym dzieckiem, nawet niewerbalnego. Jej gest wydał mu się napastliwy, wręcz agresywny, choć nie potrafiłby tego niczym uzasadnić. To odczucie tkwiło gdzieś w duszy, wwiercało się w umysł. Powodowało jakiś niewyjaśniony zamęt. Mógłby nawet powiedzieć, że się wystraszył...

Minął ją bez słowa i nacisnął klamkę. Były zamknięte na klucz. Postanowił nie poddawać się i poszukał innego wejścia. Jakby zwykłe drzwi z boku budowli. Także zamknięte. Ruszył, by obejść sanktuarium dookoła.

W dobie współczesnej, rozwiniętej cybernetycznej sieci religijność przeniosła się właśnie tam. Wirtualna religia okazywała się wygodniejsza. Każdy obywatel z racji państwowych ustaw posiadał niezbywalne prawo dostępu do sieci, a co za tym idzie wyznawania, czego tylko sobie życzy. Każdy mógł wybrać sobie dowolną formę religijności i korzystać z niej do woli. Wyznający na przykład „rudą nać", mogli to czynić bez skrępowania i narażania się na jakiekolwiek kpiny wyznających „dzień skwaśniałego mleka". Do świątyń chodził mało kto. Najczęściej staruszki, które wychowały się w czasach, kiedy sanktuaria odwiedzało jeszcze czterdzieści procent religijnych Polaków. Były takie czasy, ale dawno temu, na początku drugiej dziesiątki tego stulecia...

Rzecki szedł powoli, z trudem kombinując, co zrobi, jeśli i tam wszystko będzie pozamykane. Była jeszcze jedna szansa – mieszkania duchownych. Mogli tam być przed swoimi komputerami, zatopieni w wirtualnej liturgii. Tuż za zakrętem spotkała go miła niespodzianka – jeden z nich, starszy człowiek, zapewne obdarzony bogatym życiowym i religijnym doświadczeniem, szedł mu na spotkanie.

Siedemdziesięcioletni kapłan Karol zmierzał do wejścia prowadzącego do zakrystii. Odwiedzanie tego miejsca o tej właśnie porze było jego zwyczajem od wielu już lat. Nie zrażała go patologiczna pustka wewnątrz świątyni i to, że wszyscy bez wyjątku jego młodsi bracia kapłani od dawna przedkładali wielkie, błyszczące monitory nad stare, chłodne mury. Przychodził tu co dzień w porze sumy z nadzieją, że może najdzie kogoś w końcu chęć doświadczenia prawdziwego, a nie wirtualnego spotkania z Najwyższym. Kiedy jego oczom ukazał się młody, postawny mężczyzna, od razu przeczuł, że ta wielka chwila właśnie nadeszła!

Sławomir Rzecki uśmiechnął się na widok kapłana, jak tylko potrafił najmilej. Miał zamiar załatwić sprawę poczucia winy.

Kapłan Karol dostrzegł obrzydliwy grymas na twarzy nieznajomego, który błyskawicznie przerodził się w uśmiech. Być może to pierwsze wrażenie było zupełnie mylne, spowodowane jakimś niefortunnym cieniem, bo młody człowiek podchodził do niego z takim wyraz twarzy, jak ktoś, kto spotkał starego, dobrego przyjaciela. Przyjrzał mu się, ale z przekonaniem uznał, że nigdy nie miał z nim do czynienia.

Kiedy Rzecki dotknął jego kapłańskiej dłoni, odczuł dziwne mrowienie w całej ręce, a następnie na całym ciele. Przeszedł go zimny dreszcz. Zaraz potem przed oczami zawirowały czarne plamy i na moment zrobiło mu się słabo. Poczuł się jak porażony prądem. Wyrwał się z uścisku.

Co to było? Co to takiego było? – pomyślał gorączkowo.

Odruchowo położył dłonie w okolicy serca, gdzie pod kapłańską szatą od dziesiątek lat nosił otrzymany od babci medalion. Nie był pewien, ale niewielki kawałek szlachetnego metalu jakby zawibrował, jakby rozpalił się żywym ogniem, paląc jego pierś, usiłując dostać się w głąb jego ciała, w głąb duszy. Wprost do samego serca...

Ratownik i sanitariusz Sławomir Rzecki poczuł się o niebo lepiej. Kiedy dotknął kapłana, natychmiast mu ulżyło. Równie szybko zapomniał o winach, o śmiertelnym zejściu ratowanego pacjenta. Pozostała potrzeba uzewnętrznienia swoich pragnień, zaczął więc mówić. Przecież chciał być pięknym i zachwycającym obiektem westchnień wszystkich kobiet... jak herosi, jak Apollo, jak wszyscy greccy bogowie.

„A Pan mówił wszystkie te słowa i rzekł:
Jam jest Pan, Bóg twój, który cię wyprowadził z ziemi
egipskiej, z domu niewoli. Nie będziesz miał innych bogów
obok mnie."

Księga Wyjścia 20:1-3

Drugie

Sierżant Dolina stał na zboczu Malinówki i raz po raz cmokał z niedowierzaniem.

– To się w pale nie mieści, co? – rzucił do swojego szeryfa. Ten bacznie przyglądał się leżącemu na trawie człowiekowi.

– Nie mieści...

– Nic tu po mnie – oznajmił grobowym tonem doktor Patrosz. – Trzeba zadzwonić do Wolczyc. Ja nie wystawiam odpowiednich dokumentów.

– Niech pan zadzwoni – powiedział Dolina, podnosząc służbową czapkę i drapiąc się w spocone czoło. – Pan wie, jak to załatwić.

– Dobrze, zadzwonię. – Lekarz wzruszył ramionami i ciężkim krokiem odszedł do samochodu.

– To miejsce jest chyba jakieś przeklęte, co? – zapytał sierżant, gdy doktor wystarczająco się oddalił.

– Niby dlaczego? – Mareczek spojrzał na kolegę z ukosa.

– Dwa trupy. To nie wystarczy?

– Ja widzę jednego.

– A ten Bek, czy Bal, czy jak mu tam naprawdę...?

– Umarł w przychodni, nie tutaj.

– Ale w tym miejscu jakby zaczął tę swoją... ostatnią drogę.

– Daj spokój, Mirek.

– Ty wiesz, co przepowiedział mi horoskop? – Dolina nagle zmienił ton i temat. – „Twoja sytuacja zawodowa ulegnie radykalnej zmianie. Bądź gotów". Co to może znaczyć?

Mareczek zaśmiał się.

– Horoskop? Jeszcze czytasz te brednie?

– Nie wolno? Jestem dorosły.

– Po co ci to, stary? W życiu trzeba racjonalizmu, a nie okultyzmu.

– Zdziwiłbyś się – Dolina zmarszczył czoło – ile ciekawych rzeczy tam wypisują.

– A ile się sprawdza?

– Też byś się zdziwił...

DZIESIĘĆ

– I to są te twoje „radykalne zmiany"? – dodał kpiąco kolejne pytanie, wskazując na leżącego obok nich denata. – No, całkiem niewykluczone... Bierz wóz i jedź po Misiewicza. Ktoś musi pilnować ciała, zanim przyjedzie karetka z Wolczyc – zakomenderował.

Dolina poczuł się odrzucony, ale nie podjął się riposty. Potulnie udał się do radiowozu. Przywiezie tu posterunkowego Misiewicza, a z szeryfem pogada później, jak nieco chłopina ochłonie i zacznie go traktować poważnie.

– Okej, Tomeczek, okej – mruknął na tyle cicho, by tamten nie mógł nic dosłyszeć.

Aspirant usadowił się na ziemi parę kroków od nieboszczyka. Nie chciał za blisko, ale też nie mógł spuścić go z oka. Co prawda ludzie chadzali tu nieczęsto, ale procedury pozostawały procedurami. Nie znosił martwych ludzi. Wiedział, że nie są w stanie uczynić mu żadnej krzywdy, ale zwyczajnie się ich brzydził.

Ciało leżało bez ruchu i bez słowa. Zupełnie martwe, ale jakby nie całkiem milczące. Z ust nieboszczyka nie padła co prawda ani jedna sylaba, lecz do Mareczka przemawiało to, kim był oraz to „coś", co zobaczył na jego plecach. Kiedy tylko odebrał telefon i usłyszał, że na Malinówce leży bez ruchu jakiś kulturysta, natychmiast na myśl przyszedł mu ten człowiek. Później żywił cichą nadzieję, że w Polsce napakowanych mężczyzn jest znacznie więcej. Niestety pierwsza myśl okazała się prawdziwa. Teraz siedział nieopodal martwego sanitariusza Sławomira. Doktor Patrosz po wstępnym zbadaniu stwierdził brak oddechu oraz akcji serca, ale nie podjął się reanimacji z powodów dla niego nad wyraz oczywistych – śmierć musiała nastąpić kilka godzin temu, o czym świadczył stan ciała. Jakiekolwiek działania zmierzające do przywrócenia czynności życiowych mijały się z celem. Martwy był naprawdę w pełni martwy. Wstępne oględziny zwłok nie wykazywały znamion przestępstwa. Doktor stwierdził krótko, że pan Sławek od razu, kiedy tylko przyjął się do pracy, wydał mu się nienaturalnie „rozpuczony". Mnogość dostępnych w sieci wspomagaczy służących rozwojowi masy mięśniowej zdawała się być nie do ogarnięcia, a znakomita większość z nich kryła w sobie entą liczbę zakazanych, szkodzących zdrowiu substancji. Dla doktora Patrosza więcej niż oczywiste było to, że sanitariusz padł ofiarą swojego własnego ego, które za wszelką cenę pragnęło być powszechnie podziwiane i tę cenę właśnie zapłaciło jego serce.

Aspirant nie wykluczał tej tezy. Rzecki mógł wciągać jakieś dopingujące świństwo, ale jego uwagę przykuło coś, co zobaczył na plecach, tuż poniżej karku i szybko wytrąciło go to z równowagi: duże, wymyślnie wytatuowane litery NB. Dokładnie taki sam malunek zobaczył u Bala.

– Ja pierniczę! – jęknął pod nosem. – To niemożliwe...

W swojej długoletniej kapłańskiej posłudze Karol Wojtaszek jeszcze nigdy nie wysłuchał tak zapatrzonego w siebie człowieka. Śmiało mógł stwierdzić, że ego napotkanego młodzieńca było większe niż świątynia, w której rozmawiali. Samoubóstwienie było czymś nieskrępowanym, owładnęło całą jego duszę i wylewało się na zewnątrz przez usta szerokim, rwącym potokiem. Dla niego, skromnego, ale i starego już kapłana, było to trudne do zniesienia. Przez dziesiątki lat wytężonej pracy duszpasterskiej oraz spowiedniczej napotykał najrozmaitsze problemy i usłyszał o najgorszych grzechach. Wtedy był jeszcze młody, pełen zapału do stawiania czoła przeciwnościom i chętny do niesienia wszelkiej pomocy. Dziś nie był już ani młody, ani na tyle silny, by znosić ludzi z takim zapałem nurzających się we własnym egocentryzmie.

Nastały trudne czasy. Samolubni ludzie kochali wyłącznie samych siebie. Stali się chciwi, chełpili się czymkolwiek popadło, byle wykreować się na ważniejszych i mądrzejszych od innych. Pycha, hardość oraz nieprzejednanie. Tacy byli. Próżność pochłaniała już tych najmłodszych, którzy walczyli o to, by mieć jak najwięcej, nie chcąc dzielić się z kimkolwiek tym, co posiadają. Młodzież stawała się coraz bardziej nieposłuszna rodzicom. Kto słyszał, by za jego młodzieńczych czasów dzieci posyłały swoim rodzicielom wiązankę wulgaryzmów za to, że ci nie chcieli się na coś zgodzić? Szerząca się na świecie przemoc, okrucieństwo, zuchwałość prowadziły do jednego konkretnego wniosku: ludzkość chyliła się ku upadkowi.

Poszedł powolutku główną nawą. Nieregularne kroki odbijały się szerokim echem od wysokich murów. Dokuczający od dekady artretyzm doskwierał niemiłosiernie – prawie jak łamanie kołem – ale

DZIESIĘĆ

jakoś sobie radził. Oprócz tego ta nieszczęsna prostata. Co chwilę goniła do toalety – zmora jedna. Starość nie radość.

Gdy za młodzieńczych lat obserwował rozwój techniki i medycyny, myślał, że osiągnie starczy wiek w dobrym zdrowiu. Niestety. Kiedy budził się każdego ranka, silił się, by w ogóle wstać z łóżka. Ktoś śpiewał kiedyś o wesołym życiu staruszka. Bujda! To co najwyżej życzenie. Albo co gorsza – naigrawanie się z losu emerytów...

Coś strzyknęło w kolanie. Zatrzymał się, by ból miał szansę minąć. Tak to już jest, niestety. Dopóki pozostanie na tej ziemi, nie będzie innego wyjścia, jak tylko wytrzymać panoszącą się po ciele boleść, która co rusz odzywała się w coraz to innym miejscu.

Dobrze pamiętał swoją babcię. Kiedy była już po sześćdziesiątce, mawiała o sobie „stare pudło". Teraz on był takim pudłem: starym i stanowczo nie jarym.

Babcia... Dotknął okolic serca. Medalion, który otrzymał od niej „na szczęście", jak to ujęła, faktycznie przyniósł mu więcej szczęścia, niż się spodziewał. Zdobiąca go patronka, której zawierzył swoją przyszłość, znakomicie wywiązywała się z powierzonego jej zadania. Był pewien, że to właśnie jej zawdzięczał uniknięcie śmierci w wypadku samochodowym, którego był uczestnikiem jakieś trzydzieści lat temu. Ona także zachowała go podczas zamachu bombowego, jakiego dopuścił się islamski radykał, kiedy to podczas pielgrzymki do Francji pojechał do Lourdes. Jej zawdzięczał ratunek, kiedy leciał samolotem do Ziemi Świętej i nie chciało się wysunąć podwozie podczas lądowania. Miał wiele szczęścia i wiedział dlaczego.

Nosił medalion na szyi i zdejmował tylko na krótkie chwile, kiedy wymagały tego szczególne sytuacje. Tak, nie rozstawał się z nim. Był jego prawdziwym, dobrym, duchowym amuletem, chroniącym od zła i nieszczęścia. Czy babcia wiedziała, co mu daje? Był jej wdzięczny. Bardzo wdzięczny.

Spojrzał na ołtarz i na to, co znajdowało się nad nim: wielki, majestatyczny, złowieszczy, niosący śmierć krzyż. Do tego właśnie służył – do zadawania cierpienia i do uśmiercania. Na takim krzyżu umarł Zbawiciel. Tak i on powinien przyjąć swoje cierpienie w pokorze. I nie narzekać tyle. Cóż znaczyło cierpienie, jakie go trapiło w porównaniu z męką na krzyżu...?

Rozejrzał się. Pustki wokół przygnębiały. Od kilku lat ławki w świątyni mogły uchodzić za samotnię dla pustelników. Ludziom nie chciało się tu przychodzić, bo i milej praktykować swoją religię w domowym zaciszu, dbając o to, by nikt nie szpiegował ich wiary. Nawet spowiedź większość odbywała przez komunikatory, jeśli w ogóle ktoś odczuwał jej potrzebę. Takie czasy, taka nowoczesność. Dla kapłana Karola okazywała się nie do zniesienia jak cała ta chora współczesność, której był cherlawym uczestnikiem. Tęsknił za porą, kiedy zjednoczeni w walce o polskość i przetrwanie rodacy podążali w licznych pielgrzymkach do miejsc świętych, by tam powierzać swe życie wszystkim świętym. Sam bywał na takich pieszych pielgrzymkach, gdzie gros pątników stanowiła młodzież. Śpiewano tam religijne i patriotyczne pieśni, modlono się gorliwie o ratunek dla ojczyzny i jednoczono pod biało-czerwonym sztandarem. Obecnie nie pozostało z tego nic. Jedynie tęsknota... Religia zamknęła się w czterech ścianach ludzkich dusz. Tylko innowiercy wychodzili na ulice, by manifestować swoją wiarę i przekonania sprzeciwiające się temu, co w oczach większości uchodziło za prawdziwie słuszne. Heretycy posiadali odwagę. Chcieli, by ludzie widzieli, że wierzą. Byli gotowi ponosić tego konsekwencje, a społeczeństwo traktowało ich jak niebezpieczną zarazę. Ci okropni odmieńcy nawoływali do zmiany myślenia i nawrócenia, a nawet strzępek tak niewygodnej ewentualności jak konieczność nawrócenia przyprawiał o ból głowy i mdłości. Komu w dzisiejszych czasach było źle? Komu chciałoby się cokolwiek zmieniać, skoro Polakom żyło się dostatnio i spokojnie?

Heretycy twierdzili, że do Nieba prowadzi zupełnie inna droga niż ta szeroka i wygodna, jaką podążała znaczna większość społeczeństwa, a i wolący zacisze swoich mieszkań kapłani. Powszechnie głoszone uniwersalne prawa nawoływały, by nie czynić nic złego. Tyle. Przecież Niebo już dawno przestało kategoryczne klasyfikować przychodzący doń świeży nabytek, a jeśli ktoś ubabrał się w ziemskim błocie, zawsze można było przeznaczyć na właściwe intencje nieco nowozłotków i problem dawało się załatwić bez trudności.

Innowiercy z Pismem w ręku nawoływali do upamiętania. Twierdzili, że grzech to śmierć. Kapłan Karol widział tylko jedno miejsce, gdzie można było pozbyć się win. Zerknął na konfesjonał.

DZIESIĘĆ

Zionął pustką. Heretycy omijali sanktuaria i konfesjonały szerokim łukiem. Zwiastowali odmienne uwolnienie od grzechów. Odkąd kapłan Wojtaszek żył, znał tylko to. Przez całe wieki kolej rzeczy się nie zmieniała. Przychodził tu za młodu, korzystał z tej „umywalni sumienia" w seminarium i nic się nie zmieniło po dziś dzień. Może tyle tylko, że był zmuszony naciskać młodych kapłanów, by raczyli pofatygować się do świątyni i zasiąść za grubą, żakardową zasłoną. Zawsze, kiedy opuszczał klęcznik, czuł powiew lekkości i wyzwolenia z obciążających sumienie złych uczynków. Potem macki najrozmaitszych pożądliwości wczepiały się w umysł na nowo i rozbudzając stare namiętności, ściągały lawinę kolejnych ludzkich niedoskonałości. Ale któż jest doskonały? Odszczepieńcy oznajmiali wolność, która uwalnia od podstaw. Wyznawali łaskę, która zbawia za darmo. Twierdzili, że taką łaskę głosi Pismo. Ale przecież by w ogóle Pismo otwierać, należało znać historię, archeologię, geografię i starożytną kulturę. Bez tego nikt nie miał prawa pojmować, co ma ono do powiedzenia. Na właściwej interpretacji Pism znali się nieliczni, wybitnie wykształceni hierarchowie. Tylko oni... Nie bez przyczyny przez wieki rzymska Matka zabraniała ciemnemu ludowi zaglądać w Zwoje, by nie uczynił sobie nimi jakiejś krzywdy. Bo czymże jest łaska? Czegoś takiego świat nie widział. Zawsze za każdą materię czy usługę należało płacić. Za dostęp do Nieba także. Od zawsze.

Przez myśl przemknął jakiś nieokrzesany świetlisty błysk. A jeśli heretycy mieli rację? Jeśli należało przynajmniej ich wysłuchać i rozważyć, co mają do powiedzenia?

Nagle poczuł się słabo. Uchwycił brzeg najbliższej ławki i z wysiłkiem się na niej usadowił. Przez jego ciało przebiegł dreszcz. Zupełnie taki sam, jak wtedy, kiedy dotknął go ten młody napompowany człowiek. Głowa zrobiła się ciężka i w jej środku usłyszał dziwny huk zmieniający się w przeraźliwy pisk. Zaraz potem dźwięk ucichł, a słabość minęła. W zamian usłyszał głos. Tak, na pewno dotarły do niego jakieś słowa. Odwrócił się raptownie i rozejrzał po pustym wnętrzu sanktuarium. Nikogo. A jednak słyszał jakieś cicho wypowiadane zdania, które brzmiały dziwnym, niezrozumiałym językiem. Głos był niski, nieco charczący, dochodzący z oddali.

W dodatku medalion... Zupełnie jakby pulsował, tętniąc własnym życiem.

Rzucił okiem na krzyż – wielki i majestatyczny. Taki właśnie musiał być. A śmierć? Przerażająca i bolesna. Należała się bez dwóch zdań! Zaśmiał się zgryźliwie. W głowie kapłana zaszumiało, jakby zerwał się jakiś gwałtowny wiatr.

– Dlaczego nie? – wycedził przez zęby. Echo nie miało szans niczego powtórzyć, bo powiedział to zbyt cicho. Pomyślał o kapłaństwie. Dlaczego nie miałby być podobny wszystkim innym duchownym? Dlaczego miałby tęsknić za czymś, co dawno przeminęło? Po co miałby przejmować się czymś, co zapewne nigdy nie istniało. Religia, jaką znał, zupełnie wystarczała.

Otrząsnął się.

Heretycy byli heretykami, i tyle! Zasługiwali za swoje kacerstwo na ogień i miecz! Na wieczne potępienie!

Wyszedł z sanktuarium i zamknął je na cztery spusty. Głos zamilkł. Uderzenie gorąca, jakie panowało o tej porze dnia, niemal powaliło go z nóg. Odwrócił się i znieruchomiał. Nieopodal, na skraju chodnika siedziało dziecko, dziewczynka w wieku szkolnym. Patrzyła na niego strapionym, jakby zmęczonym wzrokiem. Poczuł się nieswojo. Trochę tak, jakby wprawiła go w zakłopotanie, choć nie wiedział dlaczego.

– Szczęść Boże – powiedział.

– No nie wiem... – odparła niezbyt głośno, ale pewnie.

– Coś się stało? – zapytał.

– Niestety tak.

Kapłańskie przeczucie podpowiadało mu, że coś tu jest nie w porządku...

– Masz kłopoty? Mogę ci jakoś pomóc?

– To pan ma kłopoty – odrzekła z przejęciem. – I obawiam się, że już nic nie można zrobić.

Nie był pewien, czy dobrze usłyszał.

– Słucham?

Dziewczynka podniosła się z chodnika. Jej niebieskie, jasne oczy emanowały głębokim smutkiem. Poprawiła podwiniętą spódniczkę.

– Bardzo mi przykro – powiedziała na odchodne. – Naprawdę, bardzo mi przykro.

Z mozołem podreptał do swojego mieszkania. Potrzebował odpoczynku. Natychmiast.

DZIESIĘĆ

* * *

Mareczek przyglądał się dwóm zdjęciom, które wyświetlał monitor. Jedno pochodziło z sekcji zwłok Norberta Bala, drugie zrobił sam, zanim pojawiła się karetka z Wolczyc. Chaos myśli pustoszył zdruzgotany rozum. Usiłował dociec, jakim cudem Sławomir Rzecki stał się posiadaczem identycznego co Bal tatuażu? Byli członkami jakiejś grupy, która wyrażała swoją wspólnotę tymi dziwnymi literami? Jeśli inicjały NB pasowały do Norberta Bala, to co znaczyły u Rzeckiego?

Przyszło mu na myśl, że to swoista, cielesna inskrypcja, wyryta igłą na ciele zamiast na nagrobku. Bzdura! To nie mogło być to. Kto i po co miałby tworzyć coś takiego? Oni? To na pewno bzdura...

Należało przetrząsnąć Internet. Być może tam znajdzie coś inspirującego, co pomoże rozwikłać zagadkę.

Drzwi otworzyły się z charakterystycznym trzaśnięciem o futrynę, po czym w ich podwojach ukazał się Dolina.

– I jak tam śledztwo, dowódco? – zagadał, bezceremonialnie sadowiąc się na biurku.

Aspirant nie miał zamiaru prowadzić z nim żadnej dysputy. Natychmiast zaczął kombinować, jak pozbyć się intruza ze swojego gabinetu. Ten rozwinął przed nim e-gazetę i puknął palcem w jeden z rogów. Rulon przyjął polecenie i stał się sztywną płaszczyzną wyświetlającą tekst i obrazy.

– Bo moje postępuje naprzód! – oznajmił sierżant, wzrokiem wskazując na e-gazetę.

– Daj mi spokój, Mirek, co? – spróbował negocjować Mareczek.

– Tomuś, ty nie bardzo kapujesz, co się dzieje w twoim rewirze. Dookoła ludziska trąbią o latającym spodku, a ty, jakby nic się nie działo, tkwisz w tych swoich czterech ścianach.

– Prowadzę dochodzenie, jakbyś przeoczył...

– Taaa... – sparodiował zachowanie przełożonego sierżant. – I...?

– Mamy dwóch nieboszczyków – dokończył, w pełni ignorując karygodne zachowanie podkomendnego.

– A w jeziorze pewnie jest ich z tuzin więcej! – burknął Dolina, zmyślnie intonując głos, by nie pozostawiał żadnych wątpliwości, że wypowiedziana kwestia oznaczała kpinę.

– W zatopionym statku obcych, tak? – dopowiedział Mareczek.

– Rzecz jasna!

– Akurat! Bal twierdził, że to wehikuł do przenoszenia w czasie, i co? Kto ma rację?

– No to patrzaj tutaj i podziwiaj! – Dolina z namaszczeniem pogłaskał ekran e-gazety.

Aspirant przyjrzał się wreszcie gazecie. Tuż przed nim wyświetlał się artykuł o znamiennym tytule „Nolozjaści nad Sieciówką". Przejrzał treść. Znaczna grupa tropicieli Niezidentyfikowanych Obiektów Latających, czyli NOL-i odbyła żałobne zgromadzenie nad brzegiem Jeziora Sieciowskiego w intencji ofiar katastrofy latającego talerza. Po dwugodzinnej uroczystości rozpoczęto poszukiwania wraku przy pomocy specjalistycznego sprzętu. Mniej więcej tyle z najważniejszych informacji. Reszta nie nadawała się do czytania. Samo beblanie na temat UFO oraz ufologów. Nolozjaści stanowili fanatyczną grupę poszukiwaczy UFO, którzy wyszli daleko poza chęć spotkania z kosmitami. W podstawach swojej doktryny o Niezidentyfikowanych Obiektach Latających zawarli deklarację pełnego poddania Ziemi pod władanie przybyszów z kosmosu. Na tym jednak nie koniec. Skrajność ich postawy polegała także na tym, że idee, jakie wyznawali, przerodziły się w parareligię. W obecnym kształcie stanowili coś w rodzaju „ruchu entuzjastów". Tyle wiedział o nich Mareczek.

– I co? – spytał beznamiętnie.

– Jak to, co?! – sierżant fuknął, nie kryjąc oburzenia. – Skoro się tu pojawili, to niby nic? Nabożeństwo odprawili, to też nic?

– Daj spokój! – Mareczek miał go powyżej uszu. Pośród wielu innych rzeczy, nachalności nie znosił najbardziej, a Mirek okazywał taki jej poziom, którego nie był w stanie strawić. Chłop zapalił się do tego tematu z gorliwością większą niż kolporterzy pewnej religijnej organizacji. Być może bijący bezlitośnie żar z nieboskłonu przegrzał nieborakowi zwoje mózgowe.

Wtem zadzwonił telefon. Nie prywatny, ale ten groźniejszy – służbowy. Wyświetlany numer nie zwiastował niczego dobrego. Odebrał po chwilowym wahaniu. Gdyby tego nie zrobił... strach pomyśleć! Dzwonił sam szef.

DZIESIĘĆ

* * *

Kapłan Karol zmęczony ułożył się na swoim łożu i już po kilku minutach zapadł w półświadomy letarg. Przed jego oczyma przesuwały się senne obrazy, a ciało „poruszało się" pośród rzeczy, jakie pozornie nie istniały.

Stare mury domów, o które się właśnie opierał, zdawały się znajome. Z wyuczoną precyzją podążał ku celowi swej wędrówki, powłócząc ociężale bosymi stopami po nierównościach ulicy. Odłubanym z kory kijem badał zachowawczo teren przed sobą, by nie potknąć się o coś, czego tam być nie powinno. Miał wrażenie, że nie czyni tego pierwszy raz. Wręcz przeciwnie – mógłby przysiąc, że podąża wzdłuż tych samych wyżłobień codziennie i to od lat. W drugiej dłoni ściskał gliniany kubek – obraz swego losu. Ślepego losu.

Czuł w sobie niepojęte poruszenie, które wibrowało swoistym niepokojem wielkich chwil. Tłamsząc je nieporadnie, myślał o tym, co niegdyś wpływało na wzmożone bicie jego serca, a teraz pozostawało jedynie mglistym, bezkształtnym już wspomnieniem – jak wieki – dawno przeżytych wzruszeń. Cudowne krajobrazy, nieboskłon, nawet widok latryny zamazywał się brakiem doświadczeń barw, zarysu kształtów, subtelności cieni. Jego szeroko otwarte oczy usiłowały przebić się przez zbitą powałę absolutnej ciemności, nie mogąc już pojmować, czym jest biel, czerwień czy błękit. Wszystko, co mu pozostało, to widzieć dotykiem wyczulonych dłoni, odszukujących znajome wybrzuszenia miedziaków, które zamieniał na smak chleba, a i czasem wędzonej ryby. Po to właśnie zmierzał ku głównemu traktowi prowadzącemu podróżnych w granice miasta Jerycho. Tam było miejsce jego żebraczej pracy, by móc jeść i marnie egzystować.

Do jego uszu dolatywał wzmożony gwar rozmów pochodzących ze zbliżającego się traktu, ale serce na nowo ściskał ból, który gniótł go ze zdwojoną siłą. Niczym rzymskie miecze przeszywała go ludzka bezduszność – haniebna obojętność na los tego, który nazywany jest bliźnim. Kapłan Karol nie był jedynym przeciskającym się w tłumie poprzez swe własne sprawy, troski i interesy, a jakże to właśnie czyniło go samotnym. Jedynie tacy, jak on sam mogli go rozumieć. Pośród nich był w swej własnej gromadzie tychże samych trosk – czasem samoistnie wyolbrzymiających się lub zupełnie tracących na znaczeniu.

Tylko z nimi mógł rozmawiać jak równy z równym. Ci wszyscy dookoła, wielcy i bezkształtni, przetaczający się ponad jego skuloną na ziemi postacią, jakby lubowali się w trącaniu go i obsypywaniu przydrożnym kurzem twarzy zarośniętej długą brodą. Był on tylko ofiarą, niegodną dłuższego przyjrzenia, nie wspomniawszy już o jakimkolwiek zainteresowaniu. Mógł być co najwyżej wdzięczny niskim pokłonem tym nielicznym, którym zbywały drobne monety w udrapowanych tunikach i przepełnionych trzosach.

Owo poruszenie, którego bezskutecznie usiłował się pozbyć, wypływało jednak spomiędzy tych, których miał prawo nienawidzić, a którzy swą ciekawością, a nierzadko próżnością języków roznosili to, co było w monotonii codzienności cenne – ważne wieści. Kapłan Karol wytężał słuch, chłonąc wszystko, czym coraz bardziej, niczym przy nadciągającej burzy, huczało miasto. Nowiny brzmiały jak baśń, wręcz niezrozumiale, przywodząc na pamięć stare zwoje opowiadające niezwykłe historie o rozstępującym się morzu, ognistym krzewie czy kilkudniowym mieszkańcu wielkiej ryby. Mówiono o Proroku rozmnażającym chleby, głoszącym prawdziwą mądrość, nieznoszącym kompromisów i miłującym lud ponad wszystko, ponad granice życia i śmierci. O tym kapłan Karol bał się myśleć, by nie płoszyć tej myśli nazbyt wyraźnymi słowami: On leczył chromych, zabierał gorączki, wskrzeszał nawet umarłych i przywracał wzrok! Nawet człowiekowi, który nigdy nic nie widział, potrafił dać normalny wzrok! Iskierka nadziei w jego ciemnościach. Iskierka, w którą chciał dmuchać z całych sił, by mogła się rozpalić w wielki ogień rozświetlający wszechświat dookoła. Tylko jak tego dokonać? Jak sprawić, by nie zgasła? Jak trafić do Niego – tego nie wiedział.

Przysiadł przy dużym kamieniu, o który mógł oprzeć swe plecy. Poprawił wytarty ze starości płaszcz, tak by osłonił go przed przypiekającymi promieniami słońca. Wystawił przed siebie kubek, by nienachalnie prosić co jakiś czas o jałmużnę. Swe pragnienia wzniósł zaś gdzieś ponad siebie, wysoko, poddając je osądowi Tego, który od zawsze zna najskrytsze wnętrza każdego serca. Bez wyjątku każdego...!

Jego ukryte westchnienia doleciały nieba.

Tłum na drodze jakby z sekundy na sekundę gęstniał, wzbijając coraz większy tuman kurzu, który z wrodzoną sobie natarczywością wciskał się w nozdrza, między zęby i drażnił ślepe oczy. Gwar coraz częstszych słów powoli przemieniał się w jednostajny pomruk, podobny wodospadom. Spomiędzy tego zgiełku do świadomości żebraka przedzierało się, potęgując to, czego pragnął, o czym jeszcze przed chwilą bał się myśleć, a jedynie śnił na jawie – imię Proroka. Tłum przekazywał z ust do ust: Jezus Nazarejczyk jest, Jezus Nazarejczyk...!

Coraz większy tumult. Spychało się na niego coraz większe mrowie. Powoli rosła fala ludzka, niczym kręgi wody po wrzuconym kamieniu – zewsząd głosy, tupot nóg i nieznośny kurz. Ktoś na niego nadepnął, ale nie to było istotne, nie to najważniejsze. Serce w nim łomotało jak oszalałe. Ten Jezus, o którym słyszał, że daje wzrok, był coraz bliżej, ledwo kilka kroków, tak blisko, że czuł go całym sobą. Wciąż widział tylko ciemność absolutną, nieprzeniknioną i tę iskierkę rozpalającą się, tryskającą żarem i eksplozją ognia.

– Synu Dawida, Jezusie, zlituj się nade mną! – zakrzyknął, ile miał sił i powietrza w płucach. Chciał przebić się przez ten tłum, rozbić ich, przegonić, żeby tylko stanąć przed Nim.

– Milcz, ślepcze – ktoś dźgnął go czymś twardym między żebra.

– Nie przeszkadzaj Mistrzowi – zawtórował ktoś inny.

– Co wrzeszczysz – dołączył się trzeci skrzekliwym głosem. – Ogłuchnąć tu można, jak pragnę zdrowia.

I to nie było istotne. On walczył o przetrwanie, o życie. A Nauczyciel rozdawał życie – za darmo. On miał litość, miał miłosierdzie, miał miłość! Tylko musiał go usłyszeć – ślepego żebraka. Zebrał siły i nie zważając na nic, nabrał powietrza w płuca. Mocniej, jakby w ostatniej chwili swojego istnienia wrzasnął:

– Synu Dawida, zlituj się nade mną...!

Znów coś zafalowało, ktoś po raz kolejny trącił go, ale bez wątpienia nastąpiła jakaś zmiana. Pośród wielu odezwał się jakiś ciepły, inny głos, ale ślepiec nie zrozumiał.

Kilka głosów ponownie zwróciło się ku niemu, lecz już inaczej, mając czyjeś przyzwolenie:

– Ośmiel się...

– No, podnieś się, woła cię!

Kapłan Karol sprężył się jak do skoku. Serce waliło niczym oszalałe, był podniecony do granic. Rzucił wytarty płaszcz na kamień i poderwał się na równe nogi. Trzęsąc się, podszedł do Jezusa.

– Co chcesz, abym ci uczynił? – usłyszał tak blisko siebie, że niemal odskoczył. Głos jednak był jak ciepłe słońce w mroźny dzień, wyczekiwany, otulający dobrocią. Coś łapało go za krtań, tak, że trudno mu było cokolwiek z siebie wydusić. Wszystko, czego pragnął, wypełniło się, a chciał uwolnienia z mroku. Jego modlitwa teraz została wysłuchana – mógł prosić...

– Rabbuni, żebym znowu zaczął widzieć...

To nie była prośba o jałmużnę, o miedzianą monetę, która dźwięcząc w garnuszku, zwiastowała chleb mający krótko później się skończyć. Ta prośba miała mu dać nowy wzrok, nowe życie, już nie takie, jakie prowadził, zanim zachorował – bezsensowne – i takie jak monety, na miarę chwili. Teraz chciał czegoś zupełnie innego. Pragnął przejrzeć za sprawą Jezusa z Nazaretu, Proroka dającego życie, chciał iść za Nim, poznać Go, poznać Prawdę samego Nauczyciela. Nie chciał umierać w więzieniu ślepoty, gnić w lochach swego własnego „ja" wciąż plączącego się wokół tych samych, przygniatających słabości i niemożności. Ciemność – bez końca zadająca miliony pytań bez odpowiedzi. Nicość – bezlitośnie mordująca najmniejszą nawet okruszynę radości. Bezradność – ciężar przygniatający plecy, czyniący bezwładnymi ramiona. Gniew – na wszystko: na ciemność, nicość, bezradność, beznadzieję i chorobę, na ludzi, którzy są i widzą jak on niegdyś. Prosił o wolność...

Nauczyciel, Mistrz, Prorok, Mesjasz stał tuż na wyciągnięcie ramienia, tak niedościgły w swej mądrości i mocy, które rozdawał niczym świąteczne podarki.

DZIESIĘĆ

Tłum falował wokół w oczekiwaniu kolejnej sensacji. Był ich spragniony, wręcz ogarnięty żądzą pochłaniania tego, co nie-codzienne, co niesamowite i nadające się do sprzedania dalej. Ślepy żebrak – niby nikt taki, trochę jak śmieć, poniewierany i spychany w byle kąt – teraz nadawał się, mógł sprawdzić moc i siłę Proroka na oczach niezliczonych ciekawskich, tak bardzo nieświadomych prawdziwego znaczenia niesamowitości, które wchłaniali w siebie, niczym spragniona wody, wysuszona gle-ba. Wysuszona gleba... Wszyscy dookoła potrzebowali wody, Żywej Wody, poszukując jej wszędzie, tylko nie tam, gdzie była naprawdę – tu, teraz, pośrodku nich. Każdy spośród tej szarej, pomrukującej masy był taki, jak on – ślepy kapłan Karol. Być może kiedyś coś dostrzegli, ale tak właściwie ich oczy widzą tyl-ko ciemność, bezradność, zmęczenie codziennością. Oni rów-nież, z całą pewnością poszukują czegoś dla siebie – skarbu, który zadowoli i da odpocznienie, radość, pokój. I znajdują ja-kieś okruszki, drobne namiastki wycierające się niczym sandały i płaszcz, by szukać nowych, lepszych, trwalszych – bez skutku. Nie znajdują szczęścia, bo... szukają zbyt daleko – w srebrni-kach, zaszczytach, władzy i może w byle jakiej „miłości". Ale kapłan Karol czuł, że ta Prawdziwa Miłość jest przed nim, go-towa wziąć na siebie ciężar jego ślepych oczu, jego bezradności, choroby, jego gniewu na wszystko i wszystkich. Pisma mówiły: „Chociaż widziałem jego drogi, Ja go uleczę"... Drogi marne, pełne niesprawiedliwości, złości, niewierności, dalekie od posłu-szeństwa przykazaniom i dobroci wobec innych – takie kapłan Karol znał, takimi chodził i Bóg również je znał. Bóg znał ka-płana Karola – ogarnął go z przodu i z tyłu, poznał i zrozumiał słowa, które miały napłynąć w przemęczone myśli. Wiedział, że jego ślepota, nie tyle ta fizyczna, potrzebowała ratunku, wyba-czenia, uzdrowienia...

– Odejdź, wiara twoja uratowała cię – ciepły, łagodny głos Jezusa dotknął oczu kapłana Karola mocą, której nie mogła oprzeć się ślepota, z którą nie mógł walczyć grzech i nie mógł do końca zrozumieć jej tłum gapiów.

Jak fala nagle wzburzonej wody rozległ się tumult spośród tych, którzy stali najbliżej osłupiałego z wrażenia kapłana

Karola, dotąd ślepca. Uderzający potok światła rozlał się oszałamiającą tęczą barw, zmuszając powieki do obrony przed ponownym oślepieniem. W pierwszej chwili, mrużąc oczy, łapał gwałtownie powietrze. Nie potrafił odnaleźć słów, które mogłyby wyrazić radość, eksplozję radości jakby nowo narodzonego życia. Zobaczył Jezusa, wiedział, że to On, choć był jak inni – a jednak tak inny. Ruszył w brzęczącą dziesiątkami głosów gawiedź za Jezusem, by dziękować Mu, by być z Nim – lekarzem jego duszy, który odszedł, zabierając ze sobą ciężki tobół jego cierpień.

Wtedy się przebudził. Zlany potem i zlękniony senną wizją, która może być prawdą. Na swoich barkach od lat targał ciężki tobół cierpienia. Ból dokuczał. Nie tylko ten fizyczny, narastający wraz z upływającym w pośpiechu czasem, ale także ten drugi, może, a właściwie na pewno, gorszy, gnieżdżący się na dnie duszy. To do tego bólu nie chciał się przed sobą przyznać. Ten ból wypływał ze ślepoty, w jaką popadł nie wiedzieć kiedy, a która sprawiała zamęt i niepewność, czy idzie właściwą drogą. Czy aby ta droga, jak mawiali heretycy – szeroka i wygodna – nie wiedzie go na zatracenie. Będąc kapłanem od dziesiątek lat, miewał chwile zwątpienia, ale tłamsił je w samym zarodku, tłumacząc sobie, że setki lat historii i przekazywanej tradycji nie mogą stanowić tworzonej z premedytacją mistyfikacji. To byłoby zbyt trudne, wręcz niewyobrażalne. I kto miałby być jej inspiracją?

Medalion. Złapał go i ukrył w dłoni. Nie, przecież nie mógł mieć żadnych wątpliwości, żadnych rozterek. Jego wiara była mocna dzięki temu, co dzierżył w dłoni, dzięki niepodważalnym dowodom łaski, jakie otrzymywał przez lata! Nie powinien mieć tak złych i pokrętnych myśli. Powinien mocno się trzymać tradycji i wiary własnych przodków i nie dać się zepchnąć z raz obranej drogi.

Wyszeptał prośbę o wsparcie do swej patronki. Była dla niego wsparciem od czasów seminaryjnych. Tak jak ona chyba nikt nie przekazywał prawdy o Bożym Miłosierdziu. Choć miała w swym życiu wiele przeciwności, dawała nadzieję miłosierdzia, szansy dla każdego człowieka, który chciał być dobry. Tak. To właśnie robiło na nim wrażenie. Każdy kapłan powinien być dobrym człowiekiem – konsekwentnie, mimo trudności.

DZIESIĘĆ

Wstał ociężale i poczłapał do kuchni. Tam znalazł zimną wodę i napił się łapczywie.

Prysznic. Potrzebował spłukać z siebie lepki pot sennych majaków.

Potem na pewno poczuje się lepiej.

✳ ✳ ✳

Rozmowa telefoniczna przebiegła w miłym, acz służbowym tonie. Przełożony, komisarz Wieruch okazał się szczerze zainteresowany dobiegającymi go informacjami na temat lądowania w Sieciowie formacji Niezidentyfikowanych Obiektów Latających. Ponieważ dane posiadał ledwo szczątkowe, pragnął upewnić się co do nich u wiarygodnego źródła. Aspirant z wielkim trudem, właściwie cierpiąc katusze, tłumaczył przełożonemu fatalne konsekwencje roznoszących się samopas po okolicy najzwyklejszych plotek. Naciskany przez komisarza obiecał, że zbada sprawę osobiście i postara się oficjalnie zdementować głoszoną w mediach oczywistą nieprawdę. Po to udał się w teren.

– Niech to jasny gwint! – prychnął Mareczek, przyglądając się łanowi pszenicy z wysokości strażackiego podnośnika. To, co rozciągało się poniżej, miast rozwiązania problemu kosmitów, znacznie go komplikowało. Czuł się wielce skonfundowany. Co miał meldować komisarzowi? Że zanim kosmici wpadli do jeziora, na polu pszenicy pozostawili pieczęć swojej obecności? Na pytanie „po co?" miałby odpowiedzieć, że dla innych ekip UFO, które wyruszą na poszukiwania rozbitków? Tyle teorii usłyszał od pętających się po okolicy ufologów. Nolozjaści opanowali pobliski teren i swoimi przyrządami wnikliwie badali pszenicę. Cyferki zmieniały się, a wskazówki wychylały to w prawo, to w lewo. „Specjaliści" od manifestacji obcych cywilizacji dowodzili, że pochodzenie kręgów w zbożu to oczywiste znaki pozostawione przez załogę nieszczęsnego pojazdu. Klnąc pod nosem, musiał przyznać przed samym sobą, że wzory robiły wrażenie.

– I co? – zapytał Dolina, który nonszalancko opierał się o barierkę kosza. – Robi wrażenie?

Mareczek tym razem nie był w stanie ukryć zmieszania.

– Nie wiem, co to takiego, ale się dowiem – zakomunikował, robiąc kolejne zdjęcie.

– Taaa... – odpowiedziało mu cmoknięcie sierżanta. – Zapewne. Tego było za wiele.

– Nabijasz się ze mnie? – warknął podwładnemu wprost do ucha.

– Nie śmiałbym, szeryf... – usprawiedliwił się mało przekonująco. – Ani tyci. Pytam tylko.

Wyraz twarzy Doliny zdradzał, że niepokoi go nerwowość przełożonego. Od jakiegoś czasu, chyba właśnie od momentu zejścia z tego świata pierwszego nieboszczyka, szef miał pogłębiające się kłopoty z samokontrolą. Przyszła mu na myśl pewna inna ewentualność.

– Z Haneczką to wszystko okej? – spytał niemal szeptem.

Aspirant poczuł, jak podnosi mu się ciśnienie krwi.

– A co ma być z Haneczką?

– Układa się wam?

– A co ma się nie układać? – Mareczek bacznie przyjrzał się koledze. Dolina zauważył złość w jego oczach.

– No... bo coś jakby taka samotna się wydaje. Coś między wami nie tak?

Mareczek niemal wypadł z kosza. Strażacy na dole interesowali się kręcącymi się wokół nolozjastami, którzy pstrykali zbożu cyfrowe fotki. Mareczek nie chciał zwracać na siebie uwagi, ale osiągnął to z niemałą trudnością.

– A ty skąd masz takie newsy?! Z twojej e-gazety? – syknął aspirant.

– No co ty... – Dolina próbował uzyskać między nimi nieco dystansu, ale w małym koszu więcej miejsca nie uświadczył. – Spotkałem ją przypadkiem i tak jakoś... pogadaliśmy. Wydała mi się jakaś smutna.

– Smutna?

– Dokładnie, wydawało mi się, że jest smutna.

– A ty czasami smutny nie jesteś?

– A bywa.

– I jaki mam wyciągnąć z tego wniosek?

– Że jest mi z czymś źle. To chyba oczywiste.

DZIESIĘĆ

Mareczek przeklął pod nosem, ale uczynił to na tyle głośno, by wyraźnie usłyszeli go strażacy.

– I sądzisz, że ma z czymś problem, a tym problemem jestem ja? Dolina przewrócił oczami.

– Nie wiem, czy ty. Pytam, bo się o was martwię.

– To miłe – stwierdził sarkastycznie Mareczek. – A dlaczego się martwisz?

Dolina żałował, że podjął ten temat.

– Jesteście moimi przyjaciółmi, tak?

– Zjeżdżamy? – zapytał jeden ze strażaków.

– Zjeżdżamy – zgodził się z ulgą Dolina, a pracujący silnik zagłuszył obsłudze wozu następne słowa Mareczka:

– Mirek, nie wydaje ci się, że przeginasz? Jak będziesz się wcinał w moje, a właściwie nasze sprawy domowe, to chociaż jesteśmy kumplami od lat, przestanę cię tak traktować, kapujesz?

– Nie histeryzuj, Tomeczek – Dolina próbował za wszelką cenę łagodzić powstający konflikt. – Widzę, że coś nie tak z tobą. Zrobiłeś się nerwowy, Hania chodzi smutna. Chciałem pomóc, zanim coś głupiego nachachmęcisz. Pytam tylko...

Aspirant popatrzył wprost w jego oczy. Zrobił to tak agresywnie, że Dolina powoli zamyślał skakać z wciąż jadącego w dół kosza.

– Powiem ci prawdę – grzmotnął Mareczek. – Mam nieodparte wrażenie, że coś tu jest mocno nie tak. Kręgi w zbożu – niby nic takiego, ale jednak coś. Plotki o pojeździe obcych – od nich robi mi się niedobrze. I to najgorsze – dwóch nieboszczyków z podejrzaną przyczyną śmierci. W pierwszym przypadku wydaje się, że mogło dojść do jakiegoś gwałtownego zdarzenia, tak? Nie mamy żadnego zgłoszenia, dlatego trudno to z czymkolwiek powiązać. Być może powinniśmy przeszukać okolicę w poszukiwaniu jakichkolwiek śladów, które mogłyby nam coś powiedzieć, ale na razie sam nie wiem, czy chcę je znaleźć. Jeżeli znajdziemy dowody jakiegoś przestępstwa, będziemy tu mieli niezły bigos, który przyjdzie nam jeść przez kolejnych kilka miesięcy. W drugim przypadku widzialnych znamion przestępstwa brak, tak? Na nasze szczęście brak. Mam jednak mocny dyskomfort, bo nie lubię, a właściwie nienawidzę, kiedy ktoś umiera.

W tym momencie wzrok Doliny przykuło coś, co Mareczek miał za swoimi plecami. Aspirant widział tylko, jak oczy kolegi robią się coraz większe. Odwrócił się, by sprawdzić, co jest przyczyną zdumienia, jakiemu ulegał sierżant. Zanim zdążył w pełni się odwrócić, coś mignęło obok i poleciało w dal. Dolina wykonał gwałtowny zwrot na pięcie, aż cała gondola podnośnika niebezpiecznie zachybotała się. Mareczek, wiedziony jakimś odruchem, podniósł swój służbowy tablet, którym robił zdjęcia zbożu i wycelował obiektywy w to coś, co przed sekundą minęło ich zaledwie o kilkanaście metrów. Nerwowo wdusił przycisk migawki kilka razy, jakby miało to jakoś pomóc.

– O, pierdziu...! – wrzasnął Dolina. – Co to było?!

Aspirant powoli zamknął rozdziawione usta. Strażacy również zauważyli zaskakujące zjawisko. Jeden z nich przykucnął nawet, by uchronić się przed nagłym niebezpieczeństwem.

– Piorun kulisty! – krzyknął jeden ze strażaków.

– Jaki piorun, nie ma nawet jednej chmury – zaprzeczył drugi.

Mareczek zrobił maksymalne zbliżenie i na ekranie tabletu dostrzegł niewielką, kolorową plamę.

– Mirek... to coś się zatrzymało...

– Pokaż! – Dolina wyrwał tablet z jego ręki i sam próbował zobaczyć dziwne zjawisko jeszcze raz. – Gdzie?

Aspirant uchwycił dłonie kolegi i nakierował na miejsce, gdzie widział zagadkowy obiekt.

– Nie widzę. A... jest! Jest! – wrzasnął podekscytowany. – Pomarańczowe.

– Rób zdjęcia.

– Nie rusza się.

– Jak daleko to coś jest, co? – spytał Mareczek.

Dolina zastanowił się chwilę. Próbował określić odległość w oparciu o punkty terenowe.

– Nie mam pojęcia. Dwa kilometry? Trzy?

– To będzie w rejonie Lisienia. Panowie, na dół! – aspirant krzyknął do strażaków. – Szybko!

Zanim gondola zniżyła się i osiadła na podnośniku, obaj policjanci wyskoczyli na trawę. Dolina w lot zrozumiał myśl przełożonego. Pędem pobiegli do radiowozu. Mareczek usiadł za kierownicą, sierżant wpakował się na tylne siedzenie. Wóz skoczył rączo do przodu. Dolina przypiął się pasami, złapał fotel przed sobą i zaparł się nogami. Z mety zrobił się zielony na twarzy.

DZIESIĘĆ

– Może uda się go dogonić – rzucił szybko Mareczek.

Dolina miał wątpliwości. Nie wierzył w to, by latający obiekt zechciał tam na nich czekać.

– Dawaj gazu! – poprosił wbrew swoim uczuciom. Żołądek wywinął mu się na drugą stronę. Nie znosił szybkiej jazdy. – Bo ucieknie!

Mareczek w jednej chwili oblał się potem. Nigdy w życiu czegoś takiego nie widział. Za wszelką cenę chciał znaleźć się jak najbliżej pomarańczowego obiektu. Gdyby udało się temu zrobić zdjęcie i sfilmować...! Pędził na załamanie karku. Wyciskał z silników maksymalną moc.

Dwa kilometry pokonali w mig. Na bliski szosie pagórek wdrapali się biegiem. Obaj rozglądali się na wszystkie strony, ale niczego nie wypatrzyli.

✳ ✳ ✳

Nalewka smakowała wyśmienicie i miło drapała w gardle. Odświeżony, czuł się lepiej, ale kości nadal trzeszczały przeszywająco, powodując nieprzyjemne bolęści w całym ciele. Lekko przyodziany poczłapał do swojej pracowni, którą stanowił mały pokoik mieszczący się tuż obok sypialni. Dwa pokoiki i łazienka z natryskiem stanowiły jego przytulne mieszkanko. Kuchni nie posiadał. Ta mieściła się niedaleko, także na parterze piętrowego domu, gdzie mieszkało wraz z nim trzech kapłanów oraz całkiem młoda gospodyni licząca sobie około czterdziestu lat. Ci młodzi braciszkowie wodzili za nią zgłodniałymi oczyma, zupełnie jakby nie mieli na myśli wyłącznie smacznych obiadów, jakie serwowała. Kapłan Karol wiedział, że są młodzi, a młodość rządzi się swoimi prawami, ale ilekroć dostrzegał ich niezdrowe spojrzenia, karcił je na tyle sugestywnie, że w lot rozumieli, w czym rzecz. Pani Jadzia nieświadoma niczego czyniła swoje obowiązki niczym jakiś anioł, przyrządzając coraz wykwintniejsze smakołyki. Byli nimi zachwyceni, to bez dwóch zdań, traktowali zatem, a przynajmniej on traktował panią Jadzię jak anioła. Bez niej pomarliby niechybnie z głodu, nie wspominając już o brudzie i nieładzie w całym domostwie, bo większość chłopów, chłopami pozostaje do końca bez względu na praktykowaną profesję. A chłop to chłop – brudu się nie lęka, bo brud przed nim ze strachu klęka.

Kapłan Karol wiedział, że młodzi potrzebują czasu, by doznać ogłady. A tą niosło samo życie wraz z porażkami i klęskami uczącymi pokory i zginającymi do modlitwy sztywne kolana. Wszedł do swojej pracowni i z niemałym ceremoniałem przygotował wszystkie niezbędne narzędzia. Miał je w zasięgu ręki na niewielkim, niskim stoliku, przy którym stawiał obrotowy zydelek, specjalnie pozbawiony oparcia. Praca, której się poświęcał, wymagała pełnego oddania, oddzielenia się od wszelakich przeszkód, samozaparcia oraz podbijania swej cielesnej powłoki w niewolę, by osiągnąć szczytny cel, nie żywiąc do siebie najmniejszych pretensji.

Zanim przysiadł na zydelku, wykonał sakramentalny znak dłonią, zdjął z namaszczeniem szeroką płachtę ze swego dzieła i klęknąwszy z widocznymi oznakami cierpienia na wykrzywionej z bólu twarzy, począł wzywać wszystkich świętych, by prowadzili go w dalszym dziele sowitym błogosławieństwem i wprawną ręką. Trwało to dobrych kilka chwil, po czym z bojaźnią i szacunkiem wziął się do roboty. Chwilami czuł się jak chirurg, który za pomocą skalpeli nadaje nowe piękno starej naturze. Muskał sprawnie materiał swymi narzędziami, przydając mu właściwego kształtu. Z każdą poświęconą godziną wytężonej, mozolnej pracy wzrastało w nim coraz pełniejsze zadowolenie. Zamierzony cel znajdował się już tuż, tuż. Wyobrażenie skrzące się w umyśle kapłana od wielu lat, przeistaczało się w urzeczywistnioną formę. Dokładnie taką, jaka jawiła mu się pod zamykanymi wieczorem powiekami od niemal roku. Wcześniej wiedział, że nieuchronnie musi zasiąść do tego dzieła, ale nie potrafił wykoncypować sobie właściwych detali. Dopiero jakiś rok temu pojawiła się ta iskra, której zawdzięczał przebłysk nowej świadomości. Nabycie odpowiednich narzędzi nie trwało długo, ale sama praca pochłonęła pełny rok! Teraz znalazł się u jej kresu. Dopieszczał drobne szczegóły, poprawiał przeoczone niedoskonałości. Każdy detal, każdy pierwiastek, każdy atom niemal, musiały osiągnąć ten jeden możliwy kształt, bez którego końcowy efekt byłby zwykłym profanum, a nie sacrum, do jakiego mozolnie dążył. Był bliski triumfu.

DZIESIĘĆ

Medalion pod ubraniem jakby ożył. Kapłan odniósł takie wrażenie, jakby wisiorek z podobizną świętej zapragnął wyskoczyć z ukrycia.

W tym momencie kapłana przeszył znajomy już dreszcz. Najpierw pomyślał, że to zwichrowany, kapryśny kręgosłup daje znać o starczych zwyrodnieniach, ale dreszcz pozostał dreszczem, nie przeradzając się w znajomą boleść. Poprawił się na zydelku, ale mrowienie pojawiło się raz jeszcze, tym razem przebiegając po całym ciele. Nogi stały się jakieś miękkie. Przyszła szybka myśl dotycząca zydelka. Gdyby nie miał go pod sobą, niechybnie upadłby na podłogę. Do tego ramiona. W jednej chwili stały się ciężkie, niemal bezwładne. Z trudem utrzymał w dłoniach narzędzia. Przed oczami zawirowało i ukazały się czarne, zasłaniające znaczne części obrazu, plamy. Kapłan Karol zamknął powieki i słabość natychmiast uleciała w niebyt.

Nachylając się bardzo blisko, jak tylko blisko można było, wygładził niewielką zmarszczkę tuż poniżej oka i wtedy odniósł to pierwsze, zadziwiające wrażenie, któremu zwykle nie sposób od razu ulec. Powieka jego dzieła drgnęła. Dostrzegł to bardzo pobieżnie, dlatego bacznie przyglądał się przez moment, czy zjawisko się powtórzy, ale nie, niczego nie stwierdził. Bywa, że człowiek ulega złudzeniom, różnym omamom, które atakują zmysły, by poddać w wątpliwość jasność umysłu.

Sięgnął po szklaneczkę z nalewką. Kolejny łyk był jeszcze smaczniejszy. Drapał gardło, bo tak musiało być, ale pomógł żołądkowi we właściwym trawieniu swojej zawartości i rozjaśnił myśli. Odprężył się nieco i odsunął, by z dystansu przyjrzeć się całości. Mógł być z siebie zadowolony. Bardzo zadowolony. Kiedy przedstawi swoje dzieło, zapewne zbierze same pochwały. Jak do tej pory nikt oprócz jego samego nie miał prawa ujrzeć czegokolwiek, by nie zburzyć harmonii tworzenia. A harmonia ta wymagała izolacji, wręcz żądała pełnego odosobnienia dla osiągnięcia jak najlepszego efektu.

Spod powieki, która wcześniej wątpliwie drgnęła, wydobyła się łza. Kapłan zastygł zdumiony, nie dowierzając temu, co widzi, ale po krótkiej chwili wahania zbliżył się, by mieć pewność. I mógł być pewny. Policzek był wilgotny. Bez wątpienia widział cienką strużkę czegoś, co mógł nazwać łzą.

Odsunął się gwałtownie. To nie mogła być prawda! Dzieło jego rąk nie mogło ronić łez. Musiał dopaść go jednak jakiś omam. Albo nalewka... Zerknął na opróżnioną szklankę. Nie, to raczej niemożliwe, nie wypił przecież takiej ilości, która mogłaby zaszkodzić.

I właśnie ukazała się druga łza. Ostrożnie, tak jakby w zjawisku kryła się jakaś ewentualność porażenia czymś niebezpiecznym, podniósł dłoń ku będącej na wysokości jego policzków twarzy dzieła i wskazującym palcem dotknął spływającej w dół kropli. Cofnął dłoń, jak szybko tylko potrafił i odsunął się na bezpieczną odległość. Przyjrzał się opuszkowi. Był wilgotny. Zbliżył palec do ust, ale zawahał się. Żywił wątpliwości – powinien, czy też nie? Powąchał opuszek, ale nic nie poczuł. Skrzywił się nieco. Powinien, czy też raczej nie? Wreszcie podjął decyzję i polizał palec. Nie odczuł żadnego smaku, ale zaraz się zreflektował. Nalewka! Czegóż miałby się spodziewać? Alkohol skutecznie zaatakował kubki smakowe, blokując wszelkie doznania. Jeśli chciał stwierdzić, czy ciecz rzeczywiście jest słona, nie powinien kosztować nalewki.

Przyjrzał się stojącej przed nim figurze. Niewątpliwie zasługiwała na miano pięknej. Zadbał o detale na każdym centymetrze jej powierzchni. Zakupione narzędzia wyśmienicie zdały egzamin. Wiedział dlaczego. Zanim wziął się do roboty, pojechał z nimi we właściwe miejsce i poddał skutecznym rytuałom. Że były skuteczne, widział na własne oczy. Owoc stał przed nim.

Łza. Co mogła oznaczać? Pomyślał chwilę.

– To chyba niemożliwe... – szept wydobywał się z ledwo dostrzegalnie otwieranych ust. – Ja...?

Figura patrzyła na niego, głęboko wwiercając się swoim spojrzeniem w głąb jego duszy. W tym wzroku dostrzegł zrozumienie. Nawet współczucie.

Kapłan Karol zagryzł wargi. Docierającą do niego myśl początkowo starał się odepchnąć, czując się zupełnie niegodnym przesłania, jakie niosła. Na chwilę opuścił wzrok. Do tej pory uważał się za wierzącego. Tak, był wierzącym od dzieciństwa. Zaniesiono go do świątyni jako poganina, wrócono z wierzącym... czy jakoś tak. Od najmłodszych lat w coś wierzył. Najpierw bajkom. Kupował wyczyny Bolka i Lolka jako prawdziwe w ciemno. Czerwony Kapturek bez dwóch zdań został pożarty przez złego wilka, a potem urato-

DZIESIĘĆ

wany przez dzielnego myśliwego. Koziołek Matołek wędrował po świecie i szkoda, że nigdy nie spotkał Kota w Butach, bo zapewne dobrze by się zrozumieli. Wierzył. To było w jego naturze. Także później. Wierzył historii. Wierzył w ludzkie opowieści. Na studiach wierzył jeszcze goręcej. Żywił przekonanie, że każde wypowiadane przez zacnych wykładowców słowo jest w najdrobniejszym szczególe prawdziwe. Wierzył tradycji, bo niosła w sobie nieogarnięte bogactwo wielu świętych mędrców...

Dopadł go nowy dreszcz i przelotne osłabienie organizmu. Coś się działo z kapłańskim wzrokiem, ale po kilku sekundach niedyspozycja minęła. Pomyślał, że to starość. Przybywające lata niosły ze sobą coraz to nowe dolegliwości.

Nieco bojaźliwie podniósł spojrzenie na twarz figury. W jej oku pojawiło się coś nowego. Tym razem przeraził się nie na żarty! Po jej policzku spłynęło coś, co miało barwę czerwoną, krwistą, porażającą.

Padł na kolana.

W tym momencie ponownie odezwał się medalion. Kapłan sięgnął pod ubranie i wyjął zawieszony na łańcuszku srebrny wisiorek, który wypadł z drżących palców i zamiast zawisnąć w zgodzie z prawem grawitacji, nienaturalnie zbliżył się do figury, naprężając przy tym łańcuszek.

To nie było jakieś tam zjawisko. To cud!

Pokłonił się swojemu dziełu do samej ziemi.

Nie! To już nie było jego dzieło, bo być nim nie mogło! Zdarzył się cud, a cuda nie są dziełem ludzkich rąk.

– Jeśli będziesz posłuszny, okażę na tobie swoją wolę... – Głos. Usłyszał słowa, które złożyły się na całe zdanie. Zdanie wypowiedziane wprost do niego!

Ciało kapłana Karola owładnął paraliż. Zamknął, a właściwie ścisnął powieki, jak tylko potrafił mocno. Jeśli zwariował, jeśli dopadł go jakiś obłęd... Chciał się obudzić! To bez wątpienia jakiś sen. Jak tamten o ślepcu. Właśnie. Kolejny dziwny sen! Kiedy tylko pozwoli oczom spojrzeć na ten świat, ujrzy swoje własne łóżko. Wstanie, poczłapie, by wziąć prysznic i poczuje się znacznie lepiej.

Pomału pozwolił powiekom na dopuszczenie do mózgu światła. Zobaczył skrawek podłogi. Zwilgotniałej podłogi. Natychmiast dotarło do niego, że jest mokry od potu. I zwinięty w kłębek jak modlący się muzułmanie. Ostrożnie uniósł głowę, by z nieśmiałością rzucić okiem na górującą nad nim figurę. Nie zdążył. Tuż przed jego oczami spadła na podłogę kolejna krwawa łza.

Uniżył się jeszcze bardziej. Poczuł, jak serce rozbija pierś niczym oszalałe. Drżał cały. Przypomniały mu się podobne historie. Jak ta z Civitavecchia chociażby.

Nagle zdobył się na nieco odwagi. Dotknął spoczywającej tuż przed jego nosem kropli, która jakimś niewiadomym sposobem nie rozbryznęła się pomimo swego upadku ze znacznej wysokości. Teraz, pocierając wilgotny jeszcze palec, zrugał się za tandetę swojej dotychczasowej wiary. Uznał, że ledwo tliła się w meandrach skomplikowanej duszy. Kiedy trzeba było naprawdę wierzyć, okazał się ignorantem.

– Słucham – jęknął. – Proszę, mów. Mów do mnie. Ja słucham...

Zapanowała niezręczna cisza. Umysł kapłana Karola prężył się, by w pełnej gotowości przyjąć każdy rozkaz, każde pouczenie, nawet najdrobniejszą z sugestii. Bezruch uwierał. Był na wskroś niewygodny i do głębi niezręczny. Przecież skoro ofiarował poddanie...

Oczekiwanie na podjęcie dialogu przez stojącą nad nim figurę boleśnie dźgnęło racjonalną część rozumu. Na co czekał...? Aż przemówi? Czy powinien spodziewać się, że dzieło jego rąk będzie z nim rozmawiało? Zorientował się, że tkwi skulony na podłodze w służalczym pokłonie, gotowy na każdą rzecz, jakiej zażąda od niego metrowy posąg. Mięśnie twarzy drgnęły mu nieznacznie. To przecież absurd. Zupełny absurd. Głos musiał być wytworem jego wyobraźni. Albo niedotlenienia. Miał przecież swoje lata, a w tym wieku miażdżyca nie jest niczym rzadkim. Na domiar wszystkiego, a właściwie z powodu kiepskiego samopoczucia, mógł mieć zwidy. Himalaiści wchodzący wysoko ku szczytom ośmiotysięczników także miewają zwidy. Brak tlenu. Wtedy mózg wizualizuje najrozmaitsze przedstawienia. Budkę telefoniczną na przykład. Albo pędzący po stoku autobus. Albo... albo kapiącą na podłogę krew i głośne słowa. Nadal skurczony na podłodze zaczął się uśmiechać pod nosem, zaraz potem głośno się śmiać i trząść się z tego całego ubawu, jaki zgotowała mu jego własna mózgownica.

DZIESIĘĆ

Podniósł się nieco i zastygł w bezruchu. Coś jednak nie grało. Zabolały go kości, co świadczyło o przytomności, ale bezwzględnie działo się źle.

Podłoga tuż przed nim. Dwie krwiste plamy, z czego jedna lekko rozmazana. Spojrzał na swoje palce. Czerwone palce. Podniósł wzrok wyżej i na powrót zrobiło mu się słabo. Na obu policzkach figury dwie strużki po krwawych łzach.

Zrozumiał. Madonna płakała nad jego niewiarą, nad głupotą, która zagnieździła się w jego sercu.

– Chcę twojego posłuszeństwa – usłyszał w środku głowy. – Twojego poświęcenia!

Zgiął się wpół. Tak wypadało. Nie. Tak należało! Zgiął się, na ile pozwalało schorowane ciało. Zrobiło mu się przykro. Strasznie, niewymownie przykro, że zawiódł...

– Czego tylko pragniesz, o najświętsza panienko... – zaskomlał.

* * *

Aspirant Mareczek siedział na zboczu pagórka oparty o wysoką sosnę i patrzył w dal. A w dali, na tafli jeziora kołysały się trzy łodzie. Wiedział, do kogo należą i czekał. Czekał na wybuch radości, na głośne krzyki, na wywijanie czym popadnie, by oznajmić wszem i wobec koniec poszukiwań oraz zwycięstwo. Nolozjaści poszukiwali zatopionego statku kosmitów. Nawet z daleka można było dostrzec, że robili to metodycznie, kawałek po kawałku przeczesując dno różnymi sonarami rozmieszczonymi na łodziach oraz na rozciągniętych pomiędzy nimi linach.

– Zobaczę, uwierzę – mruknął do siebie przekonany, że nic nie zobaczy. Prawie przekonany. Właściwie coraz mniej przekonany... Gdyby udało się dopaść tajemniczy obiekt, który zatrzymał się nad Lisieniem, wątpliwości miałby jeszcze mniej. Wykonane z dużej odległości zdjęcia nie przedstawiały właściwie żadnej wartości. Pomarańczowa plama mimo cyfrowej obróbki pozostawała pomarańczową plamą i niczym poza tym. Co było robić... Doznanie dreszczyku emocji wycisnęło na nim wyraźne piętno. Co widział, nie wiedział, ale nie miał wątpliwości, że coś bezgłośnie przemknęło nieopodal nich z ogromną prędkością i potrafiło zatrzymać się w powietrzu. Jakiś eksperyment naukowy? Technologia wojskowa? Czy też raczej UFO, jak niezachwianie utrzymywał Dolina? Czymkolwiek to było, zrobiło na wszystkich obserwatorach niesamowite wrażenie.

Do tej pory nie wierzył w kontakt z obcymi cywilizacjami. Gdyby naprawdę istniały i podróżowały na Ziemię, dlaczego nie decydowały się na podjęcie kontaktu? A może jednak kontakt był? Roswell. Strefa 51. Znalazło by się pewnie tego znacznie więcej. Być może rządy poszczególnych państw ukrywały relacje z Obcymi.

Dolina uraczył go jakimiś niestworzonymi historiami rodem z filmów s-f, które go odstraszały i powstrzymywały przed poważnym traktowaniem tematu. Ale wątpliwości miał coraz więcej. Zdecydowanie więcej.

* * *

Kapłan Karol Wojtaszek zszedł do kuchni na parterze domu. Zerknął przez uchylone okno na podwórze. Nieopodal jednego z zaparkowanych samochodów stała szczupła blondynka o lekko kręconych włosach. Miała nie więcej niż dziesięć, jedenaście lat. Jej niebieskie oczy patrzyły na niego ze smutkiem.

Musiał się czegoś napić. Usta wyschłe na wiór domagały się rychłego ocalenia, a w mieszkaniu nic oprócz nalewki oraz wody z kranu nie znalazł. Kuchnia była pusta. O tej porze gospodyni zwykła robić zakupy. Drżącymi dłońmi otworzył butelkę mineralnej. Uwalniany z jej wnętrza gaz zasyczał złowrogo. Nie mógł pić nasyconej gazem wody, więc wziął inną butelkę. Nakrętka stawiła większy opór niż poprzednia, ale ponownie usłyszał charakterystyczne syczenie. Jeszcze jedna. Znów to samo. Zerknął na podłogę. Znalazł tam inną zgrzewkę. Rozpakował, odkręcił nakrętkę. Syk. Ręce zatrzęsły się jeszcze bardziej. Po szóstej nie wytrzymał. Cisnął odkręconą butelką przed siebie, a ta z głośnym bulgotaniem wody uderzyła w kuchenną szafkę.

– Gdzie jest normalna woda! – wrzeszcząc, zachrypiał kapłan, dodając stek niewymyślnych imperatyw pod adresem upadłej flaszki.

Nie zauważył czyjejś obecności. Dopiero schylając się w poszukiwaniu następnego naczynia, w którym mógłby znaleźć właściwą ciecz, kątem oka dostrzegł stojącą w drzwiach postać. Ta zastygła

DZIESIĘĆ

tam zdumiona widowiskiem, którego głównym aktorem okazał się on, najstarszy, najbardziej nobliwy kapłan w okolicy.

– Aaa... Pani Marta Jadzia... czy Jadzia Marta... – zaanonsował niezdecydowanie gospodynię, nie mogąc przypomnieć sobie, co stanowiło jej imię, a co nazwisko. Potem warknął niemiło: – Gdzie niegazowana?!

Kobieta zdumiona zachowaniem duchownego przez moment patrzyła na niego okrągłymi, wielkimi oczyma.

– Ruchy! – zagrzmiał zniekształconym, charczącym głosem.

Wykonując rozkaz, przeszła chybotliwym krokiem w poprzek kuchni ku niewielkiej komórce, gdzie trzymała podręczne, niewymagające lodówki zapasy. Wyjęła stamtąd odpowiednią zgrzewkę wody i odwracając się, przestraszona krzyknęła. Kapłan stał tuż przy niej z opuszczonym, tuż poniżej jej talii wzrokiem. Podała mu całą zgrzewkę, jednocześnie się nią zasłaniając. Kapłan Karol, odbierając pakunek, dotknął jej dłoni. Przeszedł ją dreszcz. Zimny, przeszywający do samego szpiku. Zaraz potem dotknęła ją słabość – dziwna, uginająca nogi w kolanach. Wsparła się na framudze prowadzących do komórki drzwi. Dzięki temu nie upadła. Przed oczyma zawirowały czarne plamy. Ciśnienie. Pomyślała, że spada jej ciśnienie.

Wtedy zemdlała...

„Nie czyń sobie podobizny rzeźbionej czegokolwiek, co jest na niebie w górze, i na ziemi w dole, i tego, co jest w wodzie pod ziemią. Nie będziesz się im kłaniał i nie będziesz im służył, gdyż Ja Pan, Bóg twój, jestem Bogiem zazdrosnym, który karze winę ojców na synach do trzeciego i czwartego pokolenia tych, którzy mnie nienawidzą. A okazuję łaskę do tysięcznego pokolenia tym, którzy mnie miłują i przestrzegają moich przykazań."

Księga Wyjścia 20, 4-6

Trzecie

– Oj, chłopcze, chłopcze... – westchnęła z głębokim współczuciem. – Położyłbyś się do łóżka, zamiast spać w fotelu.

Tomasz Mareczek drgnął i z niemałym trudem, mrużąc oczy, spojrzał na kołujący wokół niego świat. Nie bardzo orientował się, gdzie jest, co się dzieje i czyj głos raczył do niego przemówić. Czuł się rozbity, przemęczony, a na domiar wszystkiego zagubiony. Sytuację nieco poprawił soczysty całus.

– Nie szkoda ci zdrowia? – głos Hani, pełen troski i niepokoju dopełnił całości. Usiadł i rozprostował kości.

– Która godzina? – stęknął bardziej, niż zapytał.

– Dochodzi dziesiąta, skarbie.

Mareczek zerwał się na równe nogi.

– Spóźniłem się do roboty...! – zagrzmiał, a wzmożone ciśnienie krwi zaraz przywiodło ciało do pełnej gotowości. Otrzeźwiał w sekundzie.

– Dziubuś, dzisiaj sobota i masz... – spytała Hania ciepło i opiekuńczo –... co?

Mareczek ciężko opadł na fotel. Miał wolne... Strach, że nie dotarł na czas do pracy, powoli ulatywał w siną dal jak poranna mgła. Napięcie towarzyszące umysłowi od kilku dni rujnowało całe ciało. Czuł to bardzo mocno. Nie pamiętał, kiedy po raz ostatni splamił się lenistwem, kiedy zagrał w jakąś grę, kiedy pobyczył się i całą tę sieciowską wioskę miał gdzieś. Bez ustanku kombinował, co dzieje się wokół niego. A działo się. Pogłoski o UFO w Jeziorze Sieciówka dzięki współczesnej teleinformatyce rozprzestrzeniły się iście błyskawicznie. Do Sieciowa ściągały całe zastępy głodnych sensacji poszukiwaczy przygód, które w znacznej mierze rozłożyły się nad brzegiem jeziora, z zaciekawieniem obserwując poruszenie na tafli wody poprzez wszystko, co daje jakiekolwiek przybliżenie. Można było zobaczyć wszelkiego rodzaju lornetki, lunety, a nawet astronomiczne teleskopy na trójnogach. Reporterzy najrozmaitszych gazet wyposażeni w profesjonalny sprzęt wyróżniali się ogromnymi obiektywami fotograficznymi. Dziennikarze rozpytywali turystów

DZIESIĘĆ

o ich zdanie na temat UFO, szukając naocznych świadków uderzenia w wodę latającego talerza. Dzięki temu posterunek policji w Sieciowie miał zajęć pod dostatkiem. Wszędzie tam, gdzie znajdowały się ludzkie tłumy, narastały wszelakie problemy. Te natury prawnej w szczególności. Mnożące się dyskusje dotyczące najrozmaitszych form manifestowania się obcych na Ziemi, nierzadko przeistaczały się w kłótnie, a te w bójki. Kilka razy zdarzyło się, że co bardziej krewkich uczestników dyskusji radiowóz odwoził do Wolczyc, gdyż sieciowski posterunek policji nie miał wystarczających warunków lokalowych, by zajmować się podpitymi aresztantami. Z reguły działania policji ograniczały się jednak do mandatów, upomnień oraz zapobiegania eskalacji powstałych konfliktów, jeśli wzywano patrol wystarczająco prędko.

Sobota zatem była dniem wolnym. Miał prawo odpocząć – wypłaszczyć się, zamknąć oczy i nie interesować się zupełnie niczym. Miał prawo, ale nie mógł. Albo raczej nie potrafił. Umysł zajęły mu problemy, które dręczyły świadomość niezliczoną ilością wątków oraz ewentualności. Całą niemal noc spędził na przeszukiwaniu netu. W pierwszej kolejności interesowały go litery NB. Ich kształt, bardzo charakterystyczny, zupełnie nietypowy w dzisiejszych czasach, powinien być rozpoznawalny przez osoby interesujące się historią, może heraldyką, nie wiedział jednakże, gdzie uderzyć, by znaleźć choć strzępy informacji pozwalające nadać własnemu dochodzeniu sensowny kierunek. Odwiedzał strony zawierające hasła kojarzące się z tematyką gotycką. Kształt liter nasuwał skojarzenia z tą epoką, ale mimo wysiłków niczego konkretnego nie znalazł. W końcu doszedł do wniosku, że obrał niewłaściwą drogę.

Dwóch nieboszczyków, dwa identyczne tatuaże oraz podejrzane, dla niego – niewyjaśnione – przyczyny zgonu... Interesujące. Z powodów formalnych nie można było nadać śmierci obu tych osób statusu dającego podstawy do formalnego śledztwa. Dochodzenie prowadził na własną rękę, całkiem nieoficjalnie. Jeśli potrzebował informacji, korzystał ze znajomości i dobrych kontaktów w policji oraz innych instytucjach, jak na przykład z usług patologa Krzysztofa, dla którego dokonywanie sekcji zwłok było czymś w rodzaju pasji. A znajomości miał sporo.

Druga sprawa to rzekoma katastrofa latającego talerza. Przy każdej okazji różni ludzie pytali go o to, co myśli o tym UFO. Odpowiadał, że nie znaleziono stuprocentowych dowodów na to, że w ogóle jakaś katastrofa miała miejsce. Co prawda pojawiali się ludzie twierdzący, że widzieli spadający obiekt, ale dziwnym trafem nikt nie był w stanie swoich relacji niczym udokumentować. Nikt nie miał zdjęcia, żadnego filmu, zupełnie niczego, co dałoby podstawę do wszczęcia właściwych dla takich zdarzeń procedur. Poszukiwania wraku podjęte przez różnego rodzaju bardziej lub mniej formalne grupy i organizacje, także nie przynosiły żadnych rezultatów. Do tego szef domagał się raportu dotyczącego domniemanego Niezidentyfikowanego Obiektu Latającego. Naprędce sklecił raport, w którym napisał, co uważał za słuszne, by przynajmniej na jakiś czas mieć go z głowy. Nie chciał, by komendant zwalił się do Sieciowa i badał sprawę UFO osobiście. Mareczek wystarczająco gruntownie zajmował się kwestią zejścia z tego świata przestępcy-oszusta oraz sanitariusza-ratownika, by na domiar wszystkiego trapić się jeszcze komendantem.

Powiązanie dwóch nieboszczyków z obcym obiektem, rzekomo spadłym do jeziora stanowiło jednakże dla aspiranta niemały problem. Przyznanie się do związku z latającym talerzem Norberta Bala, czy też Normana Beka wybitnie niepokoiło. Jeśli faktycznie Bal miał z katastrofą cokolwiek wspólnego, należałoby przyznać, że w jeziorze jednak coś spoczywa i katastrofa rzeczywiście miała miejsce. Jeśli doszło do nieszczęścia, to czym był ów latający obiekt? Gdyby okazał się on spodkiem Obcych – kim był Bal, a może raczej Bek? Gościem z przyszłości, za jakiego się podawał, czy może raczej prawdziwym kosmitą, za którego brał go Rzecki? A jeśli Beka i Rzeckiego łączyło coś więcej?

Tu rozważania aspiranta Tomasza Mareczka ugrzęzły w punkcie, który wydał mu się wybitnie niedorzeczny. Ten sam tatuaż... Nierzadko członkowie najrozmaitszych grup, bractw, gangów czy sekt oznaczali się wspólnymi symbolami, które miały pomagać w identyfikowaniu siebie nawzajem, bądź po prostu podkreślały swoistą wspólnotę, współnależność i współzależność. Mareczek przypominał sobie, jak sanitariusz odnosił się do rannego, z jaką zaciętością utrzymywał, że tamten jest kosmitą... Właśnie... Mareczek zapatrzył się na kominek. Pusty o tej porze roku przywodził na myśl śnieg, zimno i zawieruchę. Zimą Sieciowo świeciło pustkami. Latem pękało w szwach.

Kosmici. Do tej pory nie miał żadnych powodów, by wierzyć, że istnieją. Ale stało się coś jeszcze. Przekonał się o tym na własne oczy. Na polu, gdzie znaleziono tajemnicze kręgi w zbożu, pojawił się dziwny obiekt. Przeleciał nieopodal z zawrotną prędkością, by później zawisnąć w powietrzu. Zdjęcia, które usiłował zrobić temu czemuś nie były zadowalające. Nie potrafił z nich nic wyczytać, choć bardzo się starał. Czuł się mocno zawiedziony. Nie znosił sytuacji, kiedy nie potrafił dojść do racjonalnych wniosków.

* * *

Jadwiga Marta głęboko westchnęła. Nie było jej lekko, przeżywała trudne chwile i podejrzewała, czemu to zawdzięcza.

Rozbite lustro! Kiedy jej stary wrócił do domu po raz kolejny na niezłym rauszu, zamachnęła się na niego czym popadło i stało się. Zawieszone w przedpokoju lustro, które przez lata służyło jej do przeglądania się przed wyjściem z mieszkania, poszło w drobny mak! Wiadomo, co to oznaczało... Siedem lat nieszczęścia, nieustannych katastrof i kataklizmów. Szybko starała się temu zapobiec, ale chyba nieskutecznie. Pozbierała co do jednego kawałki lustra, wymiatając nawet kurz spod szafy. Wszystko zawinęła w lnianą szmatę i obwiązała siedem razy dookoła. Potem zawinęła podwójny supeł i wyrzuciła. Dla pewności wybrała kosz na śmieci na drugim krańcu miasta. Niestety całe jej zabiegi chyba nie odniosły skutku. Nieszczęścia przyszły i to jedno za drugim. Całkiem niewykluczone, że jakiś odłamek lustra najzwyczajniej przegapiła. Co zrobić – pech to pech.

Praca, którą zdobyła dzięki protekcji starej ciotki Krysi, po kilkunastu tygodniach wdrażania się w najprzeróżniejsze obowiązki wydawała się jej całkiem do zniesienia oprócz jednego uciążliwego mankamentu: mężczyzn. Mężczyźni sami w sobie wydawali się jej raczej dziwaczną odmianą ludzkiego rodu, a mężczyźni duchowni, którzy u samych podstaw powołania widzieli swoją własną egzystencję pozbawioną bliskich relacji z kobietami, zdawali się cudacznym ekstremum. Bynajmniej nie chodziło o to, by każdy chłop

musiał żyć z jakąś kobitką, nie. Chodziło raczej o to, że przybierając stan kapłański, dobrowolnie zrzekali się obcowania cielesnego
z kobietami, jednocześnie nie będąc nic a nic do tego przysposo-
bi. Przynajmniej w większości. Owszem, zdarzali się i tacy, którym w ogóle nie wadziło bycie samemu i traktowali tenże fakt jako
błogosławieństwo. Większość jednak miała z tym niemałe kłopoty, które Jadzia odczuwała na własnej skórze. Może nie dosłownie
na skórze. Poruszając się pomiędzy czterema facetami jako jedna,
jedyna baba, odnosiła niepomierne wrażenie, że ich gały wyłażą
z orbit i przyczepiają się niczym rzepy psiego ogona do jej kiecki.
Nie żeby coś więcej, skądże. Gdyby który próbował, własnoręcznie
zdzieliłaby po – duchownym czy nieduchownym – pysku. W tych
sprawach nie sprawiłoby to jej żadnej różnicy. W ich spojrzeniach
zdarzało się jednak coś nachalnego, bywało nawet, że i nieprzyzwo-
itego... Oprócz wywalanych ślepi, te przymilne słówka: a pani Jadzia
to to, a pani Jadzia to tamto... Feee! Drażniły ją nawet namolne oferty pomocy podawane tonem, którego nie dawało się odebrać inaczej, jak skrywany flirt. Może i niewinny, bez szerszego kontekstu,
ale jednak. Kiedy wybywali gdzieś albo zamykali się w tych swoich
multimedialnych pokojach-kapliczkach, nastawał błogi spokój.

– Boziu jedyna! – jęknęła, kiedy zobaczyła, jaki tłusty kawał mięsa wpakowała jej pani sprzedawczyni w markecie. A chciała chude!
– Panie, widzisz i nie grzmisz?

Zaraz dotarło do niej, że zanim wyszła do sklepu bez najmniejszego sensu gotowała cały dzbanek wody. Przecież to oczywiste nieszczęście! Jak mogła do tego dopuścić?

Przyłożyła ostrze noża do płatu tłuszczu. A może to wszystko
z tymi kapłanami to tylko jakieś jej wymysły? Jest sama, ich czterech. Może po prostu chcą być uprzejmi, a ona każde miłe słowo
traktuje nazbyt poważnie i do siebie?

✳ ✳ ✳

Melodia wydobywająca się ze smartfona nie zwiastowała niczego dobrego. Co prawda nie dzwonił komendant, ale usilne staranie
podjęcia kontaktu powzięte przez Mirka w wolny od pracy dzień,
wzbudzało oczywisty niepokój. Mareczek odebrał połączenie po
dziesiątej chyba próbie. Okazało się, że Mirek poszedł nad jezioro

DZIESIĘĆ

i zauważył tam coś niepokojącego – dużego, czarnego vana, a w nim kilkunastu facetów wyglądających jak mafiozi – wielkich, muskularnych, wysportowanych. Jednym słowem podejrzaną rasę, której z całą atencją warto się przyjrzeć z uwzględnieniem niezbędnej ostrożności oraz należytego kamuflażu. Mareczek w lot zrozumiał, że Dolina zamierza śledzić ową tajemniczą grupę, nie ujawniając swego prawdziwego, policyjnego oblicza. Wniosek nasuwał się jeden – wcześniej czy później sierżant ściągnie na siebie kłopoty. Jeśli pozostawi kolegę samopas, problem dosięgnie i jego samego.

Mareczek zebrał się w sobie i poczłapał do garażu po rower. Pofałdowany teren, jaki miał do pokonania, nie zachęcał do szybkiego pedałowania. Ruszył spokojnie, bez entuzjazmu zastanawiając się, co znów wykombinował Dolina. A miał talent do kombinowania, oj miał. Ile razy zarówno on, jak i wielu innych kolegów musiało cierpieć z powodu szaleńczych pomysłów Mirka, nie był w stanie policzyć. Wypady nad jezioro, zakładane pułapki na niewinnych turystów, podglądanie panienek, łupieżcze wprawy do sadów pobliskiej spółdzielni „Ogrodnik"... Mirek rzucał hasło, a naiwni koledzy wpuszczani w intrygę, dawali się łapać jak karpie na zanętę, przy czym Mirek – szybki i gibki – wychodził z każdej hecy obronną ręką. Mareczek nie był z sierżantem w tej samej szkole policyjnej, ale skądinąd wiedział, że i tam dopuszczał się knowań, które przysporzyły mu nielichej sławy. Co zatem wymyślił dzisiejszego ranka?

Dotarcie do parkingu, gdzie umówił się z podwładnym, zajęło jakieś dwadzieścia minut. Mnogość samochodów porażała. Sobota, wiadomo. Turyści, wczasowicze, do tego przygodni przyjezdni chętni do skorzystania z uroków okolicy. No i ci wszędobylscy poszukiwacze przygód oraz nieszczęsnego UFO. Miał szczerze dość tego tematu. Codziennie słyszał o tym w lokalnym radiu. Sezon ogórkowy wprawiał w ruch każdy taki temat z siłą buzujących wód Niagary, dopóki nie pojawił się nowy, bardziej atrakcyjny. No i cóż takiego mogłoby przebić UFO w Sieciowie? Chyba tylko jakaś narodowa tragedia...

Rozejrzał się w poszukiwaniu Doliny. Wyrósł niespodziewanie tuż obok niczym jakaś zjawa, napędzając mu nieco strachu.

– Tędy, Tomuś, tędy – szepnął konfidencjonalnie i pociągnął go za skraj koszulki. Mareczek zdążył tylko ustawić rower pod najbliższym drzewem i wcisnąć alarm z blokadą jazdy. Rower zamrugał światłami i przeszedł w stan oczekiwania na powrót właściciela.

Dolina lawirował pomiędzy zaparkowanymi samochodami. Za nim podążał coraz mocniej zblazowany aspirant. Miał dość nadmiaru wrażeń, jakie tłoczyły się wokół niego, za wszelką cenę pragnąc wskoczyć na jego coraz bardziej przygarbione plecy. Zmęczenie przytłaczało i mierziło.

Wreszcie Dolina stanął przy wspomnianym samochodzie. Owszem, wóz robił wrażenie. Nowy van marki Nysa lśnił perłową czernią. Elektryczne silniki napędzające cztery koła osiągały łączną moc 300 KM i rozpędzały auto do 250 km/h. W środku – jak na nowe Nysy przystało – pełna skóra, obrotowe fotele, wyświetlane na przedniej szybie wskazania pokładowego komputera oraz nawigacji, klima i audio z ośmioma głośnikami. No i te nowe, szlagierowe koła, bezoponowe, nieprzebijalne!

Chcieli zajrzeć do środka, ale okazało się to niemożliwe. Pokładowy komputer zaczernił szyby auta z każdej strony, także z samego przodu.

– I co? – zapytał surowo Mareczek.

– Mafiozi jak nic – mruknął sierżant. – Musiałbyś ich widzieć. Byki takie! – Wyciągnął rękę jakieś pół głowy ponad siebie.

– I dlatego z mafii, tak? – wątpił Mareczek.

– Gęby takie jakieś... zakazane.

– A! – aspirant skwitował szacowny sąd kolegi. – Gęby ci się nie podobały, i tyle?

Dolina stężał na twarzy. Zamyślił się, jego usta znacznie się zwęziły. Do tego wyraźnie spochmurniał.

– To nie tylko to, Tomeczek, nie tylko. Jak zobaczysz, co tachają ze sobą...

Mareczek wlepił w niego wzrok. W lot zrozumiał, co kolega miał na myśli, mówiąc o „tachaniu" czegokolwiek.

– Uzbrojeni? – choć w najbliższej okolicy nikogo jak okiem sięgnąć, zniżył głos na tyle, by nikt z postronnych nie mógł go usłyszeć.

Mirosław Dolina wydatnie wydął policzki. Dla niego sprawa nie podlegała dyskusji. Goście podejrzani, i tyle. Na własne oczy widział błysk kolby czegoś, co z odległości, jaka go dzieliła od grupy tajemniczych nieznajomych, wyglądało na automatyczną, szybkostrzelną

spluwę. Dopiero w tej chwili zdał sobie sprawę z zaistniałych oko-
liczności i doszedł go niepokój. Z ludźmi, którzy noszą broń, nie
należało zadzierać, kiedy nie dysponuje się odpowiednią siłą ognia
oraz należytym wsparciem dobrze wyszkolonych po fachu kolegów.
To nic, że był policjantem, to nic, że stał za nim cały majestat prawa.
To nic, że był tu wraz ze swoim szeryfem. Mogli pomachać zbirom
legitymacjami przed nosem, ale co z tego? Powinni działać ostrożnie, w ukryciu, a potem, kiedy będą pewni, kim owi ludzie są i do
czego zmierzają, wezwać wsparcie. Najlepiej z samej wojewódzkiej,
gdzie dyżurują antyterroryści.

– Po zęby – wybąkał.

W tym momencie tuż za nimi odezwał się nieznany, nisko
brzmiący głos:

– Panowie czegoś sobie życzą... od mojego wózka?

$$* * *$$

– O Chryste najsłodszy, co pani powie, pani Brzezińska?!
Naprawdę? Nie przywidziało się szanownej sąsiadce?

Pani Brzezińska wyglądała na śmiertelnie poważną.

– No co pani? Przecie wiem, co widziałam, jak Boga kocham!
Odróżniam jeszcze chłopa od baby i czytam bez okularów – odrzekła nieco obruszona podejrzeniami o zwidy. – Taka stara to jeszcze
nie jestem, żeby nie dowidzieć!

– I to w naszym domu, Panie najdroższy? – nie dawała za wygraną Jadzia.

– No przecie mówię, że w tym!

– Może to złodziej jaki był i należało się po policję dzwonić!

Pani Brzezińska ścisnęła palce w pięści tak mocno, że ich kłykcie
aż zbielały, a na skroni pojawiła się nabrzmiała żyła.

– Mówię, że to któryś z kapłanów, i koniec!

– Przez okno? To co, drzwi nie ma w domu, czy jak, Boże drogi?
– nie mogła się nadziwić Jadzia.

– A bo ja wiem?

– Niech się no, pani kochana, kawusi jeszcze napije. Dobra przecie. I ciasteczko. – Gospodyni najwyraźniej chciała udobruchać nieco podminowaną sąsiadkę. Do jej głowy nie umiała dotrzeć myśl, że
kapłani są aż tak ekscentryczni, by w środku nocy wyłazić i włazić

do domu przez okno. Chociaż...? Po tym, co zaprezentował jej ostatnio w kuchni kapłan Karol, mogła spodziewać się wszystkiego.

– I mówi pani, że on coś wynosił przez to okno?

– Jak Boga kocham! – zarzekała się sąsiadka.

– To może jednak jaki złodziej?

Pani Brzezińska tym razem nie potrafiła utrzymać na wodzy wściekłości z powodu rażącego lekceważenia treści jej wypowiedzi.

– Moim zdaniem to był kapłan Karol! – wrzasnęła na całe gardło.

Jadzi jeszcze bardziej to nie pasowało.

– Taki stary chłop? Przez okno? Boże drogi, toć on ledwo nogami powłóczy.

– Ślepa nie jestem! – zgrzytnęła zębami pani Brzezińska. – I basta!

* * *

Mareczek oraz Dolina stali w towarzystwie sześciu rosłych mężczyzn. Opowiadanie Mirka o wielkoludach z podejrzanymi gębami, znacznie odbiegało od realiów. Przynajmniej według Tomasza, który uznał, że z całą pewnością nie ma do czynienia z opisanymi przez niego mafiozami. Mafiozi kręcili się zatem po okolicy albo Mirek, jak to w jego zwyczaju, kompletnie przesadził. Owszem, wszyscy mężczyźni wyróżniali się w tłumie otyłych wczasowiczów wysportowanymi sylwetkami, ale nigdy nie nazwałby ich podejrzaną rasą. Co najwyżej jeden z nich wzrostem górował nad Doliną. Być może sierżant uległ narastającej psychozie związanej z kosmitami, co owocowało zaburzeniami wzroku i niemożnością właściwej oceny okoliczności. Faktem jednakże było to, że owych sześciu ludzi zaprosiło ich do wspólnego spędzenia kilku chwil, nie przejawiając przy tym skłonności do tolerowania jakiegokolwiek sprzeciwu.

Jednego z mężczyzn zasadniczo wyróżniał wiek. Mógł liczyć sobie jakieś pięć dych, z których większość spędził na robieniu rzeczy, jakich zwykli ludzie zazwyczaj nie robią. Tak na pierwszy rzut oka ocenił go Mareczek po dwóch szramach na twarzy. I nie mylił się.

Kiedy znaleźli się w ustronnym miejscu – na tyle ustronnym, by rozmowy nie był w stanie nikt podsłuchać, ale nie na tyle ustronnym, by zniknąć z oczu przewalającej się nad jeziorem gawiedzi i wzbudzić w policjantach jednoznaczny strach o własne życie –

DZIESIĘĆ

najstarszy z nieznajomych, najwyraźniej szefujący bandzie, zagadnął pierwszy.

– To może powiedzą panowie, czego szukali w pobliżu naszego samochodu?

Mareczek już chciał wyjaśnić, że to on jest od zadawania pytań w tej okolicy, kiedy spostrzegł wystającą spod wyciągniętej na wierzch spodni koszuli kolbę pistoletu. Uznał, że powinien dać sobie nieco czasu, by opracować nową, bezpieczniejszą i skuteczniejszą taktykę działania.

– Ładny wóz – powiedział tęsknym głosem i łypnął porozumiewawczo na Dolinę. – Ojciec jeździł starą Nyską. Mówię panu, jakby widział coś takiego...

Dolina wyglądał na nieobecnego. Wzrok miał zamglony, a twarz nieco poszarzałą, co aspiranta mocno zaniepokoiło. Sytuacje taka jak ta, wymagały trzeźwego umysłu oraz koncentracji. Każdy niepotrzebny gest mógł być opacznie zrozumiany. W chwilach stresogennych nierzadko główną rolę odgrywał instynkt samozachowawczy. W szkole badano ich pod tym kątem wielokrotnie, ale ćwiczenia to jedno, a życie, to co innego.

– Jesteśmy z policji! – wypalił nagle sierżant. Wszyscy nieznajomi spojrzeli na niego spokojnym, beznamiętnym wzrokiem. Zbyt beznamiętnym.

Mareczek zamarł.

* * *

Jadzia pożegnała sąsiadkę, dając jej wystarczające podstawy do tego, by wierzyła, że jej opowieść została w końcu przyjęta za prawdziwą. Nie chciała mieć w pani Brzezińskiej wroga, a ciągłe podważanie jej zdania prowadziło do wciąż zaostrzającej się konfrontacji. Kobieta była już pod sześćdziesiątkę, mogła doznać przelotnej ułomności umysłu, która powodowana przez postępującą z wiekiem miażdżycę, w starczym wieku rozwija się w groźną demencję. Wtedy wszystko się miesza, mózg tworzy niebywałe historie i nigdy nie wiadomo, skąd się przyszło, a i dokąd zmierza. Pani Brzezińska mogła doznać pierwszych oznak tej, z gruntu rzeczy nieprzyjemnej przypadłości.

Jadzia dumała, co też przyszło sąsiadce do głowy. Kapłan Karol? Toć on ledwo po chałupie się rusza, skrzypiąc i jęcząc z powodu licznych dolegliwości. Niemożliwe, by dał radę przejść przez okno na podwórze, a tym bardziej wrócić, skoro znajduje się ono na tyle wysoko, by dla uczepienia się skraju parapetu trzeba nieźle podskoczyć i mieć na tyle silne ręce, żeby się na nich dobrze podciągnąć. Może to i był który z jej podopiecznych, ale na pewno nie on. Co to, to nie!

Więc kto? Pozostali kapłani byli młodzi, około trzydziestki z niewielkim okładem. Każdy z nich mógłby uczynić mały wymyk w bok, ale po co zaraz uciekać z budynku przez okno? Żeby nikt nie widział? No to właśnie się udało, bić brawa! A drzwi w chałupie niejedne i na dodatek umieszczone z różnych stron, co dawało możliwość sekretnego wyjścia jak nic. Ani kapłan Jacuś, ani Henio, ani tym bardziej Michał nie sprawiali wrażenia pogrążonych w mrokach tajemnic, ale kto ich tam wie? Dla Jadzi byli dziwni, więc i w owej dziwności coś się przecież mogło skryć. Na dobrą sprawę, kto dziwny nie jest? Gdzie okiem sięgnąć, same indywidua, ekscentrycy i szaleńcy. Taki to już ten świat i co zrobić?

Przelotnie zerknęła w stojące nieopodal lustro. Delikatnie dotknęła czoła, które napuchnięte straszyło niechybnie zbliżającym się brzydkim limem. Bo i zwykle tak bywało, że opuchlizna schodziła niżej, przybierając coraz to nowe ubarwienie.

A widziała pająka rano? Widziała! Lazł na tych swoich sześciu szłapach ze sterczącymi na boki czarnymi włosiskami, że aż obrzydzenie ją brało. Miast zgnieść go bez sentymentów, uciekła w drugi kąt kuchni. Pająk ukrył się za szafką i tyle go widziała. Tym sposobem dorobiła się kolejnego pecha!

Nie miała pojęcia, co takiego się wydarzyło, że wyrżnęła całą sobą o podłogę, po drodze obijając czołem kuchenną szafkę i zemdlała. Pamiętała, co kapłan Karol wyczyniał w kuchni, rzucając butelkami z wodą mineralną, a potem meble zawirowały przed oczami i plask o ziemię. Ocucił ją kapłan Jacuś, machając ścierką od naczyń przed nosem. Nigdy wcześniej nic takiego się jej nie przydarzyło. Nigdy! Kto wie, może posunęła się w latach i za rogiem czai się już przebrzydła menopauza ze swoimi niespodziankami? A może po prostu powinna się przebadać. Doktory dadzą nieco żelaza dla poprawy

DZIESIĘĆ

krwi i będzie dobrze. Postanowiła, że nazajutrz, kiedy tylko znajdzie nieco czasu, uda się do lekarza. Niech sprawdzi, czy aby co się nie dzieje...

Przyłożyła sobie nieco zamrażarkowego lodu do czoła i syknęła z bólu. W tej chwili przed jej oczyma pojawił się jakiś obraz i znikł. To był taki ułamek sekundy, w którym nie zdążyła zapamiętać niczego, ale pewność, że coś zobaczyła, pozostała. Zamrugała badawczo powiekami. Potem zamknęła na chwilę oczy i obraz znów się pojawił – wyrazisty i jasny.

Zobaczyła jezioro. Od razu nabrała pewności, że to Sieciówka, bo krajobraz wokół wydał się mocno znajomy. Potem nad wodą pojawił się jakiś owalny kształt, szary, stalowy, ciągnący za sobą kłębiący się warkocz czarnego dymu... Potem dojrzała dłonie, całe ramiona i pień drzewa. Najpewniej brzozy, sądząc po kolorze i strukturze kory. Odniosła takie odczucie, że wspina się do góry, ku koronie drzewa i jest coraz wyżej...

Jadzia gwałtownie otworzyła oczy i na powrót znalazła się w swojej kuchni.

– Co to, Boziu kochana?! – szepnęła przestraszona i otarła pot z czoła, który w jednej sekundzie obficie je zrosił. Poszukała krzesła i capnęła na nim tak ciężko, że mebel aż zaskrzypiał.

– Ja to chyba chora jestem – powiedziała do siebie. – Chryste, chyba ciężko chora... Zwidy mam!

Po chwili wstała i odszukała flaszkę ze spirytusem, którego używała do zakrapianych ciast. Łyknęła wprost z gwinta, po czym otrzepała się jak pies wychodzący z wody. Kop okazał się niesamowity. Z mety postawił na równe nogi. Każdy sprzęt w kuchni nabrał nowego koloru i niebywałej ostrości.

– O Panie umiłowany, to dopiero – westchnęła i skrzywiła się niepospolicie.

W tej chwili nadeszła druga fala halucynacji. Atak przywidzenia okazał się silniejszy od poprzedniego.

Jadzia znalazła się w jakimś mieszkaniu. Urządzone dość przyzwoicie, ale już na pierwszy rzut oka bez dotknięcia damskiej ręki. Pachniało jej lekkim szowinizmem, czymś podejrzanym, czego nie potrafiła na razie zdefiniować, ale czuła bez najmniejszych wątpliwości, że gospodarzem jest mężczyzna. Odkąd mąż rzucił ją dla jakiejś nastoletniej siksy, miała alergię na facetów. Na takich, którzy mieli się za kogoś ważnego, kogo należałoby hołubić, już w ogóle. Jej były emanował syndromem lowelasa od samego początku. Matka uprzedzała ją, że to chłop niestały w uczuciach, skaczący z kwiatka na kwiatek, ale nie miała zamiaru słuchać. Dość się wyczekała na miłość życia, by z powodu matczynych fanaberii zrezygnować z mężczyzny, którego pokochała ponad wszystko. Niestety matczyne rady nie były pozbawione sensu. Gdyby ich usłuchała, oszczędziłaby sobie przykrości i cierpienia. Chłop znalazł jakąś młodszą, równie naiwną co i ona, zakręcił jej w głowie i wyprowadził się do jej mieszkania.

Płakała całymi dniami. I nienawidziła. Wściekłość, jaka ogarnęła ją na tego bezecnika, przerodziła się w prawdziwą, rzetelną nienawiść. Łzy płynęły jej tak długo, dopóki nie usłyszała w toruńskiej stacji radiowej głosu cierpienia równie głębokiego, co jej. Zraniona przez okrutny los kobieta opowiedziała historię swego życia. W tej relacji, rzewnej i poruszającej do głębi, Jadzia odnalazła samą siebie. Wtedy postanowiła wziąć się w garść i wszystko zacząć od nowa. Bez mężczyzn. Wkrótce zadzwoniła do niej siostra mamy i zaproponowała pracę. Tak znalazła się wśród mężczyzn innego, duchownego sortu, a teraz raptem tu, w mieszkaniu, którym trąciło męską racją stanu.

Rozejrzała się z ostrożną ciekawością. Żadnych kwiatów, żadnych ozdób, niczego, co podpowiadałoby wpływ kobiecego poczucia wartości, nie zauważyła. W zamian bałagan i niechlujność. Umeblowanie oraz ogólny wystrój pomieszczeń podpowiadały, że właściciel miał jednak jakiś gust, a stan obecny mógł wynikać z chwilowej niedyspozycji.

W tym momencie poczuła słabość. Niemoc z każdą sekundą wzrastała i gdzieś z głębi wnętrza napłynęły mdłości. Pomyślała o prysznicu. Zupełnie bez sensu, w obcym mieszkaniu? Kiedy przychodzi się do kogoś jako gość, nie myśli się o prysznicu. Wrażenie, że po nim poczuje się lepiej, znacząco wdzierała się jednak w rozdygotaną świadomość. Spłucze z siebie doznania tego dnia i wydobrzeje. Niech ten okropny dzień wreszcie się skończy. Nie przywróci przecież życia martwemu pacjentowi. Nie była też winna jego śmierci. Wyszła tylko na chwilę, by poszukać czegoś do ubrania. Tego przecież chciał...

DZIESIĘĆ

W przelocie zobaczyła swoje odbicie w lustrze. Takie jakieś... inne... całkiem chłopskie, muskularne. I do tego całkiem nagie...

✳ ✳ ✳

Mareczek stał nieco przygarbiony nad brzegiem jeziora, a obok niego mężczyzna koło pięćdziesiątki. Nieopodal Dolina perorował coś, zamaszyście wywijając ramionami, jak to miał w zwyczaju, kiedy chciał wyłuszczyć swoją sprawę w każdym, najdrobniejszym szczególe. Towarzystwo, które słuchało wykładu, nie zdradzało oznak zainteresowania, ale też niespecjalnie kwapiło się, by przerwać sierżantowi soczystą mowę.

Mareczek zamiast mówić, wolał posłuchać, co ma do powiedzenia major Witkiewicz, czy też ktoś, kto się za takowego podawał. Nauczony świeżym doświadczeniem wolał dmuchać na zimne i kierował się drogową zasadą ograniczonego zaufania. Świadomy, że nikt tak naprawdę nie jest do końca tym, za kogo się podaje, wolał wyczekać z ostatecznymi konkluzjami do chwili, w której będzie miał wystarczającą ilość wiarygodnych danych, by cokolwiek uznać za prawdopodobne.

Major Witkiewicz więc, jeśli nim rzeczywiście był, wyjaśniał, kim jest i jaki powód sprowadził jego osobę oraz dowodzoną przez niego ekipę w okolice Sieciowa. Powód był „oczywisty" – UFO! Podążając za prasowymi doniesieniami oraz kontrwywiadowczo monitorując aktywność pewnych podejrzanych kręgów społecznych, dowództwo skierowało grupę specjalnych zwiadowców, by sprawdziła zasadność krążących w necie pogłosek o katastrofie niezidentyfikowanego obiektu. Ponieważ sprawa miała delikatny charakter, armia nie chciała wzbudzać niepotrzebnego zainteresowania oficjalnymi, zakrojonymi na szeroką skalę działaniami. Z jednej strony nie znaleziono jak dotąd dowodów na rozbicie się NOL-a w Jeziorze Sieciowskim, z drugiej jednak w ręce armii wpadły rzeczowe przesłanki potwierdzające nietypowe zjawisko sprzed kilku dni, które należało bezzwłocznie zweryfikować, dopóki nie jest jeszcze za późno.

– Na co za późno? – spytał Mareczek. W jego mniemaniu, jeśli sprawa miała priorytetowy status, wojsko powinno się nią zająć zaraz po domniemanej katastrofie, a nie dopiero teraz, po kilku dniach.

Major podniósł z ziemi płaski kamyk i rzucił nim z ukosa, powodując, że zanim wpadł w głębię, odbił się od powierzchni wody dobrych kilka razy.

– Widzi pan, panie kolego, pewne rzeczy po prostu się dzieją i nie mamy na nie wpływu. Żadnego wpływu, dodam. Ale są także takie, które znajdują się w naszej mocy i możemy je kształtować. Nie zawsze się to udaje, rzecz jasna. Czasem życie toczy się w kierunku zupełnie odwrotnym, niż byśmy sobie tego życzyli. Ale bywa i tak, panie kolego, że nie wykorzystujemy pewnych szans z powodu własnej, niewymuszonej głupoty.

Mareczek słuchał z zaciekawieniem, choć „panie kolego" mocno irytowało. Wojskowy najwyraźniej traktował policjanta jak mundurowego kolegę po fachu, któremu należy się nakreślenie istniejącej sytuacji. Aspirant podejrzewał także, że major chce uzyskać w miejscowej jednostce policji wsparcie dla podtrzymania statusu incognito, nie chcąc afiszować wszem i wobec w okolicy obecności swojej grupy. Tubylcza ludność z nolozjastami oraz innymi ciekawskimi włącznie, nie powinna wiedzieć, że armia interesuje się jeziorem. Co do rzeczonej głupoty, Mareczek się zgadzał. Zerkając na nieco oddalonego Mirosława Dolinę, bardzo się zgadzał. Co do tego, by utrzymać w tajemnicy obecność żołnierzy, także.

– Dlatego też – ciągnął wojskowy – powinniśmy czynić wszystko, by tej głupoty było jak najmniej. Zgadza się pan, panie kolego, prawda? Pewnie, że się pan zgadza – powiedział z uśmiechem. – Słyszał pan zapewne o zbliżającej się za kilka dni uroczystości w Gdańsku?

– Chodzi o Amerykanów? – bardziej stwierdził, niż zapytał.

– Dokładnie – ucieszył się żołnierz, widząc, że jego rozmówca jest na bieżąco z najnowszymi dziejami Polski. Ważnymi dziejami. – Otóż, jeśli cokolwiek znajduje się na dnie tego jeziora, najlepiej byłoby, żebyśmy wiedzieli o tym, zanim odbędzie się przekazanie Ameryce nowego lotniskowca. Sam pan wie, panie kolego, ile kosztowało nasz naród zaskarbienie sobie względów i szacunku u naszego wielkiego brata i sojusznika: Irak, Afganistan, później nieszczęsny Iran. Tyle ofiar, kosztów, ogólnonarodowego poświęcenia. Tyle cierpienia. Dzięki Bogu zdarzył się nam ten boom gospodarczy. Gdyby nie to, nie wiem, gdzie dziś byśmy byli. A tak? Nie dość, że mamy spokój z naszymi sąsiadami, to jeszcze nowy „Cud nad Wisłą" roz-

DZIESIĘĆ

sławił nas po całym świecie. Wie pan, panie kolego, ja do dziś dnia się zastanawiam, patrząc na ten lotniskowiec, jakim to sposobem udało nam się osiągnąć potrzebne technologie? Cud to i nic innego! Wie pan, że początkowo mówiono o szpiegostwie przemysłowym? Kompletna niedorzeczność, prawda? Widzi pan, panie kolego, tu było nasze szczęście. Ten łut, który udało się wykorzystać. Wielka Rosja potrzebowała nisko oprocentowanych pożyczek, a my, Wielka Rzeczpospolita, byliśmy gotowi ich użyczyć. Pod pewnymi warunkami, oczywiście. I co? Dostaliśmy więcej, niż można się było spodziewać. Katyń? Przeprosiny. Komunizm? Przeprosiny. Rozbiory? Przeprosiny! Smoleńsk? Przeprosiny! Rosjanie nawet wiedzieli, kto stał za zamachem na naszego największego rodaka. – Major wyprostował się z dumą. – A za kilka dni przekażemy Ameryce najnowocześniejszy na świecie lotniskowiec klasy Sobieski! Za grubą kasę i prestiż, jakiemu nie sprosta dumna Rossija...

Mareczkowi trudno było się nie zgodzić ze słowami wojskowego. Rozkwit Ojczyzny należało traktować w kategoriach cudu.

– I wracając do naszego jeziora – Witkiewicz wyrwał się z zadumy. – Zależy nam, by zdążyć przed tą uroczystością w Gdańsku. Wyobraża sobie pan, panie kolego, jakie wrażenie zrobilibyśmy na prezydencie USA wiadomością o posiadaniu najprawdziwszego UFO? Wyobraża pan to sobie?

✱ ✱ ✱

Jadzia powróciła z zaświatów w stanie bliskim wycieńczenia. Obudziła się na podłodze, zupełnie mokra. Pot był lepki i kleił do ciała całe ubranie. Przerażenie, jakie ją opanowało, nie równało się z niczym, co do tej pory przyszło jej znieść. Nawet ze zdradą męża i rozwodem. To, co widziała, było tak realistyczne, tak mocne, że w tej chwili nie była jeszcze pewna, czy kuchnia, w jakiej teraz się znajdowała, była rzeczywista, czy też może tamto, w zaświatach, czy omamie, czy... nie wiedziała w czym.

Tam widziała mężczyznę. Wielkiego, dobrze zbudowanego, umięśnionego jak mało kto. Patrzył na nią jakby zaskoczony, nieco zagubiony. Zaraz potem uzmysłowiła sobie, że postać owego mężczyzny obija się w lustrze i że patrzy na nią, a ona patrzy...no... patrzy... na niego. Na mężczyznę. Na siebie. Teraz jakby ona była tym mężczyzną patrzącym na własne odbicie w lustrze.

Ogarnęło ją szaleństwo. Pomyślała, że to sen, ale wszelkie próby wyrwania się z niego, okazywały się płonne. Bo i czy można świadomie opuścić sen? Zdarzały się sny, w których działo się coś nieprzewidzianego, nieogarniętego i strasznego, ale strach budził ją i wracała do rzeczywistości. To było inne. Stanowczo inne. Bo to nie był sen!

Wyrwała zza bluzki rzemyk z zawieszonymi na nim talizmanami szczęścia i uchwyciła je z całej siły. Może krzyżyk i słonik nie powinny być ukryte? Może powinny dyndać na wierzchu ubrania, by nieszczęście wiedziało, kogo ma unikać?!

– Boziu kochana, zmiłuj się nade mną... – zaskomlała. – Boziu jedyna!

* * *

Major Witkiewicz spojrzał aspirantowi Mareczkowi głęboko w oczy.

– Bo widzi pan, panie kolego, sprawy mają się różnie. Bardzo różnie nawet. I nie zawsze wyglądają tak, jak widzą je nasze oczy. Co innego wpada do środka głowy, co innego rozpoznaje mózgownica, a jeszcze co innego dzieje się w rzeczywistości. – Wrażenie, jakie sprawiał Mareczek musiało być na tyle dobre, że major kontynuował. – Bo widzi pan, panie kolego. Niedawno, zupełnie niedawno, byłem u jednego przyjaciela. Siedzę sobie spokojnie w pokoju, a on, wie pan, szanowny kolego, mieszka w bloku, takim zwykłym, z kilkoma piętrami. No i siedzę sobie w pokoju i po lewej stronie mam przedsionek taki, a w nim wejście do tego mieszkania. No i wie pan, panie kolego, w pewnym momencie, jak my sobie tak gawędzimy o ważnych kwestiach, o naszej kochanej Ojczyźnie, o pięknie naszej przyrody, o mądrości naszego rządu, otwierają się drzwi wejściowe. Ja widzę, że się otwierają, a mój przyjaciel serdeczny nie widzi, bo siedzi sobie w głębi pokoju. No i, panie kolego, te drzwi się otwierają, po czym wchodzi przez nie jakiś gość, zabiera coś z szafki stojącej w tym przedpokoju i bez słowa wychodzi. A ja zdębiałem. Moment konsternacji. Złodziej, pomyślałem, ale to dopiero po chwili mnie naszło, jak już było za późno. Przekonany, że mój przyjaciel najdroż-

DZIESIĘĆ

szy pozbył się właśnie jakiejś cennej rzeczy, kluczy na ten przykład, bo coś tak zabrzęczało jak klucze, albo i nawet samochodu, który pasuje do tych kluczy, mówię na głos, co widziałem, a on, panie kolego, spokój. Obojętność. Co jest, zapytałem. A on na to, że sąsiad przyszedł po klucze od własnego mieszkania, które żona sąsiada zostawiła, kiedy wychodziła z ich własnego domu. Rozumie pan, panie kolego? Ja już byłem gotów rzucić się w pogoń za złodziejem, który złodziejem nie był, a to, co widziałem na własne oczy, natychmiast osądziłem i uznałem za pewnik... – Major Witkiewicz znieruchomiał i zamilkł dla lepszego efektu. Tak odebrał moment pauzy Mareczek i bynajmniej nie pomylił się. Żołnierz zmarszczył znacząco czoło i nadął policzki, po czym wypuściwszy z nich powietrze, kończył: – Nie zawsze to, co oglądają nasze ślepia, jest tym, za co się owo coś podaje naszemu mózgowi. Albo też nasze wnioski są z gruntu rzeczy prostackie i w zupełności niezgodne z rzeczywistością. Ot i tyle.

✳ ✳ ✳

– Mój Boże, mój Boże. Chryste przenajsłodszy – powtarzała, biegnąc korytarzem. – Co się ze mną dzieje?

Po chwili znalazła się pod właściwymi schodami i tu stanęła jak wryta.

To przecież... – pomyślała zdumiona własnym odkryciem – nie może być!

Do głowy przyszedł jej kapłan Karol. Dotknął jej i wtedy właśnie poczuła się taka słaba, trochę jakby ubezwłasnowolniona... Przeszył ją dreszcz... A sam duchowny? Także zaczął zachowywać się zupełnie jak nie on!

Jadzia odkryła zbieżność! Przedziwną, nieoczekiwaną i całkiem realną. Ta choroba była zaraźliwa! I nie tylko ona była chora! Kapłan Karol też!

Musiała porozmawiać. I to zaraz! Natychmiast! Ruszyła pędem po schodach w górę. Na półpiętrze zauważyła leżącą na chodniku monetę. Wzięła ją, chuchnęła w nią i schowała do kieszeni. Dwa zakręty pokonała jak zjazdowiec na stoku tyczki i dopadła do drzwi duchownego. Załomotała w nie bez najmniejszych skrupułów – z całej siły. Odpowiedziała cisza. Żadnego poruszenia, zero dźwięków. Zabębniła w drzwi raz jeszcze – na przemian pięściami i otwartymi dłońmi. Z sąsiedniego pokoju wyskoczył kapłan Jacuś. Wyglądał na gwałtownie przebudzonego i zdumionego, wręcz zszokowanego zachowaniem gosposi.

– Stało się co? – wymamrotał niepewnie.

– Kapłan Karol powinien być u siebie. Bożeńku kochany, nigdzie nie wychodził, a nie otwiera! – rzuciła z przejęciem.

– Może jest pod prysznicem? Gorąc przecież... Ja sprawdzę, dobrze? – Kapłan Jacek wszedł do środka. Po chwili opuścił mieszkanie, wzruszając ramionami. – Nie ma go. No i po co tyle hałasu?

– Nie ma? – Jadzia, mocno zaskoczona, sama zajrzała do wnętrza. – Jak to, nie ma?

Zerknęła na duchownego poirytowana. Co się wtrącał? Niech siedzi u siebie przed wielkim ekranem komputera i macha palcami, rozkazując maszynie, co ma robić.

Obróciła się prędko na pięcie i pognała na parter domu.

∗ ∗ ∗

Mareczek wracał do siebie nielicho zmieszany. Armia szuka UFO, ma ku temu jakieś powody, a on nie dowierzał Dolinie. Wojskowi postanowili nurkować w jeziorze nocą, by nie wzbudzać sensacji. W swoim vanie przywieźli sprzęt najwyższej klasy, z pewnością przewyższający technologicznie wszystko, co mieli nolozjaści. Jeśli ktoś ma znaleźć latający, a właściwie obecnie nurkujący spodek, to bezsprzecznie mogą zrobić to tylko ludzie majora.

Mareczek przeklął pod nosem. Zamiast popychać dochodzenie do przodu, coraz bardziej się cofał.

Nigdy nie wierzył w żadne UFO. Tym bardziej nie wierzył w sieciowskie UFO, aż tu coś takiego – wojsko!

Czuł się niepewnie. Coraz bardziej niepewnie. Postanowił przejrzeć sieć w poszukiwaniu świetlistego obiektu, jaki widział nad polem ze zbożem.

∗ ∗ ∗

Jadzia wybiegła przed budynek i rozejrzała się w poszukiwaniu zguby. Ponieważ kapłana Karola nigdzie nie dostrzegła, co tchu rzu-

DZIESIĘĆ

ciła się w kierunku świątyni. Jeśli miała go gdzieś znaleźć, to właśnie tam.

Już po chwili wpadła na najbliższe drzwi i stało się coś, czego się spodziewała. Były otwarte. Pędem, zupełnie nie zachowując przyzwoitości należnej miejscu, wbiegła przed ołtarz. Sprawiony przez nią hałas, rozniósł się głębokim echem po budowli. Rozejrzała się po wnętrzu sanktuarium, ale nikogo nie dostrzegła.

– Proszę kapłana! – zawołała niby głośno, niby cicho, tracąc nieco z rezonu. Odpowiedziało kolejne echo. Kilka razy. Skrzywiła się, słysząc swój zniekształcony głos i dopiero teraz zauważyła coś, czego przedtem z całą pewnością tu nie było...

Stanęła zamurowana. Można rzec – kompletnie oszołomiona...

– Chcę twojego posłuszeństwa – usłyszała kobiecy, ciepły głos, który przemówił, dopełniając zdumienie.

✳ ✳ ✳

– Popatrz – Mareczek przywołał sierżanta skinieniem głowy. – Przypomina ci to coś?

Dolina spojrzał na monitor komputera. Zdjęcie było dość wyraźne i nasuwało oczywiste skojarzenie.

– Ja pierniczę... powiedziałbym, że to jest nasze tajemnicze zjawisko.

– W necie znalazłem tego bez liku. Występowało wielokrotnie na całym świecie.

– I jak to nazywają? – zainteresowanie Doliny znacznie wzrosło, kiedy Mareczek pokazał mu wyniki wyszukiwania przez przeglądarkę.

– Większość kojarzy to z UFO. Niektórzy sądzą, że to niewyjaśniony fenomen przyrodniczy. Jak do tej pory nikt tego nie złapał, nie nawiązał z tym żadnego kontaktu. Występuje dość nagle i tak samo zanika.

– Więc jednak NOL! – zatriumfował sierżant. – Mówię ci, Obcy szukają swoich.

Mareczkowi trudno było to przyznać, ale tymczasowo uznał, że nie będzie się z tą tezą sprzeczał.

– Niewykluczone... – powiedział cicho.

– Co? – zapytał Dolina z wielkim uśmiechem przylepionym do twarzy. – Nie dosłyszałem.

– Mówię, że trudno to wykluczyć – powtórzył – ale też nie ma powodu, by to jednoznacznie potwierdzić.

Dolina wyprostował się jak wielka, niezdobyta wieża.

– Fakt – przyznał. – Ale miło słyszeć, że można cię przekonać.

– Nie tak szybko, Mirek.

– Spoko, poczekam – zaśmiał się.

Zadzwonił telefon. Sierżant trzymał aparat przy uchu dobrą chwilę. Potem zerknął porozumiewawczo w stronę swego przełożonego i powiedział krótkie: „Dziękuję, zaraz przyjedziemy". Wyraz oczu Doliny aspirant odczytał bez pudła. Znowu coś się stało!

– Dzwonił doktor Patrosz.

– I? – Mareczek nie krył irytacji tajemniczym tonem kolegi.

– Jest kolejny trup.

– Nie chrzań, Mirek. Co znowu za trup? – Mareczek nie bawił się już w konwenanse. Poczuł się jak ktoś, komu wredny los z premedytacją postanowił kolejny raz zrobić na złość.

– Ponoć całkiem miejscowy.

– Ktoś umarł doktorowi i mamy się tym zajmować?

Dolina podrapał się po głowie. Wyglądał przez moment jak ktoś ciężko myślący.

– Doktor mówił, że powinniśmy go zobaczyć.

＊ ＊ ＊

Słońce spowiła mgła. Później ciemność. Ziemia usuwała się spod nóg, dlatego Jadwidze Marcie trudno było zrobić kolejny krok bez widocznego zachwiania.

– Boziu moja kochana, Chryste przenajsłodszy... – szeptała w kółko. Mocno ściskając w dłoni słonika z krzyżykiem i mrużąc oczy, wędrowała od jednego krańca chodnika po drugi. – Olśnienie miałam. Prawdziwe olśnienie. Boziu moja kochana... Jakie to piękne było!

– Dzień dobry, pani Jadwigo.

Sielankę przerwał głos. Chłopski, znany, znienawidzony. Spojrzała na intruza wrogo, spode łba. Tak, by się przestraszył.

DZIESIĘĆ

Robert Piwowarski dobrze wiedział, że nie wszyscy ludzie muszą go lubić. Szczególnie ci, którzy zalegają z płatnościami i niechętnie chcą wrócić do regularnego płacenia po dobroci.

Jadzia widziała go – tego jednego, jedynego, który okazał się skończonym łajdakiem. Jak śmiał przychodzić do niej? Po co?! Żeby ją dręczyć? Naśmiewać się z niej? Łudzić kolejnymi obietnicami? Nie pozwoli na to. Miała widzenie! Tak! Widzenie! I słyszała głos. Był ciepły, miły i pocieszał ją. Dodał sił!

Robert odnosił niepokojące wrażenie, które podpowiadało mu, by trzymał się na baczności. Kobieta, do której właśnie zmierzał, niespodziewanie pojawiła się na jego drodze i wyglądała cokolwiek dwuznacznie. Nie był pewien, czy jest pijana, czy może po czymś gatunkowo znacznie cięższym. Którakolwiek z tych opcji nie zapowiadała miłej rozmowy. Przyszedł tu z powodów służbowych i nie miał najmniejszego zamiaru toczyć bojów z nietrzeźwą klientką.

– Źle się pani czuje, widzę – powiedział jak najłagodniej.

Pomiędzy nimi przebiegł czarny kot. Zrobiła kilka kroków w tył, mocno ściskając kciuki. Mężczyzna podążył za nią i przekroczył miejsce, w którym wcześniej znalazł się kot. Jadwiga uśmiechnęła się złowieszczo.

– Gnido...! – syknęła kobieta niczym wąż gotowy do zadania rany jadowitymi zębami. – Po co tu przylazłeś? Dręczyć mnie?

Mężczyzna zatrzymał się w bezpiecznej odległości. Wolał nie ryzykować pokąsania. Choć, ogólnie rzecz ujmując, pani Jadzia była atrakcyjną kobietą, teraz stanowczo wolał uniknąć zbliżania się do niej. Bardzo stanowczo.

– Dręczyć? – powtórzyła z upiorną zajadłością.

Musiał się jakoś wycofać. Przyjdzie później, kiedy klientka będzie w lepszej formie.

– Proszę nie używać takich słów, pani Jadwigo – wyrzekł spokojnie. Wiedział, że w sytuacjach tego typu trzeba mówić łagodnie i spokojnie, by uniknąć eskalacji agresji u klienta. Zwykle takie zachowania prezentowali mężczyźni, a tu taka niespodzianka... Niemiła niespodzianka.

Wydawało się, że pani Jadwiga w końcu się ustatkowała. Po perypetiach małżeńskich i problemach innej natury, podjęła pracę. Kredyt, jaki zaciągnęła na bieżące potrzeby związane z zagospodarowaniem się w nowym miejscu, trzecim bodaj w ciągu czterech miesięcy, należało niestety spłacać. Przedstawiciel firmy, w której pracował Robert, przychodził co tydzień po ratę, ale pani Jadwiga nie okazywała należytej chęci do współpracy. Dlatego pojawił się on. Jako mediator i zachęta. Okazało się jednak, że nadszedł nie w porę. Stanowczo nie w porę.

– Dlaczego zaraz „dręczyć"? Wie pani dobrze, pani Jadwigo, jak bardzo zależy nam na dobrej współpracy – powiedział na tyle miło, na ile było go stać.

Jadzia ujrzała siebie. Tam, w świątyni, zobaczyła na ołtarzu samą siebie – piękną, majestatyczną, nadobną i świętą. I ta druga Jadzia mówiła do niej o rzeczach pięknych, pocieszała i głaskała ciepłymi słowami po jej włosach...

A ten, tu? Wredny bydlak, warczał na nią jak pies, nie przymierzając.

Omiotła wzrokiem okolicę w poszukiwaniu kija, by zdzielić bestię po łbie. Jednorazowo i skutecznie. Ten pies, wściekły i fałszywy, ugryzł ją przecie niedawno. I bardzo boleśnie. Od tego ugryzienia bolało ją serce. A serce boli najbardziej. Dlaczego więc do niej przylazł, kundel jeden?

– Co? Siksa wygoniła? – fuknęła, nadal szukając kija. – Uprzykrzyłeś się dzierlatce?!

Robert Piwowarski nie rozumiał. Kobieta bredziła. Musiała być wstawiona bardziej, niż przypuszczał. Wzrok miała mętny i błędny. Wodziła przymrużonymi, rozbieganymi oczami po okolicy, zupełnie jakby czegoś szukała. Wolał się wycofać, póki nie dorwie jakiegoś kamienia.

Jadzia zerknęła w lewo. Dostrzegła tam szybko przemykający półcień. Jej duszę przeszył strach.

Niewiele dalej stało dziecko – dziewczynka o blond włosach, około trzeciej, czwartej klasy. Jej wzrok był przenikliwy i smutny.

∗ ∗ ∗

Policjanci znaleźli się na miejscu całkiem szybko. Ośrodek zdrowia o tej porze świecił pustkami. Doktor Patrosz czekał na nich przed swoim gabinetem.

DZIESIĘĆ

– Dobrze, że panowie już są – wyrzucił z siebie z ulgą. Sprawiał wrażenie poważnie roztrzęsionego. – Bałem się, że nie zdążycie. Ambulans już w drodze.

Mareczek spojrzał na niego z ukosa.

– Ambulans? – spytał niepewnie. – To mamy nieboszczyka, czy chorego?

Doktor nieskoordynowanie zamachał rękami.

– A tak, tak, nieboszczyka, rzecz jasna. Tylko te przepisy nieszczęsne. Kiedyś mogłem wystawić akt zgonu i takie tam, ale teraz do każdego podobnego przypadku musi przyjechać karetka. I lekarz ze specjalizacją. Takie to już czasy. Za dużo karetek chyba i nie mają co robić...

Dolina niecierpliwie zerkał na drzwi gabinetu. Bez wątpienia był gotów wejść do środka i zobaczyć w czym rzecz, a doktor gadał tyle zupełnie niepotrzebnie.

– Kto to taki? – zapytał.

Lekarz rzucił zagadkowe spojrzenie na policjantów.

– Zapewne panowie dobrze znacie tę osobę. Powiem szczerze, nigdy do tej pory nie spotkałem się z czymś podobnym... Taki przypadek nie jest znany medycynie, proszę panów... – jęknął boleśnie.

Dolina przestępował z nogi na nogę.

– Czy możemy?

Doktor Patrosz zagryzł wargi.

– Oczywiście, oczywiście... Przecież po to panów wezwałem... ale uprzedzam, widok jest... – poszukał jakiegoś odpowiedniego określenia – nieapetyczny.

Mareczek nie miał dobrych przeczuć. Zachowanie lekarza zdawało się nieco dziwaczne. By nie przedłużać, nacisnął klamkę i weszli do środka. Średniej wielkości gabinet mieścił kozetkę, biurko z komputerem i dwa krzesła. Na jednym z nich, odwrócony do wchodzących tyłem, siedział siwy mężczyzna.

Dolina zrobił głupią minę, a jego brwi wyraźnie powędrowały ku górze. Aspirant był nie mniej zaskoczony.

Jak to siedzi? – pomyślał.

* * *

Pies warczał nadal i nadal należał mu się kij. Jadzia szukała jakiego drąga, ale ciągle bezskutecznie. Zeszła nawet z chodnika na trawnik, ale porządek w okolicach świątyni okazał się niestety nienaganny.

– Ty wredny kundlu, zostawiłeś mnie! Wyzyskałeś i porzuciłeś! – Z jej ust toczyła się spieniona ślina. – Jak mogłeś?!

Robert Piwowarski skrzywił się niemiłosiernie. Patrzył wybałuszonymi oczyma na kobietę z pewnością, że oszalała. Nie mogła nie oszaleć. Jej zachowanie było tak absurdalne, że wskazywało na jakiś obłęd. Albo odurzenie. Tak. To była druga ewentualność. Być może zassała jakąś ogłupiającą chemię i stało się nieszczęście. Dopiero teraz Robert zajarzył, że kobiecina najwyraźniej zobaczyła w nim swojego byłego męża. Jeśli zdarzało się jej zachowywać w ten sposób wcześniej, Robert nie dziwił się, że chłop salwował się ucieczką. Z rozsądku. By przeżyć. Teraz on potrzebował tego samego.

– To ja przyjdę kiedy indziej, dobrze? – powiedział znów łagodnie, jak uczono na szkoleniach dotyczących prawidłowego obchodzenia się z trudnymi klientami.

– Teraz też chcesz uciekać, tchórzu?! – warknęła wściekle.

Nie było sensu dyskutować. Obrócił się na pięcie, mocniej ścisnął trzymaną w dłoni skórzaną teczkę i energicznie ruszył przed siebie.

✳ ✳ ✳

Policjanci obeszli krzesło z mężczyzną z obu przeciwległych stron.

Dolina zasłonił usta dłonią, a Mareczek uczynił szybki krok do tyłu.

Obaj nie widzieli jeszcze czegoś podobnego. Może jedynie w horrorach, w telewizji, w kinie, ale nie w realnym świecie.

– Poznajecie? – spytał drżącym głosem doktor.

Odpowiedziała mu cisza. Policjanci zgodnie pokręcili przecząco głowami w jednym momencie.

– To Karol Wojtaszek, kapłan tutejszej świątyni.

– Co mu się stało...? – wystękał Dolina.

Mareczek milczał. Być może to on powinien zadawać pytania, ale nie był w stanie wydobyć z siebie głosu. Drżał cały. Oblał go zimny pot. W kieszeni koszuli poczuł mocną wibrację. Wyjął z niej trzęsący się długopis i wyrzucił go do kosza.

– Nie mam pojęcia – stwierdził lekarz. – Przyszedł, usiadł, powiedział, że źle się czuje i... to... w jednej chwili.

* * *

Kierownik Działu Sprzedaży Bezpośredniej, Robert Piwowarski odszedł kilkanaście metrów, gdy usłyszał za sobą ostre, przeciągłe wycie, które z każdym kolejnym krokiem szybko się zbliżało. Zaczął właśnie odwracać głowę, kiedy coś runęło na jego plecy.

Padł jak długi na ziemię. Chodnik okazał się twardy i nieprzyjemnie chropowaty. Upadając, podparł się rękami, co w jakimś stopniu zamortyzowało zderzenie z ziemią, poczuł jednak ból zdzieranego z dłoni naskórka.

W jednej chwili zrobiło mu się słabo. Ciało przeszył potężny dreszcz. Zaraz potem odczuł dziwne mrowienie w obu rękach, a następnie w całym ciele. Przed oczami zawirowały czarne plamy i na moment zrobiło mu się jeszcze bardziej słabo. Nie wiedział, co się dzieje. Wystraszył się nie na żarty. Nie miał siły, by unieść przygniecione jakimś ciężarem ciało. Wewnątrz siebie usłyszał głos. Był niski, chrapliwy i zupełnie obcy.

Zemdlał.

Jadwiga poczuła się lepiej. Zdała sobie sprawę, że znajduje się na świeżym powietrzu. Spojrzała w dół, pod siebie. Leżała na jakimś mężczyźnie! Niemożliwe. Na mężczyźnie? Zsunęła się z niego na chodnik. Po sekundzie poznała. To kierownik firmy, której była winna pieniądze. Co tu robiła? Co się stało?

Uniosła się na łokciach. Potem straciła przytomność.

* * *

Stali we trzech i patrzyli na siedzącego na krześle kapłana Karola. A właściwie to, co z niego zostało.

Mareczek drżał. Miał ku temu racjonalny, namacalny powód. I bał się. Tak zwyczajnie, po ludzku. Mężczyzna, na którego patrzył, wysechł. Na wiór. Jak doktor stwierdził – w jednej chwili.

Stary człowiek zmarszczył się w niebywały wręcz sposób. Pozbawiona wody skóra wyglądała odrażająco. Jedną dłoń trzymał blisko serca. Aspirant przyjrzał się bliżej. Pomiędzy palcami dostrzegł srebrny łańcuszek. Na takich łańcuszkach nosi się jakieś ozdobne wisiorki, medaliki, krzyżyki, amulety i talizmany. Nie miał odwagi, by sprawdzać, czy w martwej dłoni znajduje się coś więcej.

Zerknął na Dolinę. Był zielony. Bladozielony. Mareczek był pewien, że i jego ogarnął strach.

Przez umysł przemknęła myśl. Tym razem bardzo racjonalna. Ostrożnie, z obawą, jakby nieboszczyk mógł zerwać się z miejsca i dopaść go tymi swoimi wyschniętymi, zgrabiałymi palcami, zajrzał na jego kark. Ubranie zasłaniało miejsce, które go interesowało. Ujął kraniec kołnierza dwoma palcami, by zajrzeć dalej...

* * *

Robert podniósł się z wielkim trudem. Najpierw na czworakach przesunął się nieco w bok. Musiał sprawdzić, co z zagrożeniem.

Jadwiga Marta, klientka, leżała na wyciągnięcie ręki i z niemym zaskoczeniem przyklejonym do znieruchomiałej twarzy.

„Nie będziesz wzywał imienia Pana, Boga twego, do czczych rzeczy, gdyż Pan nie pozostawi bezkarnie tego, który wzywa Jego imienia do czczych rzeczy."
Księga Wyjścia 20:7

Czwarte

Ciekły bandaż sprawdził się znakomicie. Ból minął już po kilku godzinach, a na drugi dzień spokojnie mógł pozbyć się opatrunku. Rany zabliźniły się i pozostawiły ledwo widoczny ślad.

Robert Piwowarski przez moment przyglądał się dłoniom i nie dosłyszał ostatniego zdania.

– Może pani powtórzyć? – powiedział nieco skonsternowany.

– Pan Chodziński nie zapłacił ostatnich trzech rat.

– Co powiedział?

– Że zapłaci zaległości za tydzień – oznajmiła pani Krysia. – Postaram się tego dopilnować.

Pani Krysia była przedstawicielem handlowym, ale Robert od dawna twierdził, że z powodzeniem mogłaby awansować i zostać kierowniczką. Stanowiła wzór cnót. Była sumienna, dbała o klientów i sprzedawała więcej pożyczek niż ktokolwiek inny. Jako jej zwierzchnik mógł się nią chlubić przed innymi kierownikami sprzedaży bezpośredniej i pokazywać jako model idealnego pracownika. Wielokrotnie wzbraniała się przed awansem, dzięki czemu nie przysparzała niewygodnej konkurencji wśród menedżerów średniego szczebla, w tym jemu samemu.

Z pozostałymi przedstawicielami bywało różnie. Zdarzali się i tacy, którzy swoje powinności pełnili tak, jakby w firmie znaleźli się za karę. Czegokolwiek od nich by nie wymagał, znajdowali tysiąc usprawiedliwień i dwa tysiące powodów, by zrobić inaczej. Zasady w sprzedaży bezpośredniej były proste i klarowne: chodziło o sprzedaż pożyczek oraz ściągalność długów. Jakimi wysiłkami osiągano jedno i drugie, nie było to aż tak istotne. Firma przewidywała nawet pewną pulę pieniężną na płacenie mandatów za naklejanie ogłoszeń w miejscach do tego nieprzewidzianych. Ulotek, naklejek, plakatów można było brać bez liku. Należało wykorzystywać wszelkie znajomości i korzystać z poleceń dobrych klientów. Liczyły się zyski! Dlatego też nie tylko chodziło o wypłacanie obecnym klientom coraz to nowych transz pożyczek. Priorytetem było zdobywanie

DZIESIĘĆ

nowych interesantów, którym brakowało „grosza" na zaspokojenie swoich potrzeb. A potrzeb ludzie mieli bez liku. Należało tylko delikatnie pomóc je dostrzegać, korzystając ze zmyślnego marketingu, reklam w mediach oraz bezpośrednich rozmów. Potem w grę wchodziła ściągalność długów. Tu sprawy toczyły się różnie. Wiele zależało od okoliczności i czasu, w jakim należało uiścić dług. Najgorszym okresem okazywały się wakacje oraz różnego rodzaju święta, kiedy klienci odkrywali nowe, ważniejsze priorytety – wyjeżdżali na urlopy albo zajmowali się świątecznymi prezentami. To w znaczący sposób przeszkadzało w płynnym przepływie gotówki, jaką dysponowała firma. Regionalne kierownictwo naciskało na wyniki, tym samym na wyniki był zmuszony naciskać i on. Pani Krysia dobrze rozumiała te zależności i Robert nie musiał się obawiać, że zaniedba zaległości pana Chodzińskiego.

– Dobrze – powiedział spokojnie. – Ale niech go pani delikatnie zachęci jakimś telefonem w połowie tygodnia.

– Oczywiście.

– Jak tam wnuk? – spytał ciepło. Zależało mu na dobrych przedstawicielach, dlatego okazywał umiarkowane zainteresowanie ich prywatnym życiem. Był to element znacznie wpływający na jakość współpracy. Podwładni czuli, że mają w nim przyjaciela i o to też chodziło. Chciał być pewnego rodzaju przyjacielem, by pracowali dla niego z większym entuzjazmem i zaangażowaniem, nie chcąc utracić jego zaufania. Jednocześnie zachowywał pewien dystans. Nigdy nie przechodził z przedstawicielami na ty. Zawsze był z nimi per pan i pani. Tak należało i tego się trzymał. Chodziło wyłącznie o wyniki.

– A dziękuję, panie kierowniku. Pocieszny berbeć. Zaczyna gadać pełnymi zdaniami, a ubaw przy tym, mówię panu... – ucieszyła się pani Krysia.

– Proszę pozdrowić córkę – dopełnił uprzejmości. Czas był nieubłagany. Na rozliczenie czekali jeszcze inni przedstawiciele. Ci mniej produktywni. – Popatrzmy na wyniki. Cały ubiegły tydzień wyszedł całkiem nieźle: 30 000 złotych sprzedaży, 94% zbiórek. Tylko pan Chodziński. Jak pani to robi mimo wakacji?

– Staram się, panie kierowniku.

– Żeby tak inni – powiedział na tyle głośno, by przez niedomknięte drzwi jego biura pozostali współpracownicy mogli dosłyszeć jego słowa – brali z pani przykład, firma kwitłaby jak ogrody w Łazienkach!

Zaraz dostrzegł purpurowy pąs na licach pani Krysi. Zawstydziła się całkiem niepotrzebnie. Takie były fakty i tyle. Należała się jej pochwała, a może i medal, gdyby takowe w firmie przyznawano.

– To spotykamy się za tydzień.

Pani Krysia pozbierała służbowe papiery, tablet i jakieś drobiazgi, które wypadły z torebki, kiedy wyciągała potrzebne do rozliczenia szpargały.

Następny był pan Roman. Z pana Romana Robert zadowolony być nie mógł.

Kiedy miał zamiar zaprosić go do wnętrza, coś mignęło mu przed oczami.

Zamrugał. Obraz ukazywał się i znikał w miarę mrugania. Zamknął oczy na dobre i zobaczył jezioro. Był pewien, że to Sieciówka. Nie pamiętał, kiedy był tam po raz ostatni, choć z bloku, w którym mieszkał, nad wodę miał zaledwie trzy kilometry. Właśnie... z mieszkania. Nienawidził tego miejsca szczerze i bez zahamowań. Dwa ciasne pokoje z czego jeden wydzielony z niewielkiej kuchni. Mieszkał tam z żoną i nastoletnią córką. Było im nie tylko ciasno, ale i duszno. Marzył o zmianie lokum. Marzył o własnym domu, takim z ogrodem, może i nawet z basenem.

Zobaczył więc Jezioro Sieciowskie. Widok był bardzo realistyczny, wyraźny i kolorowy. Potem zobaczył niebo i spadający do jeziora dziwny, owalny obiekt. Zaraz przyszło mu do głowy, że to latający talerz, o którym w ostatnim czasie tak wiele się mówi. Potem błyskawicznie wspiął się na drzewo. Na brzozę – tego był pewien – i gwałtownie, ze strachem otworzył oczy.

Był w swoim biurze. Jednak w biurze. Odetchnął głęboko, a całe ciało przeszył zimny dreszcz. Wewnątrz umysłu pojawił się głos. Nisko brzmiące słowa wydobywały się nie wiadomo skąd. Poczuł, że traci władzę nad swoimi myślami. Układające się w całe zdania słowa atakowały jego jaźń coraz dotkliwiej.

– Co jest?! – warknął.

Odpychając się od biurka, odjechał na fotelu w tył pod samą ścianę. Złapał się oburącz za głowę. Poczuł się nieswojo. Bardzo nieswojo! Krew wzburzyła się na tyle, aż odczuł wypieki na twarzy.

DZIESIĘĆ

Ręce drżały. Stwierdził, że znacznie podskoczyło mu ciśnienie. Do tej pory nie miał z nim żadnych kłopotów. Potem nadeszło silne rozdrażnienie...

✳ ✳ ✳

Mirosław Dolina od dwóch dni cały się trząsł. I do tego nie umiał spać, dlatego też ze zmęczenia trząsł się jeszcze bardziej. Kiedy tylko zamykał oczy, widział mumię. A mumia siedziała na krześle w gabinecie doktora Patrosza i wlepiała w niego swój martwy wzrok, pytając o przyczynę swojej nagłej, niezrozumiałej śmierci. Tak właśnie było – nagle i niezrozumiale.

Sierżant przeglądał strony internetowe w poszukiwaniu podobnych przypadków. Robił to bezskutecznie całą noc. Nikt nie spotkał się z podobnym przypadkiem. Hierarchowie świątynni także, dlatego prosili o sekcję zwłok swojego podwładnego i brata w jednej osobie. Czekali na wyniki. Dolina także czekał. Bardzo nerwowo. Podejrzewał chorobę. Egzotyczną, niebezpieczną i śmiertelną jak diabli. Właśnie – jak diabli. Może to było związane z nimi, choć nie wierzył w nic poza tym, co widział na własne oczy.

Choroba. Jeśli była zaraźliwa, mogła dopaść i jego. A mogła to być choroba wielce zaraźliwa i śmiertelna, bo był jeszcze jeden trup. Jadwiga Marta, gosposia z przyświątynnego domu. Ona także umarła nagle, z wszech miar zaskakująco. W jej przypadku hierarchowie również prosili o sekcję, by potwierdzić lub wykluczyć tożsamość obu przypadków. Dolinie zależało na tych wynikach nie mniej. Jeśli okaże się, że oboje umarli z powodu tego samego wirusa, czy bakterii, mógł się nią zarazić i on. Wtedy byłaby tragedia. Tragedia z nim samym w roli głównej. Już teraz w jego wnętrznościach rozgrywało się jakieś preludium, dramat w wielu aktach, które co rusz gnało go do toalety. Nie był w stanie nic jeść. Połknął już garść pigułek na powstrzymanie biegunki, a jelita chyba w ogóle ich nie zauważyły. Jeśli to pierwsze objawy choroby...

Nie był gotowy na śmierć! Absolutnie nie! Wiedział, że kiedyś go dopadnie, ale dlaczego miałoby to być już teraz?! Ledwo dobijał czterdziestki i miałby umierać? On, któremu zawsze udawało się wybrnąć z każdej opresji?

Znów do toalety. Dobrze, że mieszkał sam i nikt nie stał na przeszkodzie. Gdyby musiał błagać kogoś o udostępnienie sedesu w takiej chwili, padłby chyba od razu rozerwany buzującymi gazami. Wziął wolny dzień, by nie przeżywać koszmaru w komisariacie albo jeszcze lepiej – w terenie. I od rana spędzał go w tym miejscu.

Usiadł i pozwolił, by życie, na ile mu go jeszcze pozostało, biegło dalej.

* * *

Po kilku ostrych inwektywach, jakimi przywitał pana Romana, spojrzał przedstawicielowi głęboko w oczy. Ten wtopił się w krzesło i zastygł w bezruchu jak rażony piorunem. Jeszcze nigdy nie słyszał z ust kierownika tak podłych słów i nie przypuszczał nawet, że takowe znajdują się w jego słowniku. A owszem – były. I jeszcze niejedno gorsze.

Kierownik Sprzedaży Bezpośredniej Robert Piwowarski rzucał gromy wzrokiem i porażał wyrazem twarzy. Miał dość wsiowych, prowincjonalnych nieudaczników, którzy nie radzili sobie z prostymi zadaniami i jak na polski zaścianek przystało, bez ustanku narzekali na wszystko i wszystkich. Niepomiernie wkurzało go to, że nie widzą celu, żadnej idei, że nie dostrzegają... jego domu z basenem. A on pragnął tego domu! Jeśli taki pan Roman nie weźmie się za siebie, jeśli nie ruszy czterech liter sprzed telewizora i nie pofatyguje się rozwiesić nieco multimedialnych ogłoszeń, to w życiu nie zarobi i nie osiągnie wyników równych pani Krysi. Wściekał się. Tak, wściekał się i miał ku temu prawo. Był ich szefem, a szef jest od tego, by wymagać i wściekać się na leserstwo!

Zaczął od paru przekleństw, by pan Roman wyraziście dostrzegł, kto tu rządzi.

– Chcesz pan mieć kasę, musisz się pan poświęcić! – warknął do niego przez zęby. – Jak pan nic nie robisz, to nie narzekaj pan, że nie ma konkretnej wypłaty.

Pan Roman jeszcze bardziej skurczył się w sobie, choć był nielichej postury i krzepy. Można by rzec, znacznie postawniejszej od tej kierownikowej i gdyby chciał, wbiłby go, dorosłego chłopa w podłogę firmowego biura jedną ręką. Ale nie chciał. Właściwie nie tyle nie chciał, co się bał. Kierownik robił na nim bardzo złe

DZIESIĘĆ

wrażenie. Zupełnie jakby nie był sobą, jakby coś wstąpiło w niego i ciągle groziło mu lawiną nieogarniętej agresji.

– Oczywiście, postaram się – wydukał z siebie. – Gwarantuję, że wyniki znacznie się poprawią...

Robert zmrużył oczy na tyle, że patrzył na niego poprzez wąskie szparki. Ściągnięte w dół brwi przydały jeszcze bardziej bojowego wyrazu. Oddychał ciężko. Miał ochotę zrzucić z siebie ogromny ciężar, jaki spoczął na jego barkach.

– Kiedy się wreszcie nauczycie pracować, co?! – wysapał. – Chcecie mieć kasiorę, chcecie kupować, co popadnie, jeździć na wczasy do Egiptu, ale nie... pracować! A praca wymaga kosztów. Trzeba się ruszyć z domu, roznosić ulotki, naklejać ogłoszenia. Trzeba przebierać rączkami i nóżkami! A wiesz pan, że jak się siedzi w domu przed telewizorem, to od tego siedzenia brzuszysko wypucza?!

Pan Roman obrzucił swój brzuch ciężkim spojrzeniem. Nie ulegało wątpliwości, że miał go w nadmiarze. Kierownik przy nim to chuchro. Przez moment wahania zastanawiał się, czy jednak nie przyłożyć mu za te zniewagi i poszukać sobie innej, normalniejszej roboty. Ciągle jednak się bał.

Robert odchylił się i oparł na fotelu. Kiedy dotknął głową zagłówka, przymknął powieki. Znów coś zobaczył! Chciał coś powiedzieć, dobić leniwego przedstawiciela kolejnym, niepodważalnym argumentem, ale obraz przed oczami zamknął drogę słowom do ust. Zobaczył lustro, a w nim człowieka. Kulturystę. Potężnie zbudowany gość prężył mięśnie, co chwilę zmieniając postawę, by lepiej im się przyjrzeć. Przez umysł Roberta przemknęła myśl, że tak właśnie chciałby wyglądać. Wtedy robiłby większe, odpowiednie wrażenie i wtedy wszyscy słuchaliby go bez jednego zająknięcia, że czegoś się nie da. I zaległościowi klienci płaciliby od razu, bez protestów, gdyby tylko pojawił się na horyzoncie. Uśmiechnął się do tej myśli.

Facet w lustrze uśmiechnął się do niego.

Tuż obok pojawiło się coś, czego Robert nie potrafił dokładnie określić. Półcień. Tyle był w stanie stwierdzić. Półcień zaistniał na chwilę i zniknął.

W umyśle Roberta pozostała niepewność i niepokój.

∗ ∗ ∗

Tomasz Mareczek siedział rozparty w fotelu, w swoim gabinecie pozbawiony wszelkich sił. Całe szczęście w terenie nie działo się nic wielkiego. Parę mandatów wystawił posterunkowy Misiewicz. Wolgant, drugi z posterunkowych tkwił od rana na miejscu i gwizdał w kółko ten sam motyw aktualnego, radiowego przeboju. Siemaszko, trzeci z jego podkomendnych miał wolne po nocnej zmianie. Dolina wziął coś w rodzaju chorobowego.

I to martwiło w tej chwili najbardziej. Mirek, okaz zdrowia, po spotkaniu ze zwłokami kapłana Wojtaszka, nagle zupełnie się rozsypał. Zawsze pewny siebie, niemożliwy do okrzesania, zamilkł jak grób. Już tam, w gabinecie doktora Patrosza aspirant dostrzegł zachodzącą w przyjacielu zmianę. Ta zmiana wynikała z tego samego, czego doświadczył on sam – z przerażenia, ze strachu przed nieznanym.

Kapłan Karol Wojtaszek. Człowiek znany każdemu mieszkańcowi Sieciowa, jako duchowny przemierzał ulice miasta od zgoła sześćdziesięciu lat. Zawsze w kapłańskim stroju, zawsze uśmiechnięty. Nikt nie mógł powiedzieć o nim złego słowa. Także ci, którzy omijali świątynie jako relikty przeszłości, do tego właśnie człowieka żywili wiele szacunku. Od kiedy zaczął pracę w Sieciowie, ambitnie angażował się w rozwiązywanie wszelkich problemów lokalnej społeczności. Wiele rodzin zawdzięczało mu lepszy byt, wiele dzieci uniknęło losu rozbitych rodzin i wałęsania się po ulicach. Był kimś więcej niż duchownym. Nawet po przejściu na emeryturę brał udział w spotkaniach samorządu, zabierał głos, doradzał.

I umarł jak nikt do tej pory. Gdyby nie świadkowie twierdzący, że kapłan Karol przyszedł do przychodni kilka minut wcześniej zanim zastygł na krześle, wyglądając zupełnie normalnie, Mareczek sądziłby, że śmierć następowała powoli przez wiele dni. Ten starszy człowiek stał się jednak wyjątkowo starym człowiekiem, zmumifikowanym starym człowiekiem w jednej chwili. Straszne. Przerażające. Obrzydliwe.

Mareczek szukał sposobu, jak sobie poradzić z tym, co zobaczył. I nie znalazł. Do tego wszystkiego czarę goryczy przelała znaleziona nieopodal świątyni gosposia. Rzecz jasna – martwa gosposia.

DZIESIĘĆ

Aspirant kilka razy brał telefon do ręki, by zadzwonić do kolegi patologa. Hierarchowie gorąco pragnęli poznać przyczyny tak zagadkowej śmierci dwóch osób związanych z jedną świątynią, dlatego zlecili wykonanie autopsji – wnikliwej i dającej jednoznaczną odpowiedź na pytanie, co było przyczyną zgonu. Kolega Krzyś wiedział o jego krytycznym wręcz zainteresowaniu sprawą i obiecał, że da znać, co odkrył. Ale nie dzwonił. Z tego też powodu Mareczek bardzo się niecierpliwił.

Dręczące go problemy wtrącały w coraz głębszą zadumę i ponurość. Nie miał ochoty podnosić głosu czy wykłócać się o racje. Zły nastrój przeradzał się w powoli ewoluującą depresję. Przestawał dostrzegać kolory. Pojawiała się coraz gęstsza szarość. Kiedy stopi się w jednostajny mrok, będzie miał wszystkiego dość. Wtedy się podda i położy do łóżka, czekając tam na ostateczny koniec wszechrzeczy. Zadał sobie pytanie, dlaczego świat jest aż tak skomplikowany, a życie w nim tak trudne... Odpowiedzi nie uświadczył. Odpowiedzi na tak zadane pytanie po prostu być nie mogło. Wzdrygnął się. Mięsień prawej nogi podskoczył raz jeszcze i to sprawiło, że się obudził. Zerknął na zegarek i ze zdumieniem stwierdził, że zdrzemnął się niemal na godzinę. Trzeba było zająć się pracą.

Spojrzał na wyświetlacz tabletu. NB. Dwie litery i trzech nieboszczyków. A może czterech? Wziął telefon do ręki i po raz kolejny odszukał numer kolegi lekarza. Odkrył przyczynę śmierci kapłana i gosposi, czy też nie? Znalazł u kobiety litery NB tuż poniżej karku, czy miał je tylko kapłan Karol? Chciał znać odpowiedzi. Stylizowane gotycką czcionką litery kryły w sobie coś szczególnego. Dopiero po zrobieniu zdjęcia tym kolejnym literom znalezionym na ciele duchownego dostrzegł przy niewielkim powiększeniu obrazu niezbyt głęboką, ale jednak wyraźną – trójwymiarowość.

Tak, był tego pewien – napis był trójwymiarowy i zawierał jakąś głębię, której nie był w stanie odczytać na zdjęciach. Czegoś takiego nie mogło wykonać pierwsze lepsze studio tatuażu. W Sieciowie nie znał nikogo, kto potrafiłby zrobić coś więcej poza naklejką z henny. Pomyślał. Wolczyce? Nie, nie widział tam żadnego profesjonalnego zakładu wykonującego takie dzieła. Najbliżej, gdzie znajdzie artystów zdolnych do ambitnego ozdabiania ludzkiego ciała, będzie Wrocław. Na północ – Poznań. Rzadko bywał w obu tych miastach.

Pozostało dalsze grzebanie w sieci. Jeśli znajdzie kogoś, kto oferuje podobne rzeczy, spróbuje się z nim skontaktować.

* * *

Piwowarski rozliczył wszystkich przedstawicieli szybko i w miarę bezboleśnie. Zabrakło jedynie pana Romana, wielkiego gościa mieszkającego pod miastem. Nie dał nawet znać, że nie stawi się na obowiązkowe, cotygodniowe spotkanie, co znacząco wpływało na przydanie mu kolejnych punktów w rankingu kandydatów do zwolnienia.

Robert nie czuł się zbyt dobrze. Dokuczało mu zmęczenie. Opadał z sił. I zaczynała boleć go głowa. Zrobił sobie mocną kawę i klapnął w fotelu. Uznał, że powinien znowu pojechać na wieś do pani Izabeli, która z ziółek przyrządza uspokajające mikstury. Kiedy je pił, czuł się o wiele lepiej. Ludzie mawiali, że ta kobieta zajmuje się magią, że jest najprawdziwszą czarownicą, ale nie wierzył w takie brednie. Czarownice to relikt przeszłości, rezultat średniowiecznych zabobonów. Niektórzy ludzie posiadali szczególny dar, potrafili rozpoznawać dary natury i czerpali z ich dobrodziejstw całymi garściami. Inni, pełni podejrzliwości i chorobliwej zazdrości, starali się zwalczać wszelkie przejawy inności. On odważył się skorzystać z porady „czarownicy" i wyszedł na tym lepiej niż na wizycie w gabinecie lekarskim. Nie widział u tej kobiety strasznych oczu, krzywego nosa i długich pazurów. Na ścianach zobaczył dyplomy, certyfikaty, wyróżnienia. Pani Izabela była miła i empatyczna. Chciała mu pomóc. Porozmawiał z nią o swoich problemach z koncentracją, o zmęczeniu, które dokuczało mu całymi tygodniami, głęboko popatrzyła w oczy, dokładnie obejrzała mu dłonie, przenikliwym wzrokiem zbadała jego mocz, który kazała oddać do przezroczystej menzurki, po czym wyjęła z szuflady flakonik z ziołową nalewką. Wypił ją całą, dozując zgodnie z zaleceniami i autorytatywnie stwierdził, że pomogła. Od ostatniej dawki minął już jednak miesiąc. Zapomniał o zmęczeniu i nalewce, ale skoro dolegliwości powróciły, powinien pojechać do niej jeszcze raz. Pani Iza znała się na rzeczy.

W tym momencie zadzwonił telefon. Uśmiechnął się pod nosem. W drażniącym natłoku różnych zdarzeń ten jeden, jedyny numer sprawiał mu przyjemność. A właściwie osoba, która za nim się kryła. Kiedy z nią rozmawiał, czuł przypływ endorfin, łagodny powiew radosnej ekscytacji. Zosia... Zosia dawała mu poczucie bycia kimś potrzebnym, kimś ważnym, kimś atrakcyjnym. Rozmawiał z nią z wielką przyjemnością, bo potrafiła zauważać w nim nie tylko kierownika, ale i mężczyznę. Zosia pracowała w centrali firmy. To z nią załatwiał większość służbowych spraw, zanim trafiały na biurka szefów. Wiele razy podpowiadała mu, jak ujmować ważne kwestie, by robiły wrażenie na dyrektorach. On odwdzięczał się miłym słowem, czekoladkami, kwiatami, romantyczną kolacją, kiedy musiał pojechać do centrali osobiście. I jeździł tam, kiedy tylko mógł, kiedy tylko znajdował się jakiś pretekst. We Wrocławiu czuł się jak w innym świecie.

Odebrał połączenie. Po kilku ciepłych słowach powitania stężał. Zosia mówiła parę minut. To, co usłyszał, nie mieściło mu się w głowie.

– Coś ty, Zosiu, nawet go tu nie było – powiedział do kamery smartfona. Znakomicie odwzorowana na ekranie wysokiej rozdzielczości twarz kobiety zdradzała niemałe zakłopotanie.

– Na pewno? – odrzekła zmartwionym tonem. – Mówił, że ma świadków. Przynajmniej pięciu. Każdy, kto siedział w poczekalni przed twoim biurem, mógł dokładnie słyszeć, co mówiłeś Romanowi Łacie.

– A co mu niby powiedziałem?

Zapanowała chwila ciszy. Zosia odwróciła wzrok od kamery, zupełnie jakby nie chciała kontynuować tematu.

– Co powiedziałem? – nie dawał za wygraną.

– Byłeś wulgarny, nieprzyjemny i chamski. Tyle powiedział. Resztę przekazał dyrektorowi. Nie znałam cię z tej strony. Nie wiedziałam, że potrafisz taki być... – skończyła smutno.

Robert zaniemówił. Jak ten palant mógł tak nawymyślać? Kiedy tylko go dopadnie, wygarnie, co o nim myśli. O co mu chodziło? Żeby zwolnili go z pracy? O to?

– To jakieś nieporozumienie. Pogadam z nim i wszystko się wyjaśni, dobrze? – Uśmiechnął się tak miło, jak tylko potrafił. Nie wiedział, czy ten wyraz twarzy okaże się wystarczająco przekonujący, skoro pod skórą buzowała nieogarnięta wściekłość. Tyle dobrze, że

rozmawiali dzięki wideokonferencji, a nie w bezpośredniej bliskości, bo wtedy z pewnością dostrzegłaby zdenerwowanie. – Nie daj
się tylko zwariować. Sama wiesz, jacy są ludzie. Z zazdrości potrafią
zrobić najgorsze z najgorszych. Może gość chce zając moje miejsce
i tyle.

Zosia zmarszczyła czoło i westchnęła. Niewykluczone, że ją
przekonał.

– Zosiu... – dokończył przymilnie.

– Nie wiem, co na to dyrektor. Ma do ciebie dzwonić, więc się
przygotuj, dobrze?

– No pewnie. Dam radę. Dzięki, że mnie uprzedziłaś. Słodka jesteś, wiesz? Dzięki, naprawdę.

Uśmiechnęła się. Jeśli będzie musiał pojechać do Wrocławia,
do szefostwa, umówi się z nią na kolację i kupi jej kwiaty. A temu
łachmycie i donosicielowi Łacie wygarnie. I niech on sobie szuka
innej roboty.

✳ ✳ ✳

Dolina popadł w stan bliski depresji. Znalazł się poniżej poziomu, który mógłby jeszcze uznawać za przyzwoity. Użalał się nad
sobą. Cały dzień cierpiał tam katusze. Rozsądek podpowiadał mu,
że jeszcze chwila i dolegliwości odejdą w niebyt. Inna strona jego
duszy twierdziła coś zupełnie odwrotnego – wielkimi krokami nadchodził koniec. Ten koniec!

Gdyby jeszcze miał jakąś rodzinę... Ktoś mógłby mu pomóc, jakoś by może pocieszył, ale nie – mieszkał sam. Od zawsze był nie-
zdolnym do stałych związków singlem. Przy bliższym poznaniu kobiety dostrzegały w nim niebezpiecznego ekscentryka. Czy miały
rację? Niewykluczone. Niektórzy znajomi postrzegali go właśnie
tak. W pewnych kręgach uchodził nawet za dziwaka. Czy nim był?
Być może. Miewał różne, ciekawe pomysły i na domiar złego nierzadko je realizował. W swoim kawalerskim obyciu zdarzało mu się
strzelać różne gafy, a wszystko to zebrane w jedno sprawiało, że był
sam. I cierpiał sam. Nawet Tomeczek nie zadzwonił do niego, by się
spytać, co się dzieje, jak się czuje, czy nie jest potrzebna mu jakaś
pomoc...

Tomeczek...

DZIESIĘĆ

Dolina zastanowił się. Ciekawe, jak się ma szeryf, czy aby choroba nie dopadła także jego? Obaj byli w gabinecie doktora, a w dodatku Mareczek dotykał trupa. Obrzydliwość! Niby tylko coś tam sprawdzał, ale dla Doliny była to obrzydliwość najwyższej klasy. W życiu nie dotknąłby tego zmumifikowanego starca. Nigdy!

Zerknął na smartfon. Zadzwonić, czy nie dzwonić?

Upił nieco mineralnej z butelki. Jeśli nie będzie spożywał płynów, niechybnie się odwodni i będzie wyglądał jak ten martwy kapłan. Jeśli się nie odwodni...? Właśnie! Pewnie pierwszym objawem choroby prowadzącej do tak ekstremalnego wyschnięcia jest biegunka! Gość nie pił i wysuszył się jak jesienny liść.

Kolejny raz zakręciło jelitami. Zaciskając usta, spiesznie ruszył ku toalecie. Jak zwykle na szczęście była wolna.

✳ ✳ ✳

Ściągnął do domu, kiedy szarzało, to znaczy późno. Letnią porą słońce zachodziło dobrze po dwudziestej pierwszej. Tak było niemal codziennie. Klienci. Oni byli najważniejsi. Zdobywanie nowych pożyczkobiorców na nasyconym rynku nie stanowiło łatwego zadania. Utrzymanie dobrych klientów także wymagało wiele zachodu i dbałości o zadowolenie ze świadczonych usług. Dewizą firmy była łatwość i dostępność pożyczek. Jako kierownik w szczególny sposób musiał dbać o image instytucji, w jakiej pracował. Kontrolował realizację zadań przez przedstawicieli, przyglądał się akcji plakatowej w różnych rejonach miasta. No i oczywiście odwiedzał klientów. Zarówno tych dobrych, sumiennych, by podziękować im za współpracę i zapytać, czy aby czegoś im nie potrzeba, ale także tych kłopotliwych, by przypomnieć im o zaciągniętych pożyczkach oraz związanych z nimi zobowiązaniach.

W domu było jak zwykle. Żona przy ulubionym serialu, a nastoletnia córka przy monitorze komputera. Obie niemal go nie zauważały. Wytrwale pracował całymi dniami, całymi tygodniami, a one przyzwyczaiły się do tego, że nie ma go w domu. Ze względu na swój cel, ze względu na osiągnięcie sukcesu, ze względu na wyrwanie się z tej klitki, w jakiej przyszło mu mieszkać, a właściwie tylko nocować, wytrwale się poświęcał. Harował. Od rana do wieczora, siedem dni w tygodniu. Jeśli jakiś klient potrzebował gotówki, a przedstawiciel w danym rejonie nie mógł jej udzielić, był on! Zawsze do usług, zawsze na czas!

Zaniedbywał się. Być może. Kiedyś jakiś heretyk próbował z nim rozmawiać o wierze. Jaka wiara? On ufał w swoje osiągnięcia. Nikt nigdy niczego nie dał mu od tak. By cokolwiek osiągnąć, zawsze należało ciężko pracować. Heretyk, mały człowieczek o szerokim uśmiechu, mówił o szukaniu Boga. Kierownik Sprzedaży Bezpośredniej nie miał na to czasu. Ciągle zajęty, bez ustanku niemal ze smartfonem przy uchu, wpatrzony w tabele, cyfry i ich sumy. Nie miał czasu na głupoty, na szukanie czegoś, czego nigdy nie widział. Heretyk próbował mu wmówić, że powinien odpocząć, a ten odpoczynek jest w jakimś Zbawicielu. Tak, odpocznie po śmierci. Zaśmiał się kwaśno. Wtedy na pewno odpocznie. Teraz ciężko pracował.

I swojemu poświęceniu właśnie oraz wynikom zawdzięczał dobrą renomę w firmie. Być może kiedyś to dostrzegą i docenią na tyle, że awansuje i kupi wymarzony dom wcześniej, niż założył. Być może... Dziś musiał stawić czoła temu chamidle, imć Romanowi. Właściwie nie tyle jemu, co paszkwilom, jakimi usiłował zrujnować jego kierowniczą karierę. Zaniepokojony donosem dyrektor zadzwonił do niego po południu. Ponieważ znał Roberta nie od dziś i wiedział, jak bardzo zależy mu na osiąganiu wytyczonych przez szefów celów, z troską zapytał o to, co naprawdę wydarzyło się między nim, a przedstawicielem. Co też mogło się wydarzyć, skoro w ogóle się nie spotkali? Robert, przyjmując ton litościwego współczucia, wyraził swoją opinię na temat pana Romana. Dyrektor wysłuchał wszystkiego i przyjął sprawę jako niebyłą. Na koniec doradził, by w bliskich kontaktach z pracownikami niższego szczebla zachowywać właściwy dystans. Przyjął uwagę z wdzięcznością. Tyle. Tyle z afery Romana Łaty.

Zajrzał do szafki, gdzie trzymał nalewkę. Niestety flakonik, zgodnie z nieprzyjemnym oczekiwaniem, okazał się pusty.

Poszedł do lodówki i sięgnął po piwo. Kapsel spadł na podłogę i potoczył się pod meble. Niech leży. Nie chciało mu się schylać i szukać. W lodówce stała jeszcze ćwiartka czystej. Zmieszał oba trunki i usiadł na fotelu obok kanapy, na której jego własna żona tkwiła nieruchomo, wpatrując się w poruszające się na ekranie telewizora po-

DZIESIĘĆ

stacie. Nie zauważyła, że zjawił się w domu. Nie zauważyła, że usiadł tak blisko. Jakby w ogóle go nie zauważała. Nie to, co Zosia...

– I jak w pracy? – spytała nieoczekiwanie, zupełnie nie odrywając wzroku od telewizora.

– Norma – odpowiedział oschle.

Po pierwszym łyku alkoholu oparł głowę o zagłówek fotela i przymknął powieki. Ponownie stało się to, czego doświadczył w biurze. Przed oczyma pojawił się obraz!

Zamrugał. Na zmianę widział swój pokój i ten widok z zupełnie innego miejsca, którego nie był w stanie rozpoznać. Było tam ciemno. No, może nie bardzo ciemno. Mógł widzieć to, co znajdowało się w najbliższej okolicy. Przed sobą widział okno. Na jego parapecie leżało coś zawiniętego w koc. Sięgnął po to i poczuł ciężar przedmiotu oraz gabaryty. Nie wiedział, co jest pod kocem, ale szybko zabrał to stamtąd i rozglądając się wokół, czy aby nie jest obserwowany, poszedł przed siebie. Po chwili zorientował się, co to za okolica. Po schodkach wdrapał się nieco ociężale na niewielkie wzniesienie i stanął przed świątynią. Wielka, majestatyczna budowla pamiętająca chyba dwa stulecia, rozpościerała się przed nim wysokimi murami, witrażami oraz szerokim, spadzistym dachem. Dźwigając pakunek, który z każdym krokiem wydawał się coraz cięższy, znalazł się pod bocznym wejściem. O dziwo, wyjął z kieszeni klucz, otworzył zamek i wszedł z owym zawiniętym czymś do środka.

– Uważaj! – krzyczący głos doleciał go z całkiem bliska.

Zerwał się, szukając powodu alarmu.

– Robert, wylałeś! – Justyna była wściekła. Wiedział to bez spoglądania na jej twarz. Wystarczał sam głos, by dobitnie wiedzieć, że właśnie naraził się żonie. – Spiłeś się, czy co?!

Gdyby zwracała na niego uwagę, wiedziałaby, że co dopiero przyszedł do domu i usiadłszy, uczynił jeden skromny łyk.

– Ledwo siadłem – warknął niezadowolony. Połowa zawartości wysokiej szklanki wylała się na oparcie fotela i podłogę. Wstał, żeby posprzątać. Justyna nie ruszyła się z miejsca.

Jędza – pomyślał, ale żadne słowo nie wymsknęło mu się z ust.
– Ruszyłaby...

– Tak, i wczoraj nic nie piłeś, i przedwczoraj też nie! – zaskrzeczała piskliwie. – Ty oczywiście w ogóle nic nie pijesz! Tylko żłopiesz to piwsko z wódą każdego dnia. Nie dość, że nie ma cię całymi dniami w domu, to jeszcze wieczorami chlejesz na umór. Aż dziwię się, że w pracy jeszcze...

Tego Robert nie chciał słyszeć i nie usłyszał. Zamknął oczy, by nie widzieć swojej... kochanej żony, a przed sobą zobaczył coś nowego – kuchnię, a w niej jakąś obcą kobietę. Mogła mieć koło sześćdziesiątki i mówiła coś do niego, co chwilę przewracając oczami, zamaszyście przy tym gestykulując. Nie rozumiał ani jednego słowa. Właściwie nie słyszał jej słów. Widział tylko, jak szybko ruszają się jej usta.

Zakrył twarz rękoma. To jakiś obłęd? Szaleństwo? Odbiło mu? Poczuł się słabo. To pewnie to – przemęczenie. Ileż można pracować? Nawet sobót i niedziel miał w ciągu ostatniego roku dla siebie ze dwie albo trzy. Praca, praca, praca. Był zagoniony, obciążony do granic wytrzymałości. Nie miał czasu na nic. Nie utrzymywał kontaktów towarzyskich, nie chodził z żoną na spacery, nie pamiętał, kiedy po raz ostatni normalnie porozmawiał z córką. Ona także, jak mama, nie zauważała go, wciąż zajęta internetowym życiem. Mieszkali w tym ciasnym mieszkaniu, a niemal ze sobą nie rozmawiali. Zdawkowe hasła. Krótkie informacje. Każdy zagubiony we własnym świecie czaił się w innym, osobistym kącie.

Miał plan. Powziął postanowienie, że kiedy wreszcie uzbiera odpowiednią kwotę i stanie się posiadaczem własnego domu, da sobie na luz. Wtedy być może odzyskają jakieś relacje, zaczną ze sobą normalnie konwersować, być dla siebie mili. Taki właśnie miał plan. Na razie nieosiągalny. Musiał rozwijać sieć przedstawicieli, by przynosili większe dochody, od których firma płaciła mu dodatkowe prowizyjne premie. Żeby to robić, poświęcał się. Potem, wieczorami chciał się odprężyć. W głowie szumiały dziesiątki przeprowadzonych w ciągu dnia rozmów, przed oczami przewijały się napotkane twarze. Pił, żeby się rozluźnić, odpocząć i zasnąć. Bez tego nie dawał rady. A Justyna? Krzyczała na niego, jędza jedna. Poświęcał się przecież także dla niej, a ona na niego darła jadaczkę!

W głowie zawirowało. Z ciemnej, szybko zbliżającej się plamy wyłonił się obraz. Nieznajoma kobieta w nieznanej kuchni także coś bez przerwy mówiła. Tyle dobrze, że nie wiedział o czym, bo chybaby tego nie wytrzymał. W końcu kobieta wstała i skierowała się

DZIESIĘĆ

ku drzwiom. Podniósł się, by ją odprowadzić. Taki z niego dżentelmen, wychowany licznymi szkoleniami przez firmę. Wydało mu się dziwne, że to nie ona go odprowadza do wyjścia. Zupełnie jakby był gospodarzem w tym domu. Usiłował skojarzyć twarz z nazwiskiem jakiejś klientki. Wtedy przeszedł obok lustra.

W odbiciu zobaczył klientkę Jadwigę Martę...

* * *

Telefon zagrał w chwili, kiedy Hania zapytała, czy idzie spać. Mareczek z chęcią poszedłby do łóżka, ale dobrze wiedział, że i tak nie zaśnie. Spojrzał na wyświetlacz, choć dobrze wiedział, kogo anonsuje odtwarzana melodia.

– Co się stało? – spytał, odbierając połączenie.

– Niech szef wybaczy tak późny telefon – Siemaszko, posterunkowy ponownie pełniący nocny dyżur, był wyraźnie zakłopotany. – Ale mam ważną sprawę.

– Nie spałem jeszcze – uspokoił podwładnego, choć miał ochotę go zrugać.

– Ludzie znad jeziora dzwonią do mnie, że coś dziwnego dzieje się w wodzie.

Mareczek przełknął ślinę.

– Gdzie? – spytał niepewnie.

Siemaszko przez krótki moment milczał, ale wreszcie zdecydował się powiedzieć, co wiedział:

– W rejonie domniemanej katastrofy.

Mareczkowi nerwowo drgnęła powieka.

– Co zgłaszają?

– Światła. Dość sporo od brzegu.

– Może to jakaś łódź.

– Mówią, że na powierzchni niczego nie ma. Obserwują to zjawisko z góry przez noktowizory i termowizory, dlatego są pewni, że to nie łódź, a źródła świateł są pod wodą.

Mareczek zerknął na zegar. Dochodziła północ.

– Nie będziemy tarabanić się nad jezioro w środku nocy. Zapisuj zgłoszenia – od kogo, o której i co widzieli. Rano sprawdzimy.

Na ekranie smartofona Siemaszko wyglądał blado i niezdecydowanie. Być może takie wrażenie wywoływało padające na jego oblicze skąpe światło.

– Ale jutro możemy tam już niczego nie znaleźć... – powiedział niepewnie i całkiem tak, jak wtedy gdy podwładny nie chce w bezpośredni sposób zakomunikować przełożonemu, że podejmuje niewłaściwą decyzję.

Aspirant dobrze wiedział, że to, co teraz powie, może być przyjęte przez Siemaszkę nie najlepiej. Wszelkiej maści ufolodzy zachwycali się opowieściami świadków przelotów szybko poruszających się świateł. Przeglądając sieć, Mareczek natknął się na zapisy wideo, na których było widać jedno, dwa lub nawet kilka przemieszczających się z zawrotną prędkością świetlnych punktów. Sam widział to na własne oczy, usiłował ścigać, a skutek dobrze pamiętał.

– Zapewniam cię, że zanim tam dotrzemy, to nadprzyrodzone zjawisko pójdzie spać.

– Ale...

– Chcesz pływać z latarką w zębach, żeby sprawdzić, co to takiego? – przerwał mu dość obcesowo.

– Nie – przyznał posterunkowy.

– A widzisz. Spisuj zgłoszenia, a jutro pomyślimy, co dalej. Spokojnej – dorzucił na pożegnanie, życząc nocy bez interwencji i rozłączył się. Ekran telefonu zgasł, a Mareczek głośno westchnął.

– Podniecajcie się światełkami. Róbcie zdjęcia. Filmujcie. A to wasze UFO ma na nazwisko Witkiewicz i jest w stopniu majora WP. – Przeczesał palcami zmierzwione włosy i zamyślił się. – Że też ludziom spać się nie chce po nocy.

– Coś się stało? – głos żony nie pozwolił za daleko zabrnąć w zadumę.

– Nic takiego, kochanie. Możesz spać, ja tu jeszcze posiedzę.

Problemy ze spaniem każdej nocy pogłębiały się, stanowczo obniżając zdolności percepcyjne. Coraz większe kłopoty z koncentracją drażniły i kółko się zamykało – nie potrafił odpocząć.

Komputer wyświetlał ekran startowy. Nakazał włączenie przeglądarki. Zaraz pokazało się kilka zakładek z serwisami informacyjnymi. Na dobrą sprawę nie wiedział, co ostatnio dzieje się w szerokim świecie.

DZIESIĘĆ

Polska. Na razie sprawdzi, co słychać w ojczyźnie. Uśmiechnął się pod nosem. W Warszawie demonstracje, wiece i manifestacje. Tym razem nie chodziło o UFO. Na placu pod Pałacem Kultury i Nauki zgromadzili się imigranci. Od czasu Euro 2012 stolica nie widziała tylu ludzi w jednym miejscu. Ludzkie mrowie wydawało się nieprzebyte. Mareczek przyjrzał się zdjęciom. Dziesiątki transparentów. Napisy po angielsku, niemiecku, hiszpańsku, francusku. Wszystkie w tym samym tonie – ku chwale i czci polskiego rządu. Sejm, Senat i rząd stanęli na wysokości zadania. Szybko podejmowane odważne decyzje przed dziesięciu laty przyniosły ogromne korzyści całej polskiej gospodarce. Kiedy Europa tonęła w kryzysie związana jedną, wspólną walutą, złotówka umacniała się do poziomu, który zagwarantował przenoszenie licznych interesów z Zachodu nad Wisłę. Inwestycje przyciągały pracowników, których w szybkim tempie coraz bardziej brakowało. Do Polski ściągali więc Niemcy, Anglicy, Francuzi, właściwie wszyscy. Zarobki oraz warunki socjalne dla przybyszów okazywały się na tyle korzystne, by robotnicy sprowadzali tu swoje rodziny. Dzięki popytowi oraz podatkom, PKB osiągało wyniki niespotykane w kraju i regionie. Polska kwitła.

Zmienił portal. FSO wprowadzało na rynek nowy model Syreny. Fotografia pokazywała obły kształt, który już na pierwszy rzut oka kojarzył samochód z dawnymi Syrenkami. Ładny. Nowoczesny. Wart kupienia. Ceny nie podano. Premiera za miesiąc.

Wiadomości sportowe. Zapomniał o meczu. Na Narodowym ma się odbyć towarzyskie spotkanie z Niemcami. Spojrzał na składy. Gdyby nie nagłówki odróżniające obie ekipy, miałby kłopoty z rozpoznaniem, kto jest kim. No, może w polskiej drużynie były dwa nazwiska brzmiące jednoznacznie po swojsku. W niemieckiej jednak także... Skrzywił się. Teraz nie wiadomo nic. Byle nasi znów wygrali. Polscy Niemcy niech strzelają do swojej bramki. Niemieccy Polacy też do niemieckiej. Wtedy będzie okej.

Chiny. Wspólnota Europejska zmierza do ograniczenia wciąż rosnących wpływów Państwa Środka na sytuację na Starym Kontynencie. Prezydent Unii udał się do Azji z misją dyplomatyczną mającą na celu skonsolidowanie państw regionu właśnie przeciw Chinom. Mareczek uśmiechnął się z politowaniem. Akurat! Może jeździć z prawa w lewo i z powrotem. Cóż jest w stanie zjednoczyć tak wielką różnorodność rasową, kulturową i religijną, jaka istnieje na tym kontynencie? Chińska Republika Ludowa rosła w siłę od dziesiątek lat, a oni zauważyli to dopiero dzisiaj? Inwestycje skierowane w przemysł zbrojeniowy w połączeniu z daleko rozwiniętym szpiegostwem przyniosły skutki niemal niemożliwe do ogarnięcia. Chiny pilnowały swoich tajemnic za cenę życia wielu ludzkich istnień, a potencjałem dysponowali niespożytym. Mareczek obserwował, do czego dążą Chińczycy od dawna i nie miał zbyt dobrych przeczuć co do ich intencji. Spodziewać się po nich można było wszystkiego, łącznie z marszem na zachód milionów chińskich żołnierzy. Cóż pomogłaby dobrze wyszkolona i wyposażona armia Wspólnoty, jeśli Azjatów byłoby kilka razy więcej, równie niezgorzej uzbrojonych w repliki zachodniego uzbrojenia? Pozostała nadzieja, że przywódcom Państwa Środka wystarczy rozsądku.

Bliski Wschód. Największe ognisko zapalne w regionie. Tam od zawsze działo się ekstremalnie źle. Palestyńczycy za wszelką cenę chcieli ustanowić swoje państwo. Izrael zgadzał się na autonomię. Tak od lat. Zagraniczni mediatorzy zabiegali o wstrzemięźliwość w działaniach, o pokój. Pokoju być tam jednak nie mogło. Hardość całych narodów była nieogarnięta od samego zarania – od Ismaela i Izaaka. Mareczek miał przeczucie, które mówiło, że musi pokazać się ktoś, kto zaproponuje coś zupełnie nowego i wyjątkowego, czego do tej pory nikt nie dostrzegł. Jeśli nie, dojdzie tam do tragedii. Nienawiść Arabów i Chaldejczyków do tego malutkiego państewka, jakim był Izrael, wielokrotnie przerastała wrogość samego Hitlera.

Dość polityki. Zerknął na technologię.

Już w przyszłym roku zostanie wdrożony nowy standard wideo 8K. Obecne 4K zostanie stopniowo wyparte na rzecz wyższej rozdzielczości. Rzecz jasna będzie się to wiązało ze zmianą sprzętu telewizyjnego. Mareczek stwierdził, że postęp jest zbyt szybki. Wystarczy przecież dobre 4K i zwykły trójwymiar. Czekał za to na upowszechnienie holografii. Takie zdjęcie holograficzne to byłoby coś... Rozmarzył się nieco.

Zdjęcie właśnie. Trzeba było się tym zająć jeszcze raz. Kilkoma gestami przywołał na wielki ekran zdjęcia z literami NB. Miał trzy – Bala, Rzeckiego i to najnowsze, kapłana Wojtaszka. Choć nie był

DZIESIĘĆ

pewny, czy to ostatnie faktycznie jest najnowsze. Była jeszcze pani Marta. Gosposia duchownych także zmarła nagle, w niewyjaśnionych okolicznościach, w wieku bliskim czterdziestki. Po utracie przytomności zawieziono ją do Wolczyc. Tutejsi lekarze nie zwlekali tym razem z decyzją i nie myśleli nawet o „hospitalizacji" w ośrodku zdrowia. Czym prędzej ambulans zawiózł ją w kierunku szpitala. Po drodze przejęła ją karetka pogotowia, ale było już za późno. Na razie mało kto wiedział, że kobieta zmarła. On, policjant, dowiedział się jako jeden z pierwszych i w związku z tą wieścią czuł wzmożony niepokój.

Czekał na wieści z autopsji. Krzyś nie dzwonił. Krzysiek był ciekawym indywiduum zamiłowanym w krojeniu ludzi, zaglądaniu do ich wnętrz, wywlekaniu na stół jelit, żołądków i czego tam się jeszcze dało. Krzysztof czynił to, kiedy tylko miał po temu okazję. Mareczek odnosił nawet wrażenie, że patolog prowadził jakieś własne prace badawcze i każda nadarzająca się możliwość do tego, by kogoś rozkroić, stanowiła dla niego prawdziwą radość. Mareczek podejrzewał nawet, że Krzysztof mógł własnoręcznie prokurować niezbędne do tego dokumenty. W to jednak wolał się nie wgłębiać, by nie wywoływać u siebie niepotrzebnych dylematów.

Zatem czekał. Nie lubił czekać, ale nie miał wyjścia. Koniecznie chciał wiedzieć, czy będzie musiał dołączyć do swego katalogu kolekcjonerów nietypowego tatuażu jeszcze jedną osobę...

Przejrzał internetowe katalogi trójwymiarowych malunków. Prawdziwe dzieła sztuki. Znalazł kopie obrazów, wizerunki ludzi, ale najwięcej fauny w postaci pająków, skorpionów, gadów, nawet dinozaurów. Pokręcił z podziwem głową. Jak też komuś chciało się je umieszczać na własnym ciele? By być oryginalnym? By robić wrażenie?

Znalazł kilka adresów, gdzie mógłby spróbować zasięgnąć języka.

Robert Piwowarski leżał na wznak i spoglądał w sufit. Co jakiś czas drżała mu prawa noga. Ogarnęło go poczucie zagubienia. Żona spała obok i furczała nieznośnym, głośnym oddechem. Irytowało go to od lat, ale dziś był bliski szału tym bardziej, że nakrzyczała na niego i zwymyślała od najgorszych meneli. Nigdy nie był menelem.

Gardził takimi ludźmi i dobrze o tym wiedziała. Pewnie dlatego chciała mu dopiec. Nigdy też nie upadł tak nisko, by nazywać go pijusem. Nigdy! Cóż z tego, że popijał sobie wieczorami po skończonym, ciężkim dniu. Robił to kulturalnie, u siebie w domu, nie w jakimś barze z imbecylami o wyżartych alkoholem mózgownicach, którzy potrafią tylko żłopać i lać się po mordach. Robert trzymał określony poziom i nigdy poniżej niego się nie zniżał.

Zerknął na Justynę. Leżała odwrócona do niego plecami. Jak zwykle. Robiła tak może od pięciu lat. Kładła się spać na tym samym boku i tyle. Zosia była inna. Interesowała się nim, chciała rozmawiać, śmiała się z jego dowcipów. Gdyby nie Ula, być może wszystko potoczyłoby się inaczej. Ula pojawiła się w ich życiu niespodziewanie, po całonocnej imprezie u koleżanki Justyny. Pofolgowali sobie nieco, a po dziewięciu miesiącach odbierał ją z rąk położnej na porodówce.

Robert zadumał się. Wydawało mu się kiedyś, że kocha Justynę. Była ładna, miła, inteligentna. Justynie wydawało się, że kocha Roberta. Tak też dawno temu postanowili być razem i nie usuwając ciąży, pozwolili Uli przyjść na świat. Nie wszystko jednak układało się, jak należy. Nie – nie wszystko.

Leżał i gapił się w sufit. Miał za sobą ciężki dzień.

Te wizje...

Kołatała się w nim pewna obawa, która podpowiadała, że powinien dać sobie na luz. Istniało realne zagrożenie, które mówiło, że jeśli nie zdobędzie się na odpoczynek, postrada rozum. Miał pewnego znajomego, który właśnie z powodu nadmiaru wrażeń sfiksował. Jego szaleństwo objawiło się tym, że od lat w ogóle nie wychodził z domu.

Ze strachu.

A zaczęło się niewinnie, jeśli niewinnością można nazwać miękkie narkotyki. I do tego pełne przemocy, baśniowe gry. Sieć wchłonęła go na tyle, że stracił poczucie rzeczywistości. Wirtualne światy wypaliły na nim głębokie piętno, które zatrzasnęło drzwi do normalności. Gość bał się smoków, orków i trolli tak dalece, że widział je wszędzie, również za oknami mieszkania. Miał wizje. Ześwirował.

Robert nie palił, nie brał dopalaczy i popijał w sposób – na jego gust – umiarkowany. Wizje jednak miał. Przez moment rozważał

DZIESIĘĆ

możliwość związku objawień z nalewką pani Izy, ale przecież przestał ją pić już miesiąc temu. Wizje miał od dzisiaj. Były wyraźne, ostre i sugestywne. Zamknął oczy, by sprawdzić, czy się pojawią. Nic. Otworzył oczy z ulgą. Kiedy się pojawiały, czuł, jak drży mu serce, przez ciało przebiegają dreszcze i popada w jakieś zagubienie. Odniósł także wrażenie, że traci kontakt z otaczającą go rzeczywistością. Nie potrafił sobie tego wytłumaczyć, ale najmocniej zdał sobie z tego sprawę podczas ostatniej wizji. Tej, kiedy zobaczył Jadwigę Martę w lustrze.

Jadwiga Marta. Ostatnie spotkanie z nią utkwi w jego pamięci po kres ziemskiej egzystencji. Tego był pewien. To jej spojrzenie, słowa, agresja. Napadła na niego od tyłu i przygwoździła do ziemi. A potem straciła przytomność. Dobrze, że miał telefon ze sobą. Karetka z pobliskiego ośrodka zdrowia przyjechała szybciej niż ta z Wolczyc. Zabrali kobiecinę do przebadania. W Wolczycach mają dobry szpital i lekarzy specjalistów. Był ciekaw, co też jej dolega. W jego oczach wyglądała na obłąkaną. Może powinien zadzwonić do szpitala, zapytać. Przecież jest klientką. Zaległościową klientką na dodatek, o którą mogą zapytać przełożeni.

Zamrugał.

Wizja! Znowu pojawił się obraz. Przypomniał sobie, że coś podobnego już widział. Wtedy bez szczegółów. Teraz wyraźniej rysowała się przed nim jakaś postać. Była daleko, ale nie miał wątpliwości, że to kobieta. Stała dumnie wyprostowana z uniesionym lekko podbródkiem i patrzyła na niego. Zobaczył jeszcze, że ubrana jest nieco dziwnie, staroświecko, tak jakoś... zagranicznie. Rozejrzał się szybko. Przestronne, ciemnie pomieszczenie o wysokim sklepieniu mieściło wiele rzędów ław. Zrozumiał, że znów znalazł się w świątyni. Przeniknęło go coś zimnego, wywołującego dreszcze.

Otworzył oczy i zerwał się z łóżka. Wiedział, gdzie musi pójść, by wyjaśnić sprawę. Szybko się ubrał i wyszedł z mieszkania. Dotarcie do świątyni potrwało ledwie parę minut. Biegł szaleńczym tempem, wykorzystując wszystkie skróty, jakie tylko znał. Jedno z bocznych wejść okazało się otwarte. Wszedł do środka. Na centralnym miejscu ołtarza stała ona. Figura mogła mieć metr wysokości, nie więcej. Odwrócona twarzą do głównego przejścia między ławkami, skrywała przed nim swoją twarz. Robert, tłumiąc szybki oddech, obszedł ją łukiem, nie spuszczając z oka głowy. Chciał zobaczyć jej twarz, ale coś podpowiadało mu, by był ostrożny. Dobiegające z ulicznych latarni światło grało licznymi półcieniami, muskając figurę na tyle, by w ogóle można było ją widzieć. Kiedy znalazł się niemal na wprost figury, zastygł w bezruchu. Całe ciało zamarło. Nie był w stanie uczynić żadnego ruchu.

Wprost w jego oczy patrzyła ona – Jadwiga Marta.

– Cieszę się, że jesteś – usłyszał. – Chcę, byś był moim najbliższym...

„Pamiętaj o dniu sabatu, aby go święcić.
Sześć dni będziesz pracował i wykonywał wszelką swoją
pracę, ale siódmego dnia jest sabat Pana, Boga twego:
Nie będziesz wykonywał żadnej pracy ani ty, ani twój syn,
ani twoja córka, ani twój sługa, ani twoja służebnica,
ani twoje bydło, ani obcy przybysz,
który mieszka w twoich bramach.
Gdyż w sześciu dniach uczynił Pan niebo i ziemię,
morze i wszystko, co w nich jest, a siódmego dnia odpoczął.
Dlatego Pan pobłogosławił dzień sabatu i poświęcił go".
Księga Wyjścia 20, 8-11

Piąte

Ciągnące ze wschodu chmury w pełni zasłoniły błękit nieba oraz prażące do tej pory słońce. Większość wczasowiczów, rezygnując z plaż nad jeziorem, ściągnęło do miasta, by zasilić budżety miejscowych sklepikarzy, restauratorów oraz sprzedawców taniej rozrywki.

Adam Nowicki przycupnął na niewysokim murku przy deptaku i uważnie obserwował przechodzących ludzi. Stragany z badziewną chińszczyzną, kiermasze z książkami, butiki z ciuchami przyciągały jak lep na muchy. Tłum mienił się niczym owocowy koktajl – kolorowy i w znacznej części smakowity z powodu wymuskanych, przyjezdnych laseczek. Takie właśnie darzył szczególną uwagą. Poubierane jak te lale, opalone na heban, poruszające się niczym baletnice, przechadzały się przed nim tam i z powrotem, ciesząc oczy. I tylko oczy. Na ich względy trzeba bowiem zasłużyć, mieć czym zaimponować, a on nie dysponował niczym prócz samego siebie. Co prawda chwalić się atrakcyjnym wyglądem miał prawo, jednak sam wygląd nie wystarczał. Adam sądził, że jako wysoki blondyn z modnie rozwichrzonymi włosami stanowił godne schrupania ciacho. Posłał nawet zdjęcia kilku agencjom modeli i otrzymał propozycję angażu – z Japonii! Zrobił wrażenie na Azjatach i dumnie się z tym obnosił, ale mało kto to docenił. Na pewno jego sukcesu nie uznali starzy, których negatywne podejście do wszystkiego, co robi, wkurzało wręcz niepomiernie. Japonia utonęła we mgle, a zaważyła nieznajomość języka. Angielski opanował w stopniu mniej niż podstawowym, a japoński... cóż.

Laseczki, panienki, dziewczęta wymagały nakładów finansowych, a tych brakowało mu dramatycznie i permanentnie. By posiąść fundusze, trzeba by posiąść jakie dochodowe zajęcie, a za pracą nie przepadał. Męczyła go, denerwowała i źle nastrajała do życia. Próbował pracować, a owszem, ale każde podejście do zarobkowania kończył dość szybko. Bolał go kręgosłup, bolały nogi, bolały ręce. Wszystko, czego się nie dotknął, doskwierało wystarczająco mocno, by nie narażać swojego zdrowia i życia na większe niebez-

DZIESIĘĆ

pieczeństwo. Dlatego właśnie pracował krótko i rzadko. Obecnie siedział na kamiennym murku i zastanawiał się, co mógłby zrobić, by pieniądze spływały do kieszeni, jednocześnie nie narażając na zbędny wysiłek.

Przechodnie przelewali się jednostajnie w obie strony deptaka. Patykowaci, karłowaci, otyli, chudzi, radośni i zachmurzeni. Każdy z nich nosił w głowie własny mikroświat, pomysły i marzenia, a w torebkach i kieszeniach nowozłotki. Adam patrzył na turystów i dumał o ich portfelach. Przybywali tu, by korzystać z urlopów, leżakować na plażach, pływać, zajadać się goframi, wydawać zarobioną kasę. On nie miał nic. Właściwie nie do końca. Mógł rozkoszować się nieustającym wywczasem. Brak pracy niósł ze sobą właśnie taką korzyść – wstawał, kiedy chciał, chodził, gdzie chciał i o której miał ochotę. Ci, którzy pracowali, byli ograniczeni obowiązkami. Kiedy zasmakował pracy, stwierdził, że to niezwykle męczące. Przez pewien okres, oczywiście bardzo krótki, przyjął etat w barze szybkiej obsługi. Smażenie frytek, kotletów i takie tam... Rzecz jasna, nie robił tego w pojedynkę. Wokół niego uwijało się kilka osób, którym w odróżnieniu od niego chciało się brudzić panierką i przypalonym olejem. Kiedy zadzwonił kumpel, by powiadomić o zaczynającej się o tej porze imprezie, zdjął fartuch i wyszedł. Miał ważny powód – na imprze miała być Kasia. Kasia. Kasia. Hmmm... Kasia. By Kasia zaczęła go zauważać, powinien mieć czym jej zaimponować, ale na razie, niestety, cierpiał na brak atutów i miał powód do zmartwienia. Kilku nieco starszych kolegów mogło zdobyć jej względy bez większego trudu. On – nie.

Tłum nieco zgęstniał.

W umyśle Adama zaświtała pewna myśl. Była ryzykowna, nawet niebezpieczna. Nigdy nie zdobył się na coś podobnego, co w tej chwili zaproponował mu znudzony umysł. Może to było jakieś wyjście, droga trudna, wręcz ekstremalna, ale dająca szansę na zmianę zaistniałej sytuacji...

Wstał i bacznie się rozglądając, powoli dał się unieść nurtowi ludzkiej rzeki.

* * *

Ranek okazał się niezgorszy, dlatego też sierżant Dolina zdecydował się stawić na posterunku. Wyglądem – blado-mizernym w każdym calu – mógłby straszyć w horrorach, ale czuł się znacznie lepiej. Dolegliwości ustąpiły w nocy, nieco się zdrzemnął i decyzja była jedna – nie spędzi w domu kolejnej, długiej, samotnej doby. Praca zajmowała myśli i przynajmniej po części izolowała od innych kłopotów.

Koledzy przyjęli go z nieukrywaną ulgą. Zawsze, kiedy kogoś brakowało, pozostali cierpieli z powodu większej ilości pracy. Obowiązki zmuszały do wzmożonego wysiłku, a braki w obsadzie dawały się we znaki szczególnie wtedy, gdy zgłoszenia zmuszały do interwencji przy bójkach podpitych turystów. Sprawę nieco ratowało przyzwoite wyposażenie posterunku. Środki przymusu bezpośredniego pomimo przewagi rozjuszonych alkoholem narwańców sprawdzały się znakomicie. Wystrzeliwane z ręcznej wyrzutni siatki obezwładniające i paralizatory policjanci lubili najbardziej. Agresor mógł być wielki jak koń, a wystrzelona z kilkunastu metrów siatka bez trudu pakowała delikwenta niczym baleron. Jeśli klient miał jeszcze chęć wierzgać, reszty dopełniała energia paraliżująca układ nerwowy i mięśnie gładkie. Fru, i po krzyku! Gorzej było z załadowaniem aresztanta do radiowozu. Musieli taszczyć ów sparaliżowany „baleron" sami, bo żaden spętany człowiek nie był gotów samodzielnie uczynić nawet jednego kroku.

Dolina siedział za biurkiem i popijając słabą kawę, przeglądał nocny raport. Zatrzymał się na fragmencie dotyczącym wydarzeń na Sieciówce. Społeczeństwo meldowało o tajemniczych błyskach światła pod powierzchnią wody, bo społeczeństwo jest czujne i nie przepuści żadnych przejawów paranormalnych zjawisk. Nolozjaści zapewne będą twierdzili, że oznaki życia daje ich zaginiony statek. Sierżant wiedział natomiast o ekipie wojskowych ekspertów, którzy, by uniknąć ciekawskich spojrzeń wszelkiej maści ufologów, mieli zamiar penetrować głębię najczarniejszą nocą. No i uniknęli, nie ma co. Sierżant cmoknął z „uznaniem" dla majora. Tajemniczą akcją tylko podsycą spekulacje oraz wywołają wzmożoną aktywność poszukiwaczy rozbitego spodka.

DZIESIĘĆ

Przewrócił kartkę. Tu coś nie grało. Zauważył dwa zgłoszenia, które znacznie różniły się rejonem wystąpienia podwodnych świateł. Zadziwiające i mocno podejrzane. Musiał to sprawdzić. Koniecznie.

Robert Piwowarski szedł z wolna przed siebie. Od dłuższego czasu dręczyło go niewytłumaczalne wrażenie, że stał się obiektem czyjejś obserwacji. Kilka razy odwracał się, by sprawdzić, czy to poczucie wyimaginowane, czy też jednak rzeczywiste. Nikogo podejrzanego nie dostrzegł. Wsiadł do samochodu i z ukradka zerkawszy w lusterko, co chwila przekonywał się, że padł ofiarą własnych urojeń.

Urojenia, omamy, widziadła.

Bał się, że przemęczony organizm wypowiedział mu wojnę. Gdyby wysiadło serce, wiedziałby, co robić. Poszedłby do kardiologa i podjąłby leczenie. Co jednak zrobić z przywidzeniami? Z omamami słuchowymi? Być może powinien udać się do psychiatry, ale kto chodzi do psychiatry? Świry! On świrem nie był. Nie czuł się zbyt dobrze, to prawda. Od wczoraj był skołowany bardziej, niż po jeździe najwymyślniejszym rollercoasterem. Kiedyś dał się namówić córce na taką przejażdżkę w parku rozrywki pod Warszawą. Szaleństwo, po którym nie wiedział, gdzie się znajduje! Góra, dół, góra, dół, milion zakrętów. Kiedy stanął wreszcie na kochanej Matce Ziemi, poprzysiągł, że nigdy więcej takiej głupoty nie popełni. Ula natomiast była wniebowzięta. Koszmar. Zrobił to dla niej i nie zrobi nigdy więcej dla nikogo. Nawet, jeśli będą obiecywać złote góry. Teraz był jednak oszołomiony o wiele bardziej. Nie dociekł nawet, kiedy do tej diabelskiej kolejki zdołał wsiąść. To, że kręciła nim na wszelakie strony, nie ulegało żadnej wątpliwości. Miał wizje, po których chciało mu się wymiotować. Kiedy tylko zamykał oczy, bał się, że znowu się powtórzą, że przeniosą go w kolejne, nieznane miejsce i w nieznane ciało. Otrząsnął się. W jednej z wizji widział samego siebie. Właściwie nie – nie siebie – widział ją, ale patrzył na siebie. Nie – nie na siebie! Plątał się w rozumowaniu. Sam już nie był pewien, co i kogo przyszło mu oglądać. Siebie? Ją – Jadwigę Martę? Prawdziwą, żywą, czy też raczej wyrzeźbioną z jednego kawałka drewna? A co słyszał? Prawdziwe słowa, czy jednak chorą wyobraźnię, która naplotła trzy po trzy do ucha?

Postanowił jak najszybciej odwiedzić panią Izę i nabyć u niej uspokajającą nalewkę. Niech będą nawet dwie, byle skuteczne.

Zerknął w lusterko. Tym razem dopadło go jeszcze mocniejsze złudzenie. Odniósł wrażenie, że ktoś przewinął się przez tylne siedzenie! Mignęła mu niewyraźna, mglista sylwetka? Niemożliwe! Przecież był w samochodzie sam. Puścił kierownicę, by poklepać się po policzkach – na tyle skutecznie, by się ocucić i opamiętać. Zaschnięte gardło zadrapało. Usiłował odchrząknąć, ale jakoś mu nie szło. W ustach zabrakło śliny, więc nie miał czego przełknąć. Odkaszlnął raz i drugi. Po chwili do oczu napłynęły łzy, które otarł mankietem marynarki. Kiedy ponownie zadrapało, usłyszał głos.

– Będziesz robił, co każę. – Obejrzał się gwałtownie, nieomal zmieniając tor jazdy auta na przeciwległy pas ruchu. Wystraszył się nie na żarty. Z tyłu nikogo nie było. To oczywiste, że być nie mogło! Wtedy zorientował się, że głos pochodził z jego własnych ust – i bynajmniej nie należał do niego. Był kobieco miękki. Absolutnie kobiecy...!

* * *

– I jak się czujesz? – słabo stęknął Mareczek.

Dolina odpowiedział mętnym wzrokiem. Mareczek widział, że kolega popadł w zdrowotne tarapaty, ale wypadało uprzejmie zadać pytanie i zdobyć choć pół punktu za zainteresowanie. Sam czuł się przemęczony i z trudem kombinował, co ze sobą począć. Sieciowska komenda wymagała nadzoru dowódcy, więc przymuszał się, by jakoś utrzymać pion. Podkomendni, zauważywszy jego podupadły stan, starali się ograniczyć służbowe relacje do niezbędnego minimum. Układ ten w tej chwili wydawał się jedynym do przyjęcia. Przyjął trzy meldunki, podpisał parę papierów i pragnąc odpoczynku, zaszył się w swoim gabinecie. W terenie na razie nic się nie działo, więc mógł nieco się polenić. Wraz z Mirkiem, który okupował krzesło po drugiej stronie biurka.

– Wczoraj myślałem, że schodzę z tego świata – odrzekł Dolina jeszcze słabiej. – Stary, to był koszmar... Cud, że przetrwałem.

Mareczek uśmiechnął się ospale, ale serdecznie.

DZIESIĘĆ

– Strach mnie obleciał. Poważnie – pociągnął sierżant. – I wiesz, co jeszcze wpadło mi do łba? Że to wina tego nieboszczyka, kapłana. Zacząłem podejrzewać, że zaraziłem się czymś właśnie od niego i wykituję przed nastaniem nowego dzionka.

Aspirant właśnie miał zamiar udzielić koledze adekwatnej odpowiedzi, kiedy odezwał się telefon. Dzwonek zwiastował kogoś znajomego. Wydobył aparat i zerknął na zdjęcie wyświetlanego kontaktu. Krzyś! Wreszcie odezwał się patolog z wolczyckiego szpitala. Mareczek wyszedł na zewnątrz posterunku, pozostawiając Dolinę w swoim gabinecie. Nie chciał, by ktoś podsłuchiwał tę rozmowę, a Dolina nie powinien jej słyszeć w szczególności.

Przywitali się i Mareczek zastygł, słuchając, co lekarz ma do powiedzenia.

✱ ✱ ✱

Adam Nowicki lawirował między przechadzającymi się spacerowiczami, lustrując niemal każdego. Pośród wielu pospolitych twarzy nie dostrzegł nikogo, kto mógłby się nadać do pierwszego etapu z trudnością konstruowanego eksperymentu. Albo też może raczej nie chciał nikogo takiego widzieć. Brakowało mu zdecydowania i odwagi. Szedł i zastanawiał się, jak zrealizować swój zamiar, jednocześnie gorąco przekonując się, by jednak od niego odstąpić. W końcu dlaczego miałby go realizować akurat w tym miejscu i w obecnym czasie? Mógł wybrać inną, dogodniejszą okolicę – nie tę.

Pod jednym ze straganów stała jakaś panienka. Patrzyła na niego. Zauważył od razu, że omiata go zaciekawionym wzrokiem. Wyprostował się. Niech kobieta widzi, że ma do czynienia z nie byle chłystkiem, że ma wzrost i godną aparycję. Dziewczyna stała obok starszej kobiety, która zaciekle przebierała w letnich, kolorowych ciuchach. Adam naprędce ocenił sytuację. Na bank – matka z córką na wakacyjnych, pamiątkowych zakupach. Dziewczyna nie spuszczała z niego spojrzenia.

Zorientował się, w czym rzecz – powodem był tatuaż! Jakże przydatna okazać się może dobra, oryginalna dziara... za urodzinową kasę z osiemnastki. Mieniący się czerwonym i niebieskim kolorem napis ciągnął się spod ucha aż po sam bark. Ponieważ nikt nie był w stanie odczytać liter, co poniektórzy dopytywali o jego znaczenie.

W starym języku Khmerów wyrażał tyle, co „Stać mnie na nowy początek". O, tak – Adama jak najbardziej było stać! Pragnął nowego i dążył do tego, by oderwać się od starych i doznać upragnionej wolności. Starzy dręczyli go swoimi wymaganiami, oczekiwaniami i bezustannymi ograniczeniami. Osiągnął już dojrzałość i miał prawo do swojego własnego życia. Ojciec był innego zdania. Dopóki Adam mieszkał u niego, wymagał podporządkowania. Niech się wypcha! Takie było stanowisko Adama – niech się stary solidnie wypcha!

Zakręcił się w miejscu i niby to zainteresowany jakąś książką na pobliskim straganie, rzucił panience słodki uśmiech. Dziewczyna ponaglana przez matkę, by przymierzyła jakąś bluzeczkę, odwróciła wzrok. Adam dostrzegł jednak przelotny błysk w jej oczach. Podobał się jej, był tego pewien.

✶ ✶ ✶

Damski, ciepły głos mówił do niego przez dobrych parę minut. Robert zatrzymał samochód, gdyż w przeciwnym razie niechybnie doprowadziłby do kraksy. Głos opowiadał niestworzone rzeczy. Zapowiadał, co ma się niebawem wydarzyć i jaką rolę ma w tych wydarzeniach spełnić on – Robert Piwowarski. Absurd gonił absurd.

Zupełnie stracił głowę. Nie ulegało wątpliwości, że postradał zmysły! Słuch dokonał szalonej rewolty i odmówił posłuszeństwa. Z ustami działo się jeszcze gorzej. Usiłował je zamknąć, by nie dopuścić do wypowiadania kolejnych słów – bezskutecznie. Kobieta mówiła o rzeczach, które nie mieściły się w jego rozumieniu świata. Żądała od niego posłuszeństwa, oferując w zamian coś, czego również nie mógł pojąć.

Nieee! – krzyczała w sprzeciwie jaźń. – Jesteś chooooryyy! Strasznie chooooryyy!

Cały mózg poważnie zaniemógł i dawał sygnały obłąkania. Powinien natychmiast udać się do lekarza. Jeśli tego nie uczyni, zrobi coś tak bardzo głupiego, czego będzie żałował po kraniec swoich marnych dni. – Takie wnioski nasuwała resztka rozumu.

Uruchomił silnik i ruszył przed siebie. Po stu metrach wjechał na pobocze i gwałtownie zatrzymał się. Zdarzyła się kolejna rzecz – ściereczka, której używał do czyszczenia szyb, unosiła się tuż przed nim, na wysokości twarzy. Obok, w powietrzu wisiał długopis, parę

DZIESIĘĆ

drobnych monet i spinacz... Wszystkie przedmioty cisnęły mu się
do ust i uszu!

Wypadł z samochodu, gwałtownie wymachując rękami. Wyglądał
jak ktoś, kto opędza się przed rojem atakujących pszczół. Krzyczał
i podskakiwał. Przechodzący nieopodal ludzie przyglądali mu się
z zaciekawieniem i niedowierzaniem, zataczając szerokie koła, by
nie podwinąć się pod zadawane ramionami i nogami ciosy. Robert
pognał przed siebie w kierunku centrum miasta, gdzie znajdował
się ośrodek zdrowia. Potrzebował pomocy – szybkiej i skutecznej,
która wyzwoli go z postępującej opresji!

* * *

Mareczek usiadł na ławce, która wytrwale stróżowała u wejścia
do posterunku od ładnych paru lat. Jeśli jeszcze przed chwilą sił
starczało na tyle, by utrzymać się na nogach, teraz odpłynęły w nieznaną, siną dal. Wiadomości, jakie uzyskał, potwierdziły kołaczące
się w głowie domniemania i usadziły go na miejscu. Kolejna osoba
z literami na plecach. Kolejny nieboszczyk z niewyjaśnioną przyczyną śmierci...

Co miałby powiedzieć, pomyśleć i zrobić? Być może powinien
przestać trapić się tym wszystkim w pojedynkę. Mimo braku podstaw do oficjalnego śledztwa, należało powiadomić przełożonych.
Niech zdecydują, co robić dalej. Jak do tej pory nie zauważył żadnych poszlak, które mogłyby wskazywać na udział osób trzecich we
wszystkich zgonach, a co za tym idzie, brakowało znamion przestępstwa. Gdyby znalazł się choć jeden mały punkcik, o który można by zaczepić jakiś paragraf, wtedy znalazłaby się pomoc fachow-
ców z kryminalnego oraz sprzętowe zasoby wojewódzkiego laboratorium. Właściwi specjaliści zajęliby się sprawą i zdjęliby ciężar
z jego ramion. Być może przegapił coś ważnego. Musiał pomyśleć,
jak do tego doprowadzić. Niech inni się przejmują i nie śpią po nocach. W końcu kimże jest, by denerwować się takimi sprawami?

Poczuł się nieco lepiej. W rzeczy samej – poduma nad takim
rozwiązaniem.

– Szefie, mamy interwencję – oznajmił posterunkowy Wolgant
tak niespodziewanie, że Mareczek podskoczył na ławce. W ogóle
nie usłyszał, kiedy podwładny podkradł się tak blisko.

– Co jest? – zapytał, podnosząc się z miejsca.

– Zgłoszenie telefoniczne. Przechodnie na Sawickiego widzieli jakiegoś mężczyznę, który w popłochu opuścił swój samochód. Ponoć wóz stoi z na oścież otwartymi drzwiami. To mniej więcej na wysokości ronda Radka.

– A właściciel auta?

– Zbiegł.

– Zbiegł?

Posterunkowy zrobił głupią minę i wzruszył ramionami.

– Takie zgłoszenie. Gość podobno pobiegł w kierunku centrum.

– Dobra, pojadę tam z tobą. Sierżantowi coś mówiłeś?

– Nie.

– I dalej cicho sza. Niech odpoczywa.

– Klucze do radiowozu i jedziemy.

Wolgant wbiegł do środka i błyskawicznie wrócił. Zapakowali się do służbowej Warszawy MXW i ruszyli w kierunku ulicy Sawickiego. Mareczek uruchomił klimę i radio. Siedział jako pasażer, mógł więc swobodnie obserwować okolicę. Wybrana stacja skończyła nadawać muzykę i radosny głos dyżurującego w studiu redaktora począł ogłaszać najnowsze wiadomości. Pierwsza z nich dotyczyła kolejnej gigantycznej inwestycji w przemyśle rozrywkowym. Duże, zagraniczne konsorcjum wykupiło teren na pograniczu Śląska oraz Małopolski, gdzie zaplanowano budowę nowego parku uciech, który miałby swymi rozmiarami zdecydowanie pokonać centrum rozrywkowe w Grodzisku. Zakończenie budowy planuje się na 2027 rok. Kolejna wiadomość była nie mniej optymistyczna. Reprezentacja kraju w tenisie ziemnym zakwalifikowała się do finału Pucharu Davisa, gdzie zmierzy się z drużyną USA. Na świecie nie było już tak wesoło. Kolejne trzęsienie ziemi nawiedziło Meksyk. Jak do tej pory nie oszacowano liczby ofiar ani strat materialnych, ale przewiduje się, że osiągną znaczne rozmiary.

Mareczek westchnął głęboko. Zakres zachodzących zjawisk tego rodzaju postępował w zastraszającym tempie. W zeszłym miesiącu przez Polskę przewaliły się trzy tornada. Kiedyś temperatura oraz różnica ciśnień wzbudzały do życia co najwyżej trąby powietrzne o małym, lokalnym charakterze. Obecne tornada zmiatały z powierzchni

DZIESIĘĆ

ziemi setki tysięcy hektarów lasów i niszczyły całe wsie. Strach pomyśleć, co się stanie, jeśli upodobają sobie gęsto zaludnione miasta.

Dojechali na miejsce w parę minut. Samochód stał na poboczu dwoma kołami na skraju chodnika. Toyota. Na pierwszy rzut oka – służbowa. Świadczyła o tym tablica rejestracyjna z charakterystycznymi dla dużych flot numerami. Aspirantowi przyszło do głowy, że jeździ nią ktoś z pokroju przedstawicieli handlowych, którym często wręczano mandaty za szybkość i parkowanie. Auto zapewne ubezpieczone z każdej strony, więc i kierowca lekkoduszny, pozwalający sobie na wiele.

Zajrzał do środka. Zapłon wciąż włączony. Wszystkie zegary pokazywały swoje dane. Silnik elektryczny, więc nie działał bez wciśnięcia pedału przyspieszenia. Na miejscu pasażera leżała skórzana teczka. Poza tym w aucie panował niemały bałagan. Porozrzucane w nieładzie drobne przedmioty świadczyły o niechlujności kierowcy.

– Widziałeś? – spytał posterunkowego, który zaglądał do wnętrza przez szybę z drugiej strony.

– Porządnych obywateli mamy w mieście. Nikt niczego nie ukradł. – Pokiwał głową z uznaniem.

Mareczek wyjął kartę ze stacji dokującej i zegary zgasły. By nie kusić przyjezdnych złodziei, wziął też teczkę. Zatrzasnął drzwi auta i ruszyli do radiowozu. Po kilku krokach dobiegł go charakterystyczny klik samoblokujących się drzwi. Należało poszukać właściciela. Wsiedli do Warszawy i aspirant uruchomił pokładowy komputer. Wszedł do bazy danych pojazdów i podając numer rejestracyjny, odszukał, do kogo należy samochód. Nie mylił się. Właścicielem była firma finansowa. Duża, znana w całym kraju instytucja, szeroko reklamowana w mediach dysponowała zapewne setkami takich Toyot, ale całkiem niewykluczone, że i tą konkretną, która stała przed nimi, nie pogardzi na tyle, by się nią w ogóle nie interesować. W bazie danych figurował numer telefonu firmy. Wybrał go z pewną dozą wysublimowanej wyższości. Poprawił nieco czapkę, by wyglądać jak przystało na stróża prawa. Na ekranie telefonu pojawiła się całkiem śliczna pani.

– Dzień dobry, Zofia Rudecka, słucham, w czym mogę pomóc. – Była nie tylko ładna, ale i sympatycznie uśmiechnięta. Zaraz ten uśmiech zostanie zgaszony, a tego Mareczkowi było nieco żal.

– Dzień dobry, aspirant Tomasz Mareczek. Dzwonię w sprawie samochodu marki Toyota, który został porzucony przez waszego pracownika.

– Jeśli to rzeczywiście nasz samochód – odpowiedziała pani, nie gubiąc serdecznego wyrazu. – Czy byłby pan tak uprzejmy i podał numer rejestracyjny?

Podał. Pani na moment zniknęła z pola obejmowanego przez kamerę telefonu. Kiedy pojawiła się ponownie, jej twarz przestała być taka radosna.

– To samochód, którym dysponuje pan Robert Piwowarski, Kierownik Sprzedaży Bezpośredniej.

– Więc pan kierownik gdzieś się podział, zostawiając swój wóz samopas.

Pani Zofia przez moment wyglądała na zamyśloną.

– Proszę o chwilę cierpliwości. Spróbuję się z nim połączyć.

– Proszę bardzo, poczekamy – odrzekł aspirant. Wydarzenie z zagubionym samochodem nieco go rozluźniło. Pogłaskał przyjemne w dotyku grafitowe tworzywo deski rozdzielczej Warszawy MXW. Zastanowi się, czy nie oszczędzać na cywilną wersję, której wyposażenie było znacznie bogatsze.

– Niestety, nie odbiera połączenia – zakomunikowała pani Zofia. Na jej twarzy w miejsce uśmiechu zagościło autentyczne zmartwienie. Mareczek pomyślał, że kobiecie los kierownika nie jest całkiem obojętny. – Nie wiem, co się stało. To nie jest normalne.

– Owszem. Normalnie nie porzuca się samochodów i nie biegnie przed siebie w dziką dal.

Mina pani Zofii przybrała jeszcze bardziej strapiony wyraz. O wiele lepiej wyglądała radośnie uśmiechnięta.

– Poszukamy tego pana – powiedział przyjaźnie. – Proszę przysłać mi jego zdjęcie i numer telefonu, dobrze? Jak najszybciej.

– Oczywiście, panie aspirancie.

Zaimponowało mu, że zapamiętała jego stopień. Nie raz kobiety zmieniały jego szarżę to na wyższą, kiedy chciały go udobruchać, to znowu na niższą, kiedy miały zamiar go poniżyć za to, że okazywał

DZIESIĘĆ

się nieugiętym stróżem porządku publicznego. O towarzyszących temu drugiemu wulgaryzmach wolał nie pamiętać. Kobieta i nieprzyzwoite słownictwo to związek nie do zniesienia. Przynajmniej dla niego.

– Dziękuję za interwencję. Zaraz prześlę odpowiednie dane. Kiedy tylko odnajdziecie pana Piwowarskiego, bardzo proszę o kontakt. Czy będzie to możliwe? – ton zadanego pytania był tak słodki, że nie wypadało odmówić.

– Niezwłocznie. – Uśmiechnął się na pożegnanie. – Do widzenia.

– Do widzenia.

Ekran zgasł.

– Fajna, co? – stwierdził Wolgant z nieco rozanieloną facjatą.

– Fajna, nie fajna, co ci do tego? – odpowiedział pytaniem. – Masz narzeczoną, to pilnuj jej jak oka w głowie.

– Oj, tam... – zaprotestował posterunkowy, ale nie na tyle zdecydowanie, by Mareczek miał ciągnąć temat.

– Poszukamy gościa – rozkazał, zmieniając temat.

– Na razie nie wiemy, kogo mamy szukać...

W tym momencie smartfon przyjął MMS. Mareczek obrócił ekran tak, by podwładny zobaczył twarz poszukiwanego.

– No, mamy... – dokończył nieco rozczarowany zmianą sytuacji.

– Dawaj. Jedziemy do centrum – zarządził aspirant, po czym wprowadził do systemu numer telefonu Roberta Piwowarskiego.

* * *

Adam Nowicki krążył wzdłuż deptaka, wciąż nie podejmując ostatecznej decyzji. Zainteresowana nim panienka poszła z mamusią, nie zamieniając z nim jednego słowa. Przebłysk geniuszu podpowiadał mu, że jeszcze się spotkają i razem zabawią.

Po dłuższym czasie targany niepewnością zrezygnował z wątpliwego planu i skierował się ku centrum miasta. Wszędzie pełno ludzi. Zarówno Polacy, jak i cudzoziemcy pętali się bez celu, ładu i składu. Kafejki, bary i restauracje nie mieściły chętnych. Lokalni biznesmeni musieli piać z zachwytu. Pieniądze spływały im do kieszeni szeroką strugą, dając nadzieję na konkretne zyski i spokojną egzystencję poza sezonem.

Adam rozglądał się wokół znudzonym wzrokiem i nagle stanął zaskoczony. Nowy lokal. Niby nic takiego, ale jego wystrój znacznie odbiegał od wszystkich pozostałych. Szyld w kształcie spodka z napisem „UFO" i dużą głową o wielkich, czarnych oczach przyciągał uwagę. Fama o katastrofie statku kosmicznego, który ponoć spadł do jeziora, rozeszła się ledwo parę dni temu, a tu już coś takiego... Nie wiedział, czy się śmiać i współczuć właścicielowi pomysłu, czy też raczej podziwiać jego przedsiębiorczość. Podszedł bliżej i wniosek nasunął się samoistnie. W lokalu było pełno ludzi. Zapewne zeszli się tu wszyscy ufolodzy z okolicy. Na temat zielonych ludzików miał niewyrobione zdanie. Może byli, może nie. Patrząc na wszechświat, trudno było przypuszczać, by Ziemianie stanowili jedyną inteligentną rasę, której udało się zaistnieć. Ogrom kosmosu wydawał się dalece nieogarnięty, a spotkanie się w nim dwóch cywilizacji mało prawdopodobne.

Wyszedł z wąskiej uliczki na obszerny rynek. Centralny plac miasta pełnił wiele funkcji. Po pierwsze, kwitł tu handel, po drugie, spędzano tu wiele czasu w ogródkach piwnych i restauracjach, gdzie serwowano chyba najlepsze pizze w tej części galaktyki. A tak. Z tego Adam mógł być dumny, gdy myślał o Sieciowie. Nigdzie indziej nie jadł tak dobrej pizzy jak tu. Po trzecie, zacienione rozłożystymi platanami ławeczki rozstawione na środku placu wokół podświetlanej nocą futurystycznej fontanny spełniały funkcję rekreacyjną i towarzyską. Szachownica z wielkimi figurami, znajdująca się obok fontanny, dawała dodatkową rozrywkę tutejszym mistrzom, którzy wyzywali na pojedynki przyjezdnych i bili ich bez skrupułów, grając o pieniądze.

Rynek pękał w szwach. Adam spojrzał na zegar wyznaczający czas na górującej ponad okolicą świątynnej wieży. Kilka minut po jedenastej. Nuda z flakami. Nie było co robić. Umówił się z kolegami na szesnastą. Pójdą zagrać w piłkę. Potem obejrzy mecz z Niemcami w telewizji u Genia. Genio miał ekran 4K z pięknym 3D na całą ścianę. U niego oglądało się najlepiej. W dodatku ojciec Genia nie szczędził piwa przy takich okazjach. Ponieważ matka kumpla wynosiła się z domu, by spędzić czas każdego meczu u koleżanek, mogli drzeć się przy każdej podbramkowej sytuacji na całe gardło bez żadnych konsekwencji. U Genia było super, ale spotkanie miało się zacząć dopiero wieczorem. Do tej pory musiał się jakoś przemęczyć.

DZIESIĘĆ

Gdzieś zza pleców dobiegł go męski krzyk. Wreszcie coś się działo! Od codziennej monotonii dostawał pryszczy. Odwrócił się, by sprawdzić, w czym rzecz. Tłum poruszył się i zafalował. Ludzie ustępowali komuś miejsca. Wyprostował się, by ponad głowami ludzi dostrzec biegnącego w jego kierunku mężczyznę. Facet machał rękami i wrzeszczał coś niezrozumiale, więc każdy, kto stał na kolizyjnym kursie, umykał w popłochu na bok. Gość przebiegł całkiem blisko. Ubrany w drogi garnitur, białą koszulę i lśniące buty sprawiał wrażenie jakiegoś biznesmena. Miał nienaturalnie wykrzywioną twarz i pianę na ustach. Z jego oczu wyzierało ostre przerażenie.

Adam wzdrygnął się na ten widok. Facet musiał być chory albo nieźle nabuzowany syntetykami. Z wszelkiego rodzaju dopalaczami należało uważać. Adam nie unikał ich, ale był ostrożny. Wiedział, jakie mogą uczynić spustoszenie w organizmie, dlatego brał je rzadko i wyłącznie od sprawdzonych dostawców. Klasycznych narkotyków bał się jak ognia, choć zdarzyło mu się uszczknąć małego skręcika. Było fajnie, nie mógł zaprzeczyć, ale wolał ten temat traktować bardzo ostrożnie. Nie miał zresztą funduszy, co w znaczący sposób ograniczało możliwości raczenia się takim towarem.

Zrobił krok przed siebie i nadepnął na coś kantem buta. Spojrzał w dół. Telefon! Wypasiony smartfon leżał u jego stóp i szeroko uśmiechał się do niego błyszczącym ekranem. Co za fart! Podniósł go błyskawicznie, by nikt nie zdążył zrobić tego przed nim. Zdobycz wyginała się elegancko pod naciskiem palców. Najnowszy model „szajsunga". Nie... O tym smartfoniku nie mógł tak mówić. Co prawda nie przepadał za producentem, ale wypasiony model robił wrażenie. Elastyczna obudowa, ekran o wysokiej rozdzielczości, aparat 3D i co tam jeszcze. Kumple oniemieją na jego widok. Zrobi wrażenie na wieczornej imprezie!

Dokonał zwrotu na pięcie i popędził do domu. Wolał, by nieszczęsny właściciel telefonu nie stanął mu na drodze i nie zażądał zwrotu swojej własności.

✳ ✳ ✳

Sierżant Dolina zostawił na posterunku Misiewicza i poszedł na ulicę Ziobry, by spotkać się z człowiekiem, który zgłosił w nocy obecność dziwnych świateł w Sieciówce. W odróżnieniu od pozostałych meldunków, to zgłoszenie lokalizowało światła w zupełnie innym rejonie jeziora. Wniosek nasuwał się taki, że warto porozmawiać z człowiekiem, który je widział, i dopytać o szczegóły. Rejon domniemanej katastrofy statku kosmicznego znajdował się jakieś cztery kilometry od miejsca, w jakim pan Piasecki zaobserwował dziwne zjawisko. Sierżantowi nie grała ta informacja.

Pan Piasecki, o ile był to ten pan Piasecki, o jakim Dolina myślał, należał do znajomych ojca. Gość mógł mieć nieźle po siedemdziesiątce. Wywołane demencją przywidzenia, czy racjonalne zeznanie? Nie szkodziło z nim porozmawiać i sprawdzić, czy pan Piasecki mógł mówić prawdę.

Ponieważ do ulicy Ziobry nie było daleko, Dolina udał się tam piechotą. Chciał się przewietrzyć i mieć nieco czasu dla siebie z dala od dusznych murów posterunku.

Leniwie powłócząc nogami, zastanawiał się nad swoim życiem. Kiedy cierpiał cały poprzedni, nieszczęsny dzień, dopadł go strach – przed śmiercią. Dobrze wiedział, że wszyscy stoją przed tą chwilą, kiedy przyjdzie pożegnać się z tym światem. Póki ten moment tonął gdzieś na horyzoncie, odłożony w czasie na jakieś kilkadziesiąt lat, nie miał większego znaczenia. Umysł unika wszelkich rozważań na temat śmierci, jak tylko się da. Od czasu do czasu, kiedy zdarza się zejść z tego padołu komuś znajomemu, przychodzi niema refleksja i wizja samego siebie w stojącej na katafalku trumnie. Nieprzyjemne wrażenie strzepuje się jak paproch i żyje dalej. Była jednak chwila, kiedy poczuł się na krawędzi egzystencji wyjątkowo realistycznie, co przysporzyło drżącemu o swój los ciału kolejnych problemów. Nieprzyjemne doznanie wyryło mu się w pamięci bardzo ostrym rylcem.

Śmierć – niosła ze sobą wielką niewiadomą. Nie znał nikogo wiarygodnego, kto umarł i ożył, by powiedzieć prawdę o tamtej stronie. Z gruntu rzeczy był człowiekiem wierzącym, ale poza życiowym pragmatyzmem dawno niczego nie praktykował. Wierzył w istnienie Boga, ale czy ta wiara cokolwiek przynosiła? Po głębokiej zadumie stwierdził, że nic. Wierzył i tyle. Żadnych skutków swojej wiary nie odczuwał. Być może zatem owa „wiara" w rzeczywistości była niewiarą. Jeśli człowiek wierzy przewidującej deszcz prognozie pogody, wychodząc z domu, zabierze ze sobą parasol. Cóż znaczy wiara w Boga, jeśli nic z niej nie wynika? Pismo twierdziło, że ktoś zmartwychwstał. Nie miał okazji z tym kimś rozmawiać, czy zatem powinien wierzyć? Właśnie. Idea wiary w rzeczy samej na tym właśnie polegała – nie widząc czegoś, uznawać to za fakt. Dla niego fakty musiały mieć umocowanie w czymś, co mógłby dotknąć. Bał się sprawdzać, czy poza śmiertelną kurtyną istniało inne życie.

✳ ✳ ✳

Adam wszedł do domu i od razu napatoczył się na młodszą siostrę. Ania obdarzyła go piorunującym spojrzeniem, ale zignorował ją.

– Spadaj – warknął przez ramię.

Dziewczyna skrzywiła się.

– Ojciec cię szukał. Miałeś zrobić porządek w piwnicy.

Zapomniał. Nie było się czym przejmować. Piwnica nie zając, bałagan też nie.

– To mnie kiedyś znajdzie – zarechotał.

Wzruszyła ramionami.

Zamknął się w pokoju, żeby obejrzeć telefon. Nie miał czegoś podobnego do tej pory w ręku, nie mówiąc już o posiadaniu. Drzwi huknęły. Nie był zaskoczony. Szybkim ruchem ukrył smartfon pod udem.

– Gdzie byłeś?! Miałeś sprzątać w piwnicy! – głos ojca jak zwykle niski i apodyktyczny porażał nerwowością. Adam milczał. Taką taktykę obrał już dawno. Wtedy ojciec wściekał się jeszcze bardziej.

– Pytam, gdzie byłeś?! – wycedził przez zęby.

Uśmiechnął się. Dokładnie wiedział, że starego męczy podszyty lekkim szyderstwem uśmieszek, jaki mu zaprezentował. Widział, jak na szyi ojca nabrzmiewają żyły. Lubił to. Bardzo. Wyprowadzony z równowagi stary robił się zabawny. To podrygiwanie, piana na ustach, nieskoordynowane ruchy. Robił wrażenie i nic nie mógł poradzić. Prawo stało po stronie Adama. Broniło go przed rozjuszonym agresorem paragrafami z karą więzienia w tle. Niech sobie pokrzyczy, czemu nie. Gdyby tylko Adam chciał, nagrałby ten wrzask i zgłosił gdzie trzeba psychiczną przemoc. Na razie tego nie zrobił. Pouśmiecha się jeszcze, aż ojczulkowi skoczy ciśnienie na tyle, by stracić rezon.

– Masz zrobić, co ci kazałem! A jak nie znajdziesz pracy do przyszłego tygodnia, to...

– To co? – przerwał mu w pół zdania.

– Zobaczysz! – syknął przez zęby ojciec.

– Aaa... – powiedział z podziwem. – Ciekawe.

– Nie bądź taki pewny siebie.

Zmienił minę na jeszcze pewniejszą. A co? Nie mógł? Znajdzie się ktoś, kto zabroni? Stary obrócił się i trzasnął drzwiami. No! Adam miał prawo pogratulować sobie kolejnej wygranej. Jak znał starego, zaraz weźmie psa na spacer i pójdzie na piwo.

Drzwi wejściowe do mieszkania huknęły jeszcze głośniej.

– Niech idzie, patafian – mruknął pod nosem. – Będzie się rządził, lew zoologiczny...

✳ ✳ ✳

Mareczek czekał na namierzenie telefonu szanownego pana kierownika. Nieoczekiwanie system zgłosił wystąpienie jakiegoś błędu.

– Ciekawe – mruknął. Błędy systemowe usunięto ze słownika informatycznego pięć lat temu wraz z wprowadzeniem do pracy komputerów nowej generacji, które opierały się na strukturze zespołów Vilinga. A tu – niespodzianka.

Zlecił systemowi to samo zadanie raz jeszcze. W zamian odezwał się posterunkowy Misiewicz. Jego twarz na monitorze komputera pokładowego radiowozu zdradzała podekscytowanie. Mareczek puknął opuszkiem palca ekran i odebrał połączenie.

– Co tam?

– Mamy rozróbę w ośrodku zdrowia.

– Ile osób?

– Jedna. Dewastacja mienia – zameldował posterunkowy.

– Kolejny wczasowicz – zwrócił się do siedzącego obok Wolganta. Ten pokiwał głową. – Dobra, jedź.

Sygnalizacja świetlna na dachu radiowozu rozgoniła na boki wszystkie znajdujące się na drodze samochody. Pomknęli do ośrodka zdrowia. Mareczek nie miał ochoty odświeżać niemiłych wrażeń z tego miejsca, ale służba wymagała, by reagował na przekroczenie prawa także tam.

DZIESIĘĆ

Dotarli na miejsce w dwie minuty. Wolgant wyskoczył na asfalt z prawdziwym zapałem. Aspirant wolałby zostać, poczekać i wysłuchać meldunku o dobrze przeprowadzonej interwencji dokonanej przez zdolnego podwładnego. Niestety – nie wypadało zostawić go samego. Wydobył się z radiowozu i ciężko poczłapał do przychodni.

Przywitała ich rozdygotana pani z rejestracji. Wokół okienka walały się broszurki, poprzewracane krzesła, stoliki, a nawet wywrócona donica z wielkim fikusem. Szyba oddzielająca stanowisko rejestratorek od pacjentów była w kilku miejscach popękana. W rzeczy samej, wyglądało na nielichą rozróbę.

– Gdzie sprawca? – spytał.

– Wybiegł głównym wejściem – odpowiedziała drżącym głosem.

Tuż obok stawiły się dwie pielęgniarki. Zaraz doszedł lekarz. Tym razem nie był to doktor Patrosz.

– Znają go państwo? – aspirant tym razem zwrócił się do wszystkich.

– Owszem – odpowiedział lekarz. Doktor Wilczyński był drugim internistą, wysokim, chudawym nieco mężczyzną w średnim wieku. – To nasz pacjent, Robert Piwowarski.

Wolgant spojrzał wymownie na swojego szefa. Mareczek znacząco zmarszczył brwi.

– Właśnie szukamy tego pana. Niedawno porzucił służbowy samochód i pobiegł, jak to ocenili świadkowie, w popłochu do centrum miasta. Jak widać zmierzał w to miejsce.

– W istocie, zachowywał się bardzo dziwnie – przyznał lekarz. – Sprawiał wrażenie zagubionego.

Zaraz wtrąciła się jedna z pielęgniarek:

– Gadał do nas... – spojrzała na pozostałe kobiety – ... nie po polsku, a kiedy nikt nie rozumiał, o co mu chodzi, zaczął krzyczeć i rozrzucać ulotki ze stojaka. Zaraz potem przybiegł pan doktor, ale i on niczego nie zrozumiał. Wtedy ten człowiek wściekł się i zaczął rzucać krzesłami. To było coś okropnego...

– I wybiegł – dokończyła inna.

– A pan, co powie? – Mareczek zwrócił się do lekarza.

– Psychiatryk.

Mareczek wyjął smartfon. Chciał być pewien właściwej identyfikacji winowajcy. Odnalazł zdjęcie przysłane przez miłą panią z centrali firmy i pokazał zebranym.

– Czy to ten człowiek?

Wszyscy zgodnie pokiwali głowami.

– Ten.

Policjantom nie pozostało nic innego, jak szukać dalej.

– Proszę zadzwonić na 112, gdyby pan Piwowarski raczył ponownie się zjawić. Jeśli my go znajdziemy, damy znać, dobrze?

W drodze ku wyjściu, aspirant zatrzymał się.

– A, i poproszę kogoś na posterunek. Trzeba spisać protokół. Jeśli jesteście państwo ubezpieczeni, będzie wam potrzebny. – Po tym komunikacie wyszli. Wolgant rozejrzał się, ale niczego istotnego nie dostrzegł.

W ich kierunku kuśtykała przygarbiona staruszka. Drżącą ręką wymachiwała odrapaną laseczką.

– Szukają panowie kogoś? – spytała nieco ochrypłym głosem. Kiwnęli głowami. – To pobiegł tam. – Wskazała za siebie. – Młody człowiek w garniturze. Strasznie dziwny, strasznie...!

Nie czekając na nic, popędzili do samochodu. Ruszyli we wskazanym kierunku z piskiem opon.

✳ ✳ ✳

Adam schował telefon do kieszeni i wyszedł z pokoju. Matka jak zwykle robiła coś w kuchni.

– Pić mi się chce – zakomunikował jej wprost w plecy. Odwróciła się nieznacznie, nie odrywając rąk od krojonego mięsa.

– To sobie nalej – wskazała subtelnym gestem brody stojącą w pobliżu butelkę coli.

Stał bez ruchu. Dlaczego miałby sobie nalewać, skoro to kobiety są od takich zajęć, jak robienie śniadań, obiadów, kolacji i nalewanie coli?

– Przecież widzisz, że jestem zajęta – powiedziała po chwili z lekkim zarzutem w głosie.

To co? Nie można na chwilę przerwać? Lepiej, by synek umarł z pragnienia, bo się nie chce umyć rąk i wyjąć szklanki z szafki? Nie cierpiał starej. Była gderliwa i bez ustanku na wszystko narze-

DZIESIĘĆ

kała. Przy ojcu skakała na każde zawołanie jak wytrawna służąca, a syna traktowała po macoszemu, nie jak matka. Kiedy odkurzała mieszkanie, omijała jego pokój i kazała sprzątać samemu. Gdy miał życzenie, by zjeść na obiad „coś tam", robiła, co chciała jeść Anka. Ance Adam stuknąłby z baniaka, ale kobiecie zachciały się lekcje samoobrony i nie był pewien, na co ją stać. Matka hołubiła córunię za osiągnięcia w szkole, dawała, czego sobie życzyła, a jemu nawet dobrym słowem nie podziękowała za wyniesienie śmieci w zeszłym tygodniu. Za ojcem truła, że ma swoje lata i powinien iść do pracy. A niby dlaczego? Uczył się ciężko przez cztery lata, dlatego miał prawo odpocząć choć jeden rok. Jak sobie dobrze odzipnie, poszuka czegoś dochodowego. Klarował to z pięć razy, ale wyraźnie nie docierało do mózgownicy. Czasy się zmieniły. Już nie jest tak, jak za czasów starego i starej. Trzymał się wersji, że zasiłek wystarcza, choć była to prawda ledwie na pięć dni po jego wypłacie. Nie lubił oszczędzać. Koledzy także nie lubili, kiedy na nich oszczędzał. Potrzebował kasy, ale do takiej roboty, jaką wyobrażali sobie starzy, nie zdecyduje się pójść nigdy. Nie był kretynem. Nie będzie brudził sobie rąk. Stary fizycznie pracował od młodości i co mu z tego przyszło? Zwichrowany kręgosłup i zgrabiałe łapska. Adam powziął postanowienie, że sobie takiej krzywdy zrobić nie pozwoli. Gdyby nawet ojciec stał nad nim i ryczał mu do ucha te swoje morały, za nic się nie ugnie. Woli pohandlować dragami, niż dać się okaleczyć, nosząc ciężary. Był za delikatny na takie ekstrema, jakie wymyślał stary. Niech Ankę wyślą do roboty, kiedy tylko skończy szkołę. On jest za mądry, by dać się wrobić.

– Już mi się nie chce – rzucił z obrazą i wrócił do pokoju. Przypomniało mu się, że obok łóżka jeszcze wczoraj widział jakąś niezidentyfikowaną butelkę. No i była.

Wyjął telefon z kieszeni. Może tym razem uda mu się go obejrzeć. Z podziwem pogładził elastyczną obudowę. Materiał delikatnie poddawał się naciskowi palców. Odblokował ekran i jego oczom ukazały się liczne kolorowe ikony na tle trójwymiarowej tapety. Adam westchnął z zachwytem. To było coś! Do głowy przyszła mu niepokojąca myśl. Należało pozbyć się czegoś, co mogło sprowadzić na niego kłopoty.

I wtedy telefon ożył. Na ekranie pojawiła się twarz pięknej kobiety. Pod nią widniał napis: Zosia.

✳ ✳ ✳

Mareczek zerknął na ekran komputera i strzelił z satysfakcją palcami. System odblokował się i zgłosił koordynaty poszukiwanego numeru komórkowego.

– Jedź na Mazowiecką – rozkazał i posterunkowy, włączając sygnał świetlny, wykonał szybki zwrot.

Nieoczekiwany manewr radiowozu zmusił pobliskie samochody do gwałtownego hamowania. Mareczek rzucił swojemu kierowcy groźne spojrzenie, ale ten niczym się nie przejął. Wciśnięcie gazu wtłoczyło ciała w fotele. Warszawa skoczyła żwawo do przodu. Aspirant uczepił się uchwytu nad drzwiami. Wolgant uchodził za dobrego, choć nieco nieprzewidywalnego kierowcę, a wszelkiej nieprzewidywalności Mareczek nie lubił. Niespodzianki na drodze zwykle niosły ze sobą spore niebezpieczeństwo. Tym razem najważniejszy był czas.

✳ ✳ ✳

Adam nie przyjął połączenia. Nie był aż tak głupi. Gdyby kobieta ujrzała jego twarz, z pewnością uznałaby go za złodzieja. A złodziejem przecież nie był. O mały włos stałby się nim dzisiaj, ale powstrzymał się i spotkała go nagroda. Cóż. Przez dłuższy czas na deptaku rozglądał się za swoją pierwszą ofiarą, której miał zamiar ulżyć w dźwiganiu portfela. Nie miał żadnego doświadczenia w byciu kieszonkowcem, tym bardziej obawiał się pójść na całość i zerwać z ramienia kobiecą torebkę. A tak, znalazł wypasiony smartfon i mógł się nim cieszyć do woli. Właściwie będzie mógł, jeśli pozbędzie się karty SIM. Wyłączył aparat i przyjrzał się obudowie. Musiał dojść do tego, jak dostać się do środka.

Usłyszał przeciągły gwizd. Wyszedł na niewielki balkon. Na trawniku pod blokiem z zadartą ku górze głową stał Rafał.

– Co? – rzucił zwięźle w dół.

Rafał był osiedlowym dziwakiem. Zazwyczaj przychodził do niego z samymi ważnymi sprawami. Adam lubił go za nietuzinkowość. Co prawda chłopak w powycieranych, naciągniętych łachach wy-

DZIESIĘĆ

glądał jak oferma, ale tym, co mu w duszy grało, nadrabiał wszelkie niedostatki. Nie mając co robić podobnie jak i on, zapełniał swój czas poszukiwaniami mocnych wrażeń. Przebiegał tuż przed pędzącym pociągiem, chadzał po gzymsach najwyższych budynków w mieście, rowerem zjeżdżał z górki z przewiązanymi oczami. Hardcor czystej wody. Przed tygodniem urządził w starym bunkrze, w lesie seans spirytystyczny, na który zaprosił kilkunastu kumpli, w tym trzy dziewczyny. To była jazda! Czegoś podobnego nie zaznał w życiu i nie wiedział, czy chciałby to powtórzyć. Rafał przyniósł jakąś tabliczkę, którą nazwał „Ouija", wskaźniki i coś tam jeszcze. Usiedli w kółko i rechotali ze śmiechu.

Potem zaczęło się! Na pytania, które zadawali na przemian, wychylający się wskaźnik odpowiadał w sposób, który wszystkich wprawiał w zdumienie. Wychodziły na jaw rzeczy, których nikt nie mógł wiedzieć! Adam zapytał o brata prababci, który zaginął w czasie drugiej wojny. Rodzina snuła przypuszczenia, gdzie mógł przepaść. Nikt z zebranych w bunkrze nic nie mógł o nim wiedzieć. Tabliczka powiedziała: 7 Armia, 11 Batalion Pionierów Fortecznych, Normandia, eksplozja pocisku artyleryjskiego, 6 czerwca 1944 roku. Opadła mu szczęka. Potem obleciał go strach. Brat babci w rzeczy samej był wcielony do niemieckiego wojska i zaginął w czerwcu 1944 roku. Babci udało się jeszcze dowiedzieć, że był we Francji...

– Chodź pogadać.

– O czym?

– No, przecież nie będę do ciebie krzyczeć.

– Nie masz daleko. – Pierwsze piętro nie było nazbyt wysoko, by się nie porozumieć. – Nawijaj.

Po osiedlowej drodze powoli toczył się radiowóz. Obaj zwrócili uwagę na policjantów, którzy bacznie przyglądali się numeracji klatek schodowych. Adamowi wydało się dziwne, że sygnalizacja świetlna miga czerwonym i niebieskim kolorem, zupełnie jakby na osiedlu wydarzyło się coś, co zasługuje na interwencję „psów". Radiowóz zniknął za rogiem bloku, w którym mieszkał.

– Daj spokój, przecież nie wszyscy muszą słyszeć. Zejdź na dół.

Adam splunął niedaleko Rafała.

– Dobra, poczekaj.

Schował telefon do kieszeni. Będzie musiał poczekać na swoją kolej. Jeśli Rafał nie powie czegoś ciekawego...

Wsunął buty i wyszedł na klatkę. Zbiegając po schodach, minął dwóch policjantów. To ci, którzy przed chwilą jechali samochodem, nie miał wątpliwości. Zatrzymał się przy drzwiach klatki i nasłuchiwał, dokąd zmierzały „psy". Charakterystyczny dzwonek rozpoznał od razu. Policjanci przyszli do jego domu!

– Ja pier... – zdławiony głos uwiązł mu w gardle, ale pomyślał o wiele więcej. Ciśnienie krwi skoczyło raptownie. Poczuł stężoną adrenalinę, ale w głowie pojawiła się totalna pustka. Przyszli do niego?! Wiedział! Telefon! Namierzyli smartfon i przyjechali wprost na Mazowiecką. Wprost do jego mieszkania. Okazał się głupszy niż kość dla psa. Fona miał w kieszeni. Co robić? Pryśnie stąd jak najdalej, pozbędzie się aparatu, a potem uda jeszcze głupszego niż kość dla psa.

Adrenalina zrobiła swoje. Wystartował z miejsca jak stumetrowiec. Przez jego myśl przemknął ojciec. Ten będzie miał satysfakcję! Przeklął wulgarnie.

∗ ∗ ∗

Dolina szedł z powrotem zatopiony w głębokiej zadumie. Pan Piasecki okazał się tym panem Piaseckim, którego się spodziewał, a jego relacja z nocnych wydarzeń była bardzo składna i rzeczowa. Starszy mężczyzna od lat łowił ryby w Sieciówce i nierzadko robił to nocą. Tego wieczora wypłynął później niż zwykle i skierował się w dobrze znany sobie rejon akwenu w nadziei, że jak zwykle nie zawiedzie się i jezioro da mu skorzystać z bogatych rybnych zasobów. Łowił tu karpie, szczupaki i sumy, które urastały do blisko dwóch metrów. Na łódce woził sprzęt wart dobrych kilka tysięcy, którym bez problemu był w stanie złapać i takie sztuki. Na szczęście sił jak do tej pory starczało. Dopłynąwszy na upatrzoną pozycję, zarzucił przynętę i wtedy zobaczył pulsujące czerwone światło. Trudno było ocenić jego wielkość oraz głębokość, na jakiej się znajdowało, ale co do jego obecności nie miał żadnych wątpliwości. Na zadane pytanie, czym mogło owo światło być, pan Piasecki zamyślił się na chwilę, po czym stwierdził, że nie ma zielonego pojęcia. Mogłaby

DZIESIĘĆ

to być jakaś boja, ale nigdy w tym rejonie żadnej nie uświadczył. Innego pomysłu nie wydumał.

Sierżant przyjął taką ewentualność jako prawdopodobną, ale nie przekonującą. Największą zagadkę nadal stanowiła dystans od miejsca, gdzie poszukiwano kosmitów. Trudno było podejrzewać, że tajemnicze błyski spowodowali żołnierze majora. A jeśli nie oni, to kto?

Skręcił w Wiejską. W odległości około dwustu metrów zauważył mężczyznę w garniturze, który na jego widok zaczął biec, szybko się oddalając. Przestępca? Przewrażliwienie plus podejrzliwość równa się paranoja. To równanie zapisał sobie kiedyś podczas jednej z randek, gdy zauważył ciekawskie spojrzenia kierowane ku jego dziewczynie. O mało nie złoił gościowi skóry. Okazało się, że facet nie patrzył na nią, a na kogoś, kto znajdował się parę metrów dalej i było to jego własne dziecko. Paranoja czai się za każdym rogiem i czatuje, by skoczyć na plecy i przygnieść do ziemi. Taki był końcowy wniosek. Pożałował samego siebie. Zanim się obejrzał, mężczyzna w garniturze zniknął.

Dolina wspomniał pomarańczową kulę nad polem zboża. Zżerała go ciekawość, czy kręgi w pszenicy, jakie przyszło im zobaczyć, były jej sprawką. Nie bardzo rozumiał cel czynienia takich znaków. Najbardziej przemawiało do niego zwykłe fałszerstwo, coś w rodzaju prowokacji któregoś z nolozjastów, by wzbudzić sensację i przydać ostatnim wydarzeniom kolejnego smaczku. Przed Tomeczkiem zagrał nieco fascynację tym zjawiskiem, ale miał wątpliwości. Pojawienie się kuli zdumiało go i wprawiło nieco zamieszania w nieskoordynowaną próbę ogarnięcia całości układanki. Musiał wziąć pod uwagę relacje ludzi, którzy widzieli spadający dysk. Należało w jakiś sposób ująć oświadczenie pana Bala, który twierdził, że był pasażerem dysku, choć nie wiedział, jak tę kwestię ugryźć. Znaki w zbożu były trzecią kwestią. Światła w jeziorze kolejną. No i pomarańczowa kula, którą widział na własne oczy!

✳ ✳ ✳

Zdążył ubiec jakieś dwieście metrów, kiedy usłyszał za sobą głośne: „Stój, policja!". Kolejny błąd, jaki popełnił – powinien zniknąć całemu światu z oczu jak najszybciej, a tego nie zrobił. Biegł przed siebie, ile starczyło mu sił w nogach i powietrza w płucach, ale robił to na odkrytym terenie. Ktoś, kto podążał za nim, nie musiał wytężać wzroku, by go widzieć. Znikając z widoku, umknąć byłoby zdecydowanie łatwiej. Kiedy tylko nadarzy się dobra okazja, wyrzuci telefon i pozbędzie się kłopotu. Jeśli wreszcie go dopadną, uda głuchego, który nie słyszał wezwań do zatrzymania. A co? Biegać nie wolno?

Wpadł wreszcie między dwa mieszkalne bloki. Za nimi stały kolejne dwa. A potem następne. Jeśli uda mu się dobiec do tego najbliższego, zanim pogoń odzyska kontakt wzrokowy z jego zmęczonym ciałem, stworzy się realna szansa na... Radiowóz wyjechał całkiem niedaleko zza najbliższego budynku i zahamował. Drugi policjant wyskoczył z jego wnętrza i już zaczął biec w jego stronę, kiedy nieoczekiwanie stanął jak wryty. Uwagę „psa" przykuło coś, co zobaczył nieco w prawo od Adama. Nowicki spojrzał w tamtą stronę i zobaczył gościa w garniturze, który pędził pięćdziesiąt metrów od nich w kierunku ulicy Zamkowej. Na widok policjanta elegant stanął jak wryty. W tym momencie drugi z policjantów wybiegł spomiędzy bloków. Zobaczywszy kolejnego zbiega, jakby zapominając o Adamie, zwrócił się do eleganta:

– Panie Robercie, proszę nie uciekać! Chcemy porozmawiać.

Mężczyzna wybełkotał coś, czego Adam ni w ząb nie zrozumiał. Nawet nie miał pojęcia, co to za język. Widział, że facet w garniturze zachowuje się co najmniej dziwacznie. Wymachiwał rękami, jakby przed czymś się odganiał, wykrzykiwał coś i charczał dość nieapetycznie.

Adam, nie zastanawiając się wiele, zmienił kierunek ucieczki. Miał nadzieję, że drugi policjant zainteresuje się panem Robertem tak samo, jak i ten z radiowozu. Nie mylił się. Obaj stracili zainteresowanie jego osobą na rzecz świrowatego biznesmena, który niespodzianie skupił swój wzrok właśnie na nim. Tak się przynajmniej Adamowi wydawało, choć pewny nie był. By nie narażać się więcej, ruszył pędem, aby ukryć się za narożnikiem niedalekiego budynku. Tam zatrzymał się i wyjrzał zza rogu, chcąc upewnić się, że pościg odwołano. W rzeczy samej – policjanci ostrożnie zbliżali się do szacownego, na pierwszy rzut oka, obywatela, pana w drogim garniturze. Tamten dyszał ciężko. Adam doskonale to rozumiał – bieganie

DZIESIĘĆ

jest męczące. Stanowczo wolał oglądać, jak biegają inni, niż robić to samemu.

✳ ✳ ✳

Mareczek zerknął w stronę posterunkowego. Wolgant imponował dobrą formą. Aż dziw brał, że nie dogonił patykowatego młodziana, którego jeszcze przed momentem próbowali zatrzymać. Wszystko wskazywało na to, że chłopak był w posiadaniu telefonu Piwowarskiego, ale obecnie nie było to aż tak istotne, skoro pojawił się właściciel aparatu. Posterunkowy, zbliżając się do poszukiwanego, zataczał coraz ciaśniejszy łuk, by odciąć mężczyźnie drogę ucieczki. Jednocześnie przygotowywał na wszelki wypadek miotacz paraliżujących ładunków. Aspirant uczynił to samo. Piwowarski wyglądał dość dziwacznie i niebezpiecznie – przyczajona sylwetka, czerwona twarz, nabrzmiałe żyły, rozwichrzone włosy, zwinięte w pięści dłonie. Naderwany rękaw garnituru dopełniał nieszczęsnej całości. Z oczu tego człowieka wyzierał strach. Facet nie przygotowywał ofensywy – był gotów do obrony. Zbliżył się kilka kroków. Teraz w jego wzroku zobaczył zagubienie i panikę.

– Panie Robercie – zaczął łagodnie – porozmawiajmy. Chcemy pomóc.

✳ ✳ ✳

Robert Piwowarski zastygł w szerokim rozkroku gotowy do odparcia ataku. Troll stał przed nim w odległości dwudziestu kroków. Drugi obszedł go od tyłu. Cwanie. Bardzo cwanie. Chciał odciąć mu drogę odwrotu. Robert postanowił, że jeśli zauważy jeden zuchwały ruch z ich strony, jedno drgnięcie muskularnych, obrzydliwych ramion przyczepionych niemal do samych głów, znów zacznie biec. Na razie ucieczka była lepszym wyjściem niż walka. Trolle nie biegały tak szybko jak on. Jak do tej pory dawał radę. I pomyśleć, że kumpla, który widział za swoimi oknami orki i trolle właśnie, uważał za wariata. Zupełnie słusznie chłopak siedział w domu i nie wyściubiał za jego próg czubka nosa. Gdyby Robert zrobił to samo, byłby bezpieczny, a tak? Uciekał jak szalony, by nie dać się usidlić. Wokoło tego szkaradzieństwa pętało się co niemiara. Wałęsało się to to po mieście i nikt nie robił z tym porządku! Ludzi wymiotło ze strachu, ale co z policją? Dlaczego panowie w mundurach się poukrywali, skoro mieli broń i mogli podjąć walkę?

Obrócił nieco głowę, by spojrzeć, co wyprawia maszkara czająca się tuż za nim. Był blisko. Stanowczo za blisko. Robert zdjął wierzchnie nakrycie. Przeszkadzało mu w swobodnym biegu. Bez marynarki będzie mu stanowczo wygodniej, niczym nieograniczony pobiegnie jeszcze szybciej.

* * *

Zdjęcie marynarki przez Piwowarskiego zasygnalizowało przygotowanie do dalszego biegu. Mężczyzna krył w spojrzeniu przebłyski obłędu. Zważywszy na gwałtowne zachowanie oraz dewastację w ośrodku zdrowia, nie było się nad czym zastanawiać – należało powstrzymać go przed dalszą ucieczką. W panice nawet stateczni ludzie dokonywali nie lada wyczynów, których później chcieliby się wyprzeć. Piwowarski zdawał się na granicy poczytalności, a w takim stanie ludzie bywają niebezpieczni.

Mareczek mocniej ujął w dłoni paralizator, jednocześnie chowając broń za sobą. Należało unikać niepotrzebnego rozdrażnienia. Małymi kroczkami zbliżał się do przyczajonego kierownika dużej finansowej firmy, wyciągając przed siebie nieuzbrojoną rękę. Człowiek ten powinien widzieć przyjazną postawę, dającą pewność, że nie może się wydarzyć nic złego. Wolgant podchodził z przeciwnej strony. Wzięli go w zaciskające się kleszcze. Nie ucieknie – tego Mareczek był pewien.

* * *

Adam spoglądał z bezpiecznej dali, zza narożnika budynku. Ciekawość nie pozwoliła mu oddalić się z miejsca, które dawało możliwość obserwowania „psów" i ich ofiary. Jeszcze przed chwilą byłby na miejscu faceta w garniturze. Ciekawość, co stanie się dalej, jak obejdą się z nieznajomym, przeważała nad rozsądkiem.

W pobliżu kontenerów na śmieci zatrzymała się jeżdżąca rowerem dziewczynka. Na jej twarzy malował się głęboki smutek. Adam nie dziwił się, że była przygnębiona. Widok, jaki roztaczał się przed nią, nie należał do najprzyjemniejszych. Gdyby tylko mógł, przegoniłby ją do domu. Świat przemocy nie był dla dzieci, nie dla dziewczynek.

DZIESIĘĆ

Co innego oglądanie telewizji, a co innego wizja online. Gdzieś dalej zatrzymywali się kolejni gapie. Widowisko robiło się coraz ciekawsze.

Robert dostrzegał ruch trolli i prężył się do skoku. Nerwowo zlustrował niebo. Jak do tej pory szczęśliwie nad miasto nie ściągnął żaden smok. Ze smokiem nie poradziłby sobie z całą pewnością. Każdy mógł zaatakować z powietrza i zionąć zabójczym ogniem. Gdyby Robert posiadał zbroję i miecz... Bez właściwych środków mógł liczyć tylko i wyłącznie na swoje nogi oraz spryt. Głos, który pojawiał się w samym środku jaźni podpowiadał, że powinien walczyć. Nie miał zamiaru się poddawać. Nie miał zamiaru dać się załapać żywcem!

Zachodził w głowę, skąd w mieście tyle potworów. W ośrodku zdrowia stoczył nierówny bój z orkami. Było ich tam kilka. Chciały go dopaść i pożreć. Kołatała się w nim nikła nadzieja, że pacjentom udało się zbiec. Z nim bestiom nie poszło tak łatwo. Złapał, co miał pod ręką i odpędził maszkary. Najwyraźniej odstraszył je bojowy charakter i determinacja, jakimi się wykazał. Powinien jak najszybciej wydostać się z miasta. Nie czuł się tu bezpiecznie. Napiął wszystkie mięśnie i przygotował się do skoku.

Mareczek dostrzegł ugięcie kolan Piwowarskiego. W ułamku sekundy mężczyzna ruszył do ucieczki. Aspirant nie zawahał się – strzał z paralizatora okazał się w stu procentach celny. Rażony ładunkiem Piwowarski padł na trawnik i po krótkim wierzgnięciu znieruchomiał. Wolgant zmierzał do leżącego, odpinając od pasa kajdanki. Aspirant włożył paralizator do kabury. Nie lubił używać broni, ale sytuacja wymagała radykalnych środków. Nie miał zamiaru uganiać się za kimkolwiek po okolicy, ani tym bardziej doprowadzać do fizycznej konfrontacji. By Wolgant nie musiał siłować się z podniesieniem bezwładnego, porażonego ciała, ruszył z miejsca. Wtedy stało się coś, czego w ogóle się nie spodziewał. Nachylony nad Piwowarskim Wolgant jęknął, zesztywniał i padł na plecy. Mareczek nie zorientował się, kiedy leżący do tej pory na brzuchu mężczyzna wykonał nagły zwrot, przewrócił się na plecy i mocnym kopnięciem odrzucił od siebie zaskoczonego posterunkowego. Kierownik poderwał się na równe nogi i puścił się biegiem przed siebie. Aspirant stanął jak wryty. Zachowanie trafionego ładunkiem obezwładniającym człowieka nie mieściło mu się w głowie. To po prostu nie było możliwe. Do tej pory nie spotkał się z przypadkiem, w którym ktokolwiek podniósłby się po takim trafieniu szybciej niż po pół godzinie. Piwowarski zerwał się z ziemi po kilku sekundach, zupełnie jakby nic się nie stało. Minęło może pięć sekund, zanim przyjął do wiadomości, co się dzieje i popędził do radiowozu po wyrzutnię z siecią. Wolgant, z wielkim trudem, trzymając się za bolącą klatkę piersiową, zbierał się z trawnika. W tym czasie Piwowarski wyhamował z kilkumetrowym poślizgiem i począł kręcić się w miejscu, zamaszyście odganiając od siebie coś, co dostrzegał wyłącznie on sam. Jeśli pozostanie tam przez kilka sekund, Mareczek będzie miał szansę wystrzelić w jego kierunku sieć.

Oniemiały Adam obserwował rozgrywającą się pomiędzy blokami scenę z otwartymi ustami. Wszystko wyglądało jak w sensacyjnym amerykańskim filmie. Do dziś nie widział czegoś podobnego na własne oczy i by niczego z widowiska nie stracić, postanowił wytrwać na stanowisku. Kiedy opowie o tym kolegom, zzielenieją z zazdrości! By nie narażać się zbytnio, wystawił zza rogu budynku jedynie pół twarzy. Widział dokładnie, jak stojący nieco bokiem policjant strzelił z czegoś do szalejącego eleganta. Dojrzał także, jak gość pada, a potem kopie drugiego „psa" i zrywa się do ucieczki. Teraz stało się coś jeszcze, co dla Adama nie mogło być przyjemne. Szamoczący się przez chwilę uciekinier zatrzymał się i w krótkiej chwili bezruchu obrzucił go szybkim spojrzeniem. Nie ulegało wątpliwości, że został zauważony. Mógł to stwierdzić z jeszcze większą pewnością w momencie, kiedy tamten pędził dokładnie w jego stronę. Adam nie wiedział, co robić. Schował się za węgłem i zaraz wyjrzał raz jeszcze. Mężczyzna zbliżał się w szaleńczym tempie, ochryple coś krzycząc. Nieco po prawej stronie z wielką armatą w dłoniach mknął policjant. Adam nie zamierzał dłużej czekać i bezzwłocznie rzucił się do ucieczki.

DZIESIĘĆ

* * *

Robert zobaczył człowieka! Komuś udało się przeżyć inwazję be-
stii. Cud! Za wszelką cenę chciał do niego dołączyć, by wspólnie
ratować życie i walczyć o przetrwanie. Krzyczał, by chłopak pobiegł
w stronę lasu i jeziora, ale chyba nic nie zrozumiał i zamiast w bezpieczne miejsce kierował się w głąb miasta. Nie było innego wyjścia,
jak dopędzić chłopaka i skierować na właściwy tor. Gonił więc, ile
tylko miał sił.

* * *

Mareczkowi brakowało mocy już po pierwszych pięćdziesięciu
metrach. Zawziął się jednak i nie poddał zadyszce. Miotacz z zała-
dowaną siecią ciążył niemiłosiernie, ale ani myślał wypuszczać go
z rąk. Gdyby odpuścił, koledzy mieliby powód do żartów na temat
jego kondycji i odwagi. Chciał się wykazać, więc biegł, mimo że
dystans do uciekającego Kierownika Sprzedaży Bezpośredniej po-
większał się z każdą chwilą. Facet miał siłę i szybkość godne podziwu, a odporność... poza skalą.

* * *

Adam obejrzał się, ani trochę nie zwalniając. Mimo tempa, jakie
podjął, okazał się zbyt wolny. Gość w eleganckim ubraniu i błyszczących półbutach okazał się szybszy niż sprinterzy na olimpiadzie.
Udało mu się pokonać trzy kolejne metry i poczuł szarpnięcie. Przez
całe ciało przeszło kilka dreszczy. Przeszył go potężny wstrząs, po
czym paraliż obezwładnił wszystkie jego mięśnie. Padł jak długi,
twardo zderzając się z podłożem. W głowie mu zahuczało i zapanowała nieprzenikniona ciemność. Ostatnią myślą chciał bronić się
przed strachem...

* * *

Uczucie, jakie spłynęło na Roberta, trudno było zdefiniować. Na
chwilę odleciał w niebyt. Świadomość spłatała mu kolejnego figla
i ogarnął go kompletny mrok, który na krótki moment przerwała
kolejna wizja. Wielki, złoty tron. Zobaczył tron. Natychmiast pojawiła się pewność, że ten, kto na nim zasiada, posiada władzę, przy
jakiej każda ludzka potęga jest niczym zasługujący na zdmuchnię-

cie w czeluść pył. Mrok powrócił, zanim zdążył przyjrzeć się temu pięknemu zjawisku.

Kiedy odzyskał świadomość oraz czucie w ciele, doznał silnego uderzenia. Coś spętało go na tyle mocno i ściśle, że nie potrafił wykonać żadnego, najdrobniejszego nawet ruchu. Upadł twardo na ziemię i stracił przytomność.

✳ ✳ ✳

Kolba wyrzutni kopnęła solidnie, a cel został osiągnięty. Nierówny, płytki oddech trudno było uspokoić. Mareczek stanął nad leżącym Piwowarskim i zastanawiał się, czy dla pewności „dobić" go strzałem z paralizatora. Sieć sama w sobie raziła niewielkim ładunkiem elektrycznym i oplotła uciekiniera na tyle skutecznie, by żadne wierzganie nie wchodziło w grę. Koniec pogoni, koniec chuligaństwa. I wydawałoby się, że taki Kierownik Sprzedaży Bezpośredniej, to gość na poziomie...

Podniósł nieco wzrok. Chłopak, który najprawdopodobniej ukradł służbowy telefon pana kierownika, właśnie znikał za najbliższym blokiem. Nie było sensu ganiać za nim po osiedlu. Odnalezienie złodziejaszka i przykładne ukaranie to tylko kwestia czasu.

✳ ✳ ✳

Panika! Tyle działo się w głowie Adama – totalna panika! Pozbierał się z ziemi w ostatniej chwili. Nie bardzo pamiętał, jak to się stało, że upadł. Nie miał pojęcia, co teraz ze sobą zrobić. Policja znała jego adres zamieszkania. Gdzie miał się podziać? Co ze sobą zrobić?! Brakowało dobrego pomysłu.

Nie, nie, nie... Dlaczego miałby uciekać? Pójdzie na posterunek i wyjaśni wszystko. Powie, jak było naprawdę i tyle. Nie będzie kłamał. Znalazł telefon i nie zdążył oddać. Za to się nie karze. Nie mogą nic zrobić za to, że znalazł zgubiony aparat. Poza tym – co to takiego wielkiego? Smartfon jak smartfon.

Po co uciekał? Powinien walnąć się w głupi łeb! Już kiedy przyszli do jego domu, mógł oddać im aparat i byłoby po sprawie. Ucieczką poddał w wątpliwość własną niewinność.

– Kretyn! – warknął do samego siebie. – Skończony imbecyl!

DZIESIĘĆ

Nerwowo podrapał się po głowie. Musiał pomyśleć... Zdecydował, że dla pewności pójdzie do mieszkania i dowie się, po co przyszli.

Droga do domu zajęła mniej czasu niż zwykle. Spieszył się. Żeby wyjść cało z opresji, powinien działać jak najszybciej. Na całe szczęście ojca jeszcze nie było. Poszedł z psem, co oznaczało kilka piw z kolegami w osiedlowym barze. Tyle dobrze. Matkę znalazł tam, gdzie zawsze – w kuchni. Z miejsca zgadł, że jest zdenerwowana.

– Było tu dwóch policjantów – powiedziała nieswoim tonem.

– Po co? – parsknął.

Uniosła wysoko wydepilowane brwi.

– Czego chcieli? – zapytał jeszcze raz nieco grzeczniej.

– Szukali jakiegoś człowieka.

– Kogo?! – zapytał zdumiony.

– Jakiegoś... Roberta. Nazwiska nie pamiętam. Powiedziałam, że nie ma tu nikogo takiego.

Adam miał ochotę walnąć się w łepetynę. Wyszło na to, że sprowokował policjantów swoim własnym zachowaniem. Coś jednak dalej w tej bajce nie grało.

– I to wszystko?

Matka spojrzał mu prosto w oczy. Robiła tak wtedy, kiedy wyczuwała, że Adam ma jakieś kłopoty i zamierzała dociec, na czym polegają.

– Powiedzieli, że w naszym domu jest jego telefon!

Jednak! Już się łudził, że nie chodziło o tego pieprzonego fona. Psy namierzyły go swoimi sztuczkami, zanim wyłączył aparat. Był skończonym idiotą.

Matka złapała go za ramię.

– Coś ty zrobił, Adaś? Co to za człowiek, ten Robert? Nie pakuj się w kłopoty, bo to nic dobrego ci nie przyniesie. Słyszysz? Powinieneś wziąć się za siebie, pójść do normalnej pracy. Poproś ojca, na pewno pomoże ci coś znaleźć.

Niech się goni! Co się będzie tłumaczył. Albo nie zrozumie, albo pomyśli, że naprawdę ukradł. Błąkając się po deptaku, chciał zakosić coś cennego, to fakt, ale nie zrobił tego. Jeśli wyjdzie na jaw, że miał smartfon tego gościa, włoży w łapę staremu pretekst, by mógł wprowadzić w czyn swoje urojone groźby.

Przetarł szczypiące oczy. Pod zamkniętymi powiekami zobaczył postać kobiety. Obraz zaraz znikł. Otrząsnął się.

– Spadaj – syknął i wyrwał rękę z jej dłoni. – Nie wiem, o co chodzi. „Psom" się pochrzaniło.

– Adaś, martwimy się o ciebie – powiedziała mama łamiącym się głosem. – Ja się o ciebie martwię, słyszysz mnie?

Takiej gadki miał powyżej uszu. „Martwimy się, nie rób nic głupiego, popraw się, zastanów, co robisz...". Obrócił się na pięcie i wybiegł z domu. Musiał działać. Odniesie telefon i sprawa ucichnie. Taką miał nadzieję. Nie da przecież staremu żadnej satysfakcji.

Idąc szybkim krokiem, myślał, jak wytłumaczyć policjantom zaistniałe nieporozumienie. Tak właśnie postanowił to przedstawić – jako nieporozumienie. Pomysłów miał kilka, ale żaden nie był wystarczająco zadowalający. Bał się. Bał się na tyle, że zauważył niedostrzeganą przez wiele lat wieżę świątyni. Nie żeby nie widział jej w ogóle. Często sprawdzał, którą godzinę pokazuje umieszczony na niej zegar, ale to było wszystko, do czego świątynia była mu potrzebna. Co innego w tej chwili. Wpadł na pomysł, by wejść tam na moment i poprosić o pomyślnie zakończenie całej sprawy. Co mu szkodzi? Nic. A może właśnie taki desperacki akt „wiary" przyniesie szczęście?

Stanął przed budowlą i spojrzał na zwieńczenie wieży. Przychodził tu dawno temu jako dziecko. Zawsze chciał wdrapać się na sam szczyt i spojrzeć na miasto z wysokości. Potem to marne marzenie umarło, a w zamian pojawiły się zupełnie nowe, ciekawsze. Obecnie marzył, by historia z policjantami w ogóle nie miała miejsca.

By przekroczyć próg świątyni, zamknął oczy. Znów zjawa. Tym razem nie pozwolił powiekom wpuścić dziennego światła tak szybko. Chciał przyjrzeć się nieznajomej. Stała wyprostowana, pewna siebie. Wzywała, by podszedł bliżej. Tak. Odczuł to wyraźnie. Może nawet usłyszał – tego nie był pewien. Uczynił w myślach jeden krok. Zauważył na jej ustach drgnięcie przypominające uśmiech zadowolenia. Podobało się jej, co zrobił. Pragnęła jego zbliżenia. Przyjrzał się kobiecie bardziej wnikliwie. Była atrakcyjna. Dziwnie ubrana, tak jakoś... egzotycznie, ale przydawało jej to uroku.

Zachwiał się i otworzył oczy, by się nie przewrócić. Wizja zniknęła. Ciągle stał przed świątynią. Przełknął ślinę i nacisnął klamkę.

Panujący wewnątrz półmrok sprawił, że wzrok musiał przystosować się do nowych warunków. Kiedy tylko się to udało, zauważył ją! Stała kilkadziesiąt metrów przed nim, na środku ołtarza. Była daleko, ale nie miał najmniejszych wątpliwości, że to właśnie ona – kobieta z wizji.

„Czcij ojca swego i matkę swoją,
aby długo trwały twoje dni w ziemi,
którą Pan, Bóg twój, da tobie."
Księga Wyjścia 20, 12

Szóste

– Do widzenia.

Drzwi gabinetu zamknął z niemałą ulgą. Pani Wilska była trudną pacjentką. Wymagała nie wiadomo czego, jednocześnie wzbraniając się przed współpracą. Pani Wilska była nauczycielką, co po części tłumaczyło problemy z komunikacją. Nierzadko nauczyciele właśnie wiedzieli najlepiej, co i jak robić. Dlaczego więc chodzili do lekarzy? Nie wiedział.

Konrad Kos usiadł za biurkiem i spojrzał na wyświetlacz tabletu. Lista pacjentek w dniu dzisiejszym liczyła siedem osób. Zupełnie nieźle jak na nowy gabinet w niewielkim mieście. Kiedy decydował się na otwarcie prywatnej praktyki w Sieciowie, żona Ewa możliwość sukcesu poddawała w wątpliwość. Twierdziła, że miasto małe, a konkurencja posiada ustabilizowaną renomę. Konrad ufał swoim umiejętnościom i żywił nadzieję, że i on szybko zdobędzie na rynku usług medycznych reputację, która wyrobi mu odpowiednią markę oraz przysporzy klientek. Nie pomylił się. Nie popełnił także błędu, kiedy zaproponował Ewie przeprowadzkę z Warszawy na tak daleką prowincję. Sprzedanie domu w stolicy nie zabrało wiele czasu, a kwota, jaką otrzymał, sprawiła, że – kupując dom na obrzeżach Sieciowa, nieopodal jeziora – zdobył spory zasób oszczędności. Część z nich Konradowi udało się korzystnie zainwestować, resztę umieścił na wysoko oprocentowanym koncie bankowym.

Pomysł, by osiedlić się w tej okolicy, powstał trzy lata temu, kiedy spędzili tu miły urlop. Konrad zachwycił się świeżym powietrzem i czystą wodą. Miasto także przypadło mu do gustu z powodu niewielkiej liczby mieszkańców i braku korków na drogach. Zupełnie nie tak sprawa przedstawiała się w Warszawie. Stolica gwarantowała uporczywą walkę o samotność. Wszędzie przewalały się rzesze ludzi, panował nieustanny tumult i nieustannie brakowało miejsc parkingowych. W Sieciowie nawet w okresie urlopowym ilość turystów wydawała mu się umiarkowana.

DZIESIĘĆ

Konrad Kos z zadowoleniem spojrzał na wypracowaną w dzisiejszym dniu kwotę. Usatysfakcjonowany oderwał się od szerokiego blatu biurka, by posprzątać gabinet. Urządził go z klasą. Meble nabył w najlepszych salonach. Ściany ozdobił najmodniejszymi grafikami. Sprzęt medyczny przywiózł z Warszawy. Fotel dla pacjentek wynalazł w internecie. On także robił wrażenie – kolorami, materiałami oraz wykończeniem. Panie nie miały oporów, by na nim zasiąść i oprzeć nogi na szeroko rozstawionych wspornikach. Wszystkie, prócz pani Wilskiej, oczywiście. Z nią musiał negocjować.

* * *

Mareczek siedział w swoim małym, posterunkowym gabinecie i podgryzał długopis. Czekał na furgonetkę z Wolczyc, która miała zabrać zamkniętego w niewielkim pokoju służącym do chwilowych zatrzymań Roberta Piwowarskiego. Mężczyzna siedział tam od wczoraj, ponieważ aspirant nie mógł się zdecydować, czy naprawdę odesłać go do komendy. Przed sobą miał odpowiednie dokumenty, spisany protokół, a nerwowo obracany pisak przekładał z dłoni do dłoni. Powód miał tylko jeden i nie ujął go w dokumentach – tatuaż. Kierownik Sprzedaży Bezpośredniej dużej firmy finansowej posiadał na swoich plecach, tuż poniżej karku oryginalnie stylizowany, trójwymiarowe, duże litery N i B! Mareczek przeżył niemały szok, kiedy je zobaczył podczas wyciągania aresztanta z radiowozu. Kołnierzyk eleganckiej koszuli odgiął się i zsunął nieco, by można było dostrzec górną krawędź liter. Na posterunku aspirant upewnił się, czy dobrze widział. Owszem – bardzo dobrze! Poniżej karku Piwowarski nosił wyraźnie wymalowane NB. Aspirant od razu zdecydował, że będzie z nim rozmawiał tak długo, aż dowie się, czym są owe litery, co oznaczają i dlaczego dał je sobie uczynić. Wykonał kilka zdjęć. Przyjrzał się literom z bliska. Ich wnętrze wyglądało niesamowicie. Zupełnie jakby wnikało w głąb ciała. Przypatrując im się, odniósł wrażenie, że magnetyzują jego wzrok. Trudno było się od nich oderwać.

Powzięty zamiar był dobry, ale doprowadzenie go do realizacji okazało się niemożliwe. Piwowarski zachowywał się jak ktoś po ciężkim wypadku – splątany, zdezorientowany, zawieszony w próżni. Wodził wokół nieobecnym wzrokiem, a zwiotczałe mięśnie pozwalały na manipulowanie całym jego ciałem. Policjanci musieli prowadzić go z miejsca na miejsce, a gdzie siadał, pozostawał w bezruchu aż do następnej zewnętrznej ingerencji. Nie odpowiadał na pytania. Wyglądało na to, że nie docierają do niego żadne słowa. Przesłuchanie przeprowadzili we trzech, po kolei próbując trafić do jego umysłu. Bez najmniejszego skutku. Sierżant stwierdził, że delikwent jest w ciężkim szoku. Trudno było odmówić temu racji. Potem aspirant usiłował obudzić kierownika w pojedynkę. Pytania o tatuaż konstruował w najrozmaitszy sposób, ale nie otrzymał odpowiedzi na żadne z nich. Pytał także o całokształt wydarzeń z ostatniej, rozpoczętej porzuceniem samochodu godziny. Rzecz jasna nie usłyszał nic. Absolutnie nic.

Mareczek zastanawiał się, co jest powodem tak nietypowego zachowania mężczyzny. Podejrzewał, że odwieziony do komendy w Wolczycach Piwowarski, w niedługim czasie trafi na oddział psychiatryczny. Być może lekarze rozwikłają kłopotliwą sprawę pod względem psychicznym, ale on odnosił wrażenie, że to zdecydowanie nie wszystko. Wyczuwał, że rzeczy dostrzegalne kryły w sobie coś o wiele mocniejszego, złowróżbnego, co prowadzi do agresji, obłędu i zagubienia, a nawet śmierci. Co to było? Nie miał na razie pojęcia.

* * *

Adam Nowicki siedział na ławeczce, na rynku i swobodnie przewracał w dłoni przyjemną w dotyku obudowę smartfona. Zadowolony z siebie obserwował przelewającą się przez plac hałastrę – mieszaninę tubylców z rozleniwionymi przyjezdnymi.

Do twarzy przykleił szyderczy uśmieszek. Co oni wiedzą o życiu? A o planecie, na jakiej żyją? O wszechświecie? O przyszłości...?! Nie urastali mu do piet. Stanowili pełzający w prochu, nieświadomy podstawowych prawd motłoch. Zachowywali się niczym biegający w tę i nazad mrówczy spęd, który zapatrzony w swój kopiec robi wszystko, cokolwiek nakaże chroniący królową-matkę pierwotny instynkt. Adam uniósł się ponad tę małostkową, godną pogardy służalczość. Odkąd wszedł do świątyni, zaczął dostrzegać wszechświat w zupełnie nowym świetle. Świątynia, a właściwie ktoś, kto w niej się znajdował, nastroił go do zupełnie odmiennego rozumienia wszechrzeczy. Adam nie rozumiał, dlaczego wcześniej nie widział otaczającej go rzeczywistości w ten sposób, skoro była ona tak oczywista...

Zerknął w lewo. Z ukrytej pomiędzy wysokimi kamienicami wąskiej uliczki wyłonił się dostawczy samochód załadowany kontenerami ulubionego piwa. Z powodu ograniczenia prędkości obowiązującego na obszarze całego rynku, ale i ze względu na chodzących jak stado baranów pieszych, toczył się ostrożnie, wręcz ślamazarnie. Adam spojrzał w przeciwną stronę. Stamtąd nadjeżdżał kolejny dostawczak. Na burtach auta widniało logo konkurencyjnej firmy – także piwowarskiej. Na ustach Nowickiego pojawił się złośliwy uśmieszek. Przymknął oczy, by wyobrazić sobie, co by był, gdyby...

Wizja. Nowy obraz całkowicie wypełnił pole widzenia. Zobaczył jezioro. Ukształtowanie brzegów oraz terenu wokół akwenu rozpoznał bez pudła. Sieciówka. Uniósł nieco wzrok ku górze i jego oczom ukazał się stalowo-szary kształt. Potem ujrzał drzewo. Kolor kory powiedziały mu, że to brzoza. Zaraz znalazł się na tyle wysoko, by się bać. Spadł na ziemię. Uświadomił sobie, że krwawią mu ramiona. Wzdrygnął się i otworzył oczy. Rynek. Odetchnął głęboko. Nie wiedział, co się stało. Pierwszy raz doznał podobnego „przeniesienia" tuż przed wejściem do świątyni. Drugi w jej wnętrzu, kiedy usłyszał głos – kobiecy, ciepły, zachęcający, nieco władczy... Mimowolnie ścisnął trzymany w dłoniach telefon i wyrwał się z zadumy. Obie ciężarówki zmierzały naprzeciw siebie, a dzielący je dystans powoli się zmniejszał. Ulica biegnąca przez środek rynku pozwalała na swobodne wyminięcie się obu pojazdów.

Tuż obok przesunął się szybki cień. Zarejestrował go kątem oka. Chciał zbadać, czym jest, ale tajemniczo znikł. Kolejne złudzenie?

Dostawcze wozy z piwem zbliżyły się na tyle, by mógł dojrzeć obu kierowców. Adam skupił się na jednym z nich. Mężczyzna po chwili odwrócił głowę w jego stronę, zupełnie nie zwracając uwagi na jezdnię. Rozległo się głośne trąbienie, a zaraz potem odgłos zderzających się ze sobą pojazdów.

Nowicki zarechotał przeciągle. Będący w pobliżu ludzie przyjrzeli mu się z zaciekawieniem, by zaraz potem zauważyć powód jego wesołości. Kraksa, a właściwie niewielka stłuczka, stała się przyczynkiem do powiększającego się zbiegowiska. Nie tyle istotne były powstałe w obu samochodach szkody, co zachowanie ich kierowców. Obaj panowie po wymianie kilku okraszonych siarczystymi określeniami zdań, rzucili się na siebie, bez żenady okładając się pięściami.

Dla Adama, który wskoczył na ławkę, cała ta scena była wydarzeniem o nieocenionej wartości. Kobieta ze świątyni miała prawdziwą moc! Dała mu, czego chciał, w zamian za kilka słów pustej deklaracji! Miał prawo być z siebie zadowolony. Pełne prawo! Otrzymał od niej dar: potrafił manipulować umysłami ludzi. Nabrał pewności siebie. Z głębi serca na twarz wypłynęła duma. Od dziś rozpoczynał inny żywot, znacznie różniący się od poprzedniego...

Postanowił zacząć nowy rozdział od siedziby policji.

Posterunek znajdował się blisko centrum w niewielkim, parterowym budynku. Obok szklanych drzwi znajdowała się ławeczka, na której można było przysiąść dla nabrania sił, zanim weszło się do środka, by załatwić sprawę, bądź tuż po wyjściu, aby dać ochłonąć zagotowanej głowie.

Adam przyczaił się po drugiej stronie ulicy, tuż naprzeciw szklanych drzwi. Ściągnięte brwi, zmrużone oczy i napięte mięśnie wyrażały bojowe nastawienie. Wyglądał jak gotujący się do pojedynku rewolwerowiec. Naprzeciw czaił się przeciwnik – uzbrojony i niebezpieczny. W dodatku wróg posiadał przewagę liczebną, której musiał przeciwstawić coś więcej niż prymitywną siłę. Po strachu nie pozostał najmniejszy ślad. Był gotów.

Sprężystym krokiem przebiegł przez drogę i wdarł się do gniazda szerszeni. Wszystkie włosy stanęły na baczność. Klimatyzowane wnętrze zaskoczyło niemiłym chłodem. Chcieli, by ochłonął? Nic z tego!

Okienko do przyjmowania petentów znajdowało się tuż przed kolejnymi, strzeżonymi przez szyfrowany zamek, szklanymi drzwiami. Naprzeciw okienka czaiła się przykręcona do podłogi ławka. W poczekalni było pusto. Podobnie nikogo nie zastał po drugiej stronie okienka.

Boją się – pomyślał zadowolony. Obok okienka znalazł przycisk dzwonka. Wdusił bez zastanowienia, ale nie dobiegł go żaden dźwięk. Zepsuty? Poczekał chwilę i wcisnął raz jeszcze.

– Policja...! – warknął z pogardą.

DZIESIĘĆ

Zajrzał przez oszklone drzwi. Pusto. Żywej duszy nie uświadczył ani jednej. Zastukał w szybę. Nic. Zrobił zwrot i nerwowo przemierzył przestrzeń poczekalni. Potem przysunął się do okienka i ponownie zadzwonił.

Naprawdę się boją. Unikają konfrontacji. Zwierają szyki, opracowują strategię i gotują do walki? – pomyślał. – Dobrze, poczeka.

Przycupnął na umocowanej do podłogi ławeczce. Całkiem sprytnie. Bez odpowiednich narzędzi nikt nie mógł okręcić mocujących śrub. Zazgrzytał zębami, tak silnie zacisnął szczęki.

– W czym mogę pomóc? – Podskoczył na dźwięk dochodzący zza okienka. Nie usłyszał, kiedy policjant się tam znalazł.

Adam zerwał się z miejsca.

– Chcę rozmawiać z komendantem.

Policjant spojrzał na niego z ukosa. Młodzian wydał mu się nieco narwany.

– Komendant rezyduje w Wolczycach – powiedział zgodnie z prawdą. Zauważył, że zbił petenta z tropu. Aspirant Tomasz Mareczek nie osiągnął jeszcze tak wysokiego stopnia, by jego kariera stanęła na poziomie komendantury. – Może być dowódca posterunku?

Adamowi nie podobał się sposób, w jaki nieprzyjaciel odniósł się do jego osoby. Zero szacunku. Żadnego poddańczego hołdu. Zgniecie wroga, kiedy tylko stanie z nim w bezpośrednim starciu.

– Może być – syknął przez zęby.

✳ ✳ ✳

– By podjąć tego rodzaju decyzję, należy być więcej niż pewnym.

Monika, młoda osoba, którą gościł w swoim gabinecie po raz trzeci, miała dwadzieścia cztery lata. Była ładną szatynką o zgrabnej figurze i wydatnym biuście. Konrad usiłował patrzeć jej prosto w oczy, ale kobieta odwracała skutecznie wzrok, to omiatając nim ściany gabinetu, to znowu lustrując podłogowe panele w poszukiwaniu niezamiecionego kurzu. Monika Wilk-Kozłowska była mężatką od blisko dwóch lat, a najważniejszym celem jej życia stał się biznes. Przed rokiem, w pobliżu Sieciowa wydarzył się tragiczny w skutkach wypadek. Osobowy samochód wypadł z drogi i tuż za zakrętem uderzył w drzewo. W wypadku zginęli rodzice Moniki.

W schedzie po ojcu kobieta odziedziczyła duży, dobrze prosperujący ośrodek wypoczynkowy z hotelem, boiskami do gier oraz dostępem do plaży wraz z łódkami i kajakami do pływania. Konrad wiedział od miejscowych, że Kozłowscy stanowili miłą, dobrze rozumiejącą się rodzinę. Na ich pogrzebie pojawiło się kilkaset osób. Monika wyszła za mąż niecały rok wcześniej i nosiła się z zamiarem wyjazdu z Sieciowa. Nagła śmierć rodziców postawiła ją przed niemałym dylematem. Wybierała pomiędzy powziętymi decyzjami, a losem rodzinnej firmy. Zatrudnieni od lat pracownicy drżeli o swój los, ale rozstrzygnięcie padło jedno – Monika Wilk-Kozłowska podjęła wyzwanie i wzięła na siebie ciężar prowadzenia biznesu.

– Oczywiście – powiedziała cicho.

– Można skorzystać z porady psychologicznej – zaproponował. – Albo, powiedzmy, duchowej.

Kobieta z trudem przełknęła ślinę.

– Poszłabym do kapłana Karola, ale... słyszał pan, co się z nim stało?

Konrad słyszał. Takie wieści rozchodzą się w błyskawicznym tempie. Ludzka śmierć to woda na młyn siewcom wszelkiej sensacji. Znajomi z miejscowego ośrodka zdrowia dorzucili kilka ziarenek prawdy do tego, co krążyło po mieście. Pogłoski stanowiły żer dla żądnych sensacji plotkarzy – jego interesowała rzeczywistość.

– Słyszałem.

Monika zagryzła wargi. W palcach miętoliła pasek torebki.

– A o tym, co się dzieje w świątyni, też pan słyszał? – spytała niepewnie.

Konrad poprawił się w fotelu. Nie bywał w świątyniach, nie interesowała go żadna religia. Jeśli polecił dziewczynie poradę duchownego, to tylko z powodu niej samej. Czasem zdarzało się, że kobieta zmieniała zdanie pod wpływem argumentów padających z ust kogoś postronnego, a czasem z powodów religijnych. Wolał to niż płacz i kierowane pod jego adresem żale, kiedy już niczego nie da się cofnąć.

– Nie. Prowadzę laicki styl życia, jeśli pani rozumie, co chcę przez to powiedzieć.

Monika rozumiała. W obecnej chwili sama stała na pograniczu wiary i ateizmu. Nie była zdecydowana, którą stronę obrać, ale to,

DZIESIĘĆ

co słyszała o świątyni sieciowskiej, w znaczny sposób komplikowało jej zamiary.

– Ludzie mówią, że pojawiła się tam święta figura. Tak znikąd...

Konrad machinalnie przesunął kilka kartek na blacie biurka. Podobne tematy silnie go drażniły. Był gotów wyszydzić każde kolejne słowo, jakie za chwilę padnie z ust kobiety, jeśli będzie ciągnęła te brednie.

– Nikt nie wie, skąd się tam wzięła. Na samym ołtarzu... – powiedziała, a Konrad powstrzymał się. Z trudnością, ale jednak. – I jeszcze mówią, że ta figura płacze... krwawymi łzami...

Konrad Kos nie miał zamiaru podejmować dyskusji na temat płaczących rzeźb. Bardziej interesował ją stan pacjentki i decyzja, jaką powinna podjąć.

– Uważam, że zaistniały problem to wiele złożonych kwestii, które należy z kimś omówić. Być może znajdzie pani pośród kapłanów kogoś innego, kto zyska pani zaufanie. Powinna pani wybrać osobę o rzeczowym podejściu do... tego rodzaju okoliczności.

Kobieta zwilżyła usta koniuszkiem języka. Konrad zauważył drżenie rąk i pot na jej czole. Była zdenerwowana i trudno było się temu dziwić. Powiedział wszystko, co powinna wiedzieć, uzmysłowił każdy argument przeciw. Jeśli podtrzyma decyzję, uszanuje ją i zrobi, czego od niego oczekuje – w pełni profesjonalnie, z zachowaniem całkowitej dyskrecji. Jak zawsze...

✶ ✶ ✶

Młodocianego złodziejaszka poznał od razu. W swym patykowatym całokształcie rzucał się w oczy na tyle, by bez trudu wyryć w pamięci obraz swej nietuzinkowej postaci. Na podstawie adresu sprawdził dane chłopaka. Kartotekę, o dziwo, posiadał czystą jak niemowlę. Do obecnego czasu nie przysłużył się wymiarowi sprawiedliwości niczym, co mogłoby uczynić go winnym jakiegokolwiek przestępstwa. Nie dostał nawet mandatu. Godne pochwały, ale dobra passa ma prawo się zużyć.

Posterunkowy Misiewicz stał za Nowickim i pytającym wzrokiem łowił znaki, które podpowiedziałyby, czy ma wyjść, czy też raczej powinien zostać. Mareczek skinął głową i podwładny wrócił do dyżurki.

– Siadaj – rozkazał chłopakowi.

Adam Nowicki nie wykonał polecenia. Mareczek przyjrzał się zacietrzewionej facjacie młodziana. Aaa... Raziła go bezpośredniość, czy może raczej nieuprzejmość, jaką go obdarzył. Pan policjant powinien się ukorzyć przed złodziejem telefonów i poprosić szanownego gościa o zajęcie miejsca po drugiej stronie biurka, a potem zaproponować lody z kawą. Niedoczekanie.

– Siadaj, powiedziałem! – poprawił nieco dobitniej. – I mów, w czym rzecz.

– Pro-szę... – powoli wyartykułował Nowicki. Mareczek puścił bezczelność mimo uszu.

– Dobra, stój sobie, jak ci się nie chce usiąść, ale jeśli będą bolały nogi, nie narzekaj – rzucił mu prosto w oczy. – Kapujesz?

Nowicki usiadł. Wyglądało to tak, jakby krzesło miało poparzyć.

– Więc? – aspirant spytał mocnym tonem, jak policjant, który oczekuje przyznania się do bezspornej winy. Adam Nowicki postanowił przyjść na posterunek i skorzystać z prawa do zachowania milczenia? Mareczek dostrzegł, jak wskazujący palec chłopaka wykonuje regularny, jednostajnie rysowany krąg. Nie bawiła go ta zagadkowa gra.

– Dobra. Rozumiem, że przyszedłeś przyznać się do kradzieży telefonu. Słusznie. Bardzo słusznie. Powinieneś wiedzieć, że narobiłeś sobie niezłych kłopotów.

Nowicki spojrzał na niego, prezentując taki wyraz twarzy, jakiego nie powstydziliby się aktorzy grający zabójców. Mareczek podniósł jedną brew i roześmiał się. Chłopak nadal milczał, ale nieco uniósł dłoń z palcem bez ustanku wytyczając niewielkie kółeczko.

– Dość wygłupów – powiedział policjant, poważniejąc. Nachylając się ku niemu, uchwycił jego wzrok. Zmniejszając ograniczony biurkiem dystans, miał zamiar wywrzeć na chłopaku większą presję.

Wtedy poczuł się nieco dziwnie. Naszło go coś w rodzaju odrętwienia, delikatnego paraliżu, który sprawił, że zawisł nad blatem biurka z otwartymi, niemymi ustami. Do jego uszu dotarł jednak jakiś dźwięk, który najprawdopodobniej wypowiadał Nowicki. Brzmienie tego dźwięku wydało się znacznie zniekształcone i charczące. Niskie tony wprawiały w drżenie cały umysł. Wreszcie rozpoznał słowa:

DZIESIĘĆ

– Nie mam nic wspólnego z kradzieżą, rozumiesz?

Zrozumiał.

– Znalazłem tego fona na rynku, rozumiesz?

Także zrozumiał.

– Odwalicie się ode mnie, to też rozumiesz?

Oczywiście. Przecież nie ma żadnego paragrafu, który piętnowałby uczciwego znalazcę obcej własności...

Niespodziewanie zapadła ciemność. W środku dnia? Mareczek wstał zza biurka, by włączyć światło. Pstryknął przełącznik i znów stało się jasno. Krzesło okazało się puste, a na blacie biurka leżał telefon. W niewielkim gabinecie znajdował się tylko on. Młodego mężczyzny – Adama Nowickiego nie było. Wypadł na korytarz. Pusto. Pędem puścił się do dyżurki. Gwałtownie otwarte drzwi przestraszyły Misiewicza.

– Gdzie ten młodzian?! – krzyknął.

Posterunkowy wyglądał nie tylko na wystraszonego, ale także na bardzo zdziwionego.

– Dwie godziny temu kazał pan go wypuścić...

* * *

Ciemność otaczająca Roberta spowiła go nieprzeniknionym, grubym całunem. Nie był też w stanie uczynić żadnego, najdrobniejszego nawet ruchu. Oprócz tego panowała niczym niezmącona cisza. Usiłował coś powiedzieć, potem wykrzyczeć, ale wszelkie podejmowane próby okazywały się daremne. Znalazł się w potrzasku. Ktoś zastawił zmyślną pułapkę i wpadł w nią, nawet nie jęknąwszy.

Mrok. Nic poza nim.

W dali coś się pojawiło – bezkształtne, kontrastujące z panującą wokół nieprzebytą czernią mroku. Przypomniał sobie dostrzeżony nie tak dawno półcień. Odczuł wtedy to, co teraz właśnie powróciło wielokrotnie silniejsze – strach. Półcień. W zwykłym, słonecznym świetle wydawał się być półcieniem, ale teraz odznaczał się od ciemności o pół tonu jaśniejszą szarością. Robert próbował określić jej formę. Starał się przyrównać ją do jakiejś postaci czy bryły, ale nie był w stanie utożsamić tego, co widzi, z niczym. Owładnęła nim bezradność. Strach przerodził się w przerażenie, a potem w grozę. Nagle odniósł wrażenie spadania. W miejsce grozy nadciągnęła przygniatająca powała histerii. Jeśli istniało piekło, to właśnie zmierzał w jego kierunku.

– Przyszedłem z zapłatą... – usłyszał tak blisko siebie, że gdyby tylko potrafił, skoczyłby na równe nogi. Odzyskał słuch? Chciał usłyszeć cokolwiek więcej – szmer, odgłos wiatru, bicie własnego serca. Jego uszy nie wychwyciły jednak zupełnie niczego. Tylko ten głos.

– Przyszedłem z zapłatą – powiedział głos, tym razem znacznie dobitniej. – Nadszedł ten czas...

* * *

Sierżant Dolina wybrał się na daleki spacer. Postanowił udać się nad jezioro, wykonując coś w rodzaju patrolu. Ponieważ Tomeczek był czymś zajęty, nie zawracał mu głowy swoimi przemyśleniami oraz wynikającymi z nich podejrzeniami. Miał zamiar sprawdzić, co porabiają żołnierze majora Witkiewicza i wypytać ich o noc, kiedy widziano podwodne światła. Oficjalna wizyta w mundurze to nie to samo, co cywilne pogaduchy. Taką żywił nadzieję.

Temperatura powietrza oraz czyste niebo znów skłaniały do spędzania czasu nad wodą. Wczasowicze tłumnie zmierzali na plaże Sieciówki. Jezioro słynęło z klarownej, czystej wody. Na większej części akwenu, poza płyciznami, gdzie rozlokowano strzeżone kąpieliska, z powodu sporej głębokości, panował niezły ziąb. Nurkowanie wymagało piankowych kombinezonów, nie mówiąc już o akwalungach, a nawet szczelnych latarkach, jeśli chciałoby się zejść niżej. Co roku przybywały w rejon Sieciowa dziesiątki wykwalifikowanych płetwonurków, by trenować głębokie zejścia przed wyprawami na światowe morza i oceany.

W tym sezonie do tego grona dołączyli ufolodzy. Zjechali się tu bodaj już z całej Europy, a może i świata. Wieści o UFO rozchodziły się internetowym lotem błyskawicy. Dolina był ciekaw, na ile tak naprawdę interesuje się tym zjawiskiem polski rząd. Wysłanie do Sieciowa kilku żołnierzy zapewne nie było szczytem możliwości armii. Poza tym z pewnością zjawiskami związanymi z NOL interesowały się także inne, przeznaczone do ochrony państwa organizacje. Pozostało mu rozglądać się wokół i wypatrywać panów w czarnych garniturach i przeciwsłonecznych okularach. Podejrzewał, że prze-

DZIESIĘĆ

bywają w okolicy, by kontrolować sytuację, wtopieni w pejzaż skutecznym kamuflażem.

Dotarł do parkingu, gdzie poprzednim razem widział najnowszą, czarną nysę. Rozglądał się chwilę, by dojść do wniosku, że uległ własnej naiwności. Major zapewne zaparkował wóz w odludnym miejscu, by nie rzucać się w oczy i stamtąd prowadził swoją tajną misję. Dolina splunął przez zęby. Wyszło na to, że będzie szukał igły w stogu siana. Cóż...

– Proszę pana! Proszę pana!

Obejrzał się. W jego kierunku biegła kobieta w bikini. Wyglądała na spanikowaną.

– W czym mogę pomóc?

– Dziecko...! – wydyszała. – Zgubiło mi się dziecko...!

Dolina ciężko westchnął. Zagubieni rodzice gubiący swoje dzieci. Najchętniej przełożyłby takich przez kolano i ciął nieheblowanym drewnem. Dorośli zajmują się sobą, dzieci biegają samopas gdzie bądź, a potem tragedia. Kiedy cierpiały dzieci, bolało go serce. Mógł znieść wiele, ale nie funkcjonował normalnie, gdy w wypadku uczestniczyły małe dzieci.

– Dawno? – zapytał nieco nerwowo.

Kobieta trzęsła się cała, gorączkowo rozglądała się wokół i przygryzała wargi. Parokrotnie brzydko zaklęła. Sierżant przyjął to z niesmakiem. Wyjął z kieszeni spodni służbowy tablet. Należało spisać notatkę, powiadomić kolegów i zlustrować okolicę.

– Ostatnio była przy nas pół godziny temu!

– Rozumiem, że to dziewczynka.

– Tak. Ma cztery latka.

– Posiada pani przy sobie jakieś zdjęcie?

Kobieta pomyślała przez moment.

– W komórce!

– Można? – spytał, kiedy przerażona mama pokazała trzymany w dłoni telefon. Znalazła zdjęcie i podała mu aparat. Aktywował swój tablet i przetransmitował zdjęcie. Na ekranie urządzenia pojawiła się blond włosa piękność. Zerknął na matkę. Nie były aż tak bardzo podobne. Poza tym dzieci zmieniają się bardzo szybko, na pewnym etapie rozwoju upodabniając się to do jednego, to do drugiego rodzica.

– Jak ma na imię?

– Róża.

– Kwiatuszek. Ładnie.

Kobieta uśmiechnęła się z grymasem na ustach.

– Jest tu pani z kimś jeszcze?

– Tak, z mężem. Szuka Rózi. Rozbiegliśmy się. On pobiegł tam. – Pokazała ręką.

– Pół godziny to niewiele, nie powinna być daleko.

Matka skupiła na nim całą uwagę.

– Chyba nie. – jęknęła.

Dziecko mogło pójść na spacer albo zostać porwane, albo utonąć... Ewentualności znalazłoby się przynajmniej kilka. Wolał ich nie prezentować. Trzeba było działać szybko.

– Znajdziemy ją – powiedział, chcąc uspokoić kobietę.

– Co mam robić?! – jej głos załamał się, a w oczach pojawiły się łzy.

– Proszę się uspokoić. Dziecko na pewno jest gdzieś w okolicy. Prześlemy zdjęcie ratownikom, podamy jej imię, rysopis i ogłosimy przez megafony, że szukamy pani córki.

– Jest jeszcze jeden problem.

Problem... Ludzie mawiają, że jeden problem to nie problem, ale w takich okolicznościach każda sprawa mogła zaważyć o losie dziewczynki.

– Jaki?

– Rózia nie mówi. W stresowych sytuacjach nie ma z nią żadnego kontaktu.

Tym razem Dolina przeklął w sobie i nie dopuścił, by niecenzuralne słowo wydostało się z ust.

∗ ∗ ∗

Droga do marketu wiodła przez centrum miasta. Konrad podążał tam swoim Camaro rocznik 2024, słuchając radia. Zdegustowany współczesną muzyką nadawaną przez komercyjne kanały, przełączył na stację informacyjną. Na antenie trwała ożywiona dyskusja... Zwolnił. Pomyślał, że się przesłyszał, ale jedna z osób powtórzyła nazwę miejscowości raz jeszcze. W audycji o ogólnopolskim zasięgu mówiono o Sieciowie. To dopiero! Po chwili mina nieco mu zrzedła. Prowadzący program redaktor uspokajał swoich gości, którzy momentami usiłowali przekrzyczeć się nawzajem. Kłótnia szła o zjawiska paranormalne. Nieźle. Konrad skręcił w Lubuską, a to, co ujrzał, wprawiło go w niemałe osłupienie.

* * *

Posłuszeństwo. Myśl o posłuszeństwie zdominowała rozważania Adama, który zmierzał zgodnie z usłyszanym rozkazem we wskazane miejsce i nie miał nic przeciwko temu, by tam właśnie się udać. Wykonanie polecenia było teraz dla niego tak oczywiste i naturalne jak spożywanie posiłków. Wdzięczność i uległość zakorzeniły się w jego sercu na tyle mocno, że nie miał zamiaru pytać, po co tam idzie. Usłyszał, że tak trzeba i bez najmniejszego oporu podążał przed siebie.

W drodze pojawiło się niejasne uczucie, że o czymś zapomniał albo coś zgubił, albo coś jeszcze w tym rodzaju... Nie był pewien, w czym rzecz. Miewał już takie sytuacje, kiedy zastanawiał się, czy wychodząc gdzieś, zamknął mieszkanie na klucz, czy zakręcił wodę, czy domknął drzwi balkonowe. Bywało, że wracał do domu i wszystko znajdował w należytym porządku. Bywało także, że faktycznie dałby szansę złodziejom wejść do mieszkania na pierwszym piętrze przez niezamknięte drzwi balkonowe.

Obmacał kieszenie. Klucze wyczuł od razu, ale poczucie niepokoju pozostało. Po kilku krokach przypomniał sobie o znalezionym telefonie. Nie zdążył go pooglądać, kiedy pod blokiem zjawił się Rafał. Nie bardzo kojarzył, co działo się później. Pewnie Rafał znowu dał mu jakiś super towar do spróbowania w zamian za przysługę. Bywało, że za przysługi odwdzięczał się swoim super towarem. Rafał miewał rzeczy, które dawały niezłego kopa, jednocześnie nie czyniąc krzywdy. Przynajmniej tak mu się wydawało. Tym razem coś było nie tak. Stracił pamięć? No, może nie zabełtał sobie w głowie chemią na tyle, by na dobre stracić kontakt ze światem, ale faktycznie nie kojarzył, co się działo od momentu wyjścia z domu... Niewielka iskierka nadziei tliła się w nim, sugerując, że być może znajdzie telefon w domu.

Wdrapał się na strome wzgórze, u stóp którego rozciągała się Sieciówka. Spory akwen trudno było objąć wzrokiem, a liczne zakola lądu wcinały się w obszar wodny, tworząc niewielkie półwyspy i zatoki, w których ośrodki wczasowe zakładały prywatne, dochodowe plaże. Adam znajdował się w pobliżu jednej z przestronniejszych, którą zarządzała gmina. Niedaleko mieścił się parking na kilkaset samochodów, a nieco na boku budki z jedzeniem oraz towarami sportowymi. Tknięty niejasnym doznaniem skierował się w dół zbocza. Drzewa szumiały delikatnie głaskane lekkim wiatrem. Słońce znowu prażyło, zmuszając do poszukiwania cienia. Adam szybko znalazł się w pobliżu wody. Choć nie usłyszał wyraźnego zdania rozkazu, podświadomość dała wyraźny impuls i pewność, że znalazł nieokreślony do tej pory cel.

Kilkadziesiąt metrów przed nim szło dziecko, dziewczynka w kąpielowym stroju. Rozejrzał się i stwierdził, że była zupełnie sama.

✳ ✳ ✳

Konrad Kos, nie opuszczając swojego auta, obserwował kłębiące się przed świątynią tłumy. Od lat nie widział czegoś podobnego w żadnym polskim mieście. Religijność rodaków, tak kwitnąca w dwudziestym wieku za sprawą wojen i komunizmu, w latach dwudziestych nowego stulecia systematycznie obumierała. Działo się tak za sprawą postępującego materializmu, który nie tyle wykluczał istnienie Boga, co wskazywał społeczeństwu wymierne korzyści wynikające z poświęcenia się pracy w zamian za liczne przyjemności związane z posiadaniem pieniędzy. Mnogość towarów i usług niepomiernie przewyższała czasy socjalizmu. Wszechobecne reklamy zachęcały do korzystania z szerokiej oferty handlowej i ludzka próżność nie była w stanie się im oprzeć. Wszelka duchowość schodziła na plan dalszy. Liczyło się posiadanie. Należało żyć nowocześnie, mieć wszelkiego dobra pod dostatkiem i regularnie odwiedzać najciekawsze miejsca na świecie. Więcej, lepiej i korzystniej niż sąsiedzi czy znajomi.

Pomimo „plażowej" pory w pobliżu świątyni znajdowało się mnóstwo ludzi, którzy starali się dostać do jej wnętrza. Konrad przysłuchał się dyskusji w radiu, by wychwycić wiodący temat. Obecni w studiu rozmawiali o parapsychologii. Padały takie nazwy, jak Fatima, Lourdes i Medjugorie. Słyszał o tych miejscowościach i wiedział, co miało tam miejsce. Nigdy nie obeszło go to

DZIESIĘĆ

w najmniejszym nawet stopniu. Uważał, że wymysły ludzkiej fantazji przybierają przeróżne formy i nic ponadto. Ktoś, kto mówił głębokim, przekonanym o swych racjach głosem, oznajmiał, że w Sieciowie zanotowano silną koncentrację psi pasywnego oraz psi aktywnego. Konrad nie miał pojęcia, co to oznacza, ale wyglądało na to, że ów człowiek wiązał owe „psi" ze świątynią, która znajdowała się w zasięgu jego wzroku.

Zastanowił się, co robić. Miał okazję przekonać się na własne oczy, na czym polega fenomen paranormalnych zjawisk. Jednocześnie niechętnie odnosił się do górującej nad okolicą budowli.

Podjąwszy decyzję, ruszył z miejsca. Czekała go misja do wykonania – zakupy w markecie.

* * *

Mała blondynka przewiercała go szeroko otwartymi niebieskimi oczami. Adam tkwił w bezruchu parę kroków przed nią. Nie potrafił precyzyjnie wyjaśnić, co takiego się dzieje, ale w miejscu przygwoździł go jakiś nieokreślony rodzaj magnetyzmu. Dziewczynka trzymała go na dystans, zupełnie nic przy tym nie robiąc. Nie dostrzegał żadnego ruchu z jej strony, żadnego drgnięcia dłoni, nawet mrugnięcia okiem. Tak, był pewien, że nie mrugnęła ani razu. Stała nieruchomo, bez strachu i nie spuszczała z niego wzroku.

Potem w umyśle pojawiła się przedziwna pustka – ogromna, przepastna, złowroga. Ogarnęła go niepewność, wrażenie, jakie towarzyszyło mu przed zdawaniem szkolnych egzaminów, kiedy nagle się wie, że nic się nie wie.

– Kim jesteś? – usłyszał, ale był skłonny przysiąc, że nie dostrzegł nawet skromnego ruchu jej ust.

Czarna dziura wessała go w nieprzeniknioną czeluść. Stracił poczucie rzeczywistości. Jezioro, drzewa, trawa w jednej sekundzie zniknęły z pola widzenia. Czy miał władzę nad własnym ciałem? Próbował poruszyć ręką, ale odmówiła posłuszeństwa.

– Czego chcesz? – zapytał, ale dałby sobie uciąć głowę, że nie on postawił to pytanie.

– Przekroczyłeś granicę.

– Nie wiedziałem, że to miejsce do kogoś należy – powiedział nie on. Adam słyszał głos, ale był pewien, że to nie jego tonacja. Coś używało jego ust bez względu na sprzeciw woli.

– Nie masz prawa przychodzić tu bez pozwolenia Archontów.

– Ja jestem Archontem.

– Jesteś kłamcą – oznajmiła bezgłośnie dziewczynka.

– Oboje jesteśmy kłamcami – rzucił wyzywająco.

– Nas jest wielu. Ty jesteś sam – odparła ostrym, nieznoszącym sprzeciwu tonem.

✳ ✳ ✳

Dolina szedł pośpiesznie wzdłuż brzegu i bacznie rozglądał się na wszystkie strony. Dziewczynka mogła zawieruszyć się gdziekolwiek, a z powodu swej ułomności stanowiła łatwy łup dla kidnapera, bądź co gorsza – pedofila. Poza tym istniało realne niebezpieczeństwo utonięcia. Brzegi jeziora obfitowały w miejsca, gdzie o ześliźnięcie się do głębokiej wody nie było trudno. Czteroletnie dzieci rzadko potrafiły pływać, nie mówiąc już o takim przypadku jak Róża.

Powiadomione drogą internetową służby działające w obrębie Sieciówki w szczególny sposób będą przyglądać się dziewczynkom w wieku przybliżonym do czterech lat. Zdjęcie dziecka w znaczny sposób ułatwi poszukiwania oraz identyfikację. Jeśli ktoś będzie próbował wyprowadzić ją poprzez bramki ogradzające kąpielisko, z pewnością zostanie dostrzeżony. Sierżant wiedział, że na wschodnim krańcu gminnej plaży w okalającym ją płocie znajduje się niewielka dziura, którą kilkakrotnie łatano. Podejrzewał, że płot niszczą miejscowi, którym nie w smak było płacenie za wstęp na plażę, gdzie nie trudno o podryw wygrzewających się na strzeżonym kąpielisku przyjezdnych panienek. Wyrwaną niewielką dziurę w siatce pokonał z lekką trudnością, ale dla młodszych i mniejszych niż on, nie mogła stanowić żadnego kłopotu. Dla małego dziecka na pewno nie.

Ruszył przed siebie szybkim krokiem. Nie było czasu do stracenia. Przepatrywał uważnie teren. Od strzeżonej plaży oddalił się wystarczająco daleko, by podejrzewać, że skoro nie znalazł Róży do tego miejsca, dalej nie natknie się na nią tym bardziej. Stanął, by zastanowić się, co dalej. Niestety do indiańskich tropicieli było mu zdecydowanie daleko, nie potrafił wyselekcjonować świeżych śla-

DZIESIĘĆ

dów ani stwierdzić, do kogo mogą należeć. Najbliższa okolica służyła wielu spacerowiczom i niemało ludzi chadzało właśnie przemierzanymi przez niego, wydeptanymi w trawie ścieżkami.

Może przejdzie jeszcze sto metrów? Nie był zdecydowany. Wtedy dostrzegł coś, co mocno przykuło jego uwagę. Jakieś pięćdziesiąt metrów na północ zobaczył nad taflą wody błyszczące światło. Mimo, że był środek dnia i słońce stało wysoko na niebie, był pewien, że to, co widzi, jest połyskującą, świetlistą kulą, która nieruchomo wisi kilkanaście metrów nad powierzchnią jeziora. Przez moment i on zastygł, a mózg przetwarzał zaobserwowany obraz. Nie. To nie mogło być to samo, co nad polem zboża. Tam obiekt miał pomarańczowy kolor, ten lśnił niczym słońce w samo południe. Pośpiesznie wyjął z kieszeni służbowy tablet, by zrobić nietypowemu zjawisku trójwymiarowe zdjęcie. Potem, niesiony ciekawością, puścił się biegiem wzdłuż brzegu, by zrobić jeszcze jedno zdjęcie z bliska. Miał cichą nadzieję, że świetlista kula jeszcze przez chwilę pozostanie na swoim miejscu. Omijając sporą kępę gęstych krzewów wypadł na niewielką, pozbawioną drzew i krzewów przestrzeń u podnóża opadającego ku wodzie pagórka. Stanął jak wryty, zupełnie nie spodziewał się takiego widoku. Kilkanaście metrów przed sobą zobaczył blond dziewczynkę w jednoczęściowym, różowym stroju kąpielowym oraz lichej postury, wysokiego młodziana. Nieco dalej nad wodą wisiała świetlista sfera.

– Z którego jesteście okręgu? – spytał młodzian.

Dziewczynka milczała. Dolina nie widział jej twarzy, ponieważ stała odwrócona do niego tyłem. Dobrze widział za to wykrzywioną ze strachu facjatę chłopaka i słyszał jego dziwny, charczący głos.

– To niemożliwe – stwierdził jakby w odpowiedzi na to, co usłyszał, choć dziecko nie wypowiedziało nawet jednego słowa. – Archonci tego okręgu nie mieliby powodu, by tu być.

Dziewczynka raptownie odwróciła się. Przerażająco przenikliwe oczy wwierciły się w Dolinę, który odruchowo cofnął się o parę kroków. Kilka sekund wytrzymał napór jej spojrzenia, po czym spuścił wzrok. Kula mieniącego się światła ruszyła nagle z miejsca i z niewiarygodną prędkością zniknęła z pola widzenia. Sierżant, zauroczony dzieckiem, nie zdążył podnieść tabletu na tyle szybko, by skutecznie wykadrować obraz i zrobić zdjęcie.

Pod młodzieńcem ugięły się kolana. Chłopak zachwiał się, ujął oburącz głowę i bezwładnie upadł na trawę.

∗ ∗ ∗

Wypielęgnowany z pietyzmem ozdobny trawnik stanowił jego dumę i wizytówkę. Każdy, kto przechodził w pobliżu domu, przyglądał się specyficznie przystrzyżonej trawie, klombom oraz wymyślnie ukształtowanym krzewom. Konrad poświęcał obejściu sporo czasu, traktując całość jak wymyślną reklamę swojego gabinetu. Jeżeli mężczyzna z zazdrością rzuci okiem na jego Camaro, to kobieta spojrzy z podziwem na dom, błyskawicznie darząc właściciela zasłużoną sympatią. Niejedna pani, która zawitała w jego progi, pytała o szczegóły dotyczące pielęgnacji, o gatunki zasadzonych kwiatów oraz wyrażała chwalebny szacunek dla jego pracy. I o to właśnie chodziło. W oczach kobiet zyskiwał renomę człowieka wrażliwego i delikatnego, co w jego profesji miało niebagatelne wręcz znaczenie. Pacjentki ceniły takich właśnie ginekologów – delikatnych i subtelnych.

Konrad Kos minął otwartą bramę i nie obdarzył trawnika nawet przelotnym zainteresowaniem. Dostał się do domu bocznymi, garażowymi drzwiami obarczony dwiema pokaźnymi torbami z zakupami. Wszedłszy do kuchni, postawił je na podłodze obok dębowych szafek.

– Ewa! – zakrzyknął. – Ewa!

Zajrzał do salonu. Pusto.

– Ewa!

Przepatrzył cały dom. Zastygł w bezruchu nieco skonsternowany i zastanowił się, gdzie mogła się podziać. Wysłała go po zakupy, bo nie chciało się jej wychodzić z domu, a teraz masz... ni słychu, ni widu.

Ogród. Mogła zamelinować się jeszcze tam. Lubiła wylegiwać się na leżaku i czytać ckliwe romanse. Bywało, że do kompletu słuchała tanecznych kawałków z lat osiemdziesiątych, których on szczerze nie znosił. Nikt nie wiedział, że jego gust oscylował wokół metalowych kapel z początku wieku. Namiętnie słuchał ostrych kawałków, zajmując się pielęgnowaniem obejścia. Takie tam, metalowe ogrodnictwo...

DZIESIĘĆ

Wyjrzał na tyły domu. Leżak pusty. Owszem, ostatnio czytana książka leżała na stoliku i do połowy wypita kawa także, ale żony nie spotkał. Wziął do ręki komórkę i wybrał połączenie. Ewa zniknęła z domu, nie pozostawiwszy żadnej wiadomości, a sygnał w słuchawce pojawił się równocześnie z głośno wygrywaną w salonie melodią nadchodzącego połączenia. Nie musiał długo szukać. Telefon zostawiła w domu! Nie cierpiał tego bardziej niż zapachu krowiego mleka. Telefony są po to, by się przez nie komunikować! Komórki miały tę zaletę, że mieściły się w kieszeniach, czy torebkach, by można było nosić je ze sobą i nawiązywać połączenia w każdym zapadłym miejscu na tej planecie. Po co opłacać abonament, skoro szanowna małżonka permanentnie zostawiała telefon w domu, zamiast zabierać go ze sobą...?!

Wspomniał dziecinne zabawy w chowanego. Ze starszymi o parę lat kuzynami ganiali w domu dziadków na wsi pod Kielcami. Mimowolnie przywiódł z pamięci uczucie strachu, kiedy to nie był w stanie odnaleźć żadnego z nich, zaprawionych w takich grach nicponi, czerpiących niemałą satysfakcję z faktu, że małego Konrada robili w konia. Teraz wpadł w podobny kanał – poczucie dyskomfortu spowodowanego nieobecnością Ewy i rozdrażnienie wywołane tym, że kolejny raz zignorowała jego uczucia. Wszystko robiła po swojemu, zupełnie nie licząc się z jego zdaniem... W umyśle począł się roić pomysł wysublimowanej zemsty. Nie, nie będzie się mścił. Nie upadnie aż tak nisko. Wziął kilka uspokajających oddechów. Tak – wdech, wydech, wdech, wydech...

Zimna woda. Otwarty zawór dał możliwość schłodzenia rozgorączkowanej głowy, Mareczek stwierdził jednak, że woda miała stanowczo zbyt wysoką temperaturę, by mogła pomóc. Zdenerwowanie, jakiemu uległ, wzburzyło w nim krew tak dalece, że drżenie rąk nie pozwalało na zrobienie czegokolwiek. Nie wiedział, jak się opanować. Wpadł w panikę. Z pamięci wyzierał obraz młodego człowieka, który przyszedł do jego biura. Wiedział, że nazywa się Adam Nowicki. Kazał mu usiąść i oczekiwał wyjaśnień w sprawie telefonu Roberta Piwowarskiego. Co stało się potem – nie miał pojęcia.

Rzucił okiem na odbicie w lustrze. Woda ściekała na mundur, pozostawiając na nim spore plamy. Wyglądał beznadziejnie. Czuł się jeszcze gorzej. Zagarnął włosy i przeczesał je palcami. Wyszarpał z podajnika kilka papierowych ręczników i spróbował się wytrzeć, ale prócz strzępów rwącego się papieru klejących się do zmierzwionej fryzury, na wyglądzie nic nie zyskał.

Wychynął z łazienki i cichaczem przemknął do swojego gabinetu. Na środku biurka leżał smartfon. Krytyczną sytuację należało bezwzględnie opanować. Być może trzeba było zacząć od początku. Co nim było? Pierwszy zgon? Być może. Całkiem niewykluczone, że geneza narastających kłopotów tkwiła właśnie w tym miejscu i czasie. Utrata przytomności przy Nowickim stanowiła kontynuację spotkania z Norbertem Balem.

Tak – Bal. Szlag niech go! Dziwak, szaleniec, kosmita? Czy może gość z przyszłości? Kto zacz? Mareczek należał do grona szanujących się racjonalistów i starał się twardo stąpać po ziemi. Z pewnością miał do czynienia ze zwykłym oszustem, który uległ wypadkowi, po czym w szoku najzwyczajniej bredził.

A co z tatuażem? Dlaczego kolejne osoby posiadające tajemnicze litery nagle, w dziwnych okolicznościach umierały? Nie dostrzegał w tym żadnej systematyki. Uznał, że zamelduje o wszystkim komendantowi, a tu nieoczekiwanie sam stał się częścią tej zabójczej gry. Postanowił, że kiedy ochłonie, ponownie przemyśli sprawę i spostrzeżeniami podzieli się z Doliną. Kolega podejrzewał chorobę. Utrata świadomości mogła być jej objawem...

Poczuł lęk. Mało to naoglądał się filmów o tajemnych organizacjach, spiskach i wirusach zagłady? Choć wszystko to wyglądało dalece kuriozalnie, poczuł najzwyklejszy strach.

* * *

Dolina szedł w stronę plaży do głębi oszołomiony. Świetlista kula wystrzeliła z miejsca tak szybko, że nie mogła być rzeczywista. Słyszał o fenomenie latających, świetlistych obiektów, którego jak na razie nikt naukowo nie zbadał. Wielokrotnie sfilmowano podobne zjawiska, czasami występujące w całych formacjach, czasami pojedynczo, ale zawsze obserwowano je ze znacznej odległości. On widział to coś z zaledwie kilkunastu metrów. Kula nie posiadała regularnego obry-

DZIESIĘĆ

su, świeciła pulsującym światłem i wisiała nad powierzchnią wody zupełnie nieruchomo. Zjawisko niezwykłe. Absolutnie niezwykłe. Zrobił temu czemuś jedno trójwymiarowe zdjęcie. Chciał jak najszybciej zobaczyć je na ściennym ekranie swojego komputera, który dawał możliwość sporego zbliżenia oraz przyjrzenia się szczegółom. Pomarańczowa sfera oraz ta nie były takie same, ale zachowywały się identycznie: niesamowicie szybkie, zwrotne i potrafiące pozostawać w powietrzu w całkowitym bezruchu.

Trzymane za rękę dziecko, które odnalazł z niemałym fartem, posłusznie podążało przy jego boku, nie wydając z siebie najcichszego nawet dźwięku. Próbował z dziewczynką porozmawiać. Bez skutku. Patrzyła na niego swoimi strasznymi oczętami, jakby miała zamiar wniknąć w głąb jego duszy. Dałby głowę, że chłopak, który natknął się na dziecko pierwszy, rozmawiał z nią, choć sensu tej konwersacji absolutnie nie pojmował. Sam młodzian także wydał mu się dziwny. Gadał nienaturalnym, chropowatym głosem i jak szybko padł na ziemię, tak prędko się z niej pozbierał. Dolina zapytał, czy coś mu aby nie dolega, ale tamten zapewniał, że wszystko jest w porządku i da sobie radę. Na wszelki wypadek zanotował jego dane – Adam Nowicki. Jeśli trzeba będzie o coś dopytać, znajdzie go raz dwa.

Pod posterunek zajechał transportowy radiowóz. Opancerzony van sprawiał groźne wrażenie. Służył do przewozu niebezpiecznych przestępców i był solidnie wyposażony w adekwatne do tego celu środki. Z jego wnętrza wyłonili się dwaj potężnie zbudowani, odziani w kamizelki kuloodporne oraz uzbrojeni w szybkostrzelną broń, konwojenci. Obaj wyglądali na śmiertelnie znudzonych. Ociężałym krokiem przemierzyli korytarz posterunku. Za nimi, jakby nieco przytłoczony posturą przybyłych, dreptał Misiewicz, z podziwem zerkając na przytroczone do pasów kabury.

– Szef u siebie? – rozległ się basowy pomrukt.

– U siebie – potwierdził Misiewicz.

– Trafimy – rzucił drugi nie mniej tubalnie.

Misiewicz w lot pojął, że ma się od nich odczepić.

Drzwi do biura szeryfa otwarły się jakby samoistnie. Aspirant, zasiadając migiem za biurkiem, zrobił miejsce gościom, którzy swoimi nietuzinkowymi gabarytami wypełnili jego gabinet niemal w połowie.

– I co tam macie dla nas? – spytał jeden z nich. Ogolony na łyso, z szerokimi kośćmi policzkowymi i plaskatym nosem przywodził na myśl boksera wagi ciężkiej. Drugi leniwie lustrował wyposażenie biura.

Mareczek, choć zdegustowany zachowaniem konwojentów, nie powiedział słowa komentarza. Rangą niżsi od niego, wzrostem i posturą już nie, zachowywali się tak, od kiedy ich znał. Nie podlegali mu, więc nie silił się na żadne rozkazy czy uwagi. Przyjechali i pojadą jak zwykle.

– Dewastacja mienia. Na razie nie ma oficjalnej skargi, ale lada chwila doręczymy.

– Aaa... – bokser wydał się nieco rozczarowany.

– Gość jest nieobliczalny – dodał Mareczek.

– Nieobliczalny? – zapytał ten drugi.

– Postrzał z paralizatora podziałał na niego jak ukąszenie komara. Widzieliście coś podobnego?

Obaj przyjrzeli mu się ze wzmożoną uwagą.

– Bujasz...

– Sam strzelałem.

Spojrzeli po sobie.

– Bujasz – Bokser zaśmiał się kpiąco.

– Mam świadka – Mareczek nie dał się zbić. – Dopadłem faceta dzięki sieci.

Drugi z policjantów zaklął niewybrednie.

– Z drzewa jest, czy jak?

Zaśmiali się.

– Uważajcie na niego. Chodzi, siedzi, mruga oczami, nic nie mówi. Na razie bez kontaktu. Psychiczny.

– Ty, a co do kontaktu. Słyszeliśmy, że obcy u was wylądowali – rzucił pierwszy. – Złapaliście jakiego?

Obaj zarechotali wyraźnie rozbawieni.

– A może to jeden z nich? – dorzucił drugi przez śmiech.

Aspirant wytrzymał nawałnicę.

– Dobrze, że przyjechaliście „pancerniakiem". Macie szansę przeżyć – odpalił poważnie.

DZIESIĘĆ

Ich tubalny rechot niemal rozsadził gabinet.

– Dobre! – przyznał bokser. – To gdzie masz tego kosmitę?

Mareczek wziął odpowiedni raport i oddał wciąż biernego Piwowarskiego „kolegom" z wolczyckiej komendy. Zabierali go, z wyraźnym podekscytowaniem przyglądając się jego postawie od stóp po czubek głowy. Odjechali ożywieni, w znacznie lepszych nastrojach, niż przyjechali.

Aspirant żałował, że nie udało mu się dogadać z Piwowarskim. Pozostała nadzieja, że facet ocknie się w Wolczycach.

* * *

– Och, dzięki bardzo. Już zacząłem się martwić – powiedział Kos do kamery smartfonu, po czym pożegnał się i rozłączył. Iskra olśnienia sprawiła, że wpadł na pomysł zadzwonienia do mieszkającego niedaleko Patryka Rockiego. Ewa i jego żona Ania przyjaźniły się od czasu, kiedy zamieszkali w Sieciowie. Zapoznały się w zwykły, kobiecy sposób – u kosmetyczki. Kilka słów i panie mogły rozprawiać o najskrytszych rodzinnych sekretach – tak się zrozumiały. Podobne charaktery, upodobania i hobby – romansidła, którymi wymieniały się z godną podziwu częstotliwością.

Konrad zaznajomił się z panem Rockim, ale o przyjaźni nie mogło być mowy. Pojmowanie świata przez Rockiego nieszczególnie przypadało Konradowi do gustu. Patryk prowadził rodzinny, przekazywany z pokolenia na pokolenie, interes, którym był zakład pogrzebowy. Zapewne w wyniku ciągłego kontaktu ze śmiercią posiadł na tyle „odjechane" poczucie humoru, że nie sposób było je strawić.

Konradowi przyszło do głowy, że Ania może mieć coś wspólnego ze zniknięciem Ewy i nie pomylił się. Pomyślał, że praca z kobietami wyciska na nim coraz liczniejsze znamiona kobiecości. Jednym z nich była intuicja. Zaśmiał się. Ewa pojechała do świątyni. To niemożliwe! Ewa nie chadzała do świątyń od ponad dwudziestu lat, dokładnie odkąd zostali mężem i żoną. Jakimże sposobem Ania namówiła ją do tego? Nie miał pojęcia. Patryk nadmienił, że Ani strasznie się spieszyło. Słyszał, jak dzwoni do Ewy, by wyciągnąć ją z domu. Powodem miała być płacząca krwią madonna.

– Ja pierniczę – żachnął się Konrad. – Co zje Ania, tym odbija się Ewie! Niemożliwe!

Pomyślał o tłumach pod świątynią. Sam był przez moment ciekaw, co się tam dzieje. Sam kombinował, czy nie zajrzeć do środka. Dlaczego teraz potępiał obie panie? W końcu ciekawość to ich domena. Stał krótką chwilę, ważąc za i przeciw. Co tam. Jeśli miał w sobie coś z baby, to niech się dzieje – zaspokoi także swoją ciekawość.

✳ ✳ ✳

Pytanie, które trapiło Nowickiego, nie mogło pozostać bez odpowiedzi. Biegł z wywieszonym niczym pies językiem, by dotrzeć jak najprędzej do świątyni. Czuł, ba, był w pełni przekonany, że tam właśnie, u stóp figury zyska odpowiedź, kim jest mała blondynka o niebieskich oczach i co zrobiła, że stracił panowanie nad swoim ciałem. Nie pamiętał całego zdarzenia, ale głęboko w duszy czuł, że stało się coś absolutnie niezwykłego. Jak przez mgłę docierało do niego, że mała coś do niego mówiła, a on odpowiadał. Co? Nie kojarzył. Nie do końca także pamiętał wydarzenia na posterunku policji. Przypomniał sobie, że poszedł tam, by coś załatwić... Teraz uzmysłowił sobie, że miał problem z telefonem i dlatego tam poszedł, ale jak to się skończyło...? Także o to powinien zapytać Panią z Ołtarza. Właśnie tak ją nazwał: Pani z Ołtarza. Zdał sobie sprawę z pewnego faktu. Kiedy znajdował się przy niej, przy Pani z Ołtarza, miał poczucie bycia kimś innym, kimś ważnym i znaczącym. Teraz popadł w dobrze sobie znane rejony niepewności. Pani dawała coś, czego nigdzie indziej nie zasmakował – moc! Chciał do tego wrócić, dlatego mimo uciążliwej zadyszki, przyspieszył.

Do miasta dobiegł w czasie, który śmiało pretendował do olimpijskiego złota. Widok świątynnej wieży przydał mu nieco sił. Kiedy znalazł się w jej pobliżu, zdębiał z wrażenia. Zwolnił, a po kilku krokach stanął.

– Co...? – wydyszał, z olbrzymim wysiłkiem nabierając powietrze w płuca.

Tłum kłębiący się pod budowlą przywodził na myśl organizowane przez władze miasta dni Sieciowa. Wtedy to przy ustawionej na rynku wielkiej scenie ludzkie masy zbijały się w jednolite, niemożliwe do przebycia zbiorowisko, które pragnęło znaleźć się możliwie blisko jakiegoś idola, który za miejskie pieniądze śpiewał swoje największe przeboje. Teraz z głośników umieszczonych na zewnątrz

DZIESIĘĆ

świątyni dobiegało monotonne zawodzenie jakiegoś kapłana, a tłum niesiony trudną do powtórzenia melodią łagodnie falował.

W umyśle Adama zakotłowało się. Co powinien zrobić? Jak dostać się do środka zakorkowanej ludźmi budowli? W jej środku i najbliższej okolicy znajdowało się z tysiąc osób. Postanowił obejść świątynię wokół, by sprawdzić, czy istnieje jakieś prawdopodobieństwo wniknięcia do wewnątrz.

Przymknął powieki, by się skupić. Wtedy nadeszła kolejna wizja.

Dotarcie w pobliże świątyni zajęło Konradowi kilka minut. Zaparkował Camaro w oddalonej o kilka przecznic ulicy, by, jak to sobie tłumaczył, nie mieć kłopotu ze znalezieniem miejsca w jej bezpośredniej bliskości. W rzeczywistości niekoniecznie chciał rzucać się w oczy, a samochód, którym jeździł, spełniał funkcję silnego magnesu dla męskich oczu i serc. Nasunął na głowę czapkę z daszkiem, a nos zaopatrzył w przeciwsłoneczne okulary. Przybywszy pod sanktuarium stwierdził, że zgromadzenie silnie zgęstniało. Nie przypuszczał, że zlaicyzowany naród stać jeszcze na religijne zrywy. Kraj nie doświadczał wojen od całych dziesięcioleci, kwitł i urastał do miana potęgi gospodarczej, a tu coś podobnego... Owszem, dzieje polskiej nacji wskazywały, że geny dziedziczone po przodkach kryją w sobie skłonności do pielgrzymek jasnogórskich, a nawet do obrony świętości za cenę życia. W tych czasach, tak skutecznie przesiąkniętych konsumpcyjnym materializmem, czegoś takiego jednak się nie spodziewał.

Szybko uznał, że nie ma szans na dostanie się do środka. Aktualnie odbywało się jakieś nabożeństwo, co wnioskował z sączącego się z głośników trudnego do zniesienia śpiewu, przewlekanego intonowanymi modlitwami. Rozglądał się w poszukiwaniu Ewy, ale odnalezienie jej graniczyło z cudem. Okazuje się, że podobnych Ewie i Ani ludzi znalazło się całe mnóstwo. Monika Wilk-Kozłowska wspomniała o płaczącej krwawymi łzami figurze. Tak. To ma rację bytu. W ludzkiej naturze istnieje nieposkromione pragnienie niesamowitości, cudów i badania nieznanego. Na przestrzeni wieków pojawiały się tysiące mesjanistycznych zwodzicieli, którzy mamili prostaczków kuglarskimi sztuczkami, wprowadzającymi w stan błogiego entuzjazmu. Ekstatyczne doznania ograniczają zdrowy rozsądek. Później wystarczy jeden krok do niewolniczego podporządkowania.

Przez tłum przeszedł nieoczekiwany szmer. Konrad zauważył, że co poniektórzy zadzierają ku górze głowy. Szmer błyskawicznie przerodził się w głośne, nieskrępowane miejscem uwagi. Konrad podniósł wzrok ku niebu. Ponieważ miał na nosie przydymione okulary, zobaczył to, co najwyraźniej dostrzegła część zebranych, bez większego trudu. Jeśli znalazłby wytłumaczenie dla większości zachodzących w przyrodzie zjawisk, temu co widział, nie potrafił przypisać żadnego naturalnego wytłumaczenia. Wśród zebranych ludzi podnosiła się wzbierająca z każdą sekundą wrzawa. Ci ludzie także nie mieli pojęcia, co widzą.

∗ ∗ ∗

Nowicki wyglądał jak zwiędnięta roślina, ale nie zdawał sobie z tego sprawy. Przed oczyma jawił mu się widok pogrążonego w półmroku świątynnego wnętrza, gdzie bez wątpienia było zupełnie pusto. W rękach trzymał zawinięty w koc, sporej wielkości przedmiot. Ostrożnie postawił go na ołtarzu, by z właściwą tej czynności czcią odwinąć ukrytą w kocu zawartość. Jego oczom ukazała się Ona! Tuż przed sobą miał Panią z Ołtarza. Patrzyła w głębię jego duszy, dotykając wszystkich najczulszych strun jego uczuć. Rozbudziła w nim wdzięczność dla miłości, którą go obdarzyła. Tak. Był o tym przekonany, że to była miłość.

Otworzył usta, by powiedzieć, że i on ją kocha, kiedy coś gwałtownie wytrąciło go z równowagi.

∗ ∗ ∗

Niewiara własnym oczom nie przydarzyła mu się, od kiedy ujrzał Ewę w czasie drugiego roku studiów. Była tak piękna, że swoją urodą zawładnęła wszystkimi jego zmysłami. Także teraz czuł się porażony, ale powód był zupełnie inny: zawieszony kilkadziesiąt metrów ponad spadzistym dachem sakralnej budowli. Właściwie powody były trzy i miały kształt świetlistych kul. Wszystkie jarzyły się, pulsując i mieniąc się różnymi odcieniami tej samej, żółtawej

DZIESIĘĆ

barwy. Nadleciały ze wschodu i zawisły nad świątynią niczym trzy słońca, formując regularny szyk wzdłuż szczytu dachu.

Kiedy kule zatrzymały się w powietrzu, początkowo poruszony nalotem tłum zastygł i zrobiło się zupełnie cicho. Zamilkły także głośniki. Konrad był pewien, że paraliżujący wręcz widok powstrzymał ruch w całym mieście. Sam postanowił jak najszybciej odnaleźć żonę. Część tłumu zdążyła się przerzedzić, gdyż przestraszeni niespotykanym zjawiskiem ludzie poczęli uciekać z najbliższego otoczenia sanktuarium.

Konrad posuwał się pomiędzy stojącymi z zadartymi głowami ludźmi, bacznie się rozglądając. Ewy nigdzie nie widział. Jeśli tak bardzo zależało jej na zobaczeniu płaczącej figury, zapewne wcisnęła się z Anią do środka budowli. Musiał tam wejść. Wpadł na pomysł, że nie będzie próbował przeciskać się głównym wejściem, ale spróbuje dostać się tam od tyłu, drzwiami, którymi wchodzili kapłani. Ruszył w tamtą stronę, kiedy otarł się o jakiegoś patykowatego, niemal na pół upadłego młodziana. Doznał niemiłego wstrząsu, zupełnie jakby naładowany energią chłopak porażał sporym, elektrycznym ładunkiem. Przeszył go dreszcz – silny, paraliżujący. Zaznał bezwładu w całym ciele. Ugięły się pod nim kolana i nieomal upadł. Objął go nieprzenikniony mrok. W głowie zakotłowało się. Potok nieznajomych, obcobrzmiących słów zalał jaźń. Coś przejmowało kontrolę nad jego umysłem, coś chciało wziąć go do niewoli. Skupił się, by się bronić, by nie dać zawładnąć swoją duszą. Zaraz potem nastąpił jeszcze jeden dreszcz i kolejny wstrząs, po czym wrócił do rzeczywistości. Pomyślał, że uległ jakiemuś przedziwnemu złudzeniu...

✳ ✳ ✳

Przed upadkiem uratował się w ostatniej chwili. Odruchowo wyciągniętą przed siebie ręką oparł się o brukową kostkę i wrócił do pionu. Znajdował się pośród niemałego tłumu. Większość ludzi patrzyła gdzieś w górę, dlatego podążył za ich spojrzeniami. Na wysokości kilkudziesięciu metrów zobaczył jaśniejącą dziwną poświatą kulę. Nieco w prawo jeszcze jedną, a dalej trzecią. W życiu nie widział czegoś podobnego. Kątem oka dostrzegł u wejścia świątyni jakieś poruszenie. Z jej wnętrza pośpiesznie wyszedł jeden z kapłanów. Za nim drugi. Obaj natychmiast zadarli głowy ku górze. Jeden z nich wykonał ręką szybki gest, dotykając palcami ramion i czoła. Trzy świetliste kule zmieniły swoje położenie. Tłum natychmiast zareagował głośnymi krzykami. Rozpoczęła się chaotyczna ucieczka.

Tuż obok Adama pojawił się i równie szybko zaniknął ledwo dostrzegalny półcień. Adam odczuł dotknięcie grozy. Nie czekając na dalsze wypadki, obrócił się na pięcie i pędem rzucił się przed siebie.

Sferyczne obiekty uformowały się w trójkątny szyk i z ogromną prędkością odleciały.

Nagły zanik energii elektrycznej zdziwił Mareczka. Zaskoczenie było tym większe, że również padło zasilanie awaryjne i ekran komputera zwyczajnie zgasł. Po krótkiej chwili zajrzał na smartfon. Komórka także nie działała. Zerknął na zegarek. Elektroniczny wyświetlacz zbladł, nie ukazując nawet jednej cyfry. Osłupiał.

– Co jest...? – wybąkał pod nosem.

* * *

Dolina dotarł z dzieckiem na parking w pobliżu plaży, ale nigdzie nie dostrzegł matki dziewczynki. Wziął do ręki telefon, by zadzwonić do ratowników, którzy przez megafon mogli wezwać kobietę do stawienia się po odbiór zagubionej pociechy. Ku jego zdumieniu smartfon sprawiał wrażenie zupełnie martwego.

Zerknął na Różę. Dziewczynka stała z zadartą ku górze, skierowaną w stronę miasta główką. Sierżant spojrzał w tym samym kierunku. Jego oczom ukazały się trzy świetliste obiekty, które przemknęły w dość znacznej odległości, błyskawicznie się oddalając. Nie był pewien, czy to, co zobaczył, było rzeczywiste. Rzucił okiem na dziecko. Róża, czteroletnia, blond włosa, śliczna dziewczynka patrzyła na niego z takim wyrazem twarzy, jakiego pragnęliby wszyscy reżyserzy horrorów. Dolinę przeszył dreszcz przerażenia. Wystraszył się małego dziecka nie na żarty.

* * *

DZIESIĘĆ

Mareczek wyszedł na zewnątrz posterunku i rozejrzał się. Okolica wydała mu się dziwnie nieruchoma. Spostrzegł, że wszystkie pojazdy zamarły w kompletnym bezruchu. W tym momencie dobiegł go głośny huk spowodowany jakąś eksplozją. Tak. Znał takie odgłosy. To była eksplozja i uznał, że mogła nastąpić jakieś kilkanaście kilometrów stąd, gdzieś w kierunku Wolczyc.

✶ ✶ ✶

Zmierzch począł rozwijać dywan szarości nad całą okolicą Sieciowa, które po wydarzeniach wczesnego popołudnia raczej nieszybko ulegnie sennym majakom. Tak przynajmniej wydawało się Konradowi Kosowi, który był pewien, że nie zmruży tej nocy oka nawet na chwilę. Wstrząs wywołany popołudniowymi przeżyciami wywarł na nim głębokie piętno. Usiłował przeanalizować swoim ścisłym umysłem, co widział i nie dochodził do żadnych racjonalnych konkluzji. Wykluczył anomalie pogodowe, złudzenie i zbiorową halucynację. Na mieście aż huczało od komentarzy ludzi, którzy na obszarze całego Sieciowa widzieli, co działo się nad świątynią. Oprócz tego na dość sporym terenie zabrakło energii elektrycznej, a dziwne zjawisko sprawiło także niemożność poruszania się wszelkimi napędzanymi siłą silników pojazdami.

Konrad rozparł się w głębokim fotelu. W pobliżu ośrodka świadomych decyzji kołatała się jedna, jedyna myśl – wyjaśnieniem mogło być tylko UFO.

Próbował porozmawiać o tym z Ewą, ale kobieta sfiksowała na punkcie świętej rzeźby i jej krwawych łez. Każde rozpoczęte zdanie kończyła wzmianką o cudzie w świątyni. Zupełnie nie docierało do niej, co wydarzyło się ponad dachem sanktuarium. Konrad nie wiedział, jak dotrzeć do żony, więc odpuścił sobie wszelką konwersację i postanowił odczekać do momentu, kiedy Ewie odparują z umysłu sakralne uniesienia. Sam postanowił zająć się czymś konkretnym. Przymknął powieki, by zastanowić, co by to mogło być.

Przed jego oczami w szybkim tempie poczęły pojawiać się najrozmaitsze obrazy – jezioro, drzewo, krew, ośrodek zdrowia, nagi facet w lustrze, siłownia, ołtarz, kuchnia, policjanci, telefon, rzeźba kobiety, krwawe łzy...!

Gwałtownie otworzył oczy. Wszystko zniknęło. W jednej chwili oblał się zimnym potem. Mrugnął szybko, by bodaj nie zobaczyć tego ponownie. Śnił na jawie? Miał zwidy?! Wystraszył się. Coś było z nim nie tak i zaczęło się pod świątynią. O mały włos byłby stracił tam przytomność. UFO...! To na pewno wina tych niezidentyfikowanych obiektów. Być może wydzielały jakieś szkodzące ośrodkowi nerwowemu promieniowanie. Albo co gorsza przejmowały kontrolę nad jego mózgiem!

Pobiegł do łazienki, wpadł pod prysznic i odkręcił lodowatą wodę. Wytrzymał zaledwie sekundy. Wyskoczył spod wody i otrząsnął się, jak zazwyczaj robią to mokre psy. Chciał zakląć, ale nie wiedzieć dlaczego, głos uwiązł w ściśniętym gardle. Na moment ogarnęła go ciemność – nieprzenikniona, straszna, podcinająca nogi. Odruchowo przytrzymał się umywalki. Dzięki niej nie upadł.

Świadomość miejsca powróciła wraz z siłami. Poczuł się znacznie lepiej. Mógłby stwierdzić, że nieoczekiwanie wstąpiła w niego nowa moc. Spojrzał na swoje odbicie w lustrze i uśmiechnął się zjadliwie. Tak, tak, tak... Nowa moc! Naprężył mięśnie i wyprostował się – dumnie, z poczuciem własnej wartości. Bo i był kimś!

Rozebrał się z mokrych ciuchów i owinął ręcznikiem.

Dobrze, jeśli tego chce, proszę bardzo – pomyślał z przekąsem.

Poszedł do gabinetu i zajrzał do swojej kartoteki. Odnalazł właściwy numer telefonu i bez wahania wybrał połączenie. Po kilku sekundach usłyszał damski głos.

– Dobry wieczór, pani Moniko. Konrad Kos. Proszę wybaczyć późną porę, ale mam ważny powód, by do pani dzwonić.

– Słucham...

– Otrzymałem dzisiaj wyniki badań, które robiliśmy w zeszłym tygodniu. Pamięta pani?

– Pamiętam – powiedziała ledwo dosłyszalnie.

– Sądzę, że podjęła pani słuszną decyzję. Z powodów czysto medycznych należy przerwać rozwój zarodka, póki nie jest za późno. Rozumie mnie pani?

Odpowiedziało mu milczenie, ale kontynuował:

– Wyniki badań wskazują na genetyczne upośledzenie płodu.

Znowu cisza.

– Czy pani mnie słyszy? – zapytał, by mieć pewność, że informacje docierają do kobiety. Widział ją na ekranie telefonu, ale w słabym oświetleniu nie dostrzegał wyrazu jej oczu.

– Tak, słyszę.

– Proszę się do mnie zgłosić... powiedzmy jutro o szesnastej, dobrze?

– Dobrze, przyjdę – wyszeptała i rozłączyła się.

Konrad Kos, lekarz specjalista, ginekolog, przywdział na swe oblicze wyrachowany, wręcz cyniczny uśmieszek. Nałgał. I co z tego, że nałgał. Monice Wilk-Kozłowskiej podsunął wystarczająco mocny argument, by poczuła się usprawiedliwiona. On zyska kolejne złotówki na koncie i wszyscy będą usatysfakcjonowani.

„Nie zabijaj."

Księga Wyjścia 20, 13

Siódme

Wijącą się pośród lasów i pól drogą zwykle podróżowało się cał-kiem przyjemnie. Szeroko prowadzona nawierzchnia o zgrabnie wyprofilowanych łukach dawała kierowcom tyle pewności, by czuć się na niej wystarczająco komfortowo. Mareczek wracał z Wolczyc spięty do granic możliwości. Nie dla wszystkich szosa okazała się bezpieczna. Policyjny konwój, który wczorajszego popołudnia pędził do komendy z zatrzymanym do wyjaśnienia Robertem Piwowarskim, mógłby ją przekląć. Wstępne ustalenia z miejsca wypadku świadczyły o nadmiernej prędkości opancerzonego vana oraz awarii podążającej w przeciwnym kierunku kilkuosiowej cy-sterny. Gwałtowne hamowanie ciężarowego ciągnika doprowadziło do wtargnięcia na przeciwległy pas ruchu długiej naczepy. Policyjny furgon wbił się w cysternę, co doprowadziło do eksplozji przewo-żonego paliwa. Zginął kierowca ciężarówki, obaj konwojenci oraz oczywiście – Robert Piwowarski.

Na rozkaz komendanta Mareczek stawił się w Wolczycach. Spisał raport z ostatniego spotkania z konwojentami, po czym udał się w drogę powrotną. Z tego też powodu był zmuszony dwukrotnie pojawić się na miejscu wypadku. Oba wozy szybko uprzątnięto, ale ślady po katastrofie pozostały. Zanim brutalnie potraktowana przez ogień przyroda zdoła się odrodzić, minie wiele czasu.

Zbliżywszy się do krytycznego miejsca, aspirant miał ochotę za-mknąć oczy. Okolica wyglądała jak po kataklizmie. Na całe szczęście więcej ofiar nie było, gdyż w chwili zderzenia pojazdów, w promieniu rażenia wybuchem było pusto. Zmuszony obowiązkami Mareczek zabezpieczał teren po wypadku i wszystko widział na własne oczy. Z martwych ludzi nie zostało prawie nic. Koszmar. Totalny, prze-rażający koszmar. Z powodu utrwalonych w umyśle obrazów, nie przespał nocy. Wzbierała w nim wściekłość. Nadzieja na skuteczne przesłuchanie Piwowarskiego bezpowrotnie przepadła.

Nieopodal skraju wypalonej trawy, na poboczu jezdni stało białe kombi. Dwóch mężczyzn opartych o samochód spoglądało na trzy-

DZIESIĘĆ

mane w rękach przyrządy i kierowało w stronę pogorzeliska owalne anteny. Mareczek zatrzymał swój radiowóz kilkanaście metrów dalej. Wysiadłszy z niego, nałożył służbową czapkę i poprawił pas, do którego przytroczony miał pistolet i paralizator. Mijając białego Fiata, dostrzegł przyklejony na tylnej szybie emblemat nolozjastów. Zajęci swoją aparaturą mężczyźni nie zauważyli jego przybycia. Stanął tuż przy nich i chrząknął. Obaj jednocześnie podnieśli głowy.

– Dzień dobry. Aspirant Tomasz Mareczek. Co panowie tutaj robią? – spytał nieco oschle.

– Dzień dobry – przywitał się jeden z nich, wyższy, nalany na twarzy, z uśmiechem i wyraźną nadwagą. – Jesteśmy...

– Nolozjastami, zauważyłem – przerwał Mareczek. – Pytałem, co tutaj robicie?

– Badamy ślady po obecności niezidentyfikowanych obiektów latających.

Aspirant rozejrzał się znacząco.

– Jakie ślady? Wczoraj doszło tu do śmiertelnego wypadku.

– Właśnie dlatego tu jesteśmy – uzupełnił kolegę drugi z mężczyzn. Ubrany w markowe ciuchy, z modnymi okularami na nosie wyglądał na kogoś zamożnego. – Jeden z naszych ludzi był w pobliżu i widział trzy szybko poruszające się świetliste obiekty. Potem doszło do wypadku.

Mareczek przyjrzał mu się baczenie. Mężczyzna nie ugiął się pod jego spojrzeniem.

– Pana kolega powinien zgłosić to odpowiednim służbom, a tego nie zrobił. Dlaczego?

Wyższy z mężczyzn nieco się zmieszał.

– Nie zgłosił?

– Nie. Wiedziałbym o tym, bo to ja jestem odpowiednią służbą do przyjęcia takiego zgłoszenia, prawda?

Mężczyźni spojrzeli po sobie, po czym wyższy, uznając, że nie ma co dyskutować z policjantem, zajął się swoim przyrządem.

– Zapewne jeszcze do pana zawita – uciął rozmowę zamożniejszy, również zabierając się do mierzenia „czegośtam", co należało zmierzyć.

Mareczek, nieco poirytowany ignorowaniem własnej osoby, wyjął smartfon.

– Proszę o jego dane – powiedział bardziej oschle niż poprzednio.

– Bardzo przepraszam, ale nie pamiętam nazwiska – odparł grubszy.

Aspirant bez słowa zwrócił się ku niższemu.

– Przykro mi, ja także nie bardzo.

Mareczek ostentacyjnie zrobił komórką zdjęcie samochodu nolozjastów.

– Panowie na długo w Sieciowie?

– Wie pan, czego szukamy...

– Słyszałem.

– Zapewne wie pan także o tym, co zdarzyło się nad świątynią.

– Całe miasto o tym mówi – przyznał.

– Zapewne znajdzie się trochę dobrych zdjęć i filmowych ujęć z uwiecznionymi obiektami.

– Niewykluczone.

– Właśnie. Kiedy wszystko zbadamy i odnajdziemy statek obcych, będziemy mogli wyjechać. Chyba nie przeszkadzamy?

Lokalni biznesmeni zapewne chcieliby, aby pobyt w mieście wszelkiej maści ufologów trwał cały sezon. Mareczek traktował ich jak źródło potencjalnych kłopotów.

– To zależy.

– Od czego?

– Kłótnie o to wasze UFO prowadzą do bójek.

– To nie my! – zaprotestowali jednocześnie.

– Pewnie, że nie wy.

Mareczek, nie chcąc ciągnąć tej rozmowy, zebrał się do odjazdu. Wpół drogi z powodu pewnej myśli zawrócił. Dziwny fenomen budził w nim ciekawość.

– Wiecie, czym są te świetliste kule? – zapytał.

– Chcemy je zbadać. Do tej pory żadnej nie złapano, ani nie dotknięto. Trudno powiedzieć, czym są, ale zachowanie obiektów jednoznacznie wskazuje na ich inteligencję. – Niższy nolozjasta podszedł bliżej. – Widział pan, jak zatrzymały się nad dachem świątyni? – Mareczek zaprzeczył, bo i nie widział. Dobrze pamiętał zachowanie tej, która przemknęła obok niego, gdy byli z Doliną na polu pszenicy. – To była ułożona formacja. Często poruszają się w symetrycznych kluczach. Ruszają, zwalniają, przyspieszają jedno-

DZIESIĘĆ

cześnie, bez chwili zwłoki. Takie rzeczy nie zdarzają się przypadkowo. W ciągu ostatnich lat zanotowaliśmy znaczy wzrost aktywności takich formacji. Ale to nie reguła. Odnotowaliśmy dziesiątki przypadków występowania świetlistych kul w pojedynkę. Miewają różne barwy – białe, żółte, czerwone. Także takie, które przypominają bańkę z wydzieloną w jej wnętrzu zawartością, która potrafi się od niej oddzielać. Wygląda to, jakby kula roniła łzy, a te łzy podejmują samodzielny lot. Niezwykły widok, zapewniam pana. I bardzo interesujące jest to, gdzie obiekty się pojawiają. Wie pan, gdzie?

Policjant, nie czyniąc żadnego gestu, wyczekał na odpowiedź.

– Ośrodki silnej energii. Zjawiają się w pobliżu elektrowni, baz wojskowych, składów materiałów radioaktywnych i nie zgadnie pan, czego jeszcze... – Mareczek znowu czekał na kontynuację. – ... w okolicach ośrodków kultu!

Takiej informacji rzeczywiście się nie spodziewał.

– Jak to... ośrodków kultu. Jakiego kultu?

– Każdego, który gromadzi wyznawców wokół jakiegoś konkretnego miejsca i przedmiotu.

– Przedmiotu...? Na przykład jakiego?

– A co znajduje się w waszej świątyni?

– Słyszałem, że pojawiła się tam figura płaczącej madonny...

– Właśnie. Figura, tłum, energia...

Mareczek zastanowił się.

– Więcej ludzi i energii znalazłoby się na stadionie piłkarskim.

– To oczywiście wydaje się logiczne, ale brakuje tam medium, koncentratora, czy czegoś w tym rodzaju. Piłka raczej nie spełnia tego kryterium. Bywa także, że wystarcza sama figura. Zna pan taką małą miejscowość w Wielkopolsce – Lisiec Mały? – Aspirant zaprzeczył. – Otóż stoi tam, niemal w szczerym polu, przy skrzyżowaniu asfaltowej drogi z polną, mała kapliczka. W jej wnętrzu znajduje się figura kobiety, madonny, jak się pan domyśla. Z jednej strony kapliczki jest duży, drewniany krzyż, z drugiej natomiast pomnik UFO – czerwona kula, którą zaobserwowano tam w kwietniu 1984 roku.

Wyższy, nieco otyły nolozjasta przemierzał spalone pole ze swoim przyrządem.

– Może zatem powinniście zbadać okolice świątyni, a nie to pogorzelisko – zaproponował Mareczek.

Mężczyzna poprawił okulary i uśmiechnął się dobrodusznie.

– Tam pracuje inna ekipa.

Aspirant zamyślił się na chwilę.

– Dlaczego kosmici mieliby interesować się naszą religią? – spytał niepewnie.

Nolozjasta zerknął w stronę swojego kolegi, który był wystarczająco daleko, by nie słyszeć jego ściszonego głosu.

– Przeważnie UFO kojarzy się z zielonymi ludzikami o dużych głowach i wielkich oczach. Moje prywatne zdanie jest nieco odmienne.

– To znaczy?

– Istnieje kilka hipotez na ten temat, ale mnie najbardziej przekonuje istnienie innego wymiaru.

Mareczek słyszał o czymś takim.

– Światy równoległe?

– Coś w tym guście – mężczyzna podszedł nieco bliżej. – Myślę, że ta sfera rzeczywistości nas przerasta. Dalece przerasta.

✶ ✶ ✶

Wybudzona z narkozy Monika Wilk-Kozłowska nieprzytomnie wodziła oczyma po gabinecie. Konrad Kos stał oparty o blat biurka z delikatnym uśmieszkiem na ustach. Był w pełni usatysfakcjonowany. Wszystko poszło jak należy. Pacjentka mogła bez przeszkód prowadzić swoją firmę, a on zarobił kolejną pokaźną sumkę. Do tego dochodziła niemała doza przyjemności, o której nikt nie musiał wiedzieć. Zupełnie nikt. Wystarczy, że wiedział o niej on sam.

– Jak się pani nazywa? – spytał.

– Monika Kozłowska.

Przytomna. Kos kąśliwie zauważył drobny szczegół. Moniczka zapomniała o mężu. Nie Wilk a Kozłowska. No przecież. Mąż nic nie wiedział o całej sprawie. Nie miał pojęcia, że został niedoszłym tatusiem, bo żoneczka uczyniła z tego mega tajemnicę. W porządku. Miała do tego prawo. Błagała go, by nie puścił pary z ust. Jego gabinet był ostoją wszelkich tajemnic i sekretów.

DZIESIĘĆ

Nie każda rzecz, jaka działa się w jego gabinetach, musiała w pełni odpowiadać obowiązującym regulacjom prawnym. Beznadziejnie archaicznym, jak na jego gust. Każdy miał prawo decydować o swoim ciele. Dlatego właśnie rozpuścił wici tu i tam, które zadziałały lepiej, niż przypuszczał. Stworzył lobby, które w sejmowych kuluarach osiągnęło najwyższe cele. Prawo do aborcji działało od jakiegoś czasu i zapewniało mu sowite dochody. Także tu, w Sieciowie.

– Jak się pani czuje?

– Jeszcze nie wiem... – wyszeptała słabo.

– Dolegliwości niebawem miną. Przepisałem pani odpowiednie leki. Są rewelacyjne, zapewniam. Nowoczesna farmacja. Już jutro nie będzie pani pamiętała o sprawie.

Pomógł jej zebrać się z ginekologicznego fotela.

– I proszę zająć się czymś przyjemnym, rozluźniającym. Potrzeba pani nieco odpoczynku i relaksu. Niech pani unika myślenia o tym wszystkim. Problem już jest rozwiązany. Podjęła pani jedyną słuszną decyzję. Dziecko byłoby nieuleczalnie chore. Cierpiałoby całe życie.

Spojrzała na niego ze zbolałym wyrazem twarzy, ale nie zrobiło to na nim najmniejszego wrażenia. Widział takich spojrzeń dziesiątki, setki, tysiące.

Babska najpierw robią dzieci, a potem się ich, bezmóżdża, pozbywają! – pomyślał. – Trzeba mieć trochę oleju we łbie, zamiast sieczki. Zresztą, co się będzie przejmować. Miał dzięki nim ładny dom, samochody i dostatnie życie.

Tak, lubił dostatnie życie. Mówiąc wprost – kochał je. Uwielbiał wygrzewać się na adriatyckich plażach, wbijać się w drogie ubrania, szusować po alpejskich trasach i pędzić swoim Camaro. Przebywając w Sieciowie, trzymał się na wodzy, wyjeżdżając gdzieś daleko, do Afryki, Ameryki, czy choćby na krańce zachodniej Europy, pozwalał sobie na szpan. Ewa lubiła to nie mniej niż on. Chadzali do kasyn, wynajmowali jachty, jedli w renomowanych, drogich restauracjach. Marzył o takim życiu od dzieciństwa i wytężoną pracą udało mu się je zdobyć.

Wręczył kobiecie dyskietkę z receptą.

– Można kupić w sieci. Doręczają bardzo szybko z wolczyckiej apteki.

– Dziękuję – powiedziała, uginając się pod ciężarem własnego ciała.

– Może odwiozę panią do domu? – udał troskę, choć dobrze wiedział, że pacjentka odmówi.

– Nie, dziękuję. Wolałabym, żeby nie widziano nas razem...

– Da sobie pani radę?

– Dam – odrzekła mało przekonująco.

Konrad otworzył szafkę z medykamentami. Z niewielkiej fiolki wyjął zieloną tabletkę, po czym nalawszy wody do szklanki, podał jedno i drugie Monice.

– Proszę to połknąć. Pomoże.

Posłusznie zjadła i popiła.

– Niech sobie pani na chwilę usiądzie. Za parę minut zacznie działać. – Wskazał jej miejsce w niewielkiej poczekalni. Zatopiła się w miękkim fotelu. Żeby się czymś zajęła, podsunął jej kobiecy periodyk omawiający najnowsze trendy w modzie. Nie zajęła się. Oparła głowę o fotel i przymknęła powieki.

– Chwilę odpocznę.

– Proszę bardzo – zgodził się uprzejmie. Wyglądała uroczo. Na myśl o tym, co działo się godzinę temu, przełknął ślinę, jakby delektował się czymś smakowitym.

✳ ✳ ✳

Blat stołu wydawał głuchy dźwięk tak długo, jak długo Dolina bębnił po nim palcami. Po piętnastu minutach zrezygnował, wśliznął się w ciasne, rowerowe gatki, koszulkę z kieszeniami, nalał do bidonu energetyczny napój, wziął kask i wybrał się na terenowym rowerze w plener.

Postanowił przewietrzyć zmitygowany umysł i zmęczyć nieco ciało, by szybciej zasnąć. Wczorajszej nocy niemal nie zmrużył oka. Najpierw przydarzyła mu się przedziwna, niema dziewczynka o strasznych, przenikliwych oczach, a później zabezpieczał miejsce wypadku, w którym zginęło dwóch znajomków z wolczyckiej komendy. Chłopcy jak dęby, spłonęli niczym drewniane szczapy. Koszmar! Co robić – takie życie. Znowu powróciła niechciana śmiertelna zgaga. Każdy może zejść z tego świata w dowolnej chwili i nic na to nie poradzi, kiedy kostucha wyciągnie kosę. Niektórzy mawiają, że udało im się oszukać śmierć. Brednie. Śmierci nie da się oszukać. Co najwyżej kostucha rozmyśli się sama i weźmie kogo innego. Ludzie opowiadają kawały na temat śmierci, kręcą komedie, ale kiedy nadchodzi naprawdę, nikomu nie jest do śmiechu. Wręcz przeciwnie – nadchodzi panika. Czegoś z paniki właśnie doświadczył zupełnie niedawno.

Pedałował łagodnie, ale pęd wiatru studził rozpalone ciało. Rower posiadał przełożenie siły mięśni na moc elektrycznego silnika, który zwiększał prędkość i dawał możliwość podjazdu pod ostre wzniesienia. Dolina nie pokazał tego roweru Tomeczkowi. Kupił go całkiem niedawno i cieszył się nim jak małe dziecko. Dziś jednak nie odczuwał przyjemności. Jechał, bo nie chciał dłużej kisić się w domu. Licznik pokazywał przebytą odległość, prędkość i wiele innych danych. Lubił pokonywać te same trasy, mierzył czasy, a później pobijał własne rekordy. Większość ścieżek pokonał dziesiątki razy. Dziś obrał tę, którą znał najsłabiej.

Trasa wiodła na zachód od Sieciowa, biegła otaczającymi jezioro wzgórkami, przez las, a miejscami schodziła nad samą wodę. Gdyby miał ten dystans pokonać na zwykłym rowerze, byłby zmuszony przeznaczyć na to cały dzień. Nowoczesna maszyna dawała szansę powrotu do domu za jakieś trzy godziny. Spojrzał na zegarek. Ewentualność zapadnięcia zmroku nie przeszkadzała w żadnym stopniu. Rower wyposażono w solidne, diodowe oświetlenie o sumarycznej mocy dwudziestu watów.

Kolejne podjazdy pokonywał bez wysiłku. Napęd okazał się rewelacyjny. Amortyzacja obu kół i siodła dawała niezawodny komfort. Teren zdobywał bardzo szybko. Następne, pokryte krzewami wzgórze wykorzystał na chwilę przerwy. Wziął do ręki bidon i spojrzał na rozciągające się poniżej jezioro. Dziesiątki przesuwających się po wodzie łódek swymi białymi żaglami robiły duże wrażenie. Sierżant leniwie przepatrywał okolicę, z przyjemnością chłonąc utrzymany w niskiej temperaturze napój. Nieopodal wody dostrzegł dwóch ludzi. Krzątali się przy jakimś sprzęcie. Kiedy przyjrzał się nieco dokładniej, zauważył zamaskowany namiot. Bez zastanowienia ukrył rower, zabezpieczył przed kradzieżą, wyjmując kartę z uruchamiającym go chipem i ostrożnie zaczął schodzić w dół zbocza. Żałował, że ma na sobie jaskrawą, kolarską koszulkę, która z daleka rzucała się w oczy. Zerwał kilka gałązek z krzewu i trzymał tak, by nieco zlać się z otoczeniem. Szedł z powodu swojej ciekawości, ale także wiedziony służbowym obowiązkiem. Będąc policjantem, powinien wiedzieć, co dzieje się w jego rewirze. Mężczyźni wydali mu się wystarczająco podejrzani, by przyjrzeć się im z bliska.

Skradał się jak za dawnych, dobrych czasów. Będąc w podstawówce, z kolegami bawił się w podchody. Dzieląc się na grupy i wyznaczając różne cele, którymi często były jakieś przedmioty do zdobycia, zachowywali się jak komandosi na polu bitwy. Lubił te zabawy. Najczęściej to właśnie jego drużyna wygrywała z powodu skutecznej, wymyślanej przez niego taktyki. Teraz sytuacja była o wiele poważniejsza. Facetów było dwóch, on sam. Jeśli to knujący coś przestępcy, narażał się na poważne niebezpieczeństwo. Jeśli nie, odkryty jako podglądacz, wyjdzie na głupka.

Z powodu rzedniejącej zasłony zmienił kierunek. Obszedł mężczyzn łukiem, jak najskuteczniej korzystając z zasłaniającej go roślinności. Coraz lepiej słyszał ich przytłumiony głos. Doszedł do wniosku, że mężczyźni rozmawiają ze sobą szeptem, co świadczyło o ich podejrzanych działaniach. Poprzez gęstniejące krzewy niewiele widział, ale słyszał coraz wyraźniej. W końcu dotarło do niego całe zdanie:

– Myślisz, że jest blisko?

– Na wyciągnięcie ręki – odpowiedział drugi głos.

Kiedy Dolina zrozumiał, czego dotyczyła usłyszana wymiana zdań, było już za późno. Ogromny ciężar, jaki spadł mu na plecy, przygniótł go do ziemi. Zdążył zarejestrować porażające ukłucie w barku oraz niemożność wypowiedzenia jednego nawet słowa. Stracił poczucie rzeczywistości.

✳ ✳ ✳

Nowicki pętał się po mieście zgnębiony, zbity, całkiem pokonany. Ledwo powłóczył nogami. Poczucie klęski – głębokie, przejmujące, sięgające dna duszy sprawiało, że podniesienie wzroku powyżej kolan przechodzących w pobliżu ludzi było ponad jego siły. Nie do końca rozumiał przyczyny tego stanu, ale ogarniające go przygnębienie wprawiało w ruch miażdżące koła autodestrukcji. Miał dość wszystkiego – siebie, otaczających go ludzi i życia w ogóle. Czuł się

podle. Nie mógł wrócić do domu, bo tam czekał na niego ojciec. Nie chciał iść do kumpli, bo prawiliby banały. Szedł, nie wiedząc, gdzie się podziać. Pustka w głowie działała jak wir, wsysając każdą myśl.

Ktoś zastąpił mu drogę. Sądząc po butach – kobieta. Miała ładne sandały i zgrabne nogi. Wyżej nie sięgał jego wzrok.

– Cześć – głos okazał się młody i miły. Spojrzał wyżej. Dziewczyna sprzed straganu z ciuchami! Ta, która patrzyła na niego z takim zainteresowaniem! Coś w nim drgnęło. Miał przeczucie, że jeszcze się spotkają, no i proszę bardzo.

– Cześć... – wysilił się na nieco uprzejmości.

– Coś się stało? Wyglądasz jakoś przymulnie.

– Przymulnie?

– Jakbyś sięgał dna. – Patrzyła mu wprost w oczy. Wyglądała na pewną siebie. – A co? Pomyliłam się?

To aż tak widać? – pomyślał. Nie myliła się, ale miał przyznać się obcej, atrakcyjnej panience, że się załamał, od tak? Wyjdzie na słabego dupka.

Nieco się wyprostował.

– No, co ty... Zgubiłem parę złotych i szukam. Szkoda kasy, nie? – skłamał.

Uniosła jedną brew w taki sposób, że nie miał wątpliwości, jak przyjęła jego tłumaczenie.

– Jak masz jakieś problemy, to nie duś ich w sobie, bo cię rozerwą – rzuciła prosto z mostu.

Przyjrzał się jej bardziej wnikliwie.

– A ty co? Jesteś psychiatrą?

Uśmiech, jaki zagościł na jej twarzy, wprawił go w niepewność.

– Znam kogoś, kto może ci pomóc – szepnęła konfidencjonalnie.

Zbiła go z tropu. Chciał ją zbyć małym oszustwem, ale nie uległa i jakby jeszcze bardziej przekonana, że coś mu dolega, naciskała tym swoim dyskretnym szeptem:

– Jest niezawodny.

– Kto, niby? – spytał w podobnym tonie.

– Mieszka w Niebie – dorzuciła cicho, a w jej oczach zobaczył wyraźny błysk.

Heretyczka! Tego się nie spodziewał. Myślał, że panienka leci na jego tajemniczy tatuaż, a tu coś takiego!

– Coś ty za jedna? – spytał, nie siląc się na tajemniczą dyskusję.

– Jak będziesz chciał dłużej pogadać, to ci powiem.

Nie chciał. Dobrze wiedział, do czego dziewczyna będzie zmierzać, a on nie osiągnie z tego żadnych korzyści. Będzie nawijać na temat Boga i każe żyć inaczej, niż żył do tej pory. Ma się zmienić, bo jest nieporządny? Bo kłamie? Bo ma gdzieś starych? Bo klnie, lubi seks, nie oddaje znalezionych rzeczy, pije i łyka dopalacze? Nie jest gorszy od miliardów innych ludzi na świecie. Wszyscy heretycy byli tacy sami. Niech się sama nawraca, łajza!

✷ ✷ ✷

Po domu przemykał tak, by jej nie spotkać. Ewę omijał szerokim łukiem, za wszelką cenę nie chcąc po raz kolejny usłyszeć o płaczącej figurze. Konrad powoli zastanawiał się, czy nie zadzwonić do Wieczorka – kolegi z czasów liceum, który wybrał tę trudniejszą drogę medycznej kariery, jaką jest psychiatria. Arek Wieczorek był szanowanym specjalistą w stolicy. Ściągali do niego znani ludzie z kręgów politycznych, sportowych i rozrywkowych, by skorzystać z szerokiego wachlarza terapeutycznych zajęć, jakie serwował poza pracą w klinice psychiatrycznej. Przebywający u niego na kilkugodzinnych zajęciach ludzie wychodzili wyciszeni, zadowoleni i lżejsi o kilkaset nowozłotków za seans. Jemu, staremu kumplowi zapewne udzieliłby sporego rabatu albo i zdobyłby się na darmową poradę. Taki psychiatra i terapeuta, znawca ludzkich dusz, potrzebowałby zapewne paru minut, by wybić z głowy Ewy ledwo co zasiane tam religijne zboczenie. Miał przecież na to swoje sposoby. Konrad wiedział o tym bardzo dobrze. Nikomu się do tego nigdy nie przyznał, ale sam skorzystał z cudownej mocy terapii Arka dobrych parę lat temu. Pamiętał ten ascetyczny gabinet pozbawiony zbędnych mebli oraz jakichkolwiek ozdób. Zgadł, że otoczenie nie mogło rozpraszać pacjentów. Zasiadłszy w głębokim skórzanym fotelu poddał się jednostajnym, powtarzanym sekwencjom kilku wyrazów, które namawiały go do zapadnięcia w sen i usnął. Co się działo potem, nie pamiętał, ale najważniejsze było to, że terapia podziałała. Hipnoza uwolniła podświadomość od zadręczających go snów. Niemal każdej nocy budził się zlany potem. W sennych majakach widział rozczłonkowanych ludzi, którzy przypełzali do niego, z krwawą pianą

DZIESIĘĆ

na ustach, zarzucając mu morderstwo. Brał leki nasenne, uspokajające, ale nic nie pomagało. Powtarzający się koszmar sprawił, że bał się kłaść do łóżka. Wreszcie zdecydował się na wizytę u Wieczorka. Jedna sesja hipnozy i stał się wolny. Prawie wolny. Przez kilka miesięcy odnosił jeszcze wrażenie, że ktoś za nim chodzi, że ktoś woła go po imieniu, ale i to z czasem minęło. Potem uznał, że to tylko złudzenia. Przestał zwracać na takie rzeczy uwagę.

Ewa.

Konrad nie potrafił pojąć, jak to możliwe, by w jeden wieczór, a właściwie ledwo w parę godzin, Ewa dała sobie wtłoczyć w mózgownicę tak dalece bzdurną rzecz, jak możliwość przelewania łez przez kawałek uformowanego w drewnianą kukłę drewna. Uznawał to za kompletną paranoję.

Wyjął piwo z lodówki i zasiadł na wygodnej kanapie, by odpocząć. Należało mu się. Łyknął piwo i odchylił głowę na oparcie. Przymknął powieki.

Wizja! Zobaczył granatowo-szare chmury. Ciągnęły się nisko nad horyzontem. Stał na którymś z pagórków przy Sieciówce i widział to kłębowisko ciągnące się od wschodu po sam zachód. Chmury rozświetlane błyskawicami, raz po raz uderzającymi o ziemię, szybko sunęły w stronę miasta. Kogoś nienawykłego widok ten mógłby przerazić, ale nie jego. Jemu sprawił przyjemność. Lubił burze.

Otworzył oczy. Był w swoim pokoju, a na zewnątrz panowała słoneczna pogoda. Spojrzał na piwo. Kupił je tam, gdzie zawsze, wyglądało i smakowało jak zawsze. Sen. Zapewne się zdrzemnął.

Wziął do ręki czytnik e-gazet. Przejrzał wiadomości. Same „dobre" newsy. Kolejne trzęsienie ziemi. Tym razem Francja. Nie słyszał o trzęsieniach w rejonie Lourdes, a jednak i tam się działo. Lourdes? Nazwę tej miejscowości wymieniono w radiowej audycji. Jeden z gości w studiu wiązał to miejsce z przejawami zjawisk paranormalnych... Ciekawe.

Następna wiadomość dotyczyła USA. Tornado spacyfikowało zachodnie wybrzeże. Władze wprowadziły stan wyjątkowy na obszarze wszystkich dotkniętych kataklizmem obszarów. Strat jeszcze nie oszacowano. Pięknie...

A co w Polsce? Kolejna ofiara porywacza w Szczecinie. Zaginęła siódma młoda kobieta. Do tej pory nie znaleziono poprzednich ofiar. Policja prosi o zachowanie ostrożności i ograniczenie samotnego poruszania się po mieście. Kos uśmiechnął się krzywo.

I co? Sądzicie, że to coś pomoże? – pomyślał z przekąsem.

Zaczęła boleć go głowa. Skronie, jakby zbliżając się do siebie, coraz bardziej gniotły wnętrze czaszki. Nie odczuł czegoś podobnego, jak długo żyje. Doznanie z każdą sekundą potęgowało się. Złapał dłońmi głowę i pomasował okolice skroni. Zabolało jeszcze dotkliwiej.

Po sekundzie stracił przytomność.

Świadomość wróciła szybko, ale jakby niepełna. Konrad patrzył na swój pokój w poczuciu zagubienia i niepewności. Co się stało? Nie pamiętał...

Zerknął na stojący przed kanapą szklany stolik. Jego blat falował jak powierzchnia morza, skrywając w swoich czeluściach puszkę z piwem. Na ekranie wielkiego, ściennego monitora pojawiały się regularne kręgi jak po wrzuconym do wody kamieniu. To samo zauważył na szybach w oknach. Wyciągnął dłoń i niepewnie dotknął stolika. Ten ugiął się pod delikatnym naciskiem palców i nieco odsunął.

Kos cofnął dłoń i przyjrzał się swoim palcom. Ze zgniłych opuszków wyzierały białe koniuszki kości. Z obrzydzeniem cofnął rękę.

Jego uwagę przykuł błysk w lewym rogu pokoju. Mahoniową komodę raptownie ogarnął potężny ogień. Zdjęcia! Wszystkie albumy z papierowymi zdjęciami ginęły wraz z zawartą na nich przeszłością! Rzuciłby się im na ratunek, ale kanapa nie pozwoliła zerwać się z miejsca. Przeszłość? Czym była przeszłość? Liczyła się teraźniejszość i przyszłość!

Szklane płaszczyzny falowały jeszcze mocniej. Wielki ekran zajaśniał na moment i zobaczył w nim świetlistą kulę, a w niej jakąś postać, która wyciągała ku niemu ramiona. Skierował ku niej obumarłe palce i w jednej chwili chora dłoń została uleczona, a ekran zgasł.

Jeszcze raz spróbował zerwać się z miejsca. Huk przewracanego stolika wyrwał go z omamu. Pokój – stolik, ekran, także komoda – pozostały niezmienione. Palce prawej dłoni również.

Oddychał ciężko. Zlany potem i drżący rozglądał się wokół jak ktoś, kto właśnie przeżył swoją śmierć. Nie ogarniał sytuacji w żadnej mierze.

DZIESIĘĆ

Zadzwonił telefon, którego dźwięk wprawił go w popłoch. W pierwszym odruchu był gotów do ucieczki, ale to tylko telefon... Na wyświetlaczu pojawiło się zdjęcie dobrze znanej pacjentki. Odebrał, kiedy melodia grała ten sam motyw po raz trzeci. Musiał nieco ochłonąć.

– Słucham – powiedział nieco łamiącym się głosem.

– Dzień dobry, Konradzie – przywitała go ciepłym, miłym uśmiechem.

– Weronika... – Widząc ją, odczuł ulgę. Zupełnie jakby zobaczył swojskie nazwy na przydrożnych drogowskazach po długiej podróży za wschodnią granicą. Co prawda jeszcze nie wrócił do siebie, ale poczuł się bezpieczniej, bo jej twarz kojarzył bardzo miło. – Witaj...

– Coś się stało? – zaniepokoił ją wyraz jego twarzy, który dokładnie odzwierciedlała kamera w jego smartfonie.

– Nie... Zasnąłem chyba... – usiłował sobie wytłumaczyć. – Śniło mi się coś... głupiego.

– Chciałam odwiedzić twój gabinet. – Jej usta układały się tak... inaczej niż wszystkie inne. Zawsze przykuwały jego uwagę. Były magnesem dla jego oczu. Otarł spocone czoło.

– To już miesiąc? – spytał zaskoczony.

– Czas szybko biegnie, prawda?

– Kiedy chcesz przyjść?

– To zależy od ciebie.

Odwrócił wzrok, niby tylko po to, by zajrzeć do kalendarza. W rzeczywistości chciał wrócić wspomnieniem do jej ostatniej wizyty. Przełknął ślinę. Pamiętał każdy szczegół.

– Może dzisiaj?

Dojrzał w jej oczach płomień. Taki sam jak ten we śnie... czy nie śnie... Poraził go w ułamku sekundy.

– Koniecznie dzisiaj – dodał.

– Doskonale – powiedziała, zagryzając wargi. I ten uśmiech...

Wiedział, że to sieć, ale wpadał w nią z wielką przyjemnością. Weronika była pacjentką wyjątkową. Bardzo wyjątkową.

✶ ✶ ✶

Kolejny tekst sprawił Mareczkowi niemały kłopot. Ogarnęło go zmęczenie i nie był w stanie się skupić. Przeglądał strony internetowe poświęcone manifestacjom UFO. Rozmowa z nolozjastą, a konkretnie z Witoldem Pawlickim, jak się gość przedstawił, wlała w niego nowe pytania, dlatego też postanowił nieco zgłębić temat. Sieć, jak zwykle, okazała się kopalnią wiedzy na ten temat. Artykuły, filmy, prelekcje, zdjęcia – wszystkiego w nadmiarze. Poskubał w tym natłoku informacji z tej i tamtej strony i uznał, że dowiedział się wystarczająco dużo.

Nadarzyce, Czaplinek, Brodowo, Muszyna, Wylatowo. Wszystkie te miejsca były świadkami pojawiania się niezidentyfikowanych obiektów. W ostatnim czasie widywano je w okolicach Szczecina, Gdańska, Krakowa czy Wrocławia. Mareczek zauważył, że obcy zaczęli odwiedzać większe miasta. Niektóre NOL-e nisko przelatywały nad źródłami energii, wprowadzając zakłócenia w pracy sieci. Wiele kontaktów zanotowało wojsko, nie ujawniając szczegółów owych spotkań z powodu tajemnicy państwowej. Ogólnie rzecz ujmując, nasuwała się konkretna konkluzja – aktywność UFO w ostatniej dekadzie znacznie wzrosła.

Nakazał komputerowi wstrzymanie odczytywania tekstu artykułu. Nie przyswajał już żadnych nazw, dat i liczb. Od tej pory powinien traktować sprawę UFO na poważnie. Także tego obiektu, który rzekomo spadł do Sieciówki. Właśnie – rzekomo, czy może raczej – naprawdę? By to rozstrzygnąć, niezbędne były dowody. Jak do tej chwili nikt nie przedstawił ani jednego. Inną sprawą były świetliste sfery.

Zaduma przynosiła kolejne pytania. Jeśli obcy postanowią podjąć rzeczywisty kontakt, wyrażą się jako E.T., czy może raczej dojdzie do wojny światów? Z pewnością przyjemniejsze byłoby to pierwsze – kosmici dzielący się z ludzkością zdobyczami pozaziemskiej technologii, dający nowe źródła energii, leczący śmiertelne choroby oraz obdarzający długowiecznością.

A jeśli nie? Co, jeżeli pojawiające się na niebie statki to tylko zwiadowcy przed nadchodzącym atakiem? Być może konstruowane przez różne kraje tarcze rakietowe nie były kierowane przeciw innym państwom, lecz właśnie przeciw inwazji z zewnątrz. Ta myśl zaskoczyła Mareczka, bo zobaczył w niej nowy sens. Jeśli władze wysokich szczebli szykowały się do obrony Ziemi przed najeźdźcami, to miały ku temu podstawę. Jaką? Wystarczająco realną, by z jej powodu inwestować w obronność całe miliardy. Tarcze to nie wszystko. Jak się dowiedział, w bardzo wielu miejscach budowano podziemne schrony. Amerykanie wybudowali około półtora tysiąca ukrytych baz dla przeszło stu milionów ludzi. Rosjanie stworzyli podziemne miasto pod Moskwą, budują coś na Uralu w górze Yamatau. Chińczycy stworzyli „Podziemny Wielki Mur" pod Pekinem, Norwegowie na północy chcą dać schronienie milionom swoich obywateli we własnym podziemnym mieście...

Wiedzę na temat obcych pieczołowicie skrywano, by nie dopuścić do paniki oraz chaosu, które i tak nastaną, jeśli kosmici faktycznie zaatakują.

Mareczek wzdrygnął się. Z jednej strony całość tego wywodu wydawała mu się prawdopodobna, z drugiej tchnęła spiskowymi teoriami, jakich od lat namnożyło się bez liku. Uznał, że brnie w kozi róg. Dowody. Potrzebował konkretnych, niepodważalnych dowodów. W przeciwnym razie przepadnie w domysłach jak w ruchomych piaskach.

✳ ✳ ✳

Zbudził go trzask łamanej gałęzi. Tak mu się przynajmniej wydawało. Od razu zorientował się, że ma niemałe kłopoty – odczuł ślepotę i paraliż. Nie. To wydawało mu się na pewno. Nie widział, to fakt, ale powód tkwił w tym, że nie mógł otworzyć oczu. Na głowie miał coś, co szczelnie blokowało wizualny kontakt ze światem. Także nie padł ofiarą paraliżu. Potrafił poruszyć się, ale w znacznie ograniczonym zakresie. Ktoś spętał mu ręce i nogi, które na domiar wszystkiego najzwyklej zdrętwiały. Kiedy Dolina usiłował wyprostować nogi, ciągnął za nimi nadgarstki i ramiona. Na dodatek skutecznie został zakneblowany. Jakaś szmata głęboko wrzynała mu się w kąciki ust. Przeklął raz, drugi i trzeci. Za każdym razem dosadniej. Dał się upolować „zwierzynie", którą sam chciał podejść! Okazał się naiwnym głąbem, sądząc, że natknął się na byle chłystków. Wręcz przeciwnie – goście ubezpieczyli się na tyle zmyślnie, by sprawnie, cicho i skutecznie eliminować każdego podglądacza, w tym jego samego.

Zachodził w głowę, z kim miał do czynienia. W pierwszej kolejności na myśl przyszli mu kłusownicy. Sieciówka obfitowała w dorodne ryby. By mieć prawo odłowu, należało opłacić stosowne zezwolenie i przestrzegać wyznaczonych limitów. Limity dotyczyły konkretnych gatunków, ich liczby oraz rozmiarów. Dla kłusowników żadne ograniczenie nie istniało. Odławiali, co chcieli i w ilościach, na jakie posiadali zbyt. Używali do tego coraz wymyślniejszych narzędzi, dzięki którym wabili poszukiwane na rynku sztuki.

Dolina zdał sobie sprawę, że popadł w poważne kłopoty. Poważne, to mało powiedziane – były to kłopoty śmiertelnie poważne. Niedawno obawiał się nieznanej choroby, teraz jeszcze bardziej bał się, że skończy na dnie głębokiej Sieciówki. Z takimi typami jak ci nie było co zadzierać. Sposób, w jaki go potraktowali, wskazywał jednoznacznie na chęć pozbycia się niewygodnego świadka przestępstwa. Żenującym był fakt, że jako człowiek mógł być mniej wart niż jakiś sum czy szczupak. Szarpnął się. Pęta zamiast popuszczać, jeszcze bardziej się zaciągały. Pozostało mu kolejne przekleństwo.

Gdyby tylko stworzyła się szansa na pertraktacje...

Usłyszał kroki. Na wszelki wypadek znieruchomiał. Ktoś podszedł do niego i szturchnął czymś twardym. Dolina nie zareagował, udając nieprzytomnego. Nieznajomy oddalił się. Sierżant nasłuchiwał, co dzieje się wokół. Dotarła do niego stłumiona wymiana zdań dwóch mężczyzn. Rozmowa dotyczyła gotowości jakiegoś sprzętu. Użyte słowa, jakieś nazwy i terminy z niczym mu się nie kojarzyły.

Poprawił niewygodną pozycję.

– Dobra, nie udawaj, że nie żyjesz. Na śmierć przyjdzie właściwy czas. – usłyszał tak niespodziewanie i tak blisko siebie, że z wrażenia aż podskoczył.

W jednej chwili zrobił mu się słabo. Jednak! Jednak szykowali się do morderstwa, którego on, sierżant policji miał zostać głównym bohaterem! Po słabości poczuł przypływ adrenaliny. Szarpnął całym ciałem. Chciał uciec, walczyć, cokolwiek, tylko nie leżeć jak spętane zwierzę.

– Nie wierzgaj, bo narobisz sobie otarć i będzie bolało.

Otarć? Co tam jakieś otarcia! – pomyślał tylko, bo choć chciał krzyknąć, żadne słowo nie miało prawa opuścić jego ust. Knebel był zawiązany tak ciasno, że nie potrafił swobodnie poruszać językiem.

DZIESIĘĆ

Jęczał tylko przez szmatę i walczył o życie gotowy na coś więcej niż tylko otarcia.

– Znasz się na kobietach? – zapytał głos.

Dla Doliny żadna kobieta w tej chwili nie istniała. Liczyło się przetrwanie.

– Wydawało mi się, że ja znam je dobrze – kontynuował nieznajomy. – Matki, babcie, ciocie, siostry, koleżanki, znajome, gdziekolwiek się nie obrócisz, są wszędzie. Wydawałoby się, że bez nich świat nie może istnieć. No i nie może. I wiesz, co ci powiem? Nie ma na świecie nic dziwniejszego niż kobiety. Niby lubią, kiedy się je zauważa. Właściwie wszystko, co robią, sprowadza się do tego, by nie pomijać ich wzrokiem i nie traktować jak powietrze. Normalny facet po prostu jest. Czy wystarczy kobiecie po prostu być? Nie, nie. Ona musi być wyjątkowa. A jeśli tylko spróbowałbyś rzucić jakiś komplement... Właśnie. Czy kobiety nie są dziwne, skoro czekają na komplementy, a potem za nie rugają i nie wierzą w żadne twoje słowo? Takie tygrzyki paskowane. Wiesz, że pajęczyca zjada swojego chłopa zaraz po kopulacji? Niby facet pożyteczny, niby daje trochę radości, ale w gruncie rzeczy pozbywa się go, kiedy już nie jest potrzebny. Moja kobieta jest właśnie taka. Zrób zakupy, posprzątaj, zajedź tam, a potem tam, zrób to i tamto... Myślisz, że coś z tego mam? Zapomnij! Wieczorem kładzie się spać odwłokiem w moją stronę i tyle. Jest gorsza od pajęczycy tygrzyka. Jestem pożarty zanim do czegokolwiek dojdzie! Ja to się zastanawiam, do czego to wszystko zmierza? Boję się, że kobity będą chciały się nas pozbyć. Pozbyć, rozumiesz? Wiesz, co to strach przed eliminacją?

✳ ✳ ✳

Mareczek sunął z wolna swoim Junakiem, którego podrasowany tłumik wydawał głęboko basowe dudnienie. Zdążał do domu, nawykowo przepatrując najbliższą okolicę. Z centrum wydostał się dość szybko. Ruch tego późnego popołudnia nieszczególnie przeszkadzał w poruszaniu się po mieście. Ludzie, jakby zmęczeni upałem, zniknęli z ulic.

Pokonując dwie przecznice, Mareczek dojrzał znajomą sylwetkę. Wysoki, patykowaty, znacznie w tej chwili przygarbiony młodzian człapał w kierunku obrzeży Sieciowa, za którymi zaczynały rozciągać się otaczające miasto lasy. Aspirant uśmiechnął się. To ci dopiero szczęśliwy traf! Zwolnił, by zbyt szybko nie dojechać do zmierzającego w tym samym kierunku, co i on, Nowickiego. Na chwilę zatrzymał się, chcąc przemyśleć, jak go podejść, by chłopak nie zaczął uciekać. W tym momencie Nowicki spojrzał przez ramię w jego stronę, zwolnił, po czym zerwał się do biegu. Mareczek odwrócił się, by sprawdzić, co było przyczyną takiego zachowania, ale nikogo nie zobaczył. Młodzian musiał rozpoznać go mimo kasku i cywilnego ubrania. Nie było czasu do stracenia. Dodał gazu i wystrzelił przed siebie z głośnym hukiem popędzonego do zrywu motoru. Nowicki uciekał, nieco pokracznie rzucając całym ciałem. Zrozumiawszy, że na zwykłym podłożu nie ma z maszyną żadnych szans, skręcił z chodnika i ruszył między zabudowaniami ku pobliskiemu pagórkowi. Mareczek dobrze znał tę okolicę. Nieopodal znajdowała się wydeptana ścieżka, którą można było dostać się na szczyt pagórka. Nie namyślając się wiele, pojechał w tamtą stronę. Na górce zaparkował motor, zrzucił kask i pognał za Nowickim, który zorientowawszy się w sytuacji, znów zmienił kierunek ucieczki.

– Stać! – wrzasnął. – Policja! Zatrzymaj się!

Nowicki nie zareagował. Sadził długimi susami w gęstniejących chaszczach, z którymi Mareczek, z racji krótszych nóg, już tak dobrze sobie nie radził. Biegł za uciekinierem z obawą, że nie starczy mu sił. By go dopaść, musiał obrać zdecydowanie inną taktykę niż bieg na wytrzymałość. Przed nimi znajdował się płynący w głębokim wykrocie potok. Mareczkowi przyszło coś do głowy i zmienił kierunek. Jeśli Nowicki jest wystarczająco mądry, nie będzie ryzykował pokonywania głębokiego i stromego wykrotu, ale skieruje się do najbliższej kładki. Aspirant znał do niej krótszą drogę. Pokonał kolejny, mniejszy pagórek, kilka zakrętów i równając oddech, zaczaił się w kępie krzaków. Po chwili usłyszał hałas. Kiedy biegnący człowiek zbliżył się, aspirant wyskoczył z ukrycia i rzucił się na niego całym ciężarem swojego ciała. Ponad osiemdziesiąt kilo przygniotło chuchrowatego młodziana, pozbawiając go na moment tchu. Mareczek wykorzystał chwilę jego bezwładności i przewrócił go na brzuch. Wykręcił ramię Nowickiego, pozbawiając go możliwości bezbolesnego ruchu. Po sekundzie chłopak nabrał powietrza i zaczął się drzeć:

DZIESIĘĆ

– Nie pożeraj mnie! Nie pożeraj! Proszę, nie pożeraj...!

Mareczek zdębiał. Widział część twarzy chłopaka, którą wykrzywiał paniczny, z całą pewnością nieudawany strach.

– Uspokój się, przecież nie chcę cię zjadać! – krzyknął mu niemal do samego do ucha.

W odpowiedzi młodzian naprężył się jak struna, po czym zaczął się szarpać i wierzgać niczym usidlone, dzikie zwierzę, w ogóle nie zważając na ból ramienia.

– Przestań! Nic ci nie zrobię!

Mareczek siedział na nim okrakiem, z wysiłkiem przyduszając do podłoża szamocące się w nieskoordynowanych podrygach ciało. Wtedy zauważył pod naciągniętą koszulką Nowickiego trójwymiarowy, dwuliterowy tatuaż. Uważając, by nie dać możliwości ucieczki, poluźnił chwyt i zmienił pozycję, by pokazać mu swoją twarz.

– Jestem z policji!

– Jesteś z piekła! – wrzasnął chłopak z przerażeniem. – Odejdź, zostaw mnie!

Mareczek nie wierzył własnym uszom. Dzieciak bredził! Łypał na niego wytrzeszczonymi oczami, charcząc, łapał płytki oddech i gadał niestworzone rzeczy. Sprawiał wrażenie przytomnego, ale w rzeczywistości był całkowicie nieobecny.

Aspirant rozejrzał się szybko. Nikogo nie zauważywszy, z lekkim wahaniem przyłożył Nowickiemu pięścią w twarz. Ten padł rażony ciosem i na moment zastygł. Po chwili jego oczy nabrały innego, bardziej przytomnego wyrazu.

– Co...?! – rzucił mocno zdziwiony.

– Ja pierniczę. Już myślałem, że ześwirowałeś – przyznał Mareczek z ulgą.

Młodzian, wyraźnie zdezorientowany, z wysiłkiem łapał sens zaistniałej sytuacji.

– Co pan ze mną robi?

– Chcę z tobą pogadać. Jestem z policji.

Chłopak usiłował skojarzyć jego twarz.

– I dlatego siedzi pan na mnie? To panu odbiło!

Mareczek zastanowił się. Z pewnością wyglądało to dziwnie.

– Dobra, puszczę cię, ale nie będziesz uciekał?

– Dlaczego miałbym uciekać? Przecież nic nie zrobiłem! – W tym momencie Nowicki obrzucił otoczenie przelotnym spojrzeniem, orientując się, gdzie jest. – Co ja tu robię?

– Zwiewałeś na mój widok do lasu. – Mareczek powoli puścił chłopaka, obserwując, czy jednak nie zerwie się do ucieczki.

– Dlaczego? – W jego oczach znów pojawił się strach. – Nic nie czaję!

Aspirant dostrzegł, że chłopak naprawdę jest zagubiony.

– Wizytę na posterunku pamiętasz?

– Na jakim posterunku?

Mareczek przeklął. Nie miał tego w zwyczaju, ale pozbawiona kontroli sytuacja źle wpływała na stan jego nerwów. Gadał z Nowickim jak ze ścianą.

– Byłeś tam oddać telefon.

– Telefon? – zastanowił się. – Pamiętam telefon! Znalazłem jakiś na rynku...

– Właśnie. Tak mówiłeś, kiedy przyszedłeś do nas na posterunek. Rozmawialiśmy chwilę, a potem... zgasło światło... – ostatnie zdanie aspirant powiedział nieco niepewnie.

– Jakie światło?

Ten kierunek „przesłuchania" nie miał sensu, ale Mareczek musiał zapytać:

– Co zrobiłeś, że straciłem przytomność? Co to było?!

Nowicki jeszcze bardziej wybałuszył oczy.

– Nic panu nie zrobiłem...! – jęknął. – Ja nic nie pamiętam!

Trzeba było zagadnąć z innej, ważniejszej strony:

– Skąd masz tatuaż na plecach? Co znaczą litery NB? Co to za skrót?

– Na plecach? Jaki tatuaż?! Robiłem tylko na szyi. W życiu żadnego nie zrobiłem na plecach...

✳ ✳ ✳

– Gotowy?

– Gotowy.

– Koordynaty ustawiłeś?

– Ustawione.

– Tak, jak wczoraj?

DZIESIĘĆ

– Nie, te są w porządku.

– Na pewno?

– Sprawdzałem trzy razy. Pójdzie jak po sznurku. Trasa według RSN-u. Nie ma prawa zawieść.

Spętany, zakneblowany i oślepiony opaską, spocony i dygocący ze strachu Dolina nadal leżał na boku, czekając na swój nieuchronny koniec. Drżał cały i nie potrafił się opanować. Kiedyś naiwnie myślał, że ciesząc się mundurową, wysoką emeryturą, dożyje późnej starości. Nie przypuszczał, że skończy w tak marnym stylu.

– Co z nim? – padło z ust kogoś, kogo sierżant nazwał Trzecim. Oprawców było trzech. Rozróżniał ich głosy. Dowodził nimi Pierwszy. Drugi ciągle zajmował się sprzętem – coś ustawiał, przełączał, przenosił, regulował i niezrozumiale mamrotał. Dolina, zanim go złapano, widział przy namiocie dwóch ludzi. To właśnie Trzeci musiał być tym, który pilnował tyłów i „upolował" go w krzakach. Trzeci, dozorując go, zrobił mu wykład na temat niebezpiecznych kobiet, których nadrzędnym celem stała się eksterminacja niepotrzebnych mężczyzn.

– Nie spieszy się – powiedział Pierwszy. Głos miał niski, władczy, zdecydowany. Wydawał polecenia. Dolina nie usłyszał ani jednego słowa sprzeciwu wobec niego ze strony pozostałych dwóch.

– A może by go tak... – reszta zdania Trzeciego musiała być dopowiedziana na migi, bo wszyscy zareagowali stłumionym, cichym chichotem.

Pilnowali, by nie narobić hałasu. Cały czas rozmawiali szeptem. Dlaczego Trzeci pozostawał z nimi, skoro powinien stać na straży? Dolina wpadł na to w pół myśli. Byli dobrze zorganizowani. Przestępcy działali w większej grupie i teraz kto inny pozostawał na czatach. Czuł się zawiedziony swoją niekompetencją. Mocno zawiedziony. Z powodu braku należytej czujności, wspólnie z Tomeczkiem zafundowali sobie niezły pasztet, za który przyjdzie zapłacić właśnie jemu.

Trzeba było pchać się do policji? – pomyślał z wyrzutem. – Nie było innych, bezpieczniejszych zawodów? Ot, choćby kucharz. Co najwyżej groziłoby mu przycięcie palca. Mógłby zostać kucharzem, bo wszystko, co ugotował, było najwyższej klasy. Pichcąc samemu sobie, nauczył się z netu tylu rzeczy, że niejeden szef kuchni by mu pozazdrościł. O, albo takie krawiectwo. Jego własny dziadek, powszechnie szanowany krawiec, osiągnął szyciem w swoim miasteczku godny pozazdroszczenia prestiż.

Zastanowił się, czy napastnicy wiedzą, kogo dopadli. Raczej nie wiedzieli. W przestępcach mundur wzbudza nienawiść, która w sprzyjających warunkach przeradza się w przejawy przemocy. Ludzie tego pokroju nie zdradzają nawet cienia respektu przed przedstawicielami władzy. Niewykluczone, że słowo „sierżant" podziałałoby na nich jak doping na sportowców – przed egzekucją daliby mu w kość i pozbyliby się go jak najszybciej. Nawet jeśli pozwolą mu coś powiedzieć, za nic się nie przyzna do tego, kim jest.

– Dobra, kończymy z nim.

Po tym zdaniu Dolina usłyszał zbliżających się do niego ludzi. Było ich co najmniej dwóch. Począł się szamotać i wić niczym wyciągnięta na powierzchnię ziemi glizda. Za nic w świecie nie uda mu się w ten sposób uciec, tego był więcej niż pewien, ale próbował. Panika dodawała mu sił. Przekręcił się na drugi bok, ale oparł się o coś, co nie pozwalało mu na dalszy ruch. Wtedy dopadli go, mocno przytrzymali, wbili w jego ciało jakąś igłę. Potem zwiotczał i zapanowały ciemności...

* * *

Kiedy pojawiła się w drzwiach gabinetu, szarzało. Konradowi bynajmniej nie przeszkadzała późna pora. Co prawda nie miał w zwyczaju pracować poza oficjalnie wyznaczonymi godzinami, ale dla Weroniki robił wyjątek, bo sama Weronika była wyjątkowa. Zachwycała go swoją nietuzinkową urodą, ale jeszcze większe wrażenie robiła na nim jej mentalność – swobodna, nieco nonszalancka, jednocześnie tajemniczo ekscytująca. Dla Weroniki powszechnie istniejące granice nie funkcjonowały. Potrafiła przesuwać je tym, którym wydawało się, że je posiadają. Robiła to niepostrzeżenie, sobie tylko znanymi sposobami i z taką gracją, że postawienie jej jakichkolwiek zarzutów było wręcz niemożliwe. Potrafiła omotać każdego. Konrad był tego pewien, skoro udało się jej to zrobić z nim samym. Przychodziła do niego regularnie, z czego był bardzo, bardzo zadowolony.

– To już miesiąc? – spytał jakby zaskoczony.

DZIESIĘĆ

– Tęskniłeś?

– Oczywiście.

– Ja także. Wiesz, że bardzo cię cenię.

– Ginekologicznie... – stwierdził kokieteryjnie.

– To tylko dodatek. Wiesz o tym dobrze, prawda? – Wskazującym palcem dotknęła czubka jego nosa. – Jesteś bardzo ważny.

To chciał usłyszeć. Chciał znowu wiedzieć, jak bardzo ceni go ta młoda dziewczyna, która na dobrą sprawę mogłaby być jego córką, gdyby w ogóle z Ewą mogli mieć dzieci. Ewa poszła do Ani Rockiej i miała wrócić późno. Wystarczająco późno, by im nie przeszkadzać.

Przyjrzał się jej. Nienagannie ubrana, świetnie dobrany makijaż, modna fryzura. Wszystko miała takie, jak być powinno. I to ciało...

Uśmiechnęła się do niego. Iskrzące się oczy wysyłały mu wyraźne sygnały. Był gotów. Zawsze, kiedy przychodziła, był gotów na wszystko.

Weszła na środek gabinetu powabnie kołysząc biodrami. Kolejny sygnał. Wabiła go, nie miał wątpliwości. I nie musiała podejmować wielu wysiłków, by osiągnąć swój cel. Zauroczyła go od pierwszego razu, kiedy musnęła jego policzek ukrytą między długimi palcami aluzją. Zrozumiał w lot i zgodził się od razu. Pojął, że zrobił na niej wrażenie i nie miał zamiaru zaprzepaścić danej mu szansy. Od tej chwili minął rok i przychodziła tu co miesiąc. Regularnie. Zaraz po skończeniu cyklu.

Sadowiąc się na fotelu, była już gotowa. Uśmiechnął się do niej i poszedł zamknąć drzwi gabinetu. Tak na wszelki wypadek – gdyby wróciła Ewa.

Załączył komputer, odpowiednią aparaturę i włożył rękawiczki. Wszystko sprawdził bardzo dokładnie. Każdy najdrobniejszy szczegół. Przychodziła, by być pewna i on tę pewność jej dawał. Był specjalistą, posiadał odpowiedni sprzęt i na diagnostyce znał się jak mało kto.

Na chwilę przymknął powieki, by znaleźć się o jeden krok dalej, o jeden krok bliżej niej.

Dopadł go mrok. W jednym momencie stracił kontakt z rzeczywistością. Nieprzenikniona, gęsta czerń wypełniła każdy zakamarek jego duszy. Zamarł. Poczucie własnego ciała odleciało w niebyt.

Wtem dopadło go wrażenie spadania. Było ostre, gwałtowne i przerażające.

Chciał krzyknąć.

Otworzył oczy. Przed sobą miał rozłożone na boki kobiece nogi.

– Coś się stało? – usłyszał jej zaniepokojony ton. – Krzyknąłeś...!

– Nie... nie... – odrzekł niepewnie, ramieniem ocierając kapiący z czoła pot. Nie miał pojęcia, co się stało. – Nic...

– Konradzie... – ponowiła pytanie, w szczególny sposób intonując głos.

Migiem kombinował, co ma odpowiedzieć.

– Jestem trochę przemęczony, chyba...

– I dlatego krzyczysz? To było... jakbyś się bał, Konradzie.

Uznał, że jednak zaryzykuje małe zwierzenie.

– Słyszałaś o tym, co się stało nad świątynią?

– Słyszałam... – jej odpowiedź zawierała nutkę zmieszania.

– Ja tam byłem, widziałem te kule. Nie wiem, czym były, ale momentami dziwnie się czuję. Zupełnie jakbym tracił grunt pod stopami i osuwał się w przepaść...

– Konradzie... – jej szept był tak kojący, tak ciepły i uspokajający. – Czy jestem zdrowa?

Spojrzał na monitor komputera. Każdy wykres, każda poszczególna cyfra, każdy wynik badania mieścił się w granicach normy. Była zdrowa. Jak zawsze – w całej pełni.

– Bez najmniejszej wątpliwości.

Zsunęła nogi na podłogę.

– Przy mnie zapomnisz każdą złą rzecz...

Wstała z fotela i pociągnęła go za sobą, trzymając w dwóch palcach skraj jego koszuli. Dał się uwieść. Jak zwykle, jak co miesiąc podążył posłusznie za nią, a ona oparła się o skraj biurka.

Za drugim bodaj razem zapytał, dlaczego to robi. Bo zna się na kobietach jak nikt – usłyszał. Owszem. W końcu był ginekologiem i znał kobiety jak nikt. Znakomicie wiedział, na czym polegają, co nimi kieruje, co je inspiruje. Potrafił dotknąć te obszary, które czyniły je wrażliwymi na każdy następny, najdelikatniejszy bodziec. Był obeznany z ich najskrytszymi zakamarkami.

DZIESIĘĆ

Objął ją jedną ręką, by drugą sięgnąć poniżej bioder. Wtedy dostrzegł coś, co go zaniepokoiło. W rogu gabinetu dostrzegł nieregularnych kształtów półcień, który zafalował i w ułamku chwili zanikł.

Być może to tylko złudzenie. Krótka myśl nie zdołała go w pełni uspokoić, ale nie było czasu na żadne dociekania. Weronika przywarła do niego całą sobą. Lubił to. Nawet więcej, niż tylko lubił. Odpięła mu spodnie i w jednej chwili był gotowy. Ona także.

Kiedy się złączyli, Konrad poczuł obezwładniającą słabość. Nogi ugięły się pod ciężarem własnego ciała. Resztką świadomego kontaktu ze światem dojrzał zniekształconą twarz Weroniki. Grymas wymalowany na obliczu dziewczyny wydał mu się odrażający. Przyszedł strach – mocny i przejmujący, po czym znowu zapanowała ciemność. Potem stracił przytomność.

Bezwładność minęła, ale Konrad nie potrafił stwierdzić, jak długo trwała. Leżał na podłodze swojego gabinetu, to wiedział na pewno. Weronika zniknęła. Był sam – to także uznał za pewnik. Co mu się stało – nie miał pojęcia. Uniósł się na łokciach. Otwarte na oścież drzwi gabinetu mogły świadczyć o szybkim opuszczeniu pomieszczenia przez kobietę. Zamiast udzielić mu pomocy, uciekła?

Zebrał się w sobie, podciągnął spodnie i usiadł. Bolała go głowa. Z trudnością wstał, zachwiał się i upadł. Całe ciało przeszył paraliżujący wstrząs. Stracił panowanie nad kończynami. Nadgarstek znalazł się tuż przy twarzy, ale nie miał władzy, by nim poruszyć. Wołanie o ratunek nie miało sensu. Jeśli znajdował się w domu sam, nikt poza nim niczego nie usłyszy. Obraz, jaki widział, stał się niepokojąco mętny. Przymknął powieki. W tym momencie odniósł niezwykłe wrażenie. Kiedy ponownie spojrzał na pokój, zdał sobie sprawę, że unosi się nad podłogą. Początkowo pomyślał, że to kolejna wizja. Kilka sekund wystarczyło, by zrozumieć, że zawisł poziomo nad podłogą na wysokości blatu biurka. Kątem oka znów widział dziwny półcień. Oprócz bólu głowy, pojawiła się ostra, promieniująca do barku nowa boleść. I mdłości. Wykształcenie podpowiadało mu tylko jedno – dopadł go zawał. Ostatnią rzeczą, jaką zarejestrował, było ciężkie, bezwładne zderzenie z jasnymi kaflami podłogi.

✳ ✳ ✳

Biegła przed siebie, ciężko łapiąc powietrze. Tak szybkie poruszanie się na wysokich szpilkach nastręczało jej sporych trudności, zrzuciła je więc i biegła dalej, trzymając buty w drżących dłoniach. Co chwila ocierała mokre od łez policzki. Weronika Lach uciekała przed czymś, czego nie była w stanie zidentyfikować. Strach pchał ją w niewiadomym kierunku. Zupełnie nie wiedziała, gdzie się znajduje. Po prostu biegła, ile tchu starczało w piersiach jak najdalej od miejsca, w którym zdarzyło się to coś, czego kompletnie nie rozumiała.

Przytuliła Konrada. Później zsunęła z niego spodnie, podniosła sukienkę i oplotła swoimi nogami jego biodra. Wtedy stało się coś, czego absolutnie się nie spodziewała. Opadły ją ciemności. Straciła poczucie rzeczywistości. Nagłe doznanie spadania sprawiło w niej krzyk o ratunek. Przeszył ją nieopisany dreszcz przerażenia. Kiedy się ocknęła, czuła kłujące mrowienie w całym ciele. Konrad leżał u jej stóp i sprawiał wrażenie martwego. Uciekła, podejmując bezzwłoczną, impulsywną decyzję. Nie miała innego pomysłu – musiała uciec.

„Nie cudzołóż."
Księga Wyjścia 20, 14

Ósme

Poczucie porażki – to wszystko, co towarzyszyło Adamowi Nowickiemu od wczorajszego rozstania się z namolnym policjantem, który zalazł mu za skórę. Gliniarz wypytywał o rzeczy, które stanowiły nie lada zagadkę. Skąd miał wiedzieć, co przydarzyło się w ciągu ostatnich kilkunastu godzin, skoro nic nie pamiętał? Albo prawie nic. Pewne obrazy pojawiały się w rozchwianym umyśle, ale niczego nie był pewien. Snuł przypuszczenia, czy to wspomnienia, czy może raczej wymysły wyobraźni. Teraz, kiedy został sam, usiłował poskładać w jedną całość wszystko, co rozsypało się w drobny mak niepewności. Zachodził w głowę, co wydarzyło się w czasie, którego naprawdę nie był w stanie sobie przypomnieć – gdzie był, z kim, co robił? Niczym z otchłani wynurzała się świątynia, telefon, jeździec na smoku... Jeździec i smok? Nie, przecież to nie mogło być prawdziwe. Smoków nie ma. Tym bardziej nikt na nich nie mógł jeździć. To wymysły z bajek i filmów fantasy. Powstający w umyśle obraz krystalizował się – smok ryczał ogłuszająco, a jeździec zeskoczył z niego, by go schwytać i pożreć... Albo oddać smokowi...

Brednie. Nic takiego nie mogło mieć miejsca. Świątynia owszem. To bardzo realne miejsce w centrum Sieciowa. Tam mógłby być, tylko po co? Nie chodził do świątyń od bardzo dawna. Nie miał takiej potrzeby. Ani chęci. Właściwie do każdej religii żywił na tyle solidną niechęć, by przekładała się na omijanie szerokim łukiem świątyń wszelakiej maści. Telefon zapamiętał bodaj najlepiej. Był wypasiony, taki z górnej półki. Co z nim zrobił? Policjant utrzymywał, że przyniósł go na posterunek. Dlaczego?

Ledwo powłócząc nogami, Adam szedł w stronę jeziora. Chciał odpocząć na zielonej trawie i popatrzeć na sunące po wodzie żaglówki. Zawsze lubił je obserwować. Kiedyś nawet płynął na jednej z kolegą i jego ojcem. Było ekstra. Obiecywał sobie, że kiedy dorośnie, kupi taką i będzie spędzał na wodzie każdą wolną chwilę. Zaśmiał się z samego siebie. Akurat będzie miał żaglówkę! Na razie prześladowały go same kłopoty – brak kasy, natarczywy ojciec i na

domiar wszystkiego dobijała się do niego policja. Adam potarł dłonią kark. Policjant twierdził, że gdzieś tam ma jakiś tatuaż. Skąd niby? Nigdy żadnego nie dał sobie wydziergać na plecach. Poza tym każdy porządny tatuaż kosztował niemało, a o trójwymiarowych tatuażach mógł jedynie pomarzyć. To byłoby coś! Tego typu dzieła sztuki robiły wrażenie na każdym. Gliniarz usiłował coś mu wmówić, tylko po co? Miał jakiś ukryty cel, ale jaki? Chciał go wrobić w coś? Niewykluczone. Adam bał się, że jeśli gliniarze w coś go wpakują, nie da rady się wywinąć. Nie miał do kogo pójść po pomoc. Gdyby stary dowiedział się o sprawie, mógłby mundurowym ruszyć z pomocą.

Nie wiedział, co ze sobą zrobić. Przypomniała mu się heretyczka. Mówiła, że zna kogoś, kto potrafi zrobić wszystko. Taaa... Gdyby jeszcze ów ktoś miał adres i godziny urzędowania, Adam poszedłby i przedstawił cały problem. Mówienie w powietrze wydawało mu się za głupie. Nie był naiwny.

Dotarł nad jezioro. Dochodziła dziesiąta rano, a na wodzie pełno żagli. Widok jak zawsze piękny. Znał jedno miejsce, które darzył szczególną sympatią. Postanowił zamelinować się właśnie tam, by odpocząć po nieprzespanej nocy. Nadmiar wrażeń nie pozwolił na zmrużenie oka, poza tym nie miał zamiaru wracać do domu. Parę godzin spędził w jednym z nocnych lokali, gdzie pracował Lesiu, dobry kumpel z podstawówki. Dostał od niego trochę lodu na bolące od nie wiadomo czego miejsca. Wspomniał policjanta. Może to glina był powodem bólu. W końcu ocknął się, kiedy gość siedział na nim okrakiem. Co stało się wcześniej, oczywiście nie kojarzył.

Wdrapał się na porośnięty krzewami pagórek, kiedy poczuł nieubłaganą fizjologiczną potrzebę. Rozejrzał się i wcisnął się pomiędzy dorodne krzaki. Załatwienie sprawy nie trwało długo. Zapinając rozporek, zauważył pomiędzy zielenią liści błysk czerwieni. Przyjrzał się dokładniej. Pomiędzy krzakami leżał rower! Rozejrzał się bacznie. Nikogo nie było. Cicho i pusto. Rower był nie byle jaki, należał do wyższej półki terenowców. Adam znał się nieco na tym, bo bardzo lubił jeździć rowerami i śledził najnowsze trendy na wyspecjalizowanych w tym temacie portalach. Znaleziony model posiadał elektryczny intensyfikator mocy oraz specjalną amortyzację. Do tego zabezpieczono go przed kradzieżą specjalnym chipem. Bez niego nie można było ruszyć pedałami. Adam znał kogoś, kto nie miał z tego typu zabezpieczeniami kłopotu. Stracił telefon, ale w zamian znalazł rower. Znalazł! Jeśli właściciel znajduje się w pobliżu, nie ma sprawy, ale jeśli nie... Adam zrobił małą rundkę po okolicy i nikogo nie dostrzegł. Skoro właściciela brak, uznał, że ma prawo „wypróbować" znalezisko. By tego dokonać, potrzebny był spec od zabezpieczeń. Adam postanowił sprowadzić go tutaj, bo jazda do miasta na razie była niemożliwa. By pojazd nie zniknął, podjął szybką decyzję. Wytargał rower spomiędzy krzewów z zamiarem ukrycia go w innym, bezpieczniejszym miejscu. Transport po nierównym, pełnym przeszkód terenie okazał się bardzo kłopotliwy, wręcz uciążliwy. Adam ciągnął więc rower po ziemi, chwilami go niosąc, chwilami odpoczywając. Do nowej „skrytki", jaką wymyślił, nie było daleko. Po dziesięciu minutach zboczył ze ścieżki i skierował się w dół zbocza ku brzegowi jeziora. W miejscu tym było dość stromo, dlatego też mało kto pętał się po tej części lasu. Nowicki zsuwał się po stromiźnie z rowerem z niemałym trudem, dla zachowania równowagi chwiejnie balansując ciałem. W pewnym momencie wydawało mu się, że tuż obok przesunął się szybki półcień. Zerknął nawet za tym czymś, ale zniknął on równie szybko, jak się pojawił. W tym momencie Adam zaczepił stopą o jakiś wystający z ziemi korzeń i zachwiał się. Rower przeważył swym ciężarem granicę balansu i Nowicki, tracąc równowagę, runął w dół zbocza. Uderzenie głową o pień drzewa było ostatnim doznaniem, jakie do niego dotarło. Głośnego chlapnięcia wody już nie usłyszał.

✳ ✳ ✳

– Jeszcze kawy?

Dolina przyjął propozycję z wdzięcznością. Posterunkowy Misiewicz chodził koło niego i podtykał to kawę, to ciasteczka, to znowu pytał, czy na pewno nic więcej mu nie potrzeba. Sierżant wywnioskował, że swoim wyglądem musi zasługiwać na litość. No bo i jak inaczej miałby wyglądać po nocy spędzonej w lesie? Wyziębiony, pogryziony przez owady, rozbity psychicznie nie zasługiwał na nic innego, jak tylko na współczucie. Kiedy obudził się w krzakach, pierwsza myśl, jaka przyszła mu do wystraszonego umysłu, wyrażała zdumienie, że jednak żyje. Kłusownicy wspania-

DZIESIĘĆ

łomyślnie oszczędzili marną kreaturę, jaką bez wątpienia z siebie uczynił. Czy powinien być im wdzięczny? Nie, nie powinien, ale był. Mogli zrobić z nim wszystko, co tylko chcieli... A przecież wszystkie horoskopy, jakie przejrzał wczorajszego popołudnia, wieszczyły mu pomyślność! „Dla Wodnika tydzień miłych niespodzianek". Akurat! „Koniec nudy i stagnacji. Nadchodzi pełnia optymizmu". Owszem, nie mógł narzekać na nudę, ale optymizm? „Merkury przyniesie ci powodzenie na niwie zawodowej"...

– I nic nie widziałeś? – pytanie Mareczka padło ponownie w odstępie zaledwie kilku minut.

– Nie – odpowiedział zdeprymowany, drapiąc swędzące miejsca na ciele. – To profesjonaliści.

– Zanim cię złapali, też nie?

– Byli za daleko, pochylali się nad czymś. Potem przeszkadzały krzaki.

Mareczek podjął jedynie słuszną decyzję:

– Wskakuj w mundur. Jedziemy tam.

– Na pewno już ich nie ma.

– A jeśli nie są takimi profesjonalistami, za jakich ich uważasz? Rozejrzymy się. Może coś zgubili. Liczy się każdy ślad.

– Nie powinniśmy zawiadomić komendanta? – wtrącił Misiewicz. Dolina z Mareczkiem uraczyli go takimi spojrzeniami, że posterunkowy miał chęć schować się pod podłogą.

– Chcesz nam zwalić na głowę całą komendę? – odpowiedział pytaniem Mareczek. Zaraz potem zwrócił się do sierżanta: – Zgłaszasz uprowadzenie?

Dolina pokiwał przecząco głową.

– Widzisz? Nie ma zgłoszenia, nie ma przestępstwa.

Misiewicz wyglądał na mocno zaskoczonego.

– Jeśli damy im o tym znać, przetrzepią nas jak zakurzony dywan. Więcej niż pewne, że zjawią się tu z samego województwa. Wszystko robisz jak należy, panie posterunkowy? – spytał Dolina.

– Noo...

– A widzisz! Nikt nie jest doskonały – ani ty, ani my, ani nikt.

– Dobra, zbieraj się. W tych spodenkach wyglądasz beznadziejnie – zarządził aspirant. – Nie ma na co czekać.

Po chwili znaleźli się w radiowozie. Jechali tylko we dwóch. Misiewicz pełnił funkcję oficera dyżurnego, więc został na posterunku. Mogli gadać o wiele swobodniej.

– Tomek, nie masz pojęcia, co przeżyłem. Myślałem, że już po mnie. W życiu nie najadałem się tyle strachu. Cud, że nie narobiłem w gacie – przyznał Dolina.

Mareczek prowadził. Rzucił tylko szybkie spojrzenie w wewnętrzne lusterko, gdzie widział pobladłą facjatę kolegi.

– Na pewno nic nie kojarzysz? Każdy szczegół może okazać się ważny. Żeby coś takiego... ja pierniczę! W głowie się nie mieści. Najpierw kosmici, potem te dziwne zejścia, płacząca madonna, a na dokładkę to! Jak byłem u komendanta, próbowałem mu powiedzieć o tych zgonach i nie dałem rady. Po wypadku furgonu wydawało mi się to za mało istotne. Teraz boję się, że to wszystko jest ze sobą jakoś powiązane.

– Powiązane?! – w głosie Doliny słychać było zdumienie dużej mocy. – Jak?

– Nie wiem, ale mam przeczucie, że niedługo wypłynie coś jeszcze i szczęki opadną nam z wrażenia, mówię ci.

Dolina nie wiedział, co powiedzieć. Nie potrafił się skupić, ani racjonalnie myśleć, ale Tomeczek zabrnął jeszcze dalej niż on.

– Tego za cholerę nie da się powiązać!

– Logicznie, nie. Ale zważywszy na całokształt, nic tu nie jest logiczne. Wiesz, że jest coś, co łączy wszystkie zgony?

– Co?

– Bal, Rzecki, kapłan Wojtaszek, Piwowarski... wszyscy, co do jednego, mieli na plecach taki sam tatuaż, tuż poniżej karku. Dwie litery w trójwymiarze – N i B.

– Powaga?

– A wyglądam, jakbym żartował?

– Wiesz, co znaczą?

– Nie mam zielonego pojęcia. Przejrzałem bez skutku z pół netu. Gadałem o tym z Piwowarskim. Domyślasz się, co usłyszałem?

– Nic?

– Nic. Potem zginął.

– Cholera.

DZIESIĘĆ

– Dokładnie. Ten tatuaż wydaje się być zabójczy jak jakaś choroba. Jest jednak ktoś, kto jeszcze żyje i też go ma.

– Kto?

– Patykowaty chłoptaś, Adam Nowicki. Myślałem, że ukradł Piwowarskiemu telefon, ale okazało się, że znalazł.

– I co ci powiedział?

– Nie wiedział, że w ogóle ma taki tatuaż.

– Pierniczysz...

– Kiedy to mówił, nie sprawiał wrażenia kłamcy. On naprawdę nie wie, skąd go ma. I jest jeszcze coś. Wygląda na to, że ludzie z tatuażem tracą poczucie rzeczywistości. Chodzą, mówią, ale nie mają kontaktu z otoczeniem.

– Zombi jakieś?

– Tak bym tego nie nazwał, ale coś w ten deseń.

Dolina zamyślił się.

– UFO?

Mareczek wzruszył ramionami.

– Nie mam pojęcia, co się dzieje, ale wygląda to więcej niż dziwnie.

Dolina zdecydował się powiedzieć o czymś, czego jeszcze nie zdążył przemyśleć.

– Wczoraj na gminnej plaży zaginęła czteroletnia dziewczynka. Kiedy jej szukałem, natknąłem się na świetlistą kulę. Wisiała nieruchomo nad wodą, a potem odleciała z niesamowitą prędkością. Była podobna do tej, którą widzieliśmy wcześniej. Miała inny kolor. I była nieco większa. Tak przynajmniej mi się wydaje.

Mareczek spojrzał na kolegę z ukosa.

– Trzy takie kule pojawiły się nad świątynią. Rozmawiałem z no-lozjastą, który uważa, że mogą mieć inne źródło niż kosmiczne.

– Inne? A jakie? Bal, czy Bek, czy jak mu tam, twierdził, że jest z przyszłości.

Mareczek nie był pewny, czy to powiedzieć, ale miał wrażenie, że ich rozmowa toczy się w dobrym kierunku.

– Gość twierdził, że mają duchowe źródło.

Co to znaczy, Dolina nie wiedział. Strawa dla ducha kojarzyła mu się z muzyką. I ze zjawami w horrorach.

– Powiedział coś więcej? – zapytał.

– Odniosłem wrażenie, że nie chciał za wiele mówić przy swoim koledze. Wyszło na to, że jego pogląd nie jest zbyt popularny wśród nolozjastów.

Dolinie przyszło coś do głowy.

– Nie powiedziałem ci jeszcze o tym dziecku.

– Znalazło się?

– Owszem. Dziewczynka stała niedaleko kuli z jakimś chudym, wysokim gościem. Niby rozmawiali, ale nie słyszałem jej słów. W dodatku jej matka twierdziła, że dziewczynka w ogóle nie mówi. Kiedy na mnie popatrzyła, mówię ci, strach mnie obleciał, taka była dziwna.

Mareczek znów przeklął.

– Tu naprawdę dzieje się coś nienormalnego. Nie ogarniam co, ale dzieje się. – Po chwili zaświtało mu w głowie. – A jak wyglądał ten gość, z którym rozmawiała dziewczynka?

– Wysoki, chudy, trochę pokraczny. Na szyi nosi jakiś napis.

– To musiał być Nowicki! – niemal krzyknął Mareczek. – Nie widziałeś go u nas na posterunku?

– Nie.

– Był u mnie w sprawie tego telefonu.

– Wyszedłem, nie widziałem, nie wiem...

– I stało się coś jeszcze.

Dolina był gotów na kolejną niesamowitość.

– Kiedy Nowicki był u mnie w biurze, straciłem przytomność – przyznał się Mareczek.

Sierżant zaraz skojarzył dwa fakty.

– Pewnie nie uwierzysz, ale kiedy ten koleś rozmawiał z dziewczynką, sam padł jak rażony. Potem jakby nigdy nic, szybciutko pozbierał się z trawy. I powiem ci, zrobiło to na mnie wrażenie. – Mimo gotowości na przyjęcie informacji, sierżanta lekko przytkało. – Ja pierniczę, to nie jest śmieszne, szeryf, to w ogóle nie jest śmieszne...

Resztę trasy pokonali w milczeniu. Obaj myśleli o tym, co usłyszeli. Zaparkowali Warszawę na niewielkim, szutrowym placyku, po czym Dolina poprowadził swojego przełożonego na miejsce swojego uwięzienia. Kiedy znaleźli się na górce, rozpościerający się przed nimi widok zaparł im dech w piersiach.

DZIESIĘĆ

Mareczek natychmiast wyjął z kieszeni telefon i wybrał numer punktu dowodzenia WOPR-u.

– Aspirant Mareczek. Natychmiast ogłoście alarm burzowy. Jestem na... – Ktoś mu przerwał, więc chwilę słuchał. – Dobrze. Dawno? Widzę sporo łodzi na jeziorze. Jeśli się nie pospieszą, będzie tragedia. Okej. Na razie.

Dolina patrzył na czarne powały chmur rozciągające się na całym horyzoncie.

– Ja pierniczę, ale będzie lało! – powiedział z przejęciem. – I co nasi dzielni ratownicy?

– System załączył alarm ponad pół godziny temu. Nie wiedzą, czy wszyscy odebrali sygnał sztormowy i czy ktoś go zignorował. Wysłali ścigacze na jezioro.

– Musimy się pospieszyć! – rzucił Dolina i zbiegł w dół pochyłości.

✳ ✳ ✳

Od kiedy wpadła do mieszkania wczorajszego wieczoru i zamknęła się w niewielkiej łazience, nie odważyła się jej opuścić. Małe mieszkanko w bloku było jej przystanią i schronieniem. Nigdy nikomu nie pozwoliła tu wejść. Nikomu nie mówiła, gdzie naprawdę mieszka. Nie miała zamiaru ponosić żadnego ryzyka. Weronika dbała o swoje bezpieczeństwo bardzo pieczołowicie. Dla pewności dała wprawić wzmocnione drzwi wejściowe, opatrzone trzema porządnymi zamkami. Dawało jej to pełne przekonanie, że co mogła, zrobiła jak należy. Ponieważ w okolicy sieciowskiego jeziora funkcjonowało mnóstwo hoteli i pensjonatów udostępniających pokoje także na godziny, z klientami umawiała się na neutralnym terenie. Najczęściej spotykała się z takimi mężczyznami, którzy przyjeżdżali w te okolice, by odpocząć i oderwać się od monotonii szarej codzienności. Ona dawała im rozrywkę na najwyższym poziomie – oni płacili, ile tylko zażądała.

Wcisnęła się w niewielką przestrzeń pomiędzy kabiną prysznicową a muszlą, czyniąc z niej swoją własną twierdzę.

Syknęła przez zęby. Gdyby tylko dała wiarę Tarotowi, być może uniknęłaby tej sytuacji. Cyganka była młoda, na pierwszy rzut oka niedoświadczona życiowo, więc zbagatelizowała przestrogę. Miała większe zaufanie do Elizy, starej wróżki poznanej dzięki stronie internetowej. Zawsze, kiedy się do niej zwracała o radę, trafiała w samo sedno problemu. Mogła jej ufać. Eliza wyjechała na jakiś zagraniczny kongres magiczny i kontakt urwał się na najbliższy tydzień. Cyganka nawinęła się całkiem przypadkowo, w pobliżu marketu. Zaczepiała ludzi nieśmiało, jakby bojaźliwie. Weronika chciała jej pomóc. Od tak, zwyczajnie, by dziewczyna nabrała nieco doświadczenia. W końcu sama dobrze pamiętała początki swego własnego biznesu. Nic nie przychodzi łatwo. Trzeba się przełamać, by wyjść do ludzi i się ich nie bać. Do dziś dnia Weronika potrafiła szczegółowo opisać pierwszych pięciu klientów. Dlaczego? Bo okazali przychylność, bo dali szansę, bo nie zrugali jej za brak doświadczenia. Potem wszystko zaczęło płynąć własnym biegiem. Dlatego właśnie wysłuchała Cyganki, która postawiła jej karty i dała soczyste ostrzeżenie, by zerwała starą znajomość. Weronika nie skojarzyła, o kogo chodzi. Dopiero teraz zdała sobie sprawę, że karta przedstawiała Konrada.

Weronika poprawiła się nerwowo. W dłoni dzierżyła szczotkę do mycia klozetu, gotowa użyć jej do samoobrony przed każdym napastnikiem. Strach! Opanował ją bezgraniczny strach przed tym, co zdarzyło się w gabinecie Konrada. Pamiętała ten przerażający mrok, zagubienie, wrażenie spadania. Potem wstrząs. I martwy Konrad! Coś się z nimi stało, kiedy zaczęli uprawiać seks. Nigdy przedtem czegoś podobnego nie doświadczyła. Chodziła do niego, by mieć pewność, że jest zdrowa, że niczym nie zaraziła się od swoich klientów, których miała co miesiąc na pęczki. I za jego ginekologiczne usługi płaciła mu w naturze. Tak zasugerowała i przyjął tę propozycję z czytelną przyjemnością w błyszczących oczach.

Teraz nie żył. Konrad umarł na jej oczach rażony niewidzialną siłą, która zraniła także i ją. Nie szło o ciało, chodziło o duszę. W jej sercu mocno wyrył się obraz czeluści. Bała się, że tajemnicza, wypełzająca z głębi mroku moc zabije także ją.

Świeża myśl tchnęła wątłą nadzieję ratunku. Nowy impuls wiązał się ze świątynią, która niczym warowny zamek mogła dać jej schronienie przed nieznaną mocą o wiele pewniejsze niż mieszkanie z trzema zamkami. W końcu świątynie to świątynie. Miejsca wyjątkowe, azyle dla zbłąkanych dusz.

DZIESIĘĆ

Zawahała się. Jak do tej pory nic niepokojącego nie usłyszała, ale czy cisza przemawiała za tym, że naprawdę nic jej nie grozi? Może napastnik spoczywa w bezruchu, czekając, aż wychynie czubek nosa, by dopaść i spętać? Nie była pewna, czy za drzwiami łazienki nie czai się czeluść, przed którą uciekła.

Drgnęła. Wiedziała, że nie może spędzić w łazience reszty swojego życia. Pozostało walczyć o przetrwanie. Musiała jakoś przemknąć do świątyni – nowego, pewnego azylu. Była wystraszona, ale pozbawiona innego wyboru podniosła się na odrętwiałe nogi. Odczekała, aż wzmocniły się, dając pewną podporę. Szczotkę ścisnęła w dłoni jeszcze mocniej i uniosła ramię, by w razie czego uderzyć szybko i skutecznie. Uzmysłowiła sobie, że takie zachowanie jest irracjonalne, ale czuła się z tą szczotką nieco pewniej.

Powolutku uchyliła drzwi. W przedpokoju nikogo nie dojrzała, do zlustrowania reszty pomieszczeń zabrakło jej odwagi. Błyskawicznie wsunęła na stopy wygodniejsze niż szpilki buty i wymknęła się z mieszkania. Powietrze na dworze uderzyło palącym gorącem. Ruszyła szybkim krokiem. Jacyś przechodnie patrzyli na nią dziwnym wzrokiem. Zorientowała się, że w uniesionej dłoni wciąż dzierży plastikową szczotkę. Odrzuciła ją jak coś, do czego żywi się odrazę i jeszcze bardziej przyspieszyła.

W pobliżu kiosku z artykułami spożywczymi stało dziecko. Dziewczynka w zielonej sukience bacznie się jej przyglądała. To spojrzenie kryło w sobie jakiś głęboki smutek, który przeniknął Weronikę od stóp po czubek głowy. Dlaczego w tak młodym ciele tyle utrapienia? W ostatniej chwili zrezygnowała z wyartykułowania tego pytania na głos. Szła szybkim, energicznym krokiem. Nie mogła rozmawiać. Musiała czym prędzej, dla własnego dobra ukryć się w sanktuarium.

Do świątyni dotarła bez przeszkód. Wewnątrz znajdowało się sporo osób, ale bez trudności znalazła wolne miejsce w jednej z ławek, z której mogła dobrze widzieć stojącą na ołtarzu cudowną figurę. Poczuła ulgę. Będący wokół ludzie dawali namiastkę bezpiecznej wspólnoty. Wysokie, stare mury sanktuarium oraz główna rzecz, święta rzeźba, musiały stanowić barierę dla zabójczej siły, która zaatakowała Weronikę w gabinecie ginekologa.

Spojrzała na ołtarz. Pośród kilku płonących świeczników stała świętość, dla której tu przyszła. Rzeźba kobiety liczyła około metra wysokości. Jej okrycie stanowiła długa po same stopy biała suknia i błękitny płaszcz. Twarz kobiety można było nazwać ładną, choć swoją urodą nie wyróżniała się niczym szczególnym spośród tysięcy innych kobiet. Weronika chciała dostrzec krwawe łzy, o których słyszała. Z tej odległości nie widziała ani jednej. Pragnęła odczuć jej świętość, ale niczego nie zaznając, poczuła lekkie rozczarowanie. Postanowiła czekać. Cierpliwie czekać.

Większość znajdujących się w pobliżu ludzi stanowiły kobiety. Klęcząc, zmawiały nieme modlitwy. Nieliczni mężczyźni kontemplowali chwilę w całkowitym milczeniu. Weronika złożyła ręce jak kiedyś, za dawnych czasów, kiedy mama prowadziła ją do takich miejsc, jak to. Przymknęła powieki jak wtedy, gdy przed pójściem spać zmawiała pacierz.

Wtedy pojawiła się wizja. Ujrzała mocno zbite, kotłujące się wiry ciężkich, granatowo-szarych chmur. Pośród nich pojawiały się liczne burzowe błyski. Cała ta powała nadciągała właśnie nad nią, a bijące pioruny...!

Otworzyła oczy, a raptownie odskakując w tył, uderzyła o oparcie ławki, ściągając na siebie uwagę zgromadzonych w pobliżu ludzi. Skuliła się w sobie, by stać się jak najmniej widoczną. Kątem oka zobaczyła, że najbliżej siedzące panie znowu zajmują się modlitwą, ale gwałtownie bijące serce świadczyło o tym, że nie wszystko jest w porządku. Przymknęła powieki raz jeszcze, by sprawdzić czy to, co zobaczyła, pojawi się raz jeszcze.

– Jeśli chcesz przetrwać, musisz oddać mi swoje życie... – usłyszała tak wyraźnie, jakby wypowiedział to ktoś obok. Rozejrzała się błyskawicznie na wszystkie strony. Znajdujące się z najbliższym otoczeniu kobiety nie zwracały na nią żadnej uwagi. Głos z pewnością był kobiecy, ale to nie one mówiły. Więc kto?!

Spojrzała na rzeźbę. Była pewna, że jej oczy są wpatrzone wprost w nią. W pierwszej chwili uznała to za złudzenie. Opuściła wzrok i popatrzyła na nią raz jeszcze. Nie, to nie było złudzenie. A głos?

– Będziesz bezpieczna w zamian za posłuszeństwo – powiedział ten sam głos.

DZIESIĘĆ

– Kim jesteś? – szepnęła bardzo cicho, by nie zwrócić na siebie niczyjej uwagi.

– Przecież wiesz. Rozmawiamy twarzą w twarz. – Kobiecy ton był ciepły i władczy jednocześnie. – Nie pozwolę, by pochłonęła cię ciemność, bo mam nad nią władzę.

Twarzą w twarz... Weronika niespokojnie poruszyła się w ławce. Drewniana figura wiedziała o jej strasznych przeżyciach?!

– Skąd mam wiedzieć, jak być posłuszną? – znowu szepnęła.

– Będę twoją Panią. Słuchaj głosu własnego serca, a na pewno będziesz mnie słyszała. Zaprowadzę cię do światłości. Będziesz szczęśliwa. Tylko ze mną będziesz prawdziwie szczęśliwa...

Splecione palce ograniczały drżenie rąk. Weronika wyglądała, jakby trwała w gorliwej modlitwie.

– Kim jesteś? – zapytała ponownie.

– Jestem Królową Niebios, Weroniko...

✳ ✳ ✳

Mareczek sadził wielkimi susami pod górę, na ile tylko miał sił w nogach. Dolina biegł przed nim, radząc sobie ze stromizną znacznie lepiej. Wiatr wzmagał się z każdą sekundą, targając koronami drzew we wszystkie możliwe strony. Łamiące się z głośnym trzaskiem gałęzie spadały gdzie popadanie, stwarzając olbrzymie zagrożenie dla znajdujących się pod nimi ludzi. Burza zbliżała się szybciej, niż przypuszczali. Sprawdzili teren po „obozie" kłusowników, ale nic nie znaleźli. Wzmagające się podmuchy zmusiły ich do zaprzestania bezowocnych poszukiwań i powrotu do samochodu. Natężenie żywiołu rosło całkowicie niespodziewanie. Mareczek najpierw nie chciał zmoknąć, ale na obecną chwilę miał wrażenie, że należy walczyć o zdrowie, a może i o życie. Uderzenie spadającym z dużej wysokości konarem mogło skończyć się bardzo źle. Kiedy znaleźli się na szczycie wzniesienia, Dolina niespodziewanie zmienił kierunek biegu.

– Lecę po rower! – krzyknął i dał nura w krzewy.

Mareczek zbiegł ścieżką w dół zbocza, pokonał kilka zakrętów, jeszcze jedną górkę i wpadł do radiowozu w momencie, kiedy zaczęło padać. Usiadł, po czym wyskoczył z wozu i przewróciwszy oparcie tylnego fotela, zrobił miejsce na rower Mirka. Usiadł na miejscu kierowcy, kiedy do samochodu dobiegł sierżant. Bez roweru.

– Gdzie rower? – spytał.

– Nie ma! – Dolina okrasił lakoniczną informację kilkoma ciężkimi przekleństwami. – Ktoś zajumał! Jasna cholera, przecież schowałem go wystarczająco dobrze.

– Twoi kłusownicy to także złomiarze – zarechotał rozbawiony Mareczek. – Patrz, jaki cenny nabytek ci zwinęli...!

Dolina popatrzył koledze głęboko w oczy z zamiarem wygarnięcia z zanadrza kilku cierpkich słów, ale zorientował się, że kolega nic nie wie o tym, co tak naprawdę mu zginęło. Już chciał udzielić niezbędnej informacji, kiedy padający deszcz stał się jednolitą ścianą wody. Zrobiło się niemal ciemno.

– Ja nie mogę – jęknął zagłuszony przez odgłos bębniących o karoserię wielkich kropli.

Wiatr przybrał siłę huraganu. Po kilku sekundach z nieba poczęło spadać coś więcej niż tylko deszcz. Obaj patrzyli, jak o ich radiowóz obijają się lodowe kule wielkości tenisowych piłek. Bombardujący ziemię grad zacinał z zachodniej strony. Mareczek z niemą obawą czekał, kiedy lodowa bomba rozbije w radiowozie którąś szybę.

– Mam nadzieję, że naprawdę są pancerne! – krzyknął do sierżanta Mareczek.

– Ja też, bo wali z mojej strony! – odkrzyknął tamten, ale na wszelki wypadek przesunął się w głąb wozu, jak najdalej od okna.

– Jak ktoś został na wodzie, to po nim!

– Czegoś takiego jeszcze nie widziałem! – rzucił sierżant, wykrzykując każde słowo, po czym pokracznie gramoląc się na tył samochodu, sięgnął po leżące tam dwie kuloodporne kamizelki. Wróciwszy na pierwszy fotel, przytknął je do zagrożonej szyby. Gęstość i częstotliwość spadającego gradu znacznie się zwiększały. Z powodu braku widoczności nie było wiadomo, co dzieje się z pobliskimi drzewami, obaj jednak bardzo dobrze czuli kołysanie wozu. – Nie wiem, co to, ale w ostatnim czasie dzieje się coraz gorzej! Jak nie trzęsienia ziemi, to tornada. Jak nie tornada, to susze, a jak nie susze, to znowu powodzie. Jeśli świeci słońce, to pali tak, że nie można wytrzymać. Potem burze zmiatają wszystko, co spoty-

DZIESIĘĆ

kają na swojej drodze. Żeby jeszcze było wiadomo, kto steruje tymi przyciskami od pogody...!

Naraz obaj policjanci zauważyli ostro święcący, dość wysoko położony punkt, który swym światłem przebijał się przez ulewę. Punkt błyskawicznie przeobraził się w kulę, która przemknęła tuż nad nimi. Mareczek rzucił okiem w bok i pośród ściany wody i lodu dojrzał coś, co zmroziło mu krew w żyłach – w kierunku ich schronienia właśnie waliło się potężne drzewo...!

Weronika skurczyła się w sobie. Stała się malutka, cicha i wsłuchana w wibrujący głos. Królowa Niebios... Pani z dziecięcych modlitw istnieje naprawdę, a jej swobodnie płynące słowa wnikają do samej głębi. Królowa gwarantowała bezpieczeństwo! Tak, tak, Weronika tego właśnie pragnęła. O niczym innym nie marzyła dziś tak bardzo jak o bezpieczeństwie. Królowa wiedziała o jej problemie. Skąd? Weronika nie śmiała nawet się domyślać. Wystarczyły słowa Pani o tym, że wie o grożącej jej ciemności. Królowa posiadała władzę, władzę nad mrokiem. Całe ciało Weroniki owładnęła szybka ulga. Tego tak bardzo było jej trzeba – ukojenia zszarganych nerwów, wytchnienia dla zastraszonego serca. Otuliło ją coś niesamowitego! Przemawianie Królowej podziałało jak uzdrawiający eliksir...

W zamian Pani chciała posłuszeństwa. Dlaczego nie? Weronika była gotowa nie tylko je obiecać, ale być posłuszną jak nikomu do tej pory. Obiecała pełną uległość. We wszystkim. Cokolwiek Pani by zażądała, Weronika dojrzała do tego, by zadośćuczynić wszelkim oczekiwaniom...

Z głębokiej medytacji wyrwał ją nieokreślony, głośny huk. Omiotła wzrokiem otoczenie jak ktoś wyrwany ze snu. Ludzie w świątyni usuwali się z bliskich bocznym nawom ławek. Weronika szybko dostrzegła przyczynę. Witraże wypełniające strzeliste okna po zachodniej stronie sanktuarium rozsypywały się na niezliczoną ilość drobin. Coś przenikało do wnętrza budowli i rozbryzgiwało się, uderzając o pobliskie przeszkody. Weronika ze zdumieniem stwierdziła, że tuż przy niej, na ławce lądują odłamki lodu. Głośne dudnienie o dach budynku dopełniało katastroficznej całości.

Figura, święta i majestatyczna, trwała w bezruchu, w żaden sposób nie reagując na zamieszanie w jej sanktuarium. Weronika, w pierwszym odruchu dziwiła się niewzruszonemu spokojowi Królowej. Zaraz potem zaczęła ją podziwiać. Tak właśnie należało – zachwycić się jej czcigodną dostojnością! Królowa nic nie robiła sobie z tego, co wyczyniała bezmyślna przyroda. Panowała ponad tym małostkowym wydarzeniem w pełni niewzruszonego majestatu.

Kolejna lodowa kula rozbryzgała się tuż obok uda Weroniki, boleśnie uderzając odłamkami. Kobieta skrzywiła się i zamknęła oczy.

Nowa wizja okazała się bardzo wyrazista. Spadający wielki dysk ciągnął za sobą czarny warkocz dymu. Uderzenie o powierzchnię wody wzbudziło wysoką falę. Drzewo. Potem zakrwawiona trawa. Muskularny mężczyzna. Kuchnia. Policjanci. Kobieta na fotelu ginekologicznym. Upadający mężczyzna. Wnętrze świątyni...

Ocknęła się. Tak – była w świątyni. Oślepiło ją jaskrawe, bijące od strony ołtarza światło. Zmrużyła oczy i zasłoniła je wyciągniętą przed siebie dłonią. Światło nie wypełniało całej przestrzeni sanktuarium. Było ograniczone do kształtu sporej kuli. W jej środku znajdowała się jakaś postać. Określenie, czy to kobieta, czy może raczej mężczyzna, było niemożliwe. Chciała zapytać, kim jest owa postać i wtedy została uderzona po raz drugi. Gradowy pocisk pozostawił na jej biodrze wyraźny ślad. Weronika syknęła z bólu. Światło zniknęło w ułamku sekundy.

– Proszę się odsunąć! – Jakaś starsza pani w berecie ciągnęła ją za ramię ku nawie głównej. – Tu jest bardzo niebezpiecznie. Proszę stąd uciekać!

Uległa i dała się odciągnąć ku głównej nawie. Wzmożony hałas sprawił, że twarze wszystkich zebranych tu ludzi emanowały nieudawanym przerażeniem. Ktoś zaczął głośno się modlić i reszta podchwyciła inwokację, niemal natychmiast dołączając i tworząc jednobrzmiący chór. Weronika początkowo poruszała bezgłośnie ustami, ale już po chwili z jej pamięci wyłoniły się słowa, które przed laty powtarzała wraz z matką przed pójściem spać. Wszyscy, co do jednego padli na kolana. Modlitwa stawała się coraz głośniejsza, jakby miała przebić się przez hałaśliwą burzę. Weronika starała się dorównywać wypowiadającym modlitwę dwóm klęczącym

DZIESIĘĆ

obok sąsiadkom i nie sprawiało jej to kłopotu. Po chwili wszyscy zgodnie wykrzykiwali każde słowo.

* * *

Prognoza pogody wydawała się sprzyjać wszelkim planom, ale okazało się, że przewidywanie a rzeczywistość, to dwie różne bajki. Mikołaj Śnieżewski z niedowierzaniem przyglądał się miejscu, gdzie jeszcze do niedawna stał jego namiot. Kilkanaście minut szalejącej burzy pozbawiło go dachu nad głową i wszystkiego, czego potrzebował, by normalnie funkcjonować – począwszy od szczoteczki do zębów, skończywszy na plecaku. Huraganowy wiatr wymiótł z tego miejsca wszystko, co posiadał. Wybrał się na spacer po niedalekich wzniesieniach, kiedy kompletnie zaskoczyła go nagła zmiana pogody, coś, co widywał w wysokich górach, ale nie w tak spokojnych, nizinnych stronach, jak te. Pieniądze i dokumenty na szczęście nosił przy sobie, dzięki czemu uchronił się przed dodatkowymi kłopotami.

Po paru minutach zrezygnował z poszukiwań swoich rzeczy, podejrzewając, że cały wakacyjny majątek mógł skończyć żywot w jeziorze, od którego małe obozowisko dzieliło zaledwie kilkanaście metrów. Rozejrzał się po okolicy. Mikołaj nie lubił dużych ludzkich skupisk. Zawsze, kiedy wybierał się na wycieczki, zabierał ekstremalny namiot i wędrował tak długo, aż znajdował odosobnione miejsce, gdzie mógł czuć się swobodnie i bezpiecznie. Kontemplował wtedy w ciszy, czytał książki, cieszył się otaczającą go przyrodą. Szukał miejsc, gdzie mógłby odpocząć od pracy. Zalazła mu za skórę niejeden raz. Wciśnięty z fotelem w niewielkie biurko, zawalony papierami oraz dopchany cybernetycznymi danymi pomstował na swój los. Ograniczona przestrzeń biura męczyła klaustrofobiczną ciasnotą. Na domiar tego Mikołajowi uprzykrzał życie piekielny nieznośny sąsiad. Facet dudnił głośnikami za dziesięć wypłat, wkładając do odtwarzacza muzę z pogranicza grobowej deski i paranoi. Wszelkie próby ujarzmienia natręta spełzały na niczym. Starał się prośbą, usiłował groźbą, na próżno. Gość dobrze po trzydziestce w czarnych skórach z niezliczonym piercingiem na całym ciele sprawiał ohydne wrażenie. Przywodził na myśl obleśnych typów zapijaczonych i zaćpanych po krańce możliwości. Do takich ludzi żywił bezgraniczne obrzydzenie. Nie wiedząc, co robić, zwierzył się koledze w pracy. Ten polecił mu znajomego, który zajmował się „eliminowaniem trudnych przypadków codziennego życia". Po tak tajemniczym anonsie Mikołajowi przyszła na myśl tylko jedna profesja. Zaawansowany w latach staruszek nie okazał się jednak wyposażonym w dwururkę płatnym mordercą. Jego metody sięgały sfery subtelniejszej, choć równie niebezpiecznej. Po dostarczeniu zdjęcia nieznośny sąsiad został zaopatrzony w zestaw skutecznych zaklęć. Tak, w rzeczy samej okazały się skuteczne na tyle, by gość wylądował w szpitalu z jakąś paskudną chorobą, która pozbawiła go słuchu. Metoda okazała się skuteczna, choć nie pozbawiona wad. Od tego czasu Mikołajowi przydarzyła się całkiem spora liczba niewyjaśnionych przypadków. A to samoistnie runęła półka z książkami, a to kilkanaście razy zepsuła się nowo zakupiona pralka, którą sprzedawca trzykrotnie wymieniał na nową, a to gasło lub zapalało się światło w rożnych częściach mieszkania. By uciec z mieszkania, wyjechał w plener.

Bardzo lubił góry. W Polsce schodził wszystkie wzdłuż i wszerz. Był także w Alpach, na Kaukazie, w Pirenejach i Karpatach. Co jakiś czas udawał się jednak na niziny, a szczególnym jego upodobaniem cieszyły się jeziora. Często bywał na Mazurach, ale tym razem wybrał Sieciowo. Jak zwykle trzymał się z dala od zatłoczonych kempingów, hoteli i plaż. Gdyby zamieszkał w hotelu, zapewne przetrwałby nawałnicę bez większego uszczerbku. Teraz był zmuszony do podjęcia jednej z dwóch decyzji: albo wróci do domu, albo kupi, co trzeba, uzupełni zapasy żywności i uda się w leśną głuszę raz jeszcze. Chroniąc się przed burzą, nie uniknął kompletnego przemoczenia. Wysoka przed burzą temperatura znacznie spadła i zrobiło mu się zimno. Zastanawiał się, czy nawałnica nie jest aby kolejną częścią z serii „niewyjaśnione przypadki Mikołaja". W zaniepokojonym umyśle począł roić się pomysł ponownego udania się do starego maga, by ten odczynił zaklęcie i uwolnił go od narastających problemów. By rozwiązać bieżące trudności, postanowił udać się do miasta.

Przedostanie się z leśnej głuszy do asfaltowej drogi nie było takie proste. Z powodu swoich upodobań, Mikołaj zaszył się w mało dostępnej części otaczającego jezioro lasu. By wydostać się z chaszczy

ku cywilizacji, musiał poświęcić nieco czasu i wysiłku, a pofałdowany teren nie ułatwiał zadania. Zrujnowany przez potężny wiatr las zmuszał go do ciągłych zmian wcześniej obranego kierunku. Sporo drzew o słabszych korzeniach padło, inne straciły część konarów. Połamane gałęzie wolał omijać, niż przebijać się przez nie na wprost, gdyż wiązało się to z niebezpieczeństwem odniesienia niepotrzebnych kontuzji.

Po blisko godzinie wdrapał się na wzgórze, które pozwalało na względny przegląd sytuacji. Z jednej strony widział znaczną część jeziora, z drugiej znowu niewielki fragment lasu oraz przecinkę, w której wiła się droga. Przyjrzał się tafli jeziora. Po chwilowych wątpliwościach nabrał pewności. To, co dostrzegł, nie było niczym innym, jak dwiema przewróconymi łodziami. Ludzi nie zauważył. Czy zdążyli opuścić jezioro, czy może raczej utonęli w czasie sztormu, nie był w stanie dociec. Z całego serca życzył im tego pierwszego. Burza nadeszła nagle, a jej siła przeszła wszystko, co widział do tej pory. Sam uniknął wielkiego gradu dzięki odrobinie szczęścia. Zwalone, stare drzewo utworzyło wraz z naturalnym terenowym wgłębieniem wystarczająco głęboką jamę, by mógł się w niej zmieścić. Zanim ją jednak znalazł, kompletnie zmókł. Gdyby pozostał na odkrytym terenie, z pewnością zostałby dotkliwie poraniony przez spadający z nieba lód.

Już miał zamiar zbiec po zboczu w stronę drogi, gdy zauważył coś niepokojącego. Nieopodal wody, blisko dwieście metrów od niego stała mała dziewczynka. Patrzyła w stronę jeziora. Mikołajowi przyszło do głowy, że dziecko wypatruje powrotu kogoś, kto przed burzą pływał żaglówką i do tej pory nie powrócił, ale mylił się. Na moment odwrócił wzrok od dziecka, by spojrzeć na taflę wody, a kiedy na powrót zwrócił się ku niej, zobaczył świetlistą kulę, która nie wiadomo skąd się pojawiła, zawisając nieruchomo w odległości kilku metrów od dziecka. Mikołaj zaraz pożałował, że nie ma przy sobie niczego, czym mógłby zarejestrować ten niezwykły widok. Aparat fotograficzny przepadł w plecaku, a komórki podczas wakacji nie używał, by nikt nie zakłócał błogiego spokoju. Mógł tylko patrzeć na dziwne zjawisko i zachodzić w głowę, czym jest świetlisty obiekt i dlaczego dziecko stoi przed nim tak nieruchomo, zamiast uciekać, gdzie nogi poniosą. Wyjaśnienie nasunęło się jedno. Intensywne, lekko pulsujące światło emanowało ukrytym magnetyzmem, mocno przyciągającym uwagę, fascynującym do tego stopnia, że trudno było oderwać od niego wzrok. Ktoś o słabej woli, mógł ulec tej hipnotyzującej sile. Wniosek był prosty – dziewczynka, pozbawiona silnej, ukształtowanej osobowości uległa wpływowi zjawiska.

Mikołaj wahał się, co zrobić. Nie wiedział, czy czekać, czy biec dziecku na ratunek. Zdecydował się na to drugie. Zupełnie nie znał natury niespotykanego obiektu, ale podjął ryzyko. Nigdzie nie dostrzegł nikogo, kto mógłby być podążającym na pomoc opiekunem, a sam nie chciał, by dziecku stało się coś, za co mógłby winić siebie samego z powodu własnej bezczynności.

Ruszył biegiem w dół zbocza. Będąc coraz bliżej kuli, widział coraz gorzej. Światło oślepiało go na tyle mocno, że musiał zasłaniać oczy wyciągniętym przed siebie ramieniem. Mokra trawa nie ułatwiała zadania. Poślizgnął się raz i drugi, po czym nie utrzymując równowagi, z impetem padł na plecy. Uderzył głową o coś twardego i stracił kontakt z rzeczywistością. Po nieokreślonej chwili otworzył oczy. Wszystko wokół wirowało, to niknąc, to wyłaniając się na nowo z bladej mgły. Pośród tych niejasnych doznań pojawiła się dziewczynka. Dziecko patrzyło na niego z góry dużymi, niebieskimi oczami, w których było coś dziwnego, przerażającego nawet, coś, przed czym chciałoby się uciec. Mikołaj nie był w stanie ruszyć się z miejsca. Dziewczynka nachyliła się nad nim i delikatnie musnęła go. W tym dotknięciu było coś niezwykłego, coś intensywnego, rażącego niczym prąd. Mikołaj odczuł, że wszystkie jego mięśnie naprężyły się do granic wytrzymałości, po czym zupełnie opadł z sił i stracił przytomność.

✳ ✳ ✳

Klient gapił się na nią jak wygłodniałe zwierzę na kawał mięsa. Powiedział, że zapłaci, ile tylko zażąda, dlatego uznała, że zniesie ten jego nachalny wzrok, zrobi, czego będzie oczekiwał i wyniesie się jak najszybciej. Znajdowali się w hotelowym pokoju. Facet mieszkał sam, co widać było na pierwszy rzut oka po panującym tu męskim bałaganie. Prawdopodobnie usiłował posprzątać pokój przed sprowadzeniem jej do siebie, ale wciśnięte w kąt butelki razem ze skarpetkami oraz zmiętoloną koszulką rzucały się w oczy.

DZIESIĘĆ

Czekała na łóżku. Klient brał prysznic. Wymagała tego bezwzględnie. Nie znosiła flejtuchów, którzy nie dbali o higienę. Była po to, by dać im przyjemność, ale nie potrafiła nic zrobić, gdy czuła smród spoconego, lepkiego ciała.

Pamięć przywiodła jej wczorajsze popołudnie. Kiedy wróciła do domu ze świątyni, nie bała się już niczego. Spotkanie ze świętą figurą, a właściwie z Królową Niebios, wlało w nią nowe spojrzenie na świat. Nie wiedziała jeszcze, na czym ono polega, co jest inaczej, ale pewność przemiany była niezwykle silna. Pamiętała przerażenie, jakie dopadło ją w gabinecie Konrada, ale nie było to już uczucie, a sucha wiedza o zaistniałym fakcie. Wracała do domu beznamiętnie rejestrując powstałe w wyniku burzy zniszczenia, którymi usiane były ulice miasta. Nie wzruszało nic – rozbite okna, dziurawe dachy, przewrócone drzewa, obite samochody z roztrzaskanymi szybami. Tak mocna beznamiętność była jej dotąd obca, ale Weronika zaczerpnęła z tego uczucia zaskakującą przyjemność. Rano wstała całkiem przychylnie nastawiona do życia. Wspomniała Konrada, ale niewiele ją obszedł. Gdzieś wewnątrz tliło się przekonanie, że jego śmierć była nieuchronna, a jej obecność w gabinecie nie była niczym innym, jak zwykłym zbiegiem okoliczności. Nie powinna się winić ani do tego wracać. Jedyne, co powinna, to znaleźć innego ginekologa, który będzie monitorował stan jej zdrowia i dbał o dobrą kondycję.

Klient zakręcił wodę i po chwili ukazał się w drzwiach. Wyglądał na nieco zestresowanego. Zachęciła go skinieniem dłoni. Usiadł na skraju łóżka.

– Pierwszy raz? – spytała miłym tonem. Pokręcił przecząco głową, ale czuła, że coś stoi na przeszkodzie, by się rozluźnił.

Kiedy dotknął jej ciała, zadrżała. Część pokoju stała się przymglona i niewyraźna. Jej oczom ukazała się nieznajoma kobieta. Weronika drgnęła na ten widok, ale umysł zaraz przyjął wizję jako coś, z czym powinna się oswoić. Zaraz potem opanowała ją nieco wcześniej poznana beznamiętność.

– Nie jesteś kawalerem – powiedziała na głos.

Mężczyzna zatrzymał wędrującą po jej ciele dłoń w pół ruchu.

– Czy to ważne? – spytał.

Weronika nigdy nie pytała o takie rzeczy. Nie miał znaczenia status społeczny, rodzaj wykonywanej pracy. Liczyły się pieniądze. Tym razem było inaczej.

– Dla mnie nie, ale dla niej... – Obok kobiety pojawiły się dzieci. Dwie dziewczynki mogły mieć jakieś pięć lat. – Właściwie... dla nich, chyba tak.

– Niby dla kogo...? – Odsunął się nieco, by lepiej się jej przyjrzeć.

Weronika potrzebowała pewności, czy to, co widzi, dotyczy nieznajomego mężczyzny, czy też może obecne w pokoju zwidy są wyłącznie jej własnością.

– Masz bliźnięta? Dwie dziewczynki w wieku przedszkolnym?

Tym razem jego twarz zmarszczyła się w bezbrzeżnym zdumieniu.

Uśmiechnęła się. Jednak to prawda. Wizja była w pełni rzeczywista. Kiedy mężczyzna odsunął się od niej, nieznajome zniknęły. Teraz ona, przysuwając się nieco bliżej, dotknęła jego ciała, by nabrać nieco pewności.

Wizja powróciła.

– Magdalena to żona, prawda? – spytała z rosnącą ciekawością. Nie wiedziała, skąd przyszło jej to imię, ale zapytała. W oczach mężczyzny pojawiło się coś więcej niż zdumienie. – A dziewczynki to Zuza i Kasia, tak?

Mężczyzna zerwał się z łóżka z wyraźnym oszołomieniem odbitym na nabrzmiałej twarzy.

– Skąd to wszystko wiesz? Znasz mnie? Znasz moją rodzinę?! – krzyknął.

Poczuła się nieswojo. Jak dotąd coś podobnego nigdy się jej nie przytrafiło. Spojrzała w kąt pokoju, gdzie przed chwilą widziała kobietę i dzieci. Był pusty.

– Nie znam – odparła stanowczo. – Zobaczyłam je tu, w tym pokoju, i wiedziałam...

Mężczyzna zaklął i rzucił okiem na wskazane przez nią miejsce.

– To niemożliwe! – jęknął.

– Co się stało?

– Wiesz, jak mam na imię? – spytał, jakby chciał się upewnić.

– Powiedziałeś, że...

– To nie jest prawdziwe imię! Wiesz, jak nazywam się naprawdę?!

Wyciągnęła do niego rękę.

DZIESIĘĆ

– Mogę cię dotknąć?

Klient, postawny, dobrze zbudowany mężczyzna o lekkiej nadwadze, w tym momencie sprawiał wrażenie, jakby wystraszył się kobiety, która nie była w stanie przeciwstawić mu nawet części siły, jaką z pewnością dysponował.

– Nie wiem... – szepnął skonsternowany.

– Tylko na moment. – Zbliżyła się do niego, a on się nie cofnął. Dotknęła go czubkiem palca. – Włodek. Masz na imię Włodek.

– Kto cię podstawił? Czego chcesz?! – warknął nie na żarty przestraszony.

Weronika poczuła drżenie w całym ciele. Przeszył ją zimny dreszcz. Dotarło do niej, że gra toczy się na innej płaszczyźnie, niż przypuszczała.

– One nie żyją, prawda? – wyszeptała.

– Skąd ty to wszystko wiesz?! – tym razem klient wrzasnął bez ograniczeń. – Kim jesteś?!

Przeszyła klienta wzrokiem.

– Ty im to zrobiłeś. Wiem, że ty... – choć nie wiedziała, jakim sposobem, tego, co wypowiadały jej usta, była całkowicie pewna. – Zabiłeś je...

Klient patrzył na nią z niedowierzaniem. Stał przed nią zupełnie zdezorientowany z nabrzmiałymi żyłami, wściekły, ale niepewny, co ma z tym wszystkim począć. Po krótkiej chwili zdecydował.

Weronika dostrzegła jego zamiar nieco wcześniej. Choć była znacznie słabsza, na jej twarzy nie zagościł nawet cień strachu. Dobrze pamiętała, co powiedziała jej Królowa. Królowa Niebios zagwarantowała jej bezpieczeństwo, a Weronika Królowej Niebios uwierzyła.

✳ ✳ ✳

Wszelkie próby przywołania wspomnień z ostatniej doby spełzały na niczym. Mikołaj macał się po stłuczonej głowie, usiłując dociec, co stanowiło przyczynę pokaźnego guza, jaki wyrósł mu na obolałej potylicy. Nie wiedział, jak się znalazł w mieście. Zapomniał, skąd się tu w ogóle wziął. Po dłuższych dywagacjach dotarło do niego, że mieszkał w lesie. Pamiętał namiot i najbliższą okolicę, w jakiej przebywał. Potem ślad się urwał. Teraz nie miał przy sobie ani plecaka, ani namiotu i nie wiedział, dlaczego.

Usiadł na ławce, na sieciowskim rynku i tępo rozglądał się wokół. W umyśle kołatały się różne pomysły na to, co się stało, ale dwie opcje uznał za najbardziej prawdopodobne. Pierwsza wiązała się z napadem i kradzieżą. Być może został ofiarą rabusiów, którzy nie oszczędzili ani jego głowy, ani własności. Pomacał kieszenie. Znalazł portfel. Gdyby ktoś chciał go obrabować, zabrałby i to. Druga opcja wiązała się z tym, co widział w mieście. Wszędzie, gdziekolwiek by nie spojrzeć – zniszczenia. Poobijane samochody z porozbijanymi szybami. To samo dotyczyło części witryn sklepowych. Połamane drzewa, zniszczone klomby, powywracane to i owo. Ucierpiały dachy. Sieciowo musiało stać się areną jakiegoś strasznego widowiska. Mikołaj podejrzewał, że i on mógł być jego częścią. Usłyszał, jak ludzie wspominali wczorajszą burzę. Najbardziej ucierpieli ci, którzy mieszkali pod namiotami na kempingach. Nie wszystkim udało się schronić pod nielicznymi, mocnymi zadaszeniami. Na odkrytym terenie nie było najmniejszych szans, by umknąć przed atakiem gradowych kul, tak mówili przechodnie. Mikołaj pamiętał, kiedy w dzieciństwie dostał zmrożoną śnieżką prosto w twarz. Niemal stracił przytomność, dlatego uznał, że stał się ofiarą nawałnicy, a nie rabusiów.

Pomasował bolące miejsce na głowie. Szczęśliwie nie doszło do przecięcia skóry. Obejrzał się pobieżnie i nie stwierdził innych ran oprócz kilku otarć. Pomyślał przez chwilę, na ile będzie w stanie odnaleźć swoje obozowisko. Niewykluczone, że istniała jakaś marna szansa na odzyskanie czegokolwiek, co stanowiło jego własność, ale luka w pamięci była zbyt duża, by odszukać tak niewielki skrawek ziemi, na tak dużym, pokrytym lasami obszarze. Doszedł do niepodważalnej konkluzji, że w tej sprawie stoi na przegranej pozycji.

Przymknął powieki i westchnął głęboko. Wtedy zobaczył dziecko, dziewczynkę spoglądającą na niego z góry, z nieprzyjemnym grymasem na ładnej buzi. Wydała mu się znajoma, ale nie znał jej imienia. Poczuł ukłucie w sercu. Dziewczynka miała w sobie coś, czego nie zidentyfikował, ale to coś stało się jego udziałem. Okazał się bezbronny, całkowicie bezbronny wobec trudnej do uchwyce-

nia przemocy, jaką wkłuła się w niego tymi jasnymi, natarczywymi oczami.

Podniósł powieki i wizja, czy może raczej wspomnienie, zniknęło. Pozostało uczucie niejasnej niepewności...

Otrząsnął się. Nerwowo potarł twarz. Stwierdził, że uderzenie w głowę zaszkodziło bardziej, niż przypuszczał. Guz to guz, ale psychoza, to już coś poważnego. Psychoza...? Nie znał się zbytnio na psychiatrii, ale z tak poważną „diagnozą" stanowczo przesadził. Jedna czy dwie głupie myśli nie muszą świadczyć o żadnej chorobie. Po prostu był przemęczony i bolała go głowa. Tyle tego. Bolała go głowa. Czuł się jeszcze wyczerpany. Tak... jednak coś sobie przypominał. Zbiegał po sporej stromiźnie, było ślisko. Potem chyba potknął się czy też raczej poślizgnął i runął na plecy. To nie był żaden napad. Nikt go nie okradł. Sam się tak urządził. Dlaczego biegł? Skoncentrował się na biegu... Biegł do jakiegoś dziecka. Tak – dziecko wymagające nagłej pomocy... Z jakiego powodu? Musiał skupić się jeszcze bardziej, ale przeszkadzali przechodzący w pobliżu ludzie... Odszedł nieco na bok. Przypomniał sobie światło. Było nienaturalne i oślepiające. Właśnie z powodu tego światła biegł do małej dziewczynki. Chciał ją ratować przed świetlistą kulą, która zawisła nieopodal dziecka, jakby zamierzając je pochłonąć. Racja, to ona stanowiła centralny powód utraty świadomości i częściowej amnezji, jakiej uległ! W tym momencie doszedł do wniosku, że dziecko nie potrzebowało jego pomocy. Konkluzja była głębsza, ale ogarnęło go nagłe poczucie przerażenia. Musiał uciekać! Dla własnego bezpieczeństwa – natychmiast i bezwzględnie! Za nic nie mógł zostać w tym miejscu...!

∗ ∗ ∗

Szła przez miasto zadowolona z siebie jak nigdy dotąd. Świat Weroniki wyglądał zupełnie inaczej niż do tej pory. Królowa! To wszystko jej zasługa. Weronika zmierzała do świątyni, by podziękować za niezwykłe dary, jakimi została obdarzona. A były to dwie sprawy. Po pierwsze przed jej oczyma rozpościerały się rzeczy, których do tej pory w żaden sposób zobaczyć nie mogła. Zrozumiała, że została jasnowidzem! To niesamowite! Kiedyś chodziła do wróżki, by ta pomagała jej w podejmowaniu trudnych decyzji, teraz będzie mogła pomagać innym w tak absolutnie niezwykły sposób. Druga sprawa była równie fascynująca. Kiedy niedoszły klient po odkryciu prawdy z jego przeszłości usiłował zrobić jej krzywdę, padł rażony jednym, jedynym słowem. Mężczyzna znacznie większy i silniejszy, uległ jak małe dziecko. Czując wewnętrzną moc, jaką została napełniona, krzyknęła „precz!" i to wystarczyło jak jakieś zaklęcie! Coś niesamowitego. Od tej chwili nie powinna bać się nikogo ani niczego. Oddała swoje życie Królowej Niebios i zrobiła interes życia. Pozostało dowiedzieć się, jak w praktyce korzystać z otrzymanych darów. Dlatego zmierzała do sanktuarium.

Poruszona pewną myślą, postanowiła sprawdzić, co jest w stanie widzieć u ludzi. Rozejrzała się wokół. Wybrała starszą kobietę stojącą w kolejce do staromodnego kiosku spożywczego. Podeszła do niej z tyłu, niby jako kolejna klientka i delikatnie dotknęła jej ciała. Błysk wizji strzelił jej przed oczami bardzo wyrazistym obrazem. Weronika ujrzała młodą kobietę. Łucja, córka kobiety – nie miała wątpliwości, kim jest. Łucja mieszkała daleko i była bardzo chora.

Weronika nachyliła się do ucha nieznajomej.

– Proszę iść do świątyni, do Królowej Niebios. Ona uleczy Łucję, jeśli tylko ją pani o to poprosi. Być może Królowa będzie chciała coś w zamian, ale niech się pani nie waha. Warto. Naprawdę warto – wyszeptała, po czym szybko oddaliła się, rzuciwszy kobiecie jedno ciepłe spojrzenie. Zdumienie nieznajomej wyrażone w jej oczach było dla Weroniki bezcenne. Radość z działającego daru nieomal uniosła ją nad ziemię.

Przyspieszyła kroku, by szybciej dotrzeć do sanktuarium. Rozejrzała się. W pobliżu przemknął trudny do opisania cień. Właściwie tylko jego część. Albo może raczej półcień... Chciała się temu zjawisku przyjrzeć, ale zniknęło niczym złudzenie.

Śpieszyła się. Skrywaną w sobie wdzięczność jak najszybciej powinna przelać na konkretne słowa. Dziękczynienie pragnęła złożyć tam, w tym konkretnym, jedynym miejscu – przed świętą figurą.

Gdy od celu dzieliły ją tylko dwie ulice, niespodziewanie zderzyła się z kimś, kto wybiegł zza węgła najbliższego domu. Przed oczami błysnęła jej wizja – mała dziewczynka o blond włosach i dużych oczach. Impet natarcia wyrzucił ją poza chodnik ze znaczną siłą

DZIESIĘĆ

i obraz zniknął. Na chwilę ją zamroczyło. Nadjeżdżający samochód zauważyła w ostatniej chwili, ale było już za późno.

✳ ✳ ✳

Mikołaj wpadł na kogoś tuż za zakrętem, zupełnie na to nieprzygotowany. Stracił równowagę i odruchowo wyciągając przed siebie obie ręce, upadł na kostkę brukową. Do jego uszu dotarł huk.

Przed oczami pojawiły się czarne plamy, które szybko przerodziły się w mroczną czeluść. Wstrząsnął nim dreszcz. Potem silne napięcie mięśni, skurcz i bezwładność. Odczuł nową falę strachu. Uciekał przed nim, ale skuteczność tej ucieczki pozostawiała wiele do życzenia. Był za wolny. Stanowczo za wolny. Odniósł wrażenie, że kolizja z nieznajomą wywołała w nim jakąś niemożliwą do określenia zmianę. Nie miał pojęcia, co to, ale na pewno coś się stało!

Ktoś usiłował podnieść go z ziemi. Pozbierał się mocno zdezorientowany. Jacyś ludzie coś od niego chcieli. Nic nie zrozumiał. Widział ruszające się wargi, ale nie docierało do niego żadne słowo. Kątem oka dojrzał leżącą na asfalcie kobietę. Była nienaturalnie skręcona na bok. Tuż przy niej klęczał mężczyzna. Mówił do niej, dotykał, jakby sprawdzając, co jej dolega. Mikołaj zobaczył też samochód. Miał wgniecioną maskę i pękniętą przednią szybę. Niejasne przeczucie, że nie może tu dłużej zostać, pchało go do dalszej ucieczki. Ruszył przed siebie. Ktoś usiłował go zatrzymać, ale wyrwał się z oplatających jego ciało ramion i zaczął biec. Ktoś krzyczał, ale nie rozróżniał słów. Do umysłu docierał jeden bełkot. Cały się trząsł, ale biegł coraz szybciej. Ktoś zastąpił mu drogę. Mikołaj odepchnął go. Nie mógł dać się zatrzymać! Niech robią, co chcą, ale będzie biegł, ile sił w nogach. Wewnątrz duszy słyszał ponaglający go wrzask, by nie ustawał! Wraz z kolejnymi krokami przybywało mocy. Sadził coraz dłuższe susy. Nie da się złapać! Nikomu nie da się złapać!

✳ ✳ ✳

Wezwanie do wypadku Dolina odebrał z największą niechęcią, na jaką było go teraz stać. Od wczoraj wszystkiego miał po czubek nosa. Opanowała go totalna niechęć do życia. Gdyby Mareczek był w pracy, sam wziąłby wolne i zaszyłby się gdzieś jak najdalej od tego miejsca. Niestety Tomasz pojechał do Wolczyc, by prześwietlić zranioną podczas wczorajszej burzy rękę. Walące się w wyniku działania huraganowego wiatru drzewo przygniotło ich radiowóz, kalecząc przedramię szeryfa. Tomeczek nie chciał zgłaszać wypadku w pracy, dlatego wziął parę dni wolnego, by dać sobie szansę na szybki powrót do pełnej sprawności z pominięciem uciążliwych procedur BHP. Dolina podejrzewał, że Hania, jako najlepsza żona pod słońcem, nie pozwoliła mu na samodzielne leczenie i wysłała mężusia na konsultację do prawdziwego lekarza, którego w Sieciowie ze świecą szukać. Tak przynajmniej sądziła Hania. Mirosław podzielał jej zdanie. Podzielał zdanie żony przyjaciela w wielu innych kwestiach, ale rzadko to przyznawał.

Wraz z posterunkowym Siemaszką wskoczył do drugiej, nieuszkodzonej Warszawy i pognali na sygnale w kierunku ulicy Wałęsy, gdzie doszło do wypadku. Jazda z włączoną „dyskoteką" na dachu zawsze sprawiała mu przyjemność, ale tym razem niewiele obchodziło go cokolwiek. Nie wzruszało to, że każdy zobligowany do ustąpienia pierwszeństwa uczestnik drogi robił to z pełną, należną policji uległością. Nie sprawiało mu radości wywieranie wrażenia na kimkolwiek. Był zmęczony i zniechęcony.

Dotarli na miejsce w kilka minut. Wokół miejsca zdarzenia zebrał się niezgorszy tłum gapiów, który należało zmusić do rozejścia się. Ciekawość ludzkiej natury była wprost proporcjonalna do zachodzących w czasie i przestrzeni nieszczęść. Im większa tragedia, tym ciekawiej.

Wezwana do wypadku karetka pędziła z Wolczyc. Na miejscu, przy poszkodowanej kobiecie klęczał doktor Patrosz. Dolina pomyślał, że lepsze to, niż sam miałby udzielać pierwszej pomocy.

– Witam, doktorze. Co się dzieje? – zapytał, chcąc rozeznać się w sytuacji.

– Dzień dobry, dzień dobry – odrzekł doktor, spoglądając, z kim ma przyjemność rozmawiać. – Jak pan widzi, potrącenie.

Dla sierżanta akurat ta informacja była zbędna. Wiedział, co się stało. Interesował go stan kobiety.

– Co z nią?

– Obawiam się, że kiepsko – powiedział, ściszając głos. – Na razie nieprzytomna. Jest poważnie ranna, ale bez diagnostyki, wie pan...

DZIESIĘĆ

Oczywiście wiedział.

– Krwawi – zauważył Dolina.

– Tak, ale nie wiem, czy to najpoważniejszy problem. Obawiam się o jej kręgosłup. Nieszczęśliwe zderzenie z samochodem i upadek na asfalt. Mogło przerwać rdzeń...

Sierżant podniósł się z klęczek, popatrzył na uszkodzonego Opla i poszukał wzrokiem właściciela. Jego uwagę zwróciła płacząca nieopodal kobieta.

– Pani kierowała pojazdem? – spytał. Kiwnęła bez słowa głową, zanosząc się od płaczu. Trafił.

– Może pani wyjaśnić, co się wydarzyło?

Płacz przerodził się w głośne zawodzenie. Dolina przeklął pod nosem. Do kompletu brakowało rozhisteryzowanej baby, z której nic nie da się wyciągnąć...

– Ja widziałem – wtrącił starszy jegomość w słomkowym kapeluszu. – Stałem po drugiej stronie ulicy i widziałem wszystko bardzo dokładnie.

Sierżantowi nieco ulżyło. Wreszcie dowie się czegoś o przebiegu zdarzenia.

– Z tamtej strony, od Wiślanej – wskazał jegomość palcem – biegł młody człowiek. Tu, na rogu zderzył się z tą niewiastą, a nieszczęśniczka straciła równowagę i wpadła pod samochód tej pani. To był nieszczęśliwy wypadek.

Dolina przeanalizował słowa mężczyzny i przyjął je jako prawdopodobne. Połączył się z posterunkiem, podał rysopis sprawcy wypadku. Podejrzewał, że odnalezienie go może nastręczać pewne trudności. Wyjął tablet, by zanotować personalia świadka, pani histeryczki i pstryknąć parę zdjęć. Zrobił, co należało i na powrót przyklęknął przy rannej kobiecie. Doktor Patrosz opatrzył ją, na ile pozwalały na to warunki, delikatnie podłożył coś pod głowę i okrył kocem z podręcznej samochodowej apteczki. Dolina znalazł się z tyłu leżącej na boku kobiety. Chcąc poprawić aluminiowy koc ochronny, zauważył na odsłoniętych przez dekolt letniej sukienki plecach coś, co niewątpliwie było tatuażem. Natychmiast pomyślał o opowieści Tomaszka. Tatuaż stanowiły dwie, archaicznie stylizowane litery NB. Nie zastanawiając się wiele, pstryknął jeszcze jedno zdjęcie. Umysł zaczął pracować na innych, znacznie wyższych obrotach. Nagle zaczęło mu zależeć na leżącej przy nim, nieprzytomnej, nieznajomej, młodej kobiecie. Uznał, że utrzymanie jej przy życiu da szansę na nowy rozdział w ich prywatnym dochodzeniu.

– Gdzie ta karetka...! – powiedział nerwowo.

✱ ✱ ✱

Mimo szybkości, jaką rozwijał w trakcie biegu i mimo wyprzedzenia kilku jadących w tę samą stronę rowerzystów, Mikołaj nie męczył się. Moc, jaka wstąpiła w jego ciało, sprawiała, że mógłby tak pokonać wiele kilometrów. Przed oczyma jawił mu się długi, ciemny tunel, a na jego końcu tliło się nikłe światełko. Zmierzał tam z nadzieją ratunku. Wciąż ciążyło mu wrażenie, że ktoś go ściga i nie ma innego wyjścia, jak tylko gnać przed siebie. Kim był napastnik, nie widział, ale czuł go bardzo blisko siebie. Przechodnie ustępowali mu z drogi, niektórych potrącał, czasem wkraczał na trawnik i ulicę. Nie widział jednak niczego prócz ciemnego tunelu oraz jasnego punktu na jego końcu.

Wydostał się z miasta i mimowolnie skierował się do lasu. Nieopodal przemknęła świetlista sfera. Zawadził stopą o wystający korzeń, po czym runął w dół niewielkiego jaru, kilkanaście razy koziołkując. Wreszcie zatrzymał się na rozłożystym krzewie. Wstrząs wywołany upadkiem nieco go otrzeźwił.

– Bez naszego przyzwolenia nie masz prawa tu przebywać! – dotarł do niego czyjś apodyktyczny głos.

– Wasza władza mnie nie dosięga – odpowiedział ktoś inny.

– Jesteśmy Archontami – nie ustępował pierwszy.

– Jesteście nikim. Ja jestem władcą.

Mikołaj zwinął się w kłębek. Nie chciał, by ktokolwiek go dostrzegł.

– Twoje imię? – zacharczał nieprzyjemnie pierwszy głos. – Mamy władzę nad każdym kłamstwem.

– Mienicie się Archontami i nie znasz mnie? – zaśmiał się szyderczo drugi.

– Mamy władzę zmusić cię do wszystkiego, czegokolwiek tylko zażądamy.

DZIESIĘĆ

– Jestem bogiem. Jestem poza waszą jurysdykcją! – odrzekł drugi, tubalnym i chropowatym tonem, który wprawiał w drżenie całe ciało Mikołaja. – Domyśl się, skoro jesteście Archontami.

Mikołaj chciał zasłonić uszy, by nic nie słyszeć, ale uświadomił sobie, że głos nie dociera do niego z zewnątrz, ale pochodzi z jego własnego wnętrza i wypełzając na usta, staje się słyszalny dla uszu.

– My też jesteśmy bogami. Większymi bogami niż ty!

– I nie wiesz, kim jestem?

Zapanowała chwila ciszy.

– Aaa... – zaśmiał się sardonicznie po chwili zastanowienia pierwszy. – Sumerowie... znudzili się?

– Nigdy nie przywiązałem się do nich – padła ostra odpowiedź. – Mieszkałem w wielu miejscach, gdzie oddawano mi cześć, ale wszystko to było prostackie i monotonne. Teraz jestem tu po to, by się bawić...

– Bawić?

– Zwiedzam, oglądam, słucham i zadziwiam ludzi. Kłamię jak wy. Dzisiejsze społeczeństwa są tak naiwne... Mam władzę nad ludzkimi wyobrażeniami. Zarażam je, a one chorują i prowadzą ludzi, gdzie chcę...

– Nie masz prawa czegokolwiek robić bez naszego przyzwolenia!

– Nie masz prawa mi zabraniać. Jestem władcą!

– My jesteśmy Archontami!

– Wiem, co żeś za jeden. Tesmoteta... czyli nikt taki. Tworzysz prawa, ale żadnego z nich nie możesz na mnie nałożyć, bo ja jestem władcą! Ja jestem panem! – rozległo się tłumione dłońmi Mikołaja rzężenie. – Do mnie należy wszelkie przywództwo!

Mikołaj wypowiadał kolejne słowa, których nie był autorem. Całą jego duszę ogarnęła panika. Dwie obce, nieznane mu siły spierały się między sobą, wykorzystując jego usta. Nie potrafił nad tym zapanować. Mimo że usiłował za wszelką cenę zacisnąć własne szczęki, do tego zakrywając usta obiema dłońmi, słowa o zupełnie odmiennych barwach oraz różnych akcentach opuszczały go, prowadząc ze sobą jakiś niezrozumiały dla niego dialog. Umysł Mikołaja, który na moment odzyskał trzeźwość, wpadł w popłoch. Kołatało się w nim jedno podstawowe pytanie: czy naprawdę oszalał? Czy to, co słyszy, jest wytworem zranionego mózgu, czy też dzieje się naprawdę...?

Mikołaj wdrapał się na skraj jaru i kręcąc się w kółko, próbował
obrać jeden konkretny kierunek. Coś mówiło mu, że ma zostać na
miejscu. Coś innego podpowiadało, by pobiec dalej na zachód. Coś
trzeciego kazało mu wracać do miasta, by tam poszukać pomocy.
W końcu zrobił trzy kroki na zachód. Tak mu się przynajmniej wydawało, bo czy faktycznie był to zachód, nie potrafił autorytatywnie
stwierdzić. Zaraz zatrzymał się, zrobił zwrot na pięcie i kilka metrów pokonał w zupełnie innym kierunku. Stanął zdezorientowany.

– Do mnie należy wszelkie przywództwo! – powtórzył drugi głos.

– My jesteśmy Archontami – zaprotestował pierwszy. – Tylko
my!

Mikołaj rzucił się na trawę i zrywając ją całymi garściami, począł
wpychać we własne usta. Chciał uciszyć głosy. Nie miał zamiaru
wypowiadać żadnych słów. Pragnął natychmiast wrócić do zapyzia-
łego biurowca w centrum Krakowa, usiąść tam za biurkiem i kontrolować słupki wykresów oraz sumy liczb, jak robił to od lat. Do tej
pory wydawało mu się, że ta jednostajna, pełna szarości praca przywiedzie go do obłędu. Teraz chciałby wrócić tam i wlepiać wzrok
w monitor zamiast w trawę, którą zaczął się dławić. Był już pewien,
że postradał rozum. Więcej niż pewien...

– On jest mój – usłyszał wewnątrz głowy.

– Jest nasz! – zaprotestował pierwszy głos.

✶ ✶ ✶

– I jak?

– Wydaje się stabilna – odpowiedział doktor Patrosz. – Puls
w granicach normy, oddycha równomiernie. To jednak nic nie
znaczy...

Sierżant wyjął smartfon i zadzwonił na 112. Dyspozytor odebrał
połączenie bez zwłoki. W kilku słowach poinformował go, gdzie
znajduje się ambulans. Szczęśliwym zbiegiem okoliczności S-ka
znajdowała się w pobliżu Sieciowa, zaledwie kilkanaście kilometrów
od miasta, wezwana do mało poważnego przypadku. Udzieliwszy
medycznej porady, załoga ambulansu mogła udać się do zgłoszone-
go wypadku. Dolinie ulżyło.

– Co się stało? – usłyszał nieopodal, za sobą. Pytanie wypowiedział mężczyzna. Sierżant od razu rozpoznał ten ton i sposób wy-

DZIESIĘĆ

rażania się. Trzeci! Bez najmniejszych wątpliwości zidentyfikował głos Trzeciego – mężczyzny, który więził go związanego i zakneblowanego nad jeziorem!

Dolina powoli odwrócił głowę.

– Samochód potrącił kobietę – udzielił ktoś odpowiedzi.

– Śmiertelnie?

– Wygląda kiepsko, ale żyje.

Dolina dojrzał ciekawskiego – blondyna średniego wzrostu i przeciętnej budowy ciała. Na pierwszy rzut oka nikt taki, kogo należałoby się obawiać. Pod względem fizycznym sierżant przewyższał go zarówno wzrostem, jak i wagą. Jeśli kłusownik rozpozna w nim człowieka w kolarskim stroju, zapewne zacznie uciekać. Musiał szybko wykombinować właściwą strategię. Za wszelką cenę nie chciał dopuścić do jatki w centrum miasta. Bardziej zależało mu na dotarciu do pozostałych przestępców i zgarnięciu całej grupy.

Sięgnął do kieszeni munduru i podszedł do Siemaszki. Szepnął mu parę słów do ucha z nadzieją, że nie będzie musiał wyjaśniać, co i po co ma zrobić. Nie musiał. Posterunkowy potraktował kwestię jak rozkaz i posłusznie uczynił, czego sierżant od niego oczekiwał. Pozostawała nadzieja, że wymyślony plan okaże się skuteczny.

✳ ✳ ✳

Samochód zatrzymał się w ostatniej chwili. Przeglądanie schowka zajęło Sebastianowi Dekowskiemu ledwo ułamek chwili, ale trwało wystarczająco długo, by stracić ogląd sytuacji na szosie. Całe szczęście asystent hamowania zarządzany przez pokładowy komputer właściwie zareagował na sygnały czujników, które odkryły nagłą przeszkodę i wcisnął pedał hamulca, zanim zdążył to uczynić kierowca.

Sebastian wyskoczył z samochodu po kilku sekundach, w ciągu których wziął kilka głębokich oddechów, by się uspokoić.

– Nic ci nie jest, człowieku?! – krzyknął, dopadając do leżącego na asfalcie, zwiniętego w kłębek mężczyzny. – Żyjesz pan?!

Poruszenie się nieznajomego oznaczało, że żyje. Sebastiana natychmiast ogarnęła wściekłość.

– Czyś ty oszalał?! Kto przy zdrowych zmysłach kładzie się na środku uczęszczanej drogi?! Mogłem cię przejechać, rozumiesz?

Mogłem cię zabić, idioto! – Na usta cisnęły mu się wszystkie inwektywy, jakie tylko posiadał w słowniku. – Życie ci niemiłe?! A jak niemiłe, to musisz się zabijać właśnie w ten sposób, żeby akurat mnie wsadzić do paki? Cholera, przecież jakbym miał gorszy wóz, naprawdę bym cię przejechał!

Mężczyzna zerknął na niego z poziomu drogi, ale nic nie odpowiedział. Do tego sprawiał wrażenie, jakby nadal nie miał zamiaru ruszać się z miejsca. Sebastian rozejrzał się. Miejsce, w jakim się zatrzymał, nie należało do najbezpieczniejszych. Las ograniczał widoczność za zakrętami, a znajdowali się ze sto metrów od łuku drogi. Jeśli wyskoczy stamtąd jakiś nieodpowiedzialny szaleniec, może dojść do nieszczęścia.

– Zrywaj się, gościu, z drogi, bo jeszcze naprawdę, coś ci się stanie. I mnie przy okazji też – powiedział nieco łagodniej, widząc przestraszone oczy leżącego.

Pobieżnie oceniając, mężczyzna mógł mieć około czterdziestu lat. Był przyzwoicie ubrany, choć umorusany strój wskazywał na to, że w ostatnim czasie zaliczył bliski kontakt z przyrodą. Zachowanie mężczyzny wypadało uznać za podejrzane. Sebastianowi nasunął się obraz z dawno oglądanego filmu, w którym to bohater przebywający w zakładzie psychiatrycznym, na każdorazowe pojawienie się personelu reagował nerwicowym przybieraniem postawy embrionalnej. Dekowski myślał. Ludzie miewają rozmaite fobie. Jedni boją się pająków, inni ciem, jeszcze inni cyrkowych klaunów, czy brudnych rąk. Kogo bał się ten element? Dla Sebastiana Dekowskiego, managera dużej korporacji nie miało to żadnego znaczenia. Najważniejszą rzeczą było to, że stanowił fizyczną przeszkodę na drodze do celu.

– Zejdź, człowieku, z asfaltu, bo muszę jechać – poprosił grzecznie.

Nie ruszył się. Mężczyzna gapił się na niego rozbieganymi oczkami, ale nie miał zamiaru ruszyć się z miejsca. Sebastian pchnął go bezskutecznie nogą, zaklął i ruszył do auta. Ktoś przejechał obok nich, trąbiąc wniebogłosy. Kiedy wsiadł do środka, spojrzał na spoczywający na fotelu pasażera neseser. Był zmuszony dostarczyć go dziś jeszcze Dyrektorowi Regionalnemu, któremu podlegała znaczna część firmy we wschodniej Europie i któremu to zachciało się

DZIESIĘĆ

spędzić parę dni w tej dziurze. Dekowski słyszał, że facet interesował się paranormalnymi zjawiskami nie mniej zawzięcie, co i podległą mu firmą, a o firmę dbał na tyle gorliwie, by każdy pracownik drżał przed nim niczym osika. Łącznie z Dekowskim, oczywiście. Szef wybrał się na parę dni urlopu, nie rozstając się z pracą. Sebastian został wezwany w sprawie personalnych zawiłości dotyczących podległych mu osób. O co dokładnie chodziło, nikt mu nie powiedział, ale czuł pod skórą, że wiezione przez niego dokumenty, przysporzą mu niemało kłopotów. Dokumenty stanowiły personalia kilkudziesięciu osób i część z nich nie odzwierciedlała całej prawdy o ludziach, których dotyczyły. O tym wiedziały owe osoby i Sebastian. Dekowski posiadł zdolność zdobywania nowych przyjaciół, wykorzystując umiejętność kreatywnego kształtowania historii. Drobne retusze w życiorysach pozwoliły wielu ludziom odbić się od życiowego dna, a jemu zagwarantować nieco luksusu w szaro-burym życiu. Starał się oczywiście o to, by każdy szczegół był dopracowany, by nie można było poddać w wątpliwość żadnego CV czy dyplomu, bo i nie był na tyle głupi, by dać się złapać na jakiejkolwiek niedoróbce. Powód, dla jakiego przynaglono go do osobistego stawiennictwa u Dyrektora, nie był mu znany, co zważywszy na paranormalne zainteresowania szefa, wzmagało w nim poczucie zagrożenia.

Zerknął w monitor wstecznej kamery, by bezpiecznie wycofać parę metrów i ominąć wciąż leżącego na asfalcie mężczyznę, kiedy niespodziewanie otwarły się drzwi i pod wpływem gwałtownego, niezwykle mocnego szarpnięcia wyleciał z samochodu. Zanim uzmysłowił sobie, co się dzieje, za kierownicą siedział facet, którego jeszcze przed momentem nie był w stanie zmusić do opuszczenia asfaltu.

– Heeej...! – wrzasnął z całej siły, zbierając się z miejsca. Mężczyzna niepewnie rozglądał się po wnętrzu samochodu, zapewne będąc w takim ekskluzywnym wozie po raz pierwszy. Sebastian zerwał się z miejsca, by bronić pojazdu i doskoczył do otwartych jeszcze drzwi. Nieznajomy spojrzał na niego z zabójczym wyrazem twarzy, ale Sebastiana to nie zniechęciło. Chciał złapać napastnika za ubranie, ale kiedy tylko go dotknął, doznał czegoś podobnego do kopnięcia prądem elektrycznym. Rażony potężnym ładunkiem upadł na plecy. Świat zgasł. Przed oczami pojawił się gęsty mrok. Całe ciało przeszył paraliżujący wstrząs i przejmujący dreszcz, który obił wnętrzności jego ciała. Kiedy wróciła świadomość, zobaczył oddalające się auto. Nie miał siły podnieść się z ziemi.

Złodziej! Przerażony facet okazał się złodziejem samochodów! Sebastian chciał coś krzyknąć, ale głos uwiązł mu w gardle. W tym momencie zobaczył, jak przez okno samochodu wylatuje jego czarny neseser.

„Nie kradnij."
Księga Wyjścia 20, 15

Dziewiąte

– Co to jest? – zapytał Dolina.

Mareczek patrzył na ekran w swoim salonie i popijał energetyzujący soczek.

– Nowy lokal obok obuwniczego – powiedział z przekonaniem. – Nazywa się „UFO", znasz?

– Faktycznie – przyznał Dolina. – Trzeba byłoby zajrzeć...

– Nie byłeś? Taki fan UFO i nie byłeś? – delikatnie zadrwił Mareczek z nadzieją, że dotknął którejś z wrażliwych strun kolegi.

Dolinę niespecjalnie to wzruszyło. Koncentrował się na niebieskiej kropce wyświetlanej przez komputer na dużym planie Sieciowa. Owa kropka oznaczała Trzeciego – mężczyznę, któremu posterunkowy Siemaszko sprytnie podrzucił służbowy lokalizator sierżanta, używany podczas policyjnej służby. System RSN był dokładniejszy od przestarzałego GPS, wskazując koordynaty lokalizatora z dokładnością do kilku centymetrów. Dopóki Trzeci nie zorientuje się, że stał się mimowolnym posiadaczem „pluskwy", będą mogli śledzić jego miejsce pobytu. Jeśli odkryje pułapkę, cała akcja spali na panewce – kłusownicy zwiną interes i rozpłyną się we mgle. Pozostawało mieć nadzieję, że Trzeci nie będzie zbytnio grzebał w kieszeniach swojej kurtki.

– Co robimy? – zapytał, choć wydawało się to oczywiste.

– Czekamy. – Mareczek wziął do ręki tablet Doliny. – Czekamy, aż zaprowadzi nas nad jezioro. Musimy dopaść skubańców na gorącym uczynku. Bez dowodów nie mamy co przedstawiać prokuratorowi. Proste.

Dolina zgodził się, że nie mają innego wyjścia. Musieli czekać.

Skomunikowany z komputerem tablet pokazał na wielkim ekranie trójwymiarowe zdjęcie świetlistej kuli na tle Sieciówki.

– O w mordę... – jęknął z wrażenia Mareczek. – Niesamowite!

Dolina nie ukrywał zadowolenia i dumy.

– Mówiłem, że robi wrażenie. Służbowy tablecik, a zdjęcia prima.

DZIESIĘĆ

Zainicjowany odpowiednimi gestami aspiranta komputer pokazał zbliżenie kuli. Jej barwa przypominała cieplutkie słoneczko. Gdzieniegdzie była intensywniejsza, gdzieniegdzie bledsza. W pewnych miejscach można było dostrzec żółtawe przebarwienia.

– I co o tym myślisz? – zapytał.

– Nie mam zielonego pojęcia. Zachowuje się jak coś inteligentnego. Rusza z takim przyspieszeniem, że wojskowy sprzęt tego nie dogoni. Nie wiem, co to...

– Ludzka technologia, czy nie?

– Kto by mógł zrobić coś takiego i do czego miałoby służyć?

– Więc kosmici? – dociekał Mareczek.

Dolina zamyślił się.

– Szukają swoich...? – zapytał po chwili.

– Więc hipotetycznie przyjmując, to rodzaj jakiegoś zwiadowcy.

– Może być.

– Co ma wspólnego z tym dzieckiem?

Sierżant poczęstował się paluszkiem i uniósł nogi do góry. Robot sprzątający, z cichym buczeniem odkurzał podłogę tuż pod jego stopami. Wzruszył ramionami.

– Nic? Może dziewczynka znalazła się tam przypadkowo. Sonda zauważyła obcą formę życia i zbadała, z czym ma do czynienia. To wszystko.

– Logiczne... – przyznał Mareczek.

– Masz inną teorię?

– Mam chaos.

– Czyli na razie nic nowego.

– Nic. Dlaczego sondy obcych znalazły się nad świątynią?

– Ja pierniczę, Tomeczek, czy ty mnie chcesz zadręczyć? – żachnął się Dolina. – Przesłuchanie sobie urządziłeś?

– Bywa, że tak lepiej dochodzi się do właściwych wniosków. To nie przesłuchanie, tylko dyskusja, burza mózgów.

Do salonu weszła Hania. Dolina rzucił jej ciepłe spojrzenie.

– Jak ty z nim wytrzymujesz, dziewczyno? – zapytał, mrugając okiem. – Nie gnębi cię niekończonymi pytaniami?

Hania uśmiechnęła się i pogłaskała męża po głowie.

– A liczą się pytania w rodzaju: czego potrzebujesz? co dla ciebie mogę zrobić? czy może chciałabyś kupić sobie coś ładnego?

Dolina spojrzał na kumpla z niedowierzaniem. Ten skrzywił się, jakby pożarł cytrynę. Kobieta zaśmiała się na głos.

– No, co ty. Rozkazy i pytania są przeznaczone dla ciebie. Mnie tylko słucha – powiedziała i usiadła naprzeciw Doliny. – Jak wam idzie?

– Jak po grudzie – bąknął Mareczek. – Zrobisz nam kawy?

– Jakiej sobie życzysz, Mireczku? – ton, jakim zapytała, sprawił, że Mireczkowi zrobiło się słabo. Onieśmielała go tą swoją bezpośredniością. Zawsze, kiedy tak do niego mówiła, czuł się zakłopotany.

– Wypiję, jaką tylko zrobisz... – wydukał.

Hania była kobietą, która robiła na nim wrażenie, odkąd tylko pamiętał. A pamiętał ją długo, bo chodzili do tej samej szkoły podstawowej, gdzie większość chłopaków kochała się właśnie w Hani. Od zawsze była bardzo ładna, energiczna, dowcipna i miła. Mogła mieć, kogo tylko chciała. Zechciała Tomeczka.

Popatrzył na niego. Może i był przystojny, ale czy to wszystko, czego oczekiwała od mężczyzny...?

– Do czego doszliście? – spytała, formując usta w ponętny dzióbek.

Dolina, wyrazem twarzy wyraził wielki znak zapytania. Dowódca szybko zaprzeczył rozpoznawalnym przez sierżanta gestem.

– A o co pytasz? – postanowił rozpoznać pytaniem, co takiego żona szeryfa wie o sprawie.

– Czym są świetliste kule, na przykład – wskazała palcem na ekran.

Dolina popatrzył na wielkie zdjęcie.

– Ludzie w mieście mówią, że trzy takie pojawiły się nad świątynią – dodała.

– I co jeszcze mówią? – zapytał Mareczek.

– Że to był niesamowity widok. A niektórzy zastanawiają się, czy aby to zjawisko nie ma czegoś wspólnego z tym, co dzieje się w środku świątyni.

– Chodzi o tę drewnianą rzeźbę?

– O świętą figurę, Tomuś. O madonnę.

Dolina dojrzał, jak Tomeczek skrzywił się na te słowa.

– Ta figura płacze krwawymi łzami.

– Widziałaś?

DZIESIĘĆ

– Nie, nie widziałam, ale rozmawiałam z kimś, kto widział.

– Kto, niby...?

– Pani Brzezińska.

– Pani Brzezińska... – Mareczek w ogóle się nie zdziwił. – Szanowna pani Brzezińska faktycznie widzi wszystko i wszystkich. Ponoć widziała starego kapłana nieboszczka Wojtaszka, jak wychodził przez okno ich mieszkalnego budynku. Gość był tak stary i schorowany, aż ledwo się ruszał. Nie dziwne, że krwawe łzy też nie uszły jej uwagi...

– Tomuś... – w głosie Hani Dolina dosłyszał groźbę.

– Dobrze, krwawe łzy.

Mareczkowi przypomniał się nolozjasta, z którym rozmawiał w pobliżu miejsca wypadku. On także wiązał te dwie sprawy: przedmiot kultu i świetliste kule.

– To co z tą kawą? – zapytał, by przynajmniej na chwilę skutecznie pozbyć się żony z salonu.

Wstała z widoczną niechęcią, ale już po chwili uśmiechnęła się filuternie.

– Z ekspresiku, dobrze? – mrugnęła do Doliny jednym okiem.

Zadzwonił smartfon Mareczka.

– Wolgant – oznajmił i odebrał połączenie. Przykładając telefon do ucha, słuchał przez dłuższą chwilę.

Dolina zerkał, gdzie podziała się Hania. Wziął do ręki tablet.

– Spisałeś wszystko? – zapytał Mareczek. Swoje zdanie wyraził posterunkowy. Dolina nie mógł niczego dosłyszeć. – Dobrze. Niech gość przyjdzie jutro, powiedzmy o dziewiątej, wtedy z nim pogadam, okej?

Dolina chciał, by kawa parzyła się jak najdłużej, a Tomeczek gadał jak najkrócej.

– Okej. Do jutra.

Odłożony smartfon dał sygnał do zmiany tematu, na który czekał Dolina. Na ekranie pojawiło się nowe zdjęcie.

– Wolgant przyjął zgłoszenie o kradzieży auta. Tuż pod Sieciowem jakiś facet urządził sobie na asfalcie leżakowanie. Kiedy kierowca chciał mu pomóc, ten zwinął mu wóz, czaisz?

Dolinę mało to obeszło. Czekał, aż jego szeryf spojrzy wreszcie na ekran. Spojrzał. Padło przekleństwo, a potem zwięzłe pytanie:

– Skąd to?

– Z dzisiejszego wypadku. Nie zdążyłem ci jeszcze powiedzieć. Na Wałęsy potrącono kobietę. To są jej plecy...

* * *

Sebastian Dekowski opuścił posterunek policji z mieszanymi uczuciami. Zrobił, co należało zrobić – zgłosił kradzież samochodu i całej jego zawartości. Wcześniej poinformował o zdarzeniu Dyrektora Regionalnego. To, co usłyszał w słuchawce telefonu i zobaczył na wyświetlaczu, postanowił zatrzymać dla siebie. Nie było powodów, by komukolwiek opowiadać o zniewagach, inwektywach oraz insynuacjach, jakie usłyszał. Przynajmniej na razie ich nie było. Nagranie, jakie wykonał z całej rozmowy, postanowił zachować na właściwą ku temu okazję. Wielu dyrektorom zbyt długo wydaje się, że ich władza sięga samych niebios. Tacy właśnie pomiatają pracownikami niczym feudalni seniorzy bezrolnymi chłopami. On, manager, nie da szargać swojego imienia. Jeśli zwierzchnik przekroczy jeszcze jedną granicę, nie zawaha się użyć nagrania do skutecznej samoobrony. Był na to gotów.

Ponieważ szacowny pan dyrektor zrezygnował z jego wizyty i należało radzić sobie samemu, Dekowski postanowił przenocować w którymś z miejscowych hoteli. Na dziewiątą rano miał stawić się na posterunku policji, by złożyć w sprawie kradzieży jeszcze jedno zeznanie i porozmawiać z dowódcą placówki. Chciał być kryty przed dyrektorem. Niech wie, że zależy mu na odzyskaniu własności firmy.

Wszedł na rynek. Już przy pierwszym rzucie oka było widać, że przez miasto przeszła gwałtowna nawałnica. Przewrócone drzewa, zrujnowane klomby, zdewastowane ogródki restauracji i barów, uszkodzone dachy. Tu i ówdzie uwijały się ekipy remontowe. Radio podawało, że nad Sieciowem przeszła potężna burza gradowa. Na twarzy Dekowskiego pojawił się szyderczy uśmieszek.

– Nie trzeba było przyjmować pod dach szanownego pana Dyrektora Regionalnego – wymamrotał pod nosem. – To bardzo zły człowiek. Oj, bardzo zły...

Przechodząca obok kobieta przyjrzała mu się bacznie, potem jakiś siwawy mężczyzna i dzieciak z podstawówki. Zorientował się, że

DZIESIĘĆ

zwraca na siebie uwagę. Ubrany w grafitowy, modny garnitur, białą koszulę i gustowny krawat odstawał od tutejszych bez dwóch zdań. Przechodnie nie nosili się jak on, lecz luźno, sportowo, wakacyjnie. Dojrzał lokal z latającym spodkiem w szyldzie i wielkimi literami oznajmiającymi, czym jest ów spodek. Uznał, że przysiądzie tam, by się czegoś napić i spokojnie pomyśleć. Wnętrze kafejki urządzono jak przystało na nazwę – kosmicznie. Siedząc przy stoliku, odnosiło się wrażenie przebywania wewnątrz statku rodem ze Star Treka. Bar wyglądał jak stanowisko dowodzenia, a barman jak dowódca załogi. Na ścianach powieszono wielkie antyramy z poruszającymi się zdjęciami bohaterów najlepszych produkcji filmowych z gatunku SF. Nie zabrakło postaci z Gwiezdnych Wojen, Star Treka, Obcych czy Battlestar Galactica. Sebastian poczuł się jak w zupełnie innym świecie. Zamówił mocną kawę, ciastko i lampkę wina. Najlepiej myślało mu się przy winie. Często siadał w domu, w głębokim fotelu i sącząc coś dobrego, zastanawiał się nad życiem. Teraz także potrzebował obmyślić właściwą strategię na najbliższe godziny i dni. Kradzież służbowego samochodu mogła zaważyć na jego dalszej karierze. Co do dokumentów czuł spokój. Komfortowy spokój.

Z pobliskiego głośnika płynął soundtrack z Matrixa. Inny świat. Sterowana rzeczywistość. I wyzysk. Zanurzył usta w kieliszku i napoczął jego zawartość. Przymknął powieki, by móc delektować się trunkiem. Łagodny smak alkoholu rozpłynął się przyjemnie we wnętrznościach. Odchylił głowę do tyłu i oparł o wysoki zagłówek kanapy. Wtedy stało się coś, czego się nie spodziewał.

Ujrzał niebo. Błękitne, pozbawione chmur niebo przeciął stalowo-szary dysk. Czarny warkocz dymu oszpecił czysty nieboskłon, ale nie miało to większego znaczenia. Istotne było to, czym był dysk. Potem zobaczył otoczone lasami jezioro i wielką falę pędzącą wprost na niego. Chciał uciekać, ale znalazł się wysoko nad ziemią. Tak. Wiele razy śnił o lataniu, o wolności ptaków. Upadł na zakrwawioną trawę. Nie lubił widoku krwi. Zawsze odwracał wzrok, gdyż robiło mu się z jej powodu słabo... Atletycznie zbudowany mężczyzna przed lustrem. Kobieta w średnim wieku. Stary człowiek w stroju kapłana. Wysoki, chudy młodzian. Później dostrzegł kogoś, kto mógł być lekarzem. Tak, to był lekarz, ginekolog badający młodą kobietę. Nie... to nie tylko badanie... I mężczyzna, którego skądś znał...? Tak! Rozpoznał go...

– Dekowski! – usłyszał. Skąd złodziej samochodów mógł znać jego nazwisko?

Szarpnięcie. Sebastian otworzył oczy. Wizja zniknęła. Nikogo przy nim nie było.

– Dekowski nie powinien mnie tu widzieć. Spił się? Siedzi tam bez ruchu, może zdążę wyjść, zanim mnie zauważy.

Nie wierzył własnym uszom – szanowny pan Dyrektor Regionalny?! Bez wątpienia docierał do niego jego głos. Rozejrzał się, by sprawdzić, skąd dobiega. Pośród klientów lokalu nie dojrzał jednak pana dyrektora. Omam? Zdrzemnął się? Szef tak bardzo wrył się w jego umysł, by aż słyszeć jego głos?

Sebastian dotknął filiżanki z kawą. Była gorąca. Nie mógł spać. Z kieliszka upił ledwo skromny łyczek. Może to wynik stresu? Całkiem niewykluczone. Słyszał o czymś takim.

– Nie śpi! – usłyszał znowu dyrektora. Nie miał najmniejszych wątpliwości, czyj to głos. – Jak wstanę, to mnie zauważy.

Dopadła go nerwowa niepewność. Dyskretnie zlustrował wnętrze lokalu jeszcze raz. Nie mógł pominąć żadnej twarzy. Uczynił to powoli i precyzyjnie. W nikim nie rozpoznał swojego zwierzchnika. Kilku mężczyzn siedziało zwróconych do niego plecami. Co do nich miał prawo się zastanowić. Jeden z nich, w kwiecistej koszuli, dość barczysty, wydał mu się podejrzany, ale szata zmienia człowieka. Dyrektora widywał tylko i wyłącznie w garniturze, nigdy w kwiecistej koszuli. Dyrektor wyróżniał się wysportowaną sylwetką. Ten, choć szeroki w barach, garbił się nad stolikiem.

Sebastian uznał, że coś się stało, że coś mu jednak dolega. Wspomniał moment kradzieży samochodu i to przedziwne porażenie czymś w rodzaju elektryczności. Owszem, bywało, że naelektryzowany człowiek przekazywał swój ładunek, „kopiąc" niczym wystające ze ściany przewody, ale nigdy nie niosło to takiej mocy, by zwalić z nóg. On został pozbawiony sił oraz równowagi. Teraz przyszła mu myśl, że głos dyrektora może stanowić jakąś reperkusję tamtego zdarzenia, która w połączeniu z rozmową telefoniczną wywołały tak niezwykłe złudzenie.

– Może jednak mnie nie widzi.

DZIESIĘĆ

„Przemawianie" szefa zachowywało ciąg logiczny. Sebastian przeklął pod nosem. Czymkolwiek to było, miał dość.

Gość w kwiecistej koszuli nieznacznie się obrócił. Sebastian nie mógł dłużej wątpić. Był pewien, kogo zobaczył. Poczuł dyskomfort – nie swój własny, ale ten, który tkwił w głowie człowieka zwanego Dyrektorem Regionalnym. Podobne uczucie Sebastianowi nie było obce – zawsze towarzyszyło tajemnicom, skrywanym przed wszystkimi sekretom, które chce się zachować wyłącznie dla siebie samego. Sebastian odkrył, dlaczego ten człowiek się tu znalazł. W jednej chwili pojął tajne zamysły i zupełnie nie miał pojęcia, jak się to udało. Dyrektor pragnął większej władzy. Szef pieczołowicie skrywał metody, jakimi do niej dochodził. Interesowały go parapsychologiczne zdolności i chciał takowe posiąść, by osiągnąć niepodważalną przewagę nad pętającym się wokół pospólstwem. W miejscu takim, jak to, mógł znaleźć kogoś o podobnych zainteresowaniach. Dlatego się tu znalazł.

Sebastian uśmiechnął się – pogardliwie, wręcz szyderczo. Zrozumiał, że poznając myśli zwierzchnika, osiągnął strategiczną przewagę.

Od tej chwili nie będzie żadnego wyzysku – pomyślał z triumfem. – Żadnego! Ja będę władcą! Nie ty, dyrektorku... Ja!

✳ ✳ ✳

– Na pewno dasz radę? – spytał po raz trzeci Dolina.

Poddany testowi na cierpliwość Mareczek, postanowił sprostać zadaniu bez względu na wszystko.

– Nie bój, Mirek...

– Na pewno?

– Gdybym nie czuł się na siłach, zostałbym w domu. Nie jestem głupi. Ręka jest cała. Nie ma złamania, więc spoko.

– A szwy?

– Założyłem wzmocniony opatrunek. Będzie w porządku. A ty? – spytał Mareczek. W tej sytuacji Mirek miał prawo do stresu.

– Nie mogę się doczekać.

Ubierali się w pośpiechu. Zabierali ze sobą najlepszy sprzęt, jakim dysponował posterunek.

– A może weźmiemy kogoś ze sobą? – spytał po chwili sierżant. Mareczek wyczuł w tym zdaniu ukrytą nutkę niepewności.

– Kogo, na przykład?

– Wolganta.

Aspirant był gotów uznać sens tego pomysłu, ale nie można było zwlekać.

– Zrobimy tak: w razie jakichkolwiek wątpliwości czy zagrożenia, wycofujemy się. Robimy zdjęcia, obserwujemy, co się dzieje i na tym koniec. Wkraczamy, kiedy będziemy mieli pewność powodzenia. W porządku?

Dolina nie chciał wyjść na tchórza, więc tlący się w nim dylemat czym prędzej zgasił. Propozycję szeryfa przyjął jako rozsądną.

– Okej.

By radiowóz nie wzbudził niepotrzebnego zainteresowania, pojechali prywatnym wozem Mareczka. Usadowiony jak zwykle na tylnej kanapie Dolina, nie chcąc w ogóle wiedzieć, że porusza się samochodem, bacznie wlepiał wzrok w wyświetlacz tabletu i kontrolował położenie Trzeciego. Miał nadzieję, że mężczyzna nie odkrył podrzuconego lokalizatora. Na miejsce dotarli bardzo szybko. Znaleźli się w okolicy, którą Dolina nie tak dawno temu omawiał z panem Piaseckim. To właśnie gdzieś tu zapalony wędkarz dostrzegł podwodne światła. Dolina nie wiedział jeszcze, czy obecność kłusowników i podwodnych świateł można ze sobą łączyć, ale niczego nie wykluczał.

Zaparkowali samochód w zasłoniętym przed ludzkim wzrokiem wysokimi krzewami miejscu. Ruszyli w kierunku wyznaczonym przez system RSN. By nie narazić się na odkrycie, postanowili maksymalnie wykorzystać pofałdowany, gęsto zarośnięty teren oraz dostępną im technologię. Maskujące mundury znakomicie zlewały się z barwami roślinności. Uruchomili środki łączności, które zapewniały kontakt słuchowy i wizyjny. W goglach, które mieli na oczach, można było zobaczyć to, co rejestrowała kamera innej osoby. Oprócz tego zabrali ze sobą paralizatory oraz broń. Dolina taszczył nawet wyrzutnię sieci, której Mareczek nie zabrałby nawet wtedy, gdyby miał w pełni zdrową, niebolącą rękę. Ramię doskwierało, ale wziął środki przeciwbólowe i nie miał zamiaru się z tego tłumaczyć. Dolina był zdolny do tego, by w przypływie czegoś pomiędzy hero-

DZIESIĘĆ

izmem i głupotą wybrać się tu w pojedynkę. Czy naprawdę chciał zabrać na akcję Wolganta? Mareczek szczerze w to wątpił.

Wdrapali się na niewielki pagórek, zeszli w parów i przed kolejnym rozdzieli się. Taki był plan. Postanowili obejść domniemany obóz kłusowników z dwóch stron. Mareczek zaczął żałować, że zdecydowali się na dwójkową akcję. Zważywszy na to, że kłusownicy oszczędzili Mirka, istniało prawdopodobieństwo, że nie są to ludzie na tyle porywczy, by dla swojego zysku mordować, ale jednocześnie nie ulegało wątpliwości, że przemoc fizyczna nie była im obca i przyciśnięci do muru mogli posunąć się do wszystkiego. Działanie w większej grupie zapewniałoby poczucie bezpieczeństwa oraz dawałoby o wiele więcej pewności, że całe to sklecone naprędce przedsięwzięcie ma sens.

Mareczek odbezpieczył broń. Szedł bardzo ostrożnie, by nie powodować najmniejszego nawet hałasu. Musiał uważać, gdzie stawia stopy. Trzask łamanej gałęzi mógł odkryć jego obecność. Poruszanie się po zdewastowanym przez huraganowy wiatr lesie nie było łatwe. Musiał kluczyć pomiędzy licznymi przeszkodami i rozglądać się, czy nie grozi mu jakieś niebezpieczeństwo. Marsz pod strome wzniesienie wiązał się z możliwością ześliźnięcia. Każdy niekontrolowany ruch mógł zwrócić na niego czyjąś uwagę. Na szczycie pagórka położył się i podczołgał pomiędzy rozłożyste krzewy. Znalazł dogodny punkt widokowy, który dawał możliwość w miarę dobrego oglądu sytuacji. Liczył na to, że Dolina zbliżył się już do swojego punktu obserwacyjnego, jaki wcześniej wyznaczyli na mapie. Aspirant uruchomił w goglach wizję z kamery kolegi. Zobaczył przesuwającą się panoramę jeziora, a potem jego brzeg. Dolina patrzył na to samo miejsce, co i on. Po kilku sekundach zobaczyli to, czego szukali – w dole, około stu metrów pomiędzy drzewami krzątali się jacyś ludzie. Gogle oferowały możliwość zbliżenia obrazu i nagrywania w wysokiej rozdzielczości. Włączył rejestrator. Chciał uwiecznić każdy szczegół. Mężczyzn było dwóch. Manipulowali coś przy dużej, zielonej skrzyni. Nieco w prawo Mareczek dostrzegł namiot. Dolina mówił o namiocie. Jeden z mężczyzn klęczał. Nie dojrzał jego twarzy. Drugi wstał i odwrócił się w jego stronę. Mareczek miał wrażenie, że już gdzieś widział tę kwadratową szczękę i krótko przystrzyżone włosy. Kiedy szukał w pamięci, skąd może znać podejrzanego typa, poczuł mocne uderzenie w plecy. Chciał się przewrócić na bok, by odeprzeć atak, ale ograniczył go krzew, przy jakim leżał. Zamierzał jednocześnie uprzedzić sierżanta i wycelować broń, ale drugie uderzenie trafiło go w kontuzjowaną rękę. Mięśnie złapał potężny skurcz, las zawirował i natychmiast stracił przytomność.

Dolina tknięty przeczuciem sprawdził, co dzieje się u kolegi. Obraz z jego kamery wskazywał na to, że Mareczek patrzy... w niebo. W słuchawce niczego nie usłyszał.

– Tomeczek... – szepnął. Odpowiedziała mu cisza. – Tomek, co się dzieje? Słyszysz mnie? – zapytał jeszcze raz błagalnym tonem. Cisza świadczyła o tym, że stało się coś bardzo niedobrego. Widok z kamery aspiranta niezmiennie pokazywał korony drzew oraz skrawek nieba. Dolina przeklął siarczyście.

– Tomek, odezwij się, do jasnej cholery!

Znów brak odpowiedzi. Pozostało szybko przeanalizować możliwości. Pustka. Nie wiedział, jaka była przyczyna milczenia przyjaciela. Nie doszedł go żaden dźwięk mogący świadczyć o podjętej walce. Mimo włączonego sprzętu nie usłyszał nic, co mogłoby go zaniepokoić.

Rzucił szybkie spojrzenie w dół. Mężczyźni dalej krzątali się przy swoich zajęciach. Nic nie wzbudziło ich zainteresowania, czy też niepokoju. Nie rozglądali się, nie rozmawiali. Wyciągali ze skrzyni jakieś urządzenia. Dolina zaczął się bać. Nie, to już nie był strach – ogarniała go coraz silniejsza panika.

– Tomek! – syknął do mikrofonu.

Bezlitosne milczenie szeryfa powodowało w nim palpitacje serca. Przełączył wizję w goglach. Bez zmian! Dalej dokładnie ten sam widok. Mareczek leżał nieruchomo na plecach albo... albo nie miał gogli na oczach! Tej drugiej opcji nie wziął pod uwagę. Ale po co miałby je ściągać?

Nerwowo ścisnął w dłoni rękojeść broni. Zabrał szybkostrzelnego „Radomiaka", by czuć się bezpieczniej, ale nic mu z tego poczucia nie pozostało. Nadal leżał w krzakach, choć każda cząstka ciała wołała o ucieczkę. Zaczął się trząść. Doszedł do prostego wniosku, że popełnili poważny błąd. Nie powinni wybierać się tu we dwóch. Postanowił dać znać Siemaszce o zaistniałej sytuacji. Potrzebowali szybkiej pomocy. Koledzy odnajdą ich dzięki sygnałowi z lokalizatorów. Kiedy tylko porozmawia, ruszy z odsieczą Tomeczkowi. Wyjął telefon z kieszeni, ale nie zdążył go odblokować. Uderzenie w plecy było dość silne, ale nie nazwałby doznania, które mu towarzyszyło, bólem. Kamizelka! Dobrze, że ją założył. Przeturlał się na bok i przesunął wskazujący palec w pobliże spust pistoletu. Niczego nie dojrzał, ale poczuł drugie uderzenie. Tym razem w udo. Wstrząsnął nim skurcz wszystkich mięśni, ale palec nie dosięgnął spustu i broń nie wypaliła. Otaczająca go przyroda pokryła się intensywną mgłą. Stracił kontakt z rzeczywistością.

✳ ✳ ✳

Świątynia pękała w szwach. Tłum zgromadzonych wypełniał to miejsce jak nigdy dotąd. Kapłani zerkali na siebie nielicho zdumieni. Jeden z nich, Jacek, w związku z kataklizmem, jaki nawiedził Sieciowo, wpadł na pomysł zorganizowania nabożeństwa przebłagalnego do Pani Płaczącej w intencji śmiertelnych ofiar, do jakich doszło na jeziorze oraz w intencji wszystkich innych poszkodowanych. Uznał, że zebrana przy tej okazji kolekta pomoże w odrestaurowaniu zniszczonych witraży i obitego gradem dachu. Rozwiesił kilka plakatów na słupach ogłoszeniowych, wstawił ogłoszenie w gablotce przed sanktuarium oraz notkę w necie, nie spodziewając się tak licznego odzewu. Nikt się tego nie spodziewał. Już na godzinę przed rozpoczęciem nabożeństwa ludzie zaczynali zbierać się jak najbliżej ustawionej na ołtarzu figury, kładąc naręcza kwiatów i zanosząc do niej szeptane modlitwy. Duchowni żałowali, że nie ma między nimi kapłana Karola, który chodząc tu każdego dnia, niezmiernie tęsknił za wypełnionym ludźmi sanktuarium. Być może nie miałoby dla niego znaczenia to, że powodem powrotu do tradycji była burza gradowa i wynikający z niej strach. Ów strach pogłębiło zadziwiające wszystkich zjawisko, którym były trzy latające, świetliste kule, jakie pojawiły się nad miastem i samą świątynią. Całości dopełniały plotki, jakoby kule miały coś wspólnego ze strasznym wypadkiem na drodze do Wolczyc.

Kapłani podjęli się celebrowania uroczystości w pełnym składzie. Na szybko przekartkowali instrukcje, co należy zrobić, by nie wypaść poza liturgiczne kanony i nie narazić się na niepotrzebne kłopoty. Ubrali odpowiednie szaty, dali sobie wzajemnie wsparcie poklepywaniem po plecach i włączywszy muzyczny podkład, wyszli przed ołtarz.

Początkowo, patrząc na figurę do złudzenia przypominającą ich własną gospodynię, panią Jadzię, czuli się nieswojo, ale dyskomfort szybko minął. Śpiew płynął z początku niemrawo, ale już po chwili zgromadzeni dostosowali się do granego organowego akompaniamentu i czytając wyświetlany na wielkim telebimie tekst pieśni, utworzyli w miarę zgodny chór. Korzystający z opasłych ksiąg kapłani intonowali kolejne modlitwy, kiedy pomiędzy nimi a ołtarzem pojawiła się mała dziewczynka. Długowłosa blondynka patrzyła na figurę kobiety dużymi, niebieskimi oczami. W jej zachowaniu kryło się coś dziwnego i tajemniczego. Na ładnej buzi malowało się napięcie. Kapłan Jacek chciał zareagować, odprowadzić dziewczynkę do rodziców, gdy wyraz jej spojrzenia usadził go na miejscu. Jej twarz stężała, powieki znacznie się przymrużyły, a cała postawa naprężyła się niczym struna. Kapłan Jacek podążył za jej wzrokiem. Od razu pojął przyczynę.

Pani na ołtarzu płakała! Po policzkach figury spływały czerwone jak krew łzy. Tłum w pierwszych rzędach od razu dostrzegł to zjawisko. Wieść błyskawicznie rozniosła się po całym sanktuarium. Ludzie z dalszych miejsc chcieli zobaczyć, co dzieje się z przodu i tłum począł napierać na pierwsze rzędy. Zrobił się ścisk i wszyscy, którzy stali w nawach i przed ławkami, przesunęli się do przodu.

Do dziewczynki podeszła jakaś kobieta i przepraszająco patrząc na duchownych, chciała odciągnąć dziecko od ołtarza. Dziewczynka stawiła mocny opór. Szarpnięcie za rękę nic nie wniosło.

– Róziu, musimy się stąd odsunąć – szepnęła kobieta. – Nie wolno tak tu stać...

Po policzkach rzeźby płynęły kolejne łzy. Ich barwa, coraz intensywniejsza, mocno kontrastowała z policzkami Pani.

– Nadszedł czas, by się nawrócić! – powiedziała głośno Róża.

Na wydobywające się z dziewczynki słowa, matka wytrzeszczyła z wrażenia oczy. Szeroko otworzyła usta, chcąc coś powiedzieć, ale nie była w stanie. Kapłan Jacek, tknięty przeczuciem, natychmiast podsunął pod usta dziecka mikrofon.

DZIESIĘĆ

– Nadchodzi unicestwienie! Czas końca! Opamiętajcie się, przyjdźcie do mnie, a będę mogła błagać o ratunek dla was! Proszę was, abyście mi zaufali. Ja jestem drogą do waszego ocalenia!

Tłum zamilkł. Zapanowała absolutna cisza, w której wzmocnione akustycznie słowa dziewczynki porażały ostrym wydźwiękiem. Róża złożyła dłonie do modlitwy i padła na kolana. To samo zrobili wszyscy zebrani w sanktuarium. W tej chwili spomiędzy szeroko otwartych skrzydeł drzwi prowadzących ku głównej nawie wleciała świetlista kula. Jej blask wypełnił całe wnętrze budowli. Modlący się ludzie poczęli z przerażeniem płaszczyć się na posadzce i chować między ławkami.

– Nie bójcie się! – głos Róży przybrał nieco inną barwę. Jego ton stał się bardziej rozkazujący. – Ja jestem Panią światła. Do mnie należy panowanie. Módlcie się, by nic, co przygotowano niegodziwym, nie spotkało nikogo z was. Módlcie się do mnie, a Ja dam proszącym łaskę. Ja jestem Matką pokoju. W mojej miłości połączę was dla jednego celu, by uwolnić od niepokoju i rozpaczy, od strachu przed wieczną kaźnią. Pragnę, by w waszych sercach zapanowała radość, mądrość, pokora i dobroć. Pragnę, by w waszych sercach rozprzestrzenił się niebiański pokój, który zaprowadzi was tam, gdzie i Ja jestem. Naśladujcie mnie. Nie bójcie się. Nie jesteście sami. Ja jestem z wami, Ja, wasza Matka...

Świetlista sfera zawisła nad figurą i opalizując, poczęła mienić się różnymi odcieniami żółci, czerwieni i pomarańczu. Wywoływała wrażenie ruchu wokół własnej osi. Rzeźba kobiety poczęła emanować swoim własnym blaskiem. Kapłan Jacek, nie potrafiąc znieść narastającego z każdą chwilą światła, jedną ręką zasłonił oczy, a drugą nadal trzymał mikrofon przy ustach dziewczynki. Róża klęczała, niewzruszenie patrząc na figurę.

– Szukajcie pokoju. Szukajcie MNIE! – wykrzyknęła.

* * *

Powrót do stanu względnej przytomności nie był prosty. Mareczek odczuwał w całym ciele nieznośny ból. Wszystkie mięśnie protestowały przy najmniejszym nawet ruchu, sprawiając, że nie bardzo interesowało go, gdzie się znajduje i co dzieje się wokół niego. Tyle pierwszych myśli. Zapadł w coś, co mógłby nazwać drzemką.

Pierwsze sygnały powrotu świadomości wiązały się z niemiłym doznaniem przeszywającej boleści. Dolina drgnął, a mózg powiadomił o cierpieniu. Obraz przed oczami lekko falował – zamglony i rozmyty. Zielone, brązowe, czarne plamy... Przełknął ślinę. Wracające czucie uzmysłowiło mu doznanie chłodu.

Liście... Trawa...

Leżał z twarzą w trawie. Po niedługim źdźble wędrowała mrówka. Jej czułki badały teren w poszukiwaniu czegoś do jedzenia.

Jedna mrówka, nie problem – pomyślał. – Wiele mrówek...

– Gotowy? – usłyszał całkiem wyraźnie.

– Tak jest – padła szybka odpowiedź.

– Zanurzaj.

– Zanurzam.

... wiele mrówek potrafiło zjeść całego konia. Miał nadzieję, że ta jedna nie zauważy go i nie wezwie reszty na obiad, bo nie miał siły uciekać...

– Piętnaście metrów. Schodzę głębiej. Sonar włączony.

Dobiegające uszu Mareczka dźwięki dudniły, jakby pochodziły z wielkiego garnka. Głowa pękała, ale starał się, by odzyskać umiejętność skupienia na tym, co naprawdę właściwe. Zaczął selekcjonować odgłosy i wydobywać z nich poszczególne słowa.

– Zapal reflektory.

– Zapalam.

– Rejestrujesz?

– Tak jest. Włączyłem podwójny zapis, by niczego nie stracić.

– Dobrze.

Mareczek uzmysłowił sobie, gdzie się znajduje. Las. Usiłował przypomnieć sobie, co przyczyniło się do tak podłego stanu jego ciała. Las wydał mu się czymś znajomym... Namysł potrwał chwilę, ale przypomniał sobie. Dolina! Przyszli do lasu we dwóch, by przyjrzeć się kłusownikom. Gdzie Mirek?! Przewrócił oczami. Zobaczył plamiasty, maskujący kamuflaż. Mundur... Mirek był tuż obok. Czy żył? Tego nie wiedział. Pozostawało założenie, że jest przynajmniej w tym samym stanie, co i on. Chciałby go szturchnąć, ale ręce odmawiały posłuszeństwa. Ból i odrętwienie były nieznośne.

DZIESIĘĆ

Spróbował ruszyć nogami. Kompletny bezwład. Stan, w jakim nie można zrobić absolutnie nic, przyprawiał o wściekłość. Jak mogli dać się podejść?! Jak?! Wydawało się, że zrobili wszystko, co należało, by zachować maksimum ostrożności. Właśnie – wydawało się! Tylko tyle. Przeciwnik okazał się sprytniejszy, niż przypuszczali. Dolina sądził, że za pierwszym razem dopadli go z powodu banalnej nieostrożności. To jednak nie był przypadek. Kłusownicy pilnowali swoich interesów nadzwyczaj skrupulatnie i co gorsza – efektywnie. Nie pomogły maskujące stroje, środki łączności ani broń. Kamizelka kuloodporna powstrzymała pierwszy atak, ale drugi strzał okazał się skuteczny. Nie zdążył ostrzec Mirka, nie dał rady oddać nawet jednego strzału. Zmierzyli się z profesjonalistami i ponieśli sromotną klęskę. Teraz pozostawało liczyć się z każdą ewentualnością. Nie było co sądzić, że odpuszczą po raz drugi...

Dolina powoli wracał do przytomności. Leżał na brzuchu z twarzą w trawie. Tyle wiedział na początek. Do jego mózgu docierały jeszcze liczne informacje o rozsianym we wszystkich komórkach ciała bólu. Nie potrafił niczym poruszyć. Wystraszył się, bo pierwsze podejrzenie padło na kręgosłup. Gdyby złamał kręgosłup, raczej nie czułby nic. Ból oznaczał, że stało się co innego. Musiał pomyśleć...

Kłusownicy! Przyszedł do lasu z Tomeczkiem, by wyśledzić kłusowników. Dopadła go czarna rozpacz. Znów został złapany! Jak skończony kretyn, dał się upolować po raz drugi! Na nic polowy mundur, na nic kamizelka i broń. Jeśli przysłowie „do trzech razy sztuka" jest prawdziwe, tym razem straci życie. Przeżył chorobę, przetrwał pierwsze uwięzienie, ale trzeciego razu...

Stracił przytomność.

– Panie majorze, coś mamy! – powiedział podekscytowany głos. – Sonar daje wyraźne echo.

– Pokaż.

– W tym miejscu. Nie ma wątpliwości. Obiekt odpowiada naszemu modelowi!

– Milicki! Szykuj robota.

– Tak jest!

„Panie majorze"...?

Mareczka olśniło! To nie żadni kłusownicy, a ekipa Witkiewicza! Jak mógł o tym nie pomyśleć? Działania wojska objęto klauzulą tajności, a oni zaczęli im przeszkadzać. Dolina, zanim zdążył się im przyjrzeć, został zneutralizowany na tyle cwanie, że nawet nie zorientował się w sytuacji. Rzecz jasna, major nie miał zamiaru zabijać intruza, więc Dolina został pozbawiony świadomości i podrzucony w jakieś ustronne miejsce. Potem zwinęli zdekonspirowany obóz i przenieśli się w inny rejon. Dopiero teraz rozpoznał głos Witkiewicza.

Ktoś pochylił się nad aspirantem. Przymknął powieki, by odgrywać nieprzytomnego.

– Panie majorze. Ten się obudził. – Fortel się nie udał. Skąd wiedział, że jest przytomny?

– Daj mu w żyłę – rozkazał major.

– Się robi – odpowiedział żołnierz jakby ucieszony możliwością dania komuś w żyłę.

Mareczek przestraszył się. Co znaczyło „dać w żyłę", nie wiedział, ale nigdy podobne sformułowania nie niosły nic dobrego. Zapewne chcieli się go „pozbyć", by nie podsłuchiwał.

Żołnierz przyklęknął przy nim, chwilę manipulował przy jego ręce i odszedł. Przy ogólnych boleściach aspirant nie odczuł żadnego ukłucia. Wściekły z bezsilności poprzysiągł, że nie odpuści wojskowym. Będzie dochodził swoich praw! Tymczasowo oczekiwał na kolejną utratę przytomności, która mimo wszystko nie nadchodziła. W zamian powoli ustępowały ból oraz odrętwienie. Poczuł się lepiej.

– Jeszcze dwie minuty... – oznajmił operator czegoś, co nazwano sonarem.

– Melduj o kontakcie.

– Tak jest.

Mareczek zorientował się, że znowu ktoś przy nim klęczy. Został nieco poderwany do góry, podciągnięty i oparty o drzewo. Zobaczył przed sobą znajomą twarz majora Witkiewicza.

– Dzień dobry, panie kolego. – Major uśmiechnął się krzywo. – Nie spodziewałem się, że zobaczymy się w takich okolicznościach.

– Ja też nie... – stęknął słabo Mareczek.

– Mam nadzieję, że czuje się pan lepiej.

Czuł się lepiej, ale nie miał ochoty odpowiadać.

DZIESIĘĆ

– Widzę, że lepiej, to dobrze. Ma pan prawo do zdenerwowania, panie kolego. Chcę jednak nieco wytłumaczyć zaistniałą sytuację.

To było ciekawe. Czekał.

– Obdarzę pana aspiranta, prawda, dużym kredytem zaufania. Właściwie nie powinienem tego robić, ale ze względu na starą znajomość, jaką się cieszymy, uczynię pewien, powiedzmy, wyjątek...

– Mareczek nie wiedział, o jakiej to znajomości pan major myśli, ale przyjął, że chodzi o ich obu. – ... a wyjątek ten dyktowany jest naszymi dobrymi relacjami, które, panie kolego, bardzo chciałbym podtrzymać.

Ta dziwna gra coraz bardziej frapowała.

– Więc, przechodząc nieco dalej, tak do rzeczy, powiedzmy – kontynuował – by nie tworzyć niepotrzebnych komplikacji na linii zaprzyjaźnionych choć niezależnych resortów, nadmienię kilka ciekawostek. – Major spojrzał głęboko w oczy policjantowi, doszukując się w nich aprobaty. – Jak pan kolega zapewne się orientuje, nasza współczesna ojczyzna osiągnęła szczyty dobrobytu. Nigdy w historii, nawet podówczas, kiedy to Polska sięgała od morza do morza, nie mogliśmy cieszyć się taką estymą w Europie jak dziś. Sukcesy naszej gospodarki przyciągają do kraju wielu potrzebujących, którzy znajdują tu pracę, mieszkanie oraz wszelką pomoc, by na dobre się zadomowić. Daje nam to jeszcze większy potencjał do rozwoju. Staliśmy się niekwestionowanym liderem wyznaczającym nowe trendy w gospodarce, kulturze czy też rozrywce. Niezliczeni turyści z całego świata podziwiają naszą piękną przyrodę oraz architektoniczne zabytki. Wszystko to oczywiście ku chwale naszej ojczyzny. Jest jednak i druga strona tego medalu. Wszędzie, gdziekolwiek by okiem nie sięgnąć, za dobrobytem ciągną się rzeczy, których byśmy sobie nie życzyli. Jakie, pan kolega zapewne raczy zapytać. Otóż zazdrość, wrogość, knowania... wiele by wymieniać. Istotą tychże jest, że nie funkcjonują samodzielnie. Zawsze posiadają nosiciela. Każdy wróg i zazdrośnik pragnie odkryć źródło powodzenia i dobrobytu, by móc z niego uszczknąć, ile się da i zaszczepić we własnym ogródku. Tu przechodzimy do meritum naszego problemu. Wszędzie tam, gdzie niezdrowa ciekawość, powstają kłopoty. Nasza ojczyzna jest w niebezpieczeństwie, panie kolego. Trudnym do ogarnięcia niebezpieczeństwie. Gdzie żer, tam i sępy.

Nie ma pan pojęcia, panie kolego, z iloma zagrożeniami musimy się zmierzyć. Z jaką nachalnością pchają się nam nad naszą Wisłę ciekawskie typy, których głównym celem bynajmniej nie jest zwiedzanie Krakowa. Bynajmniej! Interesują ich sejfy z tajemnicami, fabryki, laboratoria, bazy wojskowe. Dlatego jesteśmy my! Do nas należy przeciwdziałanie, eliminacja ryzyka utraty naszych sekretów. Bez nas ojczyzna stałaby się łatwym łupem dla wszelkiej maści wywiadów, szpiegowskich agencji i złodziei. To my stanowimy mur obronny, baszty i fosę. Rozumie pan, panie kolego?

Mareczek rozumiał. Tak mniejwięcej pojmował, w czym rzecz. Major prawił o sprawach oczywistych, ale w skołatanym ostatnimi przeżyciami rozumie trudno było pojąć rolę Sieciowa oraz posterunku policji w tak globalnym ujęciu, jakie zaprezentował major.

– A co my mamy z tym wspólnego? – zapytał.

– Otóż to. Panowie znaleźli się tu zapewne przez zwykły przypadek. Takie zrządzenie losu...

– Panie majorze, mamy! – przerwał im głos operatora robota.

– Przepraszam bardzo – Witkiewicz uśmiechnął się i udał się do swojego żołnierza.

Mareczek spojrzał na Dolinę. Leżał nieruchomo, zupełnie jak martwy. To, że w istocie tak nie było, należało przyjąć obligatoryjnie, nie poddając tej kwestii pod żadną wątpliwość. Biorąc pod uwagę dotychczasową przemowę majora, nie było najmniejszego powodu, by wojskowi mieli robić im krzywdę. Skoro on się obudził, Mirek także powinien oprzytomnieć w swoim czasie.

– To Projektor – powiedział ucieszony Milicki, operator robota. Mareczek zapamiętał to nazwisko. Starał się zapamiętać wszystko, co później mogłoby się przydać w sprawie ekipie majora.

– Świetnie! Dobra robota. Zadokuj go i wyciągaj – rozkazał zadowolony major.

Mareczek dojrzał, jak dowódca odchodzi nieco na bok i wybiera jakiś numer w telefonie. Po chwili do jego uszu dotarło kilka krótkich zdań:

– Panie generale, melduję odnalezienie Projektora... Tak jest, dostarczymy jeszcze dziś... Dziękuję, panie generale. Ku chwale ojczyzny!

Major podszedł do podwładnych.

DZIESIĘĆ

– Będą nagrody – zakomunikował z satysfakcją i wrócił do poprzedniego rozmówcy.

Aspirant dostrzegł znaczną zmianę w zachowaniu i fizjonomii majora. Mógłby to nazwać szczęściem.

– Więc tak, kontynuując poprzednią myśl... Co ja to mówiłem...? – wyraźnie się zapomniał z tego szczęścia.

– Chodziło o nas – przypomniał Mareczek.

– A tak, w rzeczy samej, panie kolego – podziękował skinieniem głowy. – Obecność panów jest tu zapewne całkowicie przypadkowa, jeśli rozumie pan, o czym mówię – spojrzał na niego badawczo – dlatego uznałem, że te kilka słów wyjaśnienia ukróci niepotrzebne dywagacje i zamknie wasze, nazwijmy to, dochodzenie. Łapie pan?

Mareczek uznał, że na razie potwierdzi domysł majora. Jeśli nie złapie wszystkiego, zada pytanie.

– Usłyszał pan, że chodzi tu o Projektor.

– Dotarło do mnie – zgodził się natychmiast.

– To, co teraz pan kolega usłyszy, mieści się w sferze „Ściśle Tajne". Rozumiemy kwestię?

– Rozumiem.

– Darzę kolegę w tym momencie wielkim zaufaniem. Z całą pewnością większym, niż pozwalają na to obowiązujące mnie przepisy. To także rozumiemy?

Sprawa robiła się coraz poważniejsza.

– Tak jest – odpowiedział, jak przystało na mundurowego.

– Projektor, to urządzenie działające w oparciu o najnowsze technologie. Dodam: rodzime technologie opracowane przez naszych wybitnych specjalistów. Wszystko, co powiedziałem do tej pory, ma właśnie związek z Projektorem. Urządzenie to ma zastosowanie wybitnie militarne i służy do symulowania. Wie pan, panie kolego, co to takiego symulowanie?

– Zdrowy udający chorego. O takie symulowanie chodzi?

– Dokładnie o takie – ucieszył się major, widząc, że ma do czynienia z błyskotliwym umysłem. – A jeszcze precyzyjniej rzecz ujmując, Projektor służy do imitowania czegoś, czym nie jest.

Tym razem w głowie Mareczka powstało pytanie.

– Co znaczy: „czegoś, czym nie jest"?

– Dezinformacja, wprowadzanie przeciwnika w błąd. Zamaskowane, tekturowe czołgi z lotu ptaka wyglądają jak prawdziwe. Rozumie pan tę analogię?

– Teraz rozumiem. – Mareczek, chcąc się upewnić, że naprawdę pojął sedno sprawy, postanowił zbadać teren. – Projektor ma za zadanie odwzorowywać coś, czego tak naprawdę nie ma?

– Dokładnie! – przyznał z szerokim uśmiechem wojskowy.

– Skąd więc ów Projektor znalazł się w Sieciówce? – zapytał Mareczek, szybko korzystając z dobrego usposobienia rozmówcy.

Major przybrał minę ojca zdradzającego synowi tajemnice własnego intymnego pożycia.

– Przyleciał... – szepnął.

– Przyleciał?

– Tak, przyleciał. Projektor posiada możliwość samodzielnego przemieszczania, a w tym – lotu.

Mareczek zastanowił się.

– A dlaczego spadł do jeziora, zamiast wylądować na waszym lotnisku?

Major mocno spochmurniał. Właściwie nie tylko spochmurniał. Jego twarz w jednej chwili znacząco stężała.

– Tu mamy problem natury, powiedzmy, dramatycznej.

Mareczek, czując się już znacznie lepiej po „daniu mu w żyłę", poprawił się nieco przy pniu, wyrażając gotowość do przyjęcia każdej informacji.

– Projektor został zaatakowany. Zanim zadziałał system samoobronny, ktoś przejął nad nim kontrolę i znacząco zmienił konfigurację testu, jakiemu był poddany.

– Co to znaczy?

– Haker. Prawdopodobnie entuzjasta obcych form życia. – Tego aspirant ni w ząb nie pojął. – Projektor został stworzony do wizualizacji najrozmaitszych kształtów. To tylko kwestia wyobraźni. Rozumie pan?

Jeszcze nie rozumiał. Albo właściwie myśl, która przyszła mu do głowy, wydała mu się zbyt niedorzeczna. Major Witkiewicz, będąc bystrym wojskowym, dostrzegł jego wahania.

DZIESIĘĆ

– Czy aby w ostatnim czasie nie zaobserwowano nad tym jeziorem czegoś dziwnego? – zapytał konfidencjonalnie. – UFO, na przykład?

* * *

Tumult był nie do zniesienia. Sebastian Dekowski trzymał się za głowę, mocno przyciskając dłonie do uszu. Starał się ograniczyć dopływ hałasu, ale robił to całkowicie bezskutecznie. Czuł się, jakby znalazł się na wielkim stadionie, gdzie doping wielu gardeł zagłusza każde pojedyncze słowo. Albo na lotnisku – podczas startu odrzutowca.

Sebastian słyszał głosy. Nie był to już tylko pan dyrektor, ale wszyscy klienci baru, włącznie z barmanem. Głosy te pochodziły z ich głów. Do umysłu Sebastiana docierały myśli obcych mu ludzi. Kiedy uzmysłowił sobie, że potrafi rozpoznać myśli dyrektora, po pierwszym zdumieniu, a nawet szoku z powodu tak niecodziennej umiejętności, popadł w zachwyt. Szybko uznał wielką przewagę, jaką zyskał nad innymi ludźmi. Zanim jednak poukładał w sobie każdą implikację związaną z tym faktem, rozpoczął się nieopisany chaos. Po myślach dyrektora, poczęły docierać do niego treści umysłów wszystkich pozostałych w lokalu osób. Stworzył się nieopisany harmider, z którego łowił pojedyncze, urywane i mało zrozumiałe słowa.

Rzuciwszy zapłatę na stolik, wybiegł z baru. Hałas znacznie się zmniejszył, ale na dobre nie ustał. Docierały do niego rwane zdania przemieszczających się obok przechodniów. Pośród nich dostrzegł około dziesięcioletnią dziewczynkę. Bacznie mu się przyglądała. Na jej twarzy widniał smutek. Głęboki żal. Sprawiała wrażenie wiedzącej o jego trudnościach. Poczuł się nieswojo. Chciałby wiedzieć, w czym rzecz, ale jej umysłu nie usłyszał. Podszedł nawet nieco bliżej, ale dziewczynka wsiadła na rower i odjechała. Pojawiła się niepewność. Radość z daru odczytywania ludzkich myśli gwałtownie pierzchła. W jej miejsce wprowadził się chaos domniemań. Dlaczego wie, co innym lęgnie się w głowach? Skąd taka przypadłość? Jak ją kontrolować, by nie oszaleć?

Szedł przed siebie, nie wiedząc, dokąd zmierza. Nie znał miasta, ale nie miało to najmniejszego znaczenia. Nawet gdyby rozpoznawał każdą ulicę po omacku, w tej chwili całym sobą zgubiłby się we własnym wnętrzu. W wewnętrznych dociekaniach i wątpliwościach.

Wspomniał złodzieja samochodu i przedziwne doznanie, jakiego doświadczył podczas próby odzyskania wozu. Czy jego obecny stan wiązał się z tamtym wydarzeniem, nie wiedział, ale musiał to wziąć pod uwagę. Stracił wtedy przytomność. Uderzył się podczas upadku. Być może w tym powinien upatrywać przyczyny.

Tymczasowo postanowił nie zwracać na nikogo uwagi i znaleźć jakieś dogodne miejsce do przenocowania. Być może potrzebował wypoczynku i to wszystko. Być może słyszane myśli były wynikiem urojeń wywołanych silnym stresem. W końcu nie co dzień człowiek daje sobie ukraść samochód. Nie co dzień ma kłopoty z szefem w pracy...

Przechodząc w pobliżu pokaźnej willi zauważył kolorowy baner: wolne pokoje. Nie zastanawiając się długo, skręcił do wejścia. Strzałka z napisem „Recepcja" skierowała go w odpowiednie miejsce. Niewielki pokoik z fotelem, biurkiem, dwoma szafami i krzesłami dla gości okazał się pusty. Wdusił przycisk dzwonka, który błyskawicznie przywołał młodą kobietę. Mogła mieć co najwyżej dwadzieścia lat.

– Nareszcie jakiś klient! – powiedziała z ulgą, ale jej wargi nie poruszyły się. Dopiero następne słowa wypłynęły z jej ust: – Dzień dobry. Czym mogę służyć?

Opuścił głowę i rzucił jej niepewne spojrzenie.

– Potrzebuję pokoju. Na jedną noc.

– Na jedną noc. Też mi klient – usłyszał jej myśl. Do tego poczuła rozgoryczenie. – Oczywiście, ze śniadaniem?

– Proszę – odparł spokojnie, choć korciło go, by skomentować złośliwy komentarz na jego temat.

Zapłacił z góry, wziął klucz i poczłapał do pokoju, który okazał się dość przytulnym gniazdkiem z szerokim łóżkiem i przyzwoicie wyremontowaną łazienką. Na ścianie zamiast pejzażu z rykowiskiem powieszono sporej wielkości telewizor.

Sebastian wziął kąpiel i uruchomił odbiornik. Przeglądanie nieskończonej ilości kanałów szybko go znużyło. Gdyby tylko mógł, chętnie skorzystałby z zasobów własnej domowej, apteczki. Białe proszki unosiły jaźń w siną dal. Kraina, którą odwiedzał w „snach",

mieniła się milionami barw oraz odprężającymi dźwiękami dający-
mi poczucie niezgłębionej szczęśliwości. Błogo uśmiechnięte postacie, z jakimi miewał okazję prowadzić lekkie dysputy, opowiadały
o dalekich, pozbawionych lęku o jutro światach, malując przed nim
cudowne obrazy, za jakimi tęsknił od dzieciństwa. Pragnął tam zostać, ale działanie białych proszków stale kończyło się w tej samej,
najmniej odpowiedniej chwili, kiedy przewodnik po pozaziemskim
świecie zapraszająco wyciągał do niego dłoń. Wracał tam. Kiedy
tylko mógł, korzystał z dobrodziejstwa białych proszków. Ulatując
w przestworza, uciekał przed problemami codzienności, stresem
i napięciem w pracy...

Zasnął.

Poranek zaczął się o ósmej rano. Zanim otworzył oczy, zamaja-
czyły mu jakieś obrazy: jezioro, wysoka fala, nieznajomi mężczyźni, jakieś kobiety, las, świątynia. Wszystko bez ładu i składu. Z me-
andrów świadomości wyłoniło się wspomnienie nocnego majaku.
Śniło mu się, że potrafi czytać w ludzkich myślach... Jak w filmach.
Pamiętał taki jeden – z Gibsonem, który słyszał, co myślały kobiety.
Kiedy oglądał ten film, zazdrościł głównemu bohaterowi niezwykłego daru. W śnie nie był taki szczęśliwy. Dobiegające zewsząd
informacje przytłaczały niczym błotna lawina. Nie poradził sobie
i spanikował. Ale cóż, to tylko sen. W rzeczywistości takie rzeczy się
nie przydarzały. Nawet gdyby przydarzyły się naprawdę i to właśnie
jemu, stałby się najpotężniejszym człowiekiem w tym kraju. Albo
i na całej Ziemi. Nikt nie mógłby go oszukać. Znałby sekrety i największe tajemnice. Poradziłby sobie. Tego był pewien.

Zaraz potem uświadomił sobie wydarzenia poprzedniego dnia.
Złodziej. Telefoniczna rozmowa z Dyrektorem Regionalnym.
Prawdopodobne dochodzenie w firmie. Dochodzenie. O dziewiątej powinien być na posterunku policji. Pozbierał się i zszedł
do niewielkiej, przeznaczonej dla gości jadalni. Podane śniadanie
uznał za smaczne, ale jedząc, koncentrował się na przypomnieniu
sobie, co powiedział policjantowi poprzedniego dnia. Nie mógł
pozwolić sobie na żadną niedokładność. Zeznania powinny być
w pełni spójne i niewzbudzające podejrzeń. Przybrał określoną
taktykę i powinien się jej trzymać. Przy odrobinie szczęścia wyjdzie na swoje. Na to liczył.

Nieco wymiętolony i nieogolony wyglądał na ofiarę napadu o wiele wiarygodniej niż wczoraj. Stawił się przed oficerem dyżurnym i powiadomił go o celu swojej wizyty. Natychmiast wpuszczono go poza szklane drzwi i wskazano odpowiednie biuro. Zapukawszy, wszedł do środka. Za biurkiem siedział policjant około czterdziestu lat, z dystynkcjami aspiranta na mundurowej koszuli, który przedstawił się, wskazując krzesło. Sebastian usiadł ciężko.

Policjant przez chwilę wodził wzrokiem po ekranie komputera.

– Pan Sebastian Dekowski, tak?

– Sebastian Dekowski.

– Zgłosił pan wczoraj kradzież samochodu, którym pan przyjechał do Sieciowa. Wszystko zostało skrupulatnie zaprotokołowane. Poszukiwania samochodu są w toku. Czego pan oczekuje ode mnie?

Dekowski manager wziął nerwowy oddech, ale starał się, by słowa były wyważone.

– Jak pan zapewne zauważył w protokole, samochód należy do firmy, w której jestem pracownikiem wyższego szczebla kierowniczego. Podczas wczorajszego niecnego incydentu doszło do kradzieży czegoś więcej niż tylko firmowego pojazdu.

– Chodzi o czarny neseser, tak? – wtrącił policjant.

– W rzeczy samej.

– Jest ujęty w protokole.

– Oczywiście – przyznał Sebastian. – Nie nadmieniłem jednak, co jest zawartością owego nesesera.

Aspirant ponownie wejrzał w służbową notatkę.

– Dokumenty firmowe. Taką informację podał pan mojemu koledze.

– Tak, chodzi o dokumenty należące do firmy. Chciałbym jednak sprecyzować, że chodzi o poufne dane osobowe pracowników naszej firmy. Dlatego chciałem spotkać się z panem osobiście, by przekazać, jak bardzo mnie oraz mojej firmie zależy na odzyskaniu zawartości nesesera. Rozumie pan, że złodziej może zrobić z tego typu dokumentami wiele złego.

Policjant spojrzał na niego ze zrozumieniem.

– Zrobimy, co tylko w naszej mocy.

Sebastian nachylił się nieznacznie w stronę swojego rozmówcy.

DZIESIĘĆ

– Jesteśmy gotowi wyrazić naszą wdzięczność, za okazaną pomoc oraz skuteczność działań – powiedział ściszonym głosem.

Wyraz twarzy aspiranta przybrał zdecydowanie inną postać. Teraz on nachylił się nad blatem biurka.

– Uznam, że ostanie pana zdanie w ogóle nie padło, dobrze? – odparł szorstko.

Dekowski zgniótł palce, aż głośno strzeliły stawy. Kątem oka spostrzegł dziwny półcień, który przemieścił się wzdłuż ściany. Popatrzył tam, chcąc się przyjrzeć zjawisku, ale niczego namacalnego, co można by zbadać, nie było.

– Myślę, że trochę się nie zrozumieliśmy – zaczął jeszcze raz. – Nasza wdzięczność będzie miała całkowicie oficjalny charakter. Zapewniam pana, nic szemranego. Dobro ludzi jest dla nas bardzo cenne. Rozumie pan, ochrona danych osobowych. Zależałoby nam, by uczulić funkcjonariuszy na poszukiwanie naszego czarnego nesesera oraz właściwe postępowanie w razie jego odnalezienia...

Nagle ktoś otworzył drzwi do gabinetu. Dekowski, siedząc tyłem do wejścia, nie widział, kto wszedł, ale usłyszał błyskawicznie wytrajkotany meldunek:

– Jakiś wędkarz natknął się na zatopiony w jeziorze samochód!

– Wie, jaki? – zapytał aspirant.

– Marki nie zna, ale podał, że biały.

Sebastianowi mocniej zabiło serce.

– Pana zgłoszenie dotyczyło białego wozu, prawda? – spytał policjant.

– Białej Toyoty – przyznał.

– Dobrze. Nie czas na dociekania. Mirek, weźmiesz pana i pojedziesz na miejsce. Jeśli ustalisz, że faktycznie coś jest pod wodą, dasz znać strażakom. Niech pomogą z wyciągarką. A... i upewnij się, czy aby nie ma kogoś w środku, rozumiesz, w czym rzecz.

Sebastian zrozumiał. Chodziło o złodzieja albo raczej o jego trupa. Błyskawicznie przekalkulował, co byłoby warto tam zastać. Nieboszczyk w samochodzie równał się z brakiem nesesera. O tym wiedział doskonale. Czarna torba z dokumentami spoczywała dobrze ukryta w lesie. Wybrał charakterystyczne miejsce, które było mu łatwo zapamiętać, wcisnął neseser w naturalne zagłębienie terenu stworzone przez pochylone w wyniku huraganu drzewo, po czym gołymi rękami przysypał ziemią, kamieniami i zamaskował czym jeszcze popadło. O wiele lepszą alternatywą zatem byłoby puste auto. Bez trupa. Dawałoby to hipotetyczną możliwość ucieczki złodzieja z dokumentami. Sebastian łgał z premedytacją, ale tego wymagał jego życiowy interes. Złodziej ukradł auto, ale dał możliwość wybrnięcia z trudnej sytuacji. Policja powinna zająć się tym tropem, a Sebastianowi pozostawała nadzieja, że złodziej będzie na tyle mądry, by nie dać się złapać.

Wsiedli do samochodu. Sebastian jechał radiowozem po raz pierwszy w życiu. Kierujący pojazdem policjant był wysokim, szczupłym facetem mocno skoncentrowanym na ściskaniu kierownicy. Jego zacięte oblicze wyrażało niemałe zdenerwowanie. Włączona sygnalizacja sprawiała, że wszyscy użytkownicy drogi ustępowali im miejsca. Pędzili przez miasto z zawrotną prędkością, ale odnosiło się wrażenie, że kierowca pewnie panuje nad pojazdem. Po kilku minutach znaleźli się w pobliżu jeziora.

Dekowski przymknął powieki. W jednym momencie doznał mocnego zawrotu głowy. Złudzenie spadania wywołało poczucie strachu. Zapanowała głęboka, nieprzenikniona ciemność. Przeszył go dreszcz, po czym usłyszał rząd wulgaryzmów poprzecinanych pytaniami o jakiś projektor. Kolejne zdanie dotyczyło wojska. Znów przekleństwa.

Sebastian, otwierając oczy, czuł coś więcej niż strach. Trząsł się. Gdyby tylko mógł, uciekłby z tego miejsca, jak tylko można daleko. Nie ulegało wątpliwości, że słyszy myśli policjanta. Wściekłość, jaka owładnęła kierowcę, była porażająca. Wydawało się, że ten przybrany w mundur mężczyzna nosi w sobie grożący wybuchem wulkan.

Dojechali na miejsce.

– Pan pójdzie za mną – zakomenderował policjant.

Usłuchał bezzwłocznie i po chwili znaleźli się nad brzegiem jeziora. Czekał tam niewysoki mężczyzna. Nie wiedzieć dlaczego, wędkarze ubierali się w wojskowe mora. Być może nie chcieli być dostrzeżeni przez ryby... – zakpił w sobie Sebastian. Wędkarz był zestresowany nie mniej niż on. W myślach miał do siebie pretensje o to, że powiadomił policję.

– Dzień dobry – przywitał się policjant nieco obcesowym tonem. – Pan zadzwonił w sprawie zatopionego samochodu?

DZIESIĘĆ

– Tak. Jest tam – wędkarz wskazał właściwy kierunek.

Policjant przyjrzał się okolicy. Pagórek, łąka, brak drzew, droga w pobliżu. Dogodny teren, by zjechać autem do samej wody.

– Całkiem niewykluczone – usłyszał Dekowski mimo zamkniętych ust mundurowego. Policjant skierował się na pagórek, bacznie oglądając trawę. Wkrótce znalazł to, czego szukał.

– Są ślady! – zawołał i zszedł wzdłuż nich ku wodzie. Będąc już nad samym brzegiem, wyjął telefon i zaczął dzwonić. – Widać auto!

Sebastian podszedł bliżej wody. Rzeczywiście zauważył obrys białej karoserii. To mogła być jego Toyota. Poczuł się gorzej. Nogi ugięły się pod nim, a przed oczami zatańczyły czarne plamy. Przemknęła mu myśl, że zaraz zemdleje. Wstrząsnął nim odruch wymiotny, ale do niczego więcej nie doszło. Zatoczył się.

Wtedy usłyszał głos, a właściwie dwa głosy, które prowadziły ze sobą przedziwny, zupełnie niezrozumiały dialog. Padające słowa, jeśli w ogóle były to jakieś słowa, nie miały nic wspólnego z żadnym, znanym mu językiem. Tony obu głosów były niskie, basowe, nieco charczące, jakby pochodziły z innego świata. Znacznie różniły się akcentami, zupełnie jakby pochodziły z całkiem odmiennych kultur.

Ciało Sebastiana zadrżało. Po chwili szarpnęły nim konwulsje.

Sierżant Dolina, dzwoniąc do jednostki straży pożarnej, obserwował dziwne zachowanie pasażera. Jak dotąd nie zamienił z nim wielu słów, a nawet nie bardzo wiedział, kim jest człowiek w garniturze. Sądził, że ma do czynienia z jakimś biznesmenem. Nieco zabiedzonym, ale jednak. W tej chwili facet niepokojąco się chwiał i wyglądał, jakby miał się zaraz przewrócić. Po chwili gościem zatelepało na wszystkie strony. Rzucał w nieładzie ramionami na wszystkie strony. Głowy jakby w ogóle nie potrafił utrzymać na zwiotczałym karku. Wyglądał cokolwiek pokracznie. Nagle począł się rozbierać. Z jego ust wydobywały się dziwne odgłosy. Warczał, syczał i wypowiadał jakieś niezrozumiałe słowa. Odrzucił na bok marynarkę, zerwał z siebie koszulę. Na szyi dyndał nieco poluzowany krawat.

Sierżant zbiegł z pagórka, chowając telefon do kieszeni, choć przemknęło mu przez myśl, że powinien zadzwonić po karetkę. Wędkarz patrzył na to, co dzieje się z mężczyzną z niemym przerażeniem na bledniejącym obliczu i odsunął się od niego na bezpieczną odległość. Dolina dobiegł do Dekowskiego w chwili, kiedy ten począł dziwnie tarzać się po ziemi. Na nagich plecach mężczyzny dostrzegł coś znajomego.

Tatuaż! Był pewien, że to tatuaż!

Facet rzucał się na prawo i lewo, wrzeszcząc coraz głośniej. Dolina gorączkowo zastanawiał się, co robić. Wreszcie wpadł na jakiś pomysł. Wyjął z kabury paralizator. Nie chciał mężczyźnie zrobić żadnej krzywdy, ale musiał też zadbać o swoje bezpieczeństwo. Obszedł go i już chciał przygwoździć delikwenta do ziemi, kiedy ten zerwał się i pognał w kierunku radiowozu. Nim sierżant zdążył cokolwiek zrobić, mężczyzna, zginając się w pół niczym wściekły byk, z całym impetem uderzył głową o karoserię i padł jak nieżywy.

Dolina wyjął telefon i wybrał numer alarmowy. Po zgłoszeniu się dyspozytora w skrócie powiedział, co się stało i poprosił o przysłanie karetki.

Przyklęknął przy półnagim mężczyźnie. To, co przed momentem zobaczył, nie mieściło mu się głowie. Uznał, że mężczyzna oszalał. Nikt przy zdrowych zmysłach tak się nie zachowywał. Sprawdził jego puls. Wyczuwalny. Facet stracił przytomność, ale żył. W jakim stanie znajdowały się jego kręgi szyjne po zderzeniu z samochodem, trudno było oceniać.

Dolina zerknął na wędkarza, który nielicho wystraszony stał z daleka, obserwując przebieg wypadków. Miał powód. Takie rzeczy dzieją się nie co dzień. Co innego obejrzeć film, a co innego zobaczyć coś na własne oczy. Wędkarz mógł mieć jakieś sześć dych na karku. Zapewne widział niejedno w swoim życiu, ale to zrobiło na nim nieliche wrażenie. Podszedł do nich bardzo ostrożnie, jakby bojąc się, że nieprzytomny tylko udaje. Paralizator w ręku policjanta dodał mu nieco odwagi.

– Żyje? – zapytał niepewnie.

– Żyje. Jest nieprzytomny – powiedział uspokajająco Dolina.

– To było straszne. Co mu się stało?

– Nie mam pojęcia. Może to padaczka... – wymyślił.

– Padaczka? – wątpił wędkarz.

– Jedzie tu karetka. Zbadają go i stwierdzą, co mu dolega.

– To było jak... jak obłąkanie.

Dolina zgodził się z nim, ale nic nie odpowiedział. Wstając z klęczek kątem oka rzucił na niebo. Nisko znad lasu nadleciała świetlista kula i przemknęła nad nimi z ogromną prędkością. Obaj z wędkarzem zszokowani zastygli w bezruchu.

– Ja pier... – zaczął komentarz wędkarz, gdy stojący tuż obok Dolina został ścięty z nóg.

Leżący bez przytomności Dekowski nagle ożył i rzucił się na policjanta. Obaj przetoczyli się po ziemi kilka razy. Kompletnie zaskoczony sierżant jęknął pod ciężarem napastnika. W jego piersiach niespodziewanie zabrakło tchu. Zrobiło mu się czarno przed oczami. Ciało sparaliżował potężny skurcz. Zaraz potem przeszył go dreszcz i doznał pustki – głębokiej, strasznej, pełnej nieprzeniknionego mroku. Towarzyszące temu wrażenie spadania dopełniło budzącej grozę całości. Chciał poszukać jakiegokolwiek punktu oparcia, ale nie znalazł. Do jego uszu dotarł krzyk, a właściwie przeraźliwy wrzask pełen histerycznego bólu. Chciał się gdzieś ukryć i wołać o ratunek, ale nic z tych rzeczy nie było możliwe. Zaraz potem usłyszał śmiech, a właściwie głęboki, tubalny pomruk przeradzający się w złowieszczy rechot. Był tak blisko, że wypełnił po brzegi całą jego duszę. Ogarnęła go bezbrzeżna histeria...

„Nie mów fałszywego świadectwa przeciw bliźniemu swemu.”

Księga Wyjścia 20, 16

Dziesiąte

Mareczek odłożył smartfon na stolik i zatopił się w lepkim marazmie. Jak dotąd wypadki biegły w odwrotnym kierunku, niż by tego oczekiwał, a wiadomość, jaką otrzymał ze szpitala w Wolczycach, krótko rzecz ujmując, dobiła go. Weronika Lach, kobieta ranna w wypadku samochodowym, umarła piętnaście minut temu.

Ludzie umierają. Tak, to zwykła kolej rzeczy – najpierw rodzimy się, później chorujemy na nieuleczalną chorobę zwaną życiem i odchodzimy. Weronika Lach odeszła w złym momencie. Aspirant Mareczek bardzo chciał porozmawiać z nią na temat tatuażu, który nosiła tuż poniżej karku. Z powodu zgonu, nie będzie mu to dane i bardzo nad tym ubolewał. Tatuaż stanowił jedną z największych zagadek, jakie pragnął rozwikłać. Domniemywał, że złożony z dwóch trójwymiarowych liter napis stanowił wspólny mianownik śmiertelnych zejść już kilkunastu ludzi.

Czekał na swojego podkomendnego. Sierżant Dolina spóźniał się. Mareczek nie lubił spóźnialskich. Nie cierpiał, gdy ktoś nie dotrzymywał słowa. Kiedy sam umawiał się z kimś, robił wszystko, by dotrzymać danej przez siebie obietnicy. Zależało mu na marce człowieka godnego zaufania. Ktoś, kto zawodzi, nie posiada autorytetu. Ktoś, kto nie ma autorytetu, nie jest traktowany na poważnie.

Dolina przepadł jak kamień w wodę. Kiedy rozstawali się po pracy, umówili się na osiemnastą. Co prawda nie wyglądał kwitnąco i wspomniał coś o lichym samopoczuciu, ale obiecał. Mareczek potrafił rozpoznać, kiedy z Mirkiem jest coś nie tak. Gdy wrócił znad jeziora, po wyciągnięciu z wody białej Toyoty, z jego oczu strzelały podejrzane błyski. Na pytania, co się stało, odpowiadał lakonicznie i zdawkowo. Samochód okazał się pusty. Nieboszczyka-złodzieja nie znaleziono. Żadnego przedmiotu podobnego do torby w raporcie nie odnotowano. Mareczek dopytał o czarny neseser. Jedyne, co usłyszał z ust sierżanta, to wiadomość, że gość w garniturze, prawowity kierowca samochodu, zasłabł i odwieziono go do Wolczyc.

DZIESIĘĆ

Plaga złych samopoczuć. Albo może nawet i chorób... Osoby z tatuażem umierały nagle. Oprócz małych wyjątków, większość z nich nie doznała fizycznych obrażeń. Najciekawiej rysował się przypadek kapłana Karola. Człowiek usechł w jednej chwili. Wszedł do gabinetu lekarskiego o własnych siłach i w chwilę później jakby wyparował. Sekcja zwłok niczego nie wykazała. Żadnych zewnętrznych przyczyn fizycznych ani chemicznych. Jego przypadek mógł być zakwalifikowany do niewyjaśnionych przyrodniczych fenomenów. Coś jak samozapłon.

Przez salon przemknęła Hania. Pomachała zalotnie paluszkami i zniknęła w sąsiednim pokoju. Kochał ją. Na zabój. Uprowadziła jego serce już dawno temu i do dziś nie oddała.

Westchnął ciężko.

Już zaczął się martwić, kiedy zabrzmiał gong u wejścia. Otworzyła Hania. Męski głos bez wątpienia należał do Mirka. Wszedł do salonu chmurny jak niebo podczas ostatniej burzy.

– Już myślałem, że coś się stało – powiedział z wyrzutem Mareczek.

Dolina klapnął w głęboki fotel.

– Jestem wściekły, i tyle! – warknął.

Oczywiście było o co. Sierżantowi ostatnia doba jawiła się bodaj najgorszą w całym, blisko czterdziestoletnim pobycie na ziemskim padole. Wyprawa do lasu podjęta w celu wyśledzenia kłusowników okazała się podwójnym fiaskiem. Nie dość, że dał się upolować jak bezmyślna zwierzyna, to na dodatek stał się ofiarą jakiejś pokątnej gry pomiędzy majorem Witkiewiczem i swoim własnym przyjacielem Tomeczkiem. Kiedy leżał nieprzytomny w lesie, panowie pogadali sobie na interesujące tematy, zupełnie go ignorując. Kiedy usiłował dowiedzieć się czegokolwiek od kolegi, ten ewidentnie zbył go żałosnymi półsłówkami. Kolejne, coraz konkretniejsze pytania omijał bezecnymi banałami. Mareczek coś ukrywał. Dlatego też Dolina miał prawo być wściekły. Do tej pory sądził, że grają w tej samej drużynie, że mogą sobie ufać, ale najwyraźniej się przeliczył. Mareczek zaprosił go do siebie, w Dolinie kwitło jednak przeczucie, że bynajmniej nie chodziło o zwierzenie się z prawdziwych wydarzeń w lesie, ale o udobruchanie go i wykręcenie się sianem. Choć przyjaźnił się z Tomeczkiem od dzieciństwa, w tak newralgicznej chwili jak ta, nie da się oszukać i zbyć.

– Nie masz powodu – powiedział lekceważąco Mareczek.

Akurat! Nie miał? Właśnie że miał, i to jak!

– Nie wpieniaj mnie, szeryf! – Rzucił mu wyzywające spojrzenie, które miało wyrazić całe jego rozemocjonowane wnętrze. – Nie
odpowiedziałeś na żadne pytanie. Co się stało w lesie? Pamiętam,
że twoja kamera kręciła niebo. Nie odzywałeś się do mnie. Potem
ktoś strzelił i przebudziłem się z gębą w trawie. Major, mówi ci to
coś? Chodzi o Witkiewicza, prawda? Jarzę jeszcze twój aksamitny
głosik. Parę razy padło słowo „projektor", ale nie wiem, o jaki projektor szło. Kiedy oprzytomniałem na dobre, siedziałeś obok mnie
jak gdyby nigdy nic! Co jest grane, Tomeczek? Co jest grane?! –
wyartykułował powoli i dobitnie.

Mareczek patrzył na kolegę z dużą dozą politowania. Tak odebrał
to sierżant. Wściekłość jeszcze bardziej spieniła mu krew. I pomyśleć, że każdy horoskop, do jakiego zajrzał w tym tygodniu, wróżył
mu same sukcesy.

Aspirant zastanawiał się przez chwilę, jak rozegrać sprawę. Przed
Witkiewiczem zobowiązał się solennie do zachowanie tajemnicy.
Wszystkie informacje dotyczące Projektora miał zostawić wyłącznie dla siebie. Sądził, że Mirek przez cały czas pozostawał nieprzytomny, a jednak zdarzyły mu się przebłyski świadomości, podczas
których mózg rejestrował co nieco z prowadzonej poza jego plecami dyskusji. Obserwując przyjaciela, stwierdził, że chłop przejął się
sprawą bardziej, niż na to wyglądało. Jego nabrzmiałe żyły, czerwona twarz i wyszczekiwane słowa świadczyły o poważnym wzburze-
niu. Tak na dobrą sprawę jeszcze nigdy Mareczek nie widział swojego podwładnego tak rozjuszonego. Uznał, że powinien ważyć każde
słowo, by nie pogarszać napiętej sytuacji.

– Oberwałem tak samo, jak i ty – powiedział nieco zbolałym tonem, chcąc wymusić nieco współczucia i obniżyć poziom agresji
Doliny. Odkrył ramię. – Masz takie ślady?

Dolina przyjrzał się trochę zmieszany. Dokładnie taki sam ślad
odbił mu się na udzie. Siniak średnicy dziesięciu centymetrów
z dwiema dziurkami jak po ukąszeniu jadowitego węża.

– Na nodze – przyznał.

– Straciłem przytomność nieco wcześniej niż ty. Chciałem ci dać
znać, chciałem nawet strzelić i nie potrafiłem.

DZIESIĘĆ

Dolina wiedział, o czym szeryf mówi. Miał dokładnie takie samo odczucie. Stracił przytomność krótko po tym, kiedy oberwał.

– I obudziłem się nieco wcześniej niż ty. Wierz mi albo nie, majaków miałem, co niemiara. Nie wiem, czym oberwaliśmy, ale na pewno było w tym z kilo chemii.

– I według ciebie, miałem zwidy, słysząc Witkiewicza i twój szacowny głosik?

– Ja widziałem ciebie i moją Hanię... – nerwowo zaśmiał się Mareczek – a to przecież nonsens, prawda?

Dolina przyjrzał mu się bardzo uważnie.

Mareczek wiedział, że poszedł po bandzie. Czekał na reakcję kolegi. Ten wwiercał się w niego wzrokiem dłuższą chwilę.

Dla Doliny to, co usłyszał, miało sens. Był zaskoczony. Bardzo zaskoczony. Nie tyle zdumiała go pierwsza część o nafaszerowaniu ich czymś, co mogło wywoływać halucynogenne zwidy, co bardziej uwagą na temat Hani. Jego i Hani...

Pogładził się po obolałej nodze. Kiedy zobaczył siniec i dwa krwiste punkty na jego środku, nie wiedział, co myśleć. Podejrzewał, że został postrzelony impulserem. Ładunek zawarty w miotanym na znaczną odległość naboju raził system nerwowy, paraliżował mięśnie, jednocześnie nie przebijając skóry. Impulsery nie zostawiały jednak takich śladów jak ten, który utkwił na udzie. W tym, co uderzyło ich obu, znajdowało się coś więcej niż tylko rażąca energia. Dwa krwawe punkty świadczyły o zaaplikowaniu im jakiegoś środka nasennego czy czegoś w tym rodzaju. Dawka tej chemii uruchomiła jednak w mózgach coś, co nawiązywało do rzeczywistości... I właśnie to było zadziwiające.

Mareczek powiedział o Hani. Skąd mógł wiedzieć o tym, że Hania nie jest mu zupełnie obojętna? A może tak tylko chlapnął, by udowodnić bezsensowność zwidów dotyczących majora? Bo i co znaczyłby jakiś tam „projektor"? Chcieli wyświetlać filmy, czy jak? W głowie Doliny powstało niemałe zamieszanie.

– Racja – powiedział na głos. – Bez sensu...

Mareczek przytaknął głową. Uznał, że fortel zadziałał. Kumpel jakby się uspokoił. Nieco złagodniał. Poczucie, że poszło za łatwo, nieco mąciło myśli.

– Jak się czujesz? – spytał, starając się okazać troskę.

– Jeszcze nigdy nie byłem tak wpieniony, jak teraz, powiem ci... – syknął przez zęby Dolina. – Kim są ci ludzie, że załatwili nas z taką lekkością?

Mareczek wzruszył ramionami.

– Nie zdążyłem im się przyjrzeć – odparł.

– A wiesz, co mnie dziwi najbardziej?

– Co?

– Że nic nam nie zaiwanili. Zostawili broń, a wydawałoby się, że takich zbirów żelastwo powinno cieszyć. Poza tym, gogle. Sprawdziłem nagrania z gogli i nic tam nie było! Zupełnie nic. Czyste flesze. Mało tego! Nie dało się odzyskać z nich nic a nic. Nawet starych, nienadpisanych nagrań. Tomek, oni dokładnie wiedzieli, co robić! Więc... – zawiesił na moment głos – co to za ludzie, jeśli nie chłoptasie Witkiewicza? Dam głowę, że ich słyszałem. Nawet jeśli ty z nim nie gadałeś, to ja ich słyszałem! I nie próbuj mi wmawiać, że to kłusownicy. Żaden pieprzony kłusownik nie będzie się znał na naszych goglach!

– Chyba, że „pieprzony kłusownik" to też...

– Nie rób se jaj! – żachnął się sierżant, w lot zrozumiawszy aluzję dowódcy. – Kto niby? Wolgant? Misiewicz?

– Może nikt z naszych, ale ktoś, kto dobrze zna zarówno nas, jak i nasz sprzęt. – Mareczek z trudem przełknął ślinę. Czuł, jak się poci. Dobrze wiedział, że nie jest w stanie ukryć fizjologicznych objawów blefu. Musiał skończyć ten wątek za wszelką cenę. Wstał raptownie. – Sorry. Muszę do kibelka. Na dłuższą chwilunię...

Dolina przemilczał ten wybieg. Zauważył, jak ocierającemu pot z czoła Mareczkowi trzęsą się ręce. Powstały w głowie mętlik nie ułatwiał logicznego rozsądzania spraw. Odchylił głowę i potarł dłońmi twarz. Musiał się nieco rozluźnić.

Wtedy zobaczył jezioro i wielki zmierzający do wody dysk. Potem drzewo, z którego ześliznął się, spadając na trawę. Kulturystę w osobie Rzeckiego, patrzącego na siebie samego w lustrze. Następnie wychodził przez okno, taszcząc ze sobą jakąś zawiniętą w koc rzecz i wnętrze świątyni, gdzie tę rzecz odpakował. Kuchnię i faceta w garniturze. Później uciekał przed Mareczkiem i Wolgantem. Będąc w gabinecie lekarskim, zajrzał w kobiece krocze. Bronił się przed napastującym go tęgawym facetem. Podbiegał do białej Toyoty. Znalazł się w lokalu jak ze Star Treka.

DZIESIĘĆ

W jego umyśle zakotłowało się. Co się dzieje, nie miał pojęcia. Nagle dopadła go nieprzenikniona ciemność, z której dobył się niezrozumiały, obcobrzmiący charkot. Był pewien, że każde wypowiadane zdanie kierowano właśnie do niego. Dziwny język na pewno nie należał do nowożytnych. Głos operował w dolnych granicach rejestru i brutalnie atakował świadomość. Dolina nawet nie miał ochoty z nim walczyć. Czuł, że opór jest beznadziejny, że nic mu nie jest w stanie przeciwstawić. Po kilku zdaniach dokładnie zdawał sobie sprawę, że powinien poddać się i podporządkować każdą swoją cząstkę komuś, kto stoi za głosem. Rozumiał, że ów ktoś nie znosi sprzeciwu, że jakikolwiek opór będzie brutalnie złamany. Dlatego właśnie uległ. Powiedział w myślach: „Możesz wszystko..."

– I co u ciebie, Mireczku?

Otworzył raptownie oczy i poprawił się w fotelu jak ktoś, kogo przyłapano na drzemce w miejscu pracy. Drżał. Czuł się, jakby powrócił z dalekiej podróży.

Hania! Usiadła naprzeciw z tym swoim ponętnym uśmiechem na twarzy. Lubił ją bardzo.

– Nie wyglądasz najlepiej. Zrobić ci coś do picia? Kawusia z ciśnieniowego postawi cię na nogi, chcesz? – spytała słodko.

Przytaknął.

– Jeśli będziesz taka miła... – Nie śmiał jej odmówić. Wyszła, kobieco kołysząc biodrami. Mareczek był szczęściarzem.

Dolina przebiegł wzrokiem po salonie.

Cholerny Mareczek był szczęściarzem! Wszystko, co w życiu robił, darzyło mu się. Miał piękny, duży dom z ogrodem. W ogrodzie basen. Super wyposażenie w każdym pomieszczeniu, ogromny telewizor, sprzęt Hi-Fi, nawet specjalny pokój z komputerem do gier. Dobry samochód, motocykl i na domiar wszystkiego miał żonę, której zazdrościł mu chyba każdy facet w tym mieście!

On, Mirosław Dolina, nie miał nic. Mieszkał w bloku, jeździł na rowerze, bo bał się prowadzenia mechanicznych pojazdów i był sam. Jak wrzód na czterech literach. Doskwierała mu samotność. Nie potrafił utrzymać żadnego związku. Kobiety nie chciały go na dłużej niż na parę miesięcy.

Hania. Hania była skarbem. Mądra, wzięta projektantka wnętrz, która urządziła ten dom z gustem, jaki spotykało się może na

Manhattanie, nie narzekała na brak zleceń. W dodatku pracowała w jednym z miejscowych ośrodków wypoczynkowych jako kierowniczka. Po co? Być może doskwierała jej samotność i nie chciała siedzieć w pustym domu. Nie miała dzieci, więc poświęcała się pracy. Dolina nie wiedział, który etat jest ważniejszy, ale pieniądze z projektowania zarabiała całkiem niezłe. Dlatego ten dom. Dlatego luksus.

Hania była skarbem nie tylko z powodu pieniędzy. Jej uroda i sposób bycia wykraczały ponad przeciętną. Dla niego z całą pewnością. Kiedy lata temu dowiedział się, że Hania chodzi z Tomeczkiem, poczuł wielkie rozczarowanie. Jego przyjaciel, jeden z tych najlepszych, i ona... Odebrał to jak zdradę. Potem musiał się przyzwyczaić, bo relacje ćwierkających ptasząt pogłębiały się, aż w końcu wyszło na to, że omotała ich miłość. Wtedy marzenia o Hani legły w gruzach. Cóż, musiał to przełknąć. Nie miał innego wyjścia. Szukał dla siebie kogoś innego, ale do tej pory nie znalazł.

Wstał i poszedł do kuchni. Skoro nie mógł mieć tej wyjątkowej kobiety na co dzień, chciał spędzić przy niej nieco więcej czasu. Tomeczek gdzieś przepadł...

Hania krzątała się po kuchni. Ubrana dość skąpo i zwiewnie, jak przystało na wysokie temperatury tego lata, nęciła zgrabną sylwetką.

– Parzysz świetną kawę – powiedział najmilej, jak tylko potrafił.

Drgnęła nico przestraszona. Nie spodziewała się go w tym miejscu.

– Dziękuję – odrzekła wdzięcznie. – Ale to bardziej zasługa ekspresu niż moja, Mireczku.

Mireczku! Uwielbiał, kiedy się tak do niego zwracała. Tym zdrobnieniem doprowadzała go do szału. Ta jej sympatyczna uprzejmość, subtelność i uśmiechy zniewalały. Miała męża, ale nie unikała takich zachowań. Dlaczego? Być może nie tylko dlatego, że taka była od zawsze. Coś mu podpowiadało, że między nią i nim istnieje coś więcej niż tylko nić przyjaźni...

Sięgnął wzrokiem poza kuchnię. Tomeczek gdzieś przepadł. Niech nie wraca...

Podszedł bliżej. Hania podłożyła pod dysze ekspresu gorącą filiżankę. Popatrzył na jej kształtną figurę, na wciętą talię, na długie nogi, na rudawe włosy... Cała była cudna. Odgarnął palcami ko-

DZIESIĘĆ

smyk jej włosów. Coś w głowie mówiło mu, że wcale nie musi być tak, jak do tej pory. Pochylił się i wargami musnął aksamitnej szyi...

Wcale nie musi...

Odskoczyła.

Miała do tego prawo. Zaskoczył ją przecież...

– Co robisz! – parsknęła mocno zbulwersowana.

– Nie musi tak być, jak do tej pory... – powiedział cicho, niemal szepcząc.

– Co nie musi tak być?!

– Między mną i tobą, Haniuś – powtórzył wydobywające się z głębi umysłu zdanie.

– Oszalałeś? – zapytała, zabawnie marszcząc brwi. Podobało mu się to, bardzo.

– Szaleję za tobą – przyznał. – Od dawna. Od zawsze. Wiesz przecież...

Zrobiła krok do tyłu. Zerknęła w kierunku drzwi. Wiedział, dlaczego.

– Nie żartuj tak, to nie wypada, Mireczku – użyła tonu, który działał na niego mocno ekscytująco.

– Jesteś piękna, mądra, seksowna...

– Nie chcesz chyba, żeby to usłyszał Tomek?

– Tomek? Mam dosyć Tomka i tego jego życiowego powodzenia. Dlaczego tylko on ma się mieć tak dobrze? Dlaczego tylko on może mieć ciebie? Dlaczego ma mną ciągle komenderować? Dlaczego ukrywa przede mną prawdę?

Popatrzyła na niego z czymś więcej w niż tylko ze zdumieniem. Zauważył w jej oczach błysk szoku i strach. Ale przecież nie miała powodu się bać.

– Ze mną też będzie ci dobrze – uspokajał ją. – Zapewne lepiej niż z Tomeczkiem. On jest nudny. Przewidywalny. Nie to, co ja...

Przysunął się bliżej.

Kolejny ruch ograniczyła jej kuchenna szafka. Znalazła się w rogu. W matni.

Uśmiechnął się miło. Bardzo miło.

– Tomek ci tego nie daruje – zagroziła. – Odsuń się!

Nie odsunął się. Wręcz przeciwnie. Objął ją ramieniem.

Wtedy został gwałtownie szarpnięty. Siła zwrócona na ramię, którym miał zamiar przyciągnąć Hanię do siebie, obróciła całe jego ciało i rzuciła na blat kuchennego stołu.

– To moja żona! – wrzasnął Mareczek. – Jak śmiesz dobierać się do mojej żony?!

Dolina przeturlał się przez blat i przepadł poza krawędź. Nie przypuszczał, że Tomeczek ma tyle siły. Nic nie szkodzi. Nic nie szkodzi...

Mareczek zawahał się. Spojrzał na Hanię, ale wyraz jej twarzy powiedział mu wszystko. Nie dostrzegł w jej oczach żadnej winy, a jedynie głęboki wstrząs.

Dolina pozbierał się z podłogi. Głos w głębi jego umysłu krzyczał charczącymi słowami coś, co wydobywało się na usta.

– I co? Myślisz, że to coś znaczy? – zawarczał jak rozjuszony pies. – Myślisz, że tylko ty masz prawo do szczęścia i do niej?!

Mareczek popatrzył na niego, jakby widział go pierwszy raz w życiu. Nie znał takiego Mirka. Odkąd przyszedł tu, do ich domu, wydawał się jakiś nieswój.

– Zgłupiałeś? – rzucił niepewnie. – Mirek, co ci się stało?!

– Mam tego wszystkiego dość, rozumiesz?! – wykrzyczał sierżant. – Mam dość ciebie! Zabrałeś mi każdą jedną rzecz, jaką miałem. Ukradłeś mi ją!

Hania wytrzeszczyła oczy.

– A ona mówi do mnie, Mireczku. Rozumiesz? Mireczku! Nie Mirek albo Mirku, tylko Mireczku! Kapujesz, co to znaczy?!

Mareczek spojrzał na żonę. Ta wytrzeszczyła oczy jeszcze bardziej. Widział, że żona nie wie, w czym rzecz. Mówiła tak do niego, odkąd tylko sięgał pamięcią. Ze zwykłej sympatii, jak do starego kumpla, jak do przyjaciela.

– Ja cię po prostu lubię, to wszystko... – usprawiedliwiła się.

– Ja wiem, że mnie kochasz – Dolina powiedział to zdanie zupełnie inaczej, łagodnie, z miłością.

Mareczek myślał, że śni. Chciał się jak najszybciej obudzić. Przyszło mu do głowy, że zachowanie przyjaciela może być pokłosiem tego, co działo się w lesie. Został porażony nie tylko prądem, ale także obezwładniającą substancją chemiczną, której działanie mogło wyrządzić dalej idące szkody, niż zakładała instrukcja.

DZIESIĘĆ

Aspirant postanowił dopisać to do win majora Witkiewicza i jego ludzi.

– Pogięło cię? – spytał, wysilając się, by mimo wszystko nie zabrzmiało to napastliwie.

Dolina obszedł stół, jakby znów chciał znaleźć się bliżej Hani. Mareczek zastąpił mu drogę.

– Ciebie zaraz pognie! – syknął sierżant i rzucił się na przełożonego.

Mareczek był na to gotowy. Zaparł się jedną nogą o szafkę i naprężył mięśnie. Bolącą rękę w pełni zignorował. Mimo że Mirek przewyższał go wzrostem, był w stanie przeciwstawić mu swoją masę i siłę na tyle skutecznie, że szybko odepchnął go od swojej żony.

Kuchnia, choć obszerna, nie nadawała się do walki. Spleceni w żelaznym uścisku przepychali się przez chwilę, po czym Mareczkowi udało się wydostać z kuchni na wiodący do ogrodu taras. W zamieszaniu przewrócili służący do letnich obiadów stół i krzesła. Hania wybiegła za nimi, krzycząc, by przestali się wygłupiać. Nic do nich nie docierało. Tłukli się bez opamiętania. Część ciosów mijała cele, ale większość dochodziła, wywołując niemałe spustoszenie. Mareczek wymierzył kilka solidnych kopniaków. Wydawało się, że powinny powalić napastnika, ale się tak nie stało.

Dolina stracił panowanie nad swoim ciałem. Chciał przestać, ale nie był w stanie zahamować biegu wydarzeń. Czuł się jak porwany przez lawinę. W jego umyśle kotłowało się niemiłosiernie. W bolącej głowie słyszał głos. Grzmiał w samym centrum mózgu. Gwałtownie, wręcz natarczywie nastawał na jego wolność. Nie był w stanie przed nim się obronić. Ulegając, kopał i walił pięściami w kogoś, kto usiłował go zniszczyć takimi samymi środkami. Złapał przeciwnika z zamysłem powalenia go na ziemię.

Mareczek zerwał klincz, odskoczył nieco i naprężył mięśnie do kolejnego ataku. Wpadł na pomysł. Poczekał, aż Dolina zaatakuje pierwszy. Nie musiał długo czekać. Mirek zamachnął się, postępując krok naprzód, a Mareczek ustąpił pola i schodząc z linii uderzenia wyrżnął Dolinę pięścią w bok szczęki. Ten zachwiał się, a Mareczek nie czekając ani sekundy, pchnął go całym ciałem, po czym upadającego przygniótł do ziemi.

W tym momencie zdębiał. Pod rozerwaną w trakcie bijatyki koszulką zobaczył trójwymiarowy tatuaż. Przedstawiał to, czego w życiu by się nie spodziewał.

* * *

Witold Pawlicki nie zamierzał stracić dogodnej okazji, by na własne oczy, z bliska zobaczyć latającą, świetlistą kulę. Przynajmniej żywił głęboką nadzieję, że zobaczy. Wydarzenia wczorajszego dnia oznajmiały, że prawdopodobieństwo pojawienia się kulistego fenomenu w świątyni jest całkiem spore. Dlatego właśnie się tu znalazł. Oprócz niego sanktuarium wypełnił cały tłum ciekawych sensacji ludzi, którzy przyszli dla kolejnych objawień zapowiedzianych przez świętą figurę. Albo raczej małą, pięcioletnią dziewczynkę, do tej pory niemowę, która stała się czymś w rodzaju rzecznika, przekaźnika czy też może medium. Dla większości zebranych tu osób dziecko zostało wybrane jako pośrednik – czysty, niewinny, bez skazy – by przekazać treści pochodzących z góry przesłań. Matka dziewczynki pozostawała w szoku od chwili wypowiedzenia pierwszych słów, aż do chwili obecnej.

Witold porozpytywał tu i ówdzie o rodzinę Róży. Dowiedział się ciekawych rzeczy. Róża urodziła się jako zdrowe dziecko. W niespełna kilka miesięcy później zachorowała na tyle poważnie, by znaleźć się pod stałą opieką lekarską. Rodzice, preferując metody medycyny niekonwencjonalnej, zamiast do przychodni, zwrócili się do bioenergoterapeutów, radiestetów i holistów. Stan dziecka po dłuższym czasie wreszcie się poprawił, ale nastała recesja w rozwoju jej psychiki. Później nastąpiła seria wizyt u wróżek, jasnowidzów i temu podobnych. Dziewczynka zamknęła się w swym własnym świecie. Stracono z nią kontakt, którego nie można było przywrócić żadnymi nowoczesnymi terapiami. W końcu uznano, że jest zamkniętą na otoczenie autystką.

Wczorajsze wydarzenie w sanktuarium stanowiło niezaprzeczalny przełom. Dziecko przemówiło, i to jak! Najbardziej przeżyli to rodzice. Świadkowie definiowali zdarzenie jako niezaprzeczalny cud. Wszyscy podkreślali obecność świetlistej kuli. Po skończonej oficjalnej przemowie, kula pomknęła w przestrzeń czystego nieba, wywołując powszechny jęk zachwytu i zdumienia.

DZIESIĘĆ

Dziewczynka zapowiedziała kolejne objawienie. Na dziś. Na dziewiętnastą. Dlatego Witold, wiedziony przeczuciem, stawił się w sanktuarium, w dogodnym dla siebie miejscu, tuż obok filaru, przy pierwszym rzędzie ławek. W zanadrzu dzierżył kamerę o rozdzielczości 4K oraz czuły mikrofon. Wszystko to zgrabnie wkomponowane w oprawki stylizowanych na połowę poprzedniego wieku okularów. Miał zamiar nagrać spektakularną scenę. Na razie czekał i obserwował. Bacznie i dokładnie. Nie chciał niczego przeoczyć.

Atmosfera w sanktuarium stawała się coraz bardziej napięta. Czas zapowiedzianego objawienia zbliżał się wielkimi krokami. Na wiodących do ołtarza stopniach klęczał jeden z kapłanów i intonował kolejne śpiewy. Zgromadzeni ludzie podchwytywali melodię, skupieni i wpatrzeni w stojącą na ołtarzu figurę. Witold był z natury człowiekiem dość cierpliwym, ale co rusz zerkał na zegarek. Do dziewiętnastej pozostał niecały kwadrans. Wysłuchiwanie rzewnych pieśni nużyło go, ale dla osiągnięcia szczytnego celu zaparł się w sobie i starał się mentalnie odizolować od otoczenia. Coraz głębsza ekscytacja wywoływała nerwowe ruchy prawej stopy, w ustach wysychało, a po plecach spływała strużka lepkiego potu. Wreszcie otworzyły się ciężkie, drewniane drzwi kryjące się za załomem muru, nieopodal ołtarza i z jej wnęki wyszło dwóch kapłanów z małą, pięcioletnią dziewczynką pośrodku. Duchowni zachowywali się niczym rasowi ochroniarze – dystyngowani i czujnie strzegący małego skarbu. Po świątyni rozniósł się szum przyciszonych komentarzy. Plotki, jakie lotem błyskawicy rozeszły się po mieście, sprawiły, że dziewczynka stała się sławna w ciągu zaledwie jednej doby. Wiele osób pragnęło zobaczyć ją na własne oczy. Zwykle panujący w wysokich murach chłód ustąpił rozpalającej się gorączce chwili. Mimo wybitych witraży oraz na oścież otwartych wejść, powietrze wewnątrz budynku stało i gęstniało.

Dziewczynka zajęła miejsce pomiędzy klęczącymi kapłanami a ołtarzem. Złożyła ręce do modlitwy i zastygła niczym górująca ponad nimi figura. Całe sanktuarium powtarzało jak mantrę jednostajną, monotonną modlitwę.

Witold Pawlicki nie znał takich modlitw. Nigdy nie chodził do świątyń, ponieważ jego rodzice nie byli zwykli do nich chadzać. Odkąd pamiętał, dzieci nazywały go heretykiem. To tak na cześć ojca i matki, którzy według większości zasługiwali na takie miano. Witold był wychowywany w innym systemie wartości niż koledzy i koleżanki. Co prawda z niemałą gorliwością rodzice wpajali w niego wiarę, jak to mawiali – jedynie prawdziwą wiarę – ale nigdy niczego nie robili na siłę. Wielokrotnie powtarzali, że kwestia uznania wyższych wartości niż to, co prezentuje i czego naucza otaczający ich świat, musi być jego osobistą decyzją. Wiara także. Ojciec twierdził, że wiary nie można udawać. Albo się ją ma, albo nie. Wszelkie substytuty i półśrodki nie mają żadnego znaczenia. Są pozbawione jakichkolwiek wartości. „Chodzenie bez wiary do jakichkolwiek świątyń, nawet tej najszlachetniejszej z punktu widzenia Niebios, mijało się z celem. Codzienne przebywanie w garażu nie uczyni z ciebie samochodu" – powtarzał ojciec. „Twoje własne starania niczego nie wniosą, jeśli nie pozwolisz Niebu na wdrożenie w swoje życie jego własnego planu" – dodawał. Ojciec Witolda był przeciwnikiem wszelkiej hipokryzji. Ze wszech miar potępiał grę pozorów, jaką uprawiały religie. Mawiał, że Niebo nie znosi religii, bo każda, co do jednej, to ludzki pomysł na dostanie się do Nieba z jednoczesnym ignorowaniem drogi, która została wyznaczona z Góry dawno temu. Według niego owa droga to właściwie wąska ścieżka, na którą wchodzą tylko nieliczni, gdyż jest niewygodna dla ludzkich upodobań i niemożliwa do zaakceptowania dla kochających szerokie autostrady umysłów. Witold co prawda zgadzał się z ojcem i nigdy nie przystąpił do żadnej religii, ale też nie miał ochoty pójść wąską ścieżką tejże, jak twierdził ojciec, prawdziwej, wytyczonej przez Pismo, wiary. Powód był prosty: nie znosił ograniczeń. Będąc pomiędzy nolozjastami, także nie uległ ich ciasnym, według jego miary, ramom. Nolozjaści czekali na kosmitów, Witold widział szersze spektrum śledzonych przez nich zjawisk. Dla przeciętnego nolozjasty kwestie tradycyjnych religii były reliktami zamierzchłych czasów, niewiedzy i zabobonów. W ich mniemaniu liczyła się nowoczesna technologia, wyższy stopień ewolucji wykraczający poza fizykalne postrzeganie wszechświata. Osoby doświadczające channelingu wchodziły w kontakt z przewodnikami, którzy zapowiadali nadejście zupełnie nowej ery w dziejach ludzkiej rasy oraz przewartościowanie obecnego stanu rzeczy. Duchowi przewodnicy dostrzegali wartość ludzkich dusz, wyjątkowość każdej jednostki,

DZIESIĘĆ

piękno ciała, złożoność emocji. Ich postrzeganie sięgało o wiele dalej i głębiej. Widzieli człowieka jako istotę duchową, która wymaga opieki, rozwoju i uwolnienia od rzeczy, które ją wiążą. A zniewoleniem okazywały się niższe uczucia: gniew, złość, złośliwość czy też zazdrość. Ziemia potrzebuje gruntownej przemiany – twierdzili – która zaspokoi pragnienie miłości i wzajemnego szacunku. By to osiągnąć, by doprowadzić do innego stanu świadomości, potrzeba nowego porządku, zniszczenia zniewalających praw, które segregują ludzkość, czyniąc władców i poddanych, katów i ofiary. Era lęku musi ustąpić – nawoływali – być unicestwiona wraz ze wszelkimi jej konsekwencjami. Musi nastąpić metamorfoza, metanoja, nastać odrodzenie...

O tym właśnie nolozjaści słyszeli od poddanych channelingowi mediów.

Witold Pawlicki wiedział jednak, że sprawa ma swoje drugie, głęboko ukryte dno. Ukryte bardzo głęboko...

Z zamyślenia wyrwał go przytłumiony tumult rozchodzący się od wejścia ku głównej nawie. Odwrócił głowę i zobaczył to, na co czekał. Widok był imponujący! Kilkumetrowej średnicy świetlista, opalizująca sfera unosiła się ponad pochylającymi się nisko ku ziemi przerażonymi ludźmi.

Stężał. Na moment zapomniał nawet, po co tu przyszedł. Kiedy kula poruszyła się, by majestatycznie przepłynąć w powietrzu ku centralnemu punktowi sanktuarium, Witold szybko wcisnął na nos okulary i wdusił dyskretny przycisk nagrywania.

Kula zatrzymała się nad figurą kobiety. Kapłani pochylili głowy, a blask bijący z obiektu stał się trudny do zniesienia. Okulary przyciemniły się momentalnie, dając możliwość dalszego obserwowania zjawiska. Nikt inny nie mógł znieść intensywnego światła. Ludzie zamykali oczy, zasłaniali się rękoma, pochylali ku ziemi albo odwracali, by uniknąć porażenia wzroku. Witold przymrużył powieki, ale mógł dalej obserwować zjawisko.

Dziewczynka wstała z klęczek, uczyniła kilka kroków i znalazła się tuż przy samym ołtarzu. Wyciągnęła ramiona przed siebie, ku górze, jakby chciała, by święta figura wzięła ją na ręce, jak matka dziecko. W tej chwili sfera zniżyła swój lot i całość ołtarza wraz z figurą i dziewczynką znalazła się w jej wnętrzu.

– Jestem z wami! – zabrzmiał głos dziewczynki: mocny, przekonywający, drążący umysł. – Przybywam, by dać wam pokój. Moim pragnieniem jest wasza radość, miłość i odpocznienie od wszelkich zgryzot. Jeśli będziecie mnie słuchać, dam wam wszystko, czego tylko pragniecie...

Witold bezgłośnie wyrzucił z siebie, co o tym myśli. To było szokujące, niesamowite, powalające... Zjawisko zapierało dech w piersiach.

Dziewczynka odwróciła się bardzo powoli i spojrzała mu w oczy. Choć dzielił ich wystarczający dystans, by w normalnych warunkach mieć wątpliwość, nie miał jej wcale. Wzrok dziecka wnikał poza zasłonę przyciemnionych szkieł! Róża spoglądała w głąb jego duszy, ostro budząc grozę. Wraz z tym dojmującym spojrzeniem wniknęły w niego słowa – kobiece, dojrzałe, władcze:

– Jesteśmy już blisko...!

Pomyślał, że ma omamy. Przycisnął z całej siły dłonie do uszu, by odizolować się od źródła dźwięku.

– Jesteśmy bliżej, niż przypuszczasz. Wiemy, co was czeka. Podejmujemy walkę, stoczymy bitwę, by świat mógł zaistnieć na nowo! Potrzebujemy was. Wy potrzebujecie nas! Jesteśmy tu ze względu na ciebie, ze względu na każdego z was! Chcemy wam dać pokój i oświecenie. Dać nową energię, oczyszczenie, uzdolnić was do nowego życia... Uzdolnić ciebie.

* * *

– Tęsknię... – powiedziała smutno, ale pewniejszym, mocniejszym tonem niż jeszcze pół roku temu czy rok i wygładziła zieloną sukienkę, którą dostała od mamy nieco na wyrost, kiedy jeszcze jej nie pasowała.

– Ja też tęsknię – usłyszała tuż obok siebie. Spojrzała na niego, zadzierając ku górze głowę. Tatuś. Współczuli sobie nawzajem i wspierali się, jak tylko potrafili.

– Wiesz, Kesja... – zaczął swoim ciepłym, ojcowskim głosem i nagle urwał.

Wiedziała, co chciał powiedzieć.

– Wiem. Tak po prostu musiało być...

Razem patrzyli na zdjęcie, na którym miękkimi gestami poruszała się Ona – piękna, roześmiana, wesoła. Mama.

– Teraz już nie cierpi – dokończył.

DZIESIĘĆ

– I jest szczęśliwa – dopełniła całości. – Wiem, że jest szczęśliwa. Kesja miała pewność, że właśnie tak jest – mama umarła, ale była szczęśliwa. Długa, wycieńczająca choroba dokonała w jej organizmie wiele spustoszenia, ale na twarzy tej ukochanej kobiety niezmiennie gościł uśmiech. Tak ją widziała. Tak chciała ją pamiętać.

Po tym, kiedy lekarze obwieścili tragiczny wyrok – złośliwy nowotwór – cała ich rodzina: mama, tata i ona sama, przeżyli szok. Tak, to był tragiczny moment, którego nigdy nie zapomni. Płakali. Wszyscy płakali, przytulając się do siebie, jak tylko można było mocno. Nowotwór okazał się nieoperacyjny. Niepostrzeżenie rozrósł się do monstrualnych rozmiarów, po cichu atakując wiele narządów. Żadna terapia nie prognozowała zwycięstwa.

Kesja zniosła to z trudem. Gdyby nie mamusia, nie zniosłaby tego w ogóle. Mama pokazała jej drogę do przyjęcia każdego, najcięższego nawet doświadczenia. Mama wierzyła. Jej wiara nie opierała się na złudzeniach, baśniach czy jakiejś tradycji. Miała ufność opartą na Prawdzie. Tak mówiła. Ufność niezmąconą, silną, przemagającą przeszkody. Także tę, którą była choroba. Śmiertelna, straszna choroba.

Kesja podziwiała mamusię i chciała wierzyć tak, jak ona wierzyła. Dlatego sama, zupełnie jak ona, udała się po Prawdę do samej Prawdy. I znalazła. Była tego więcej niż pewna. Prawda wypełniła ją spokojem. Sprawiła także, że rozstanie z mamusią potraktowała jak chwilową podróż, z której się wraca i cieszy spotkaniem z najbliższymi głośnym śmiechem i podskakiwaniem, przytulaniem i pocałunkami. Tak właśnie tęskniła za mamusią. Wiedziała, że niebawem będą się przytulały i opowiadały sobie, co działo się podczas rozstania jak o przeszłości, która już nie wróci.

Tatuś też tak czekał. Była spokojna o niego, bo wierzył nie mniej niż ona, czy mamusia. Tatuś uwierzył pierwszy. Jego ufność była dojrzalsza. Wierzył Prawdzie i potrafił to uzasadnić bardzo dobitnie, przekonująco. Ale także tęsknił za mamusią. Chciał się z nią zobaczyć nie mniej niż ona, a może jeszcze bardziej. Widziała to w jego szklistych oczach, kiedy spoglądał na zdjęcia mamusi.

– Już niedługo – powiedział przyjaźnie, poklepując ją po ramieniu.

Odpowiedziała uśmiechem. Potem zanurzyła się w swoim pokoju jak w gorącej, przyjemnej kąpieli. Tu był jej azyl, schronienie, w którym czuła się bezpieczna z powodu Prawdy, jaka na nią niezmiennie czekała. Otworzyła ją. Z należną czcią, ale też po przyjacielsku.

Zaczęła czytać.

✳ ✳ ✳

Masowanie obolałego barku nie przynosiło pożądanego skutku, bo i też przynieść nie mogło. Mareczek cały drżał, z trudem usiłując dojść do równowagi. Hania przybiegła z nasiąkniętym zimną wodą ręcznikiem i czule otarła go z sączącej się gdzieniegdzie krwi. Jej ręce trzęsły się niemiłosiernie. Widział, jak bardzo jest rozdygotana.

Doliny nie było. Zerwał się, odrzucając go na ładnych kilka metrów i pognał przed siebie, z zadziwiającą lekkością przesadzając okalający posesję płot. Stoczona przed momentem bitwa była czymś strasznym i surrealistycznym, powodującym gonitwę płonących emocji.

Mareczkowi całe zajście nie mieściło się w zbyt ciasnym umyśle. Usiłował jakoś określić, zdefiniować zachowanie Mirka, ale oprócz kilku brzydkich wulgaryzmów niczego nie wymyślił. Nigdy nie widział go takim, nigdy nie słyszał i nigdy w życiu nie doszło między nimi do jakiejkolwiek fizycznej utarczki. Niesłychane, nieprawdopodobne, niemożliwe...

– Co mu się stało?! – Wyraz twarzy Hani dobitnie odzwierciedlał stan jej duszy. – Kompletnie mu odbiło! Tomek, co to było...?!

– Nie mam pojęcia – jęknął, kiedy dotknęła rannej podczas burzy ręki. Mógł przypuszczać, że Dolina stał się ofiarą wojskowej broni obezwładniającej, ale nie znajdował na tę hipotezę żadnego dowodu.

– Boli? – zapytała trochę bez sensu.

– Ujdzie – zełgał nieco, uznając, że tak będzie lepiej.

– On chyba nie mówił na poważnie, co?

Mareczek spojrzał w jej oczy na tyle wymownie, by nie musiał odpowiadać. Nie miał ochoty ustosunkowywać się do zazdrosnego bełkotu przyjaciela. Chyba przyjaciela.

– Naprawdę? – zrozumiała w lot, ale ciągnęła temat mimo jego niechęci. – To chyba nie jest coś, co przyszło mu do głowy tu, przed chwilą, co...?

– Nie sądzę – burknął.

DZIESIĘĆ

– Takie rzeczy... o mnie... o tobie...

Musiał zainterweniować bardziej dobitnie.

– W ciągu ostatnich dni trafiło mu się kilka przykrych rzeczy. Być może nie wytrzymał napięcia i psychicznie wysiadł. Natłok wrażeń. Wiesz, jak to się często kończy.

– Co się stało? – zapytała. Widział, że jej ciekawość nie oscyluje wokół plotkarskiego głodu, ale wynika z konieczności logicznego ułożenia biegu wydarzeń.

Odwrócił nieco wzrok. Nie chciał wprowadzać Hani w żadne szczegóły.

– Każdemu zdarzają się jakieś trudności.

– A jemu, co?! – nie dawała się zbyć.

– Choćby ten wypadek – łgał dalej. – Nie co dzień ogląda się spalone zwłoki, prawda?

Widział, że trafił. Odpuściła.

Jemu przed oczami stanął tatuaż. Jeśli cokolwiek mógłby teraz sensownie przemyśleć... Powiązał tatuaż z zachowaniem Doliny i zakłął.

Hania spojrzała na niego zdumiona.

– Co? – zapytała lakonicznie, zawierając w tym pytaniu o wiele więcej, niż pozornie mogłoby się wydawać.

Zmitygował się nieco. W obecności żony nie wypadało kląć.

– Zabolało – skłamał jeszcze raz.

– Co teraz? – zerknęła podejrzliwie.

Mareczek zebrał się w sobie, starając się uspokoić skołatane nerwy.

Tatuaż!

Skąd miał go Mirek? Czy w ogóle wiedział, że na jego plecach istnieją dwie trójwymiarowe litery? A może to, co wiązało posiadaczy tatuażu, było na tyle tajne, że za nic nie dało się z nich wydobyć istoty jego znaczenia. Niewykluczone, że wszyscy udawali bezbrzeżne zdziwienie, kiedy ktoś zwracał im nań uwagę.

Nie. To mało prawdopodobne. Zbyt naciągane. W oczach Nowickiego dostrzegł autentyczne osłupienie. Nowicki o literach nic nie wiedział. A Mirek? By się przekonać, należało go znaleźć i przepytać.

Pośpiesznie uporządkował kuchnię. Ustawił stół i krzesła. Hania zajęła się resztą.

Zastanawiał się, co zrobić. Najprościej byłoby udać się do mieszkania Doliny, bo i gdzie pójdzie, jeśli nie tam? Wcześniej czy później
będzie zmuszony wrócić do domu choćby po jakieś zaopatrzenie.

Zasadzka, kajdanki, przesłuchanie – taka kolejność, ale czy słusz-
na i jedyna? Mirek to przyjaciel, było nie było, od wielu lat, od samej
młodości, dlatego być może sprawę należało potraktować zgoła inaczej, po przyjacielsku właśnie, po dobroci, puszczając w niepamięć
to niefortunne zdarzenie. Całkiem niewykluczone, że sierżant popadł w jakąś czeluść umysłu, po czym zamroczony począł pogrążać
samego siebie i niespełna rozumu wyrzucać z ust wszystkie te nie-
dorzeczności, jakie przyszło im wysłuchać.

Alternatywą było stworzenie specjalnego teamu w postaci
Wolganta i Siemaszki, którzy wprowadzeni w zaistniałą sytuację
pomogą okrzesać Dolinę i przywrócić do pierwotnego stanu.

Mareczek pomyślał chwilę. Z powodu tatuażu powrót do przeszłości i normalności wydał mu się mało prawdopodobny. Te
dwie litery to sedno problemu. Tak, czy owak, powinien zamienić
z Doliną kilka poważnych zdań.

Po udzielonych żonie instrukcjach na wypadek nagłego powrotu Doliny, uzbrojony w paralizator i ostrą broń Mareczek wyszedł
z domu.

∗ ∗ ∗

Zabłąkany Dolina kluczył na pograniczu Sieciowa z gigantycz-
nym bólem głowy. Mrużył oczy, by nadmiar światła nie ubezwła-
snowolnił go do reszty. Rozglądał się niepewnie w poszukiwaniu
jakiegoś znajomego obiektu, który mógłby być potraktowany jako
punkt odniesienia i dać względne pojęcie, gdzie się znajduje. Czuł
się więcej niż paskudnie. Oprócz bólu doskwierały mu mdłości.
Migrena? Miewał takie parę lat temu, ale kilka wizyt u neurologa
oraz zastosowane medykamenty pozwoliły wytchnąć na dłuższy
czas. Nie przypuszczał, by migrena mogła pozbawić przytomności.
Ta, której padł ofiarą, ścięła go z nóg. Oprzytomniał niedawno pośród młodych brzózek i właśnie starał się wydobyć z nieznanego,
na prowadzącą do własnego domu ścieżkę. Za wszelką cenę musiał
znaleźć się w swoim mieszkaniu, by zażyć ratujące życie pigułki,
które przezornie ukrył na czarną godzinę, gdy miał ich jeszcze pod

dostatkiem. Zupełnie nie obchodziło go, czy zachowały ważność. Nawet jeśli były przeterminowane, podejmie ryzyko, połknie je i zda się na wyrok losu.

Rozejrzał się jeszcze raz. Nie pamiętał, jak się tu znalazł. Przed oczami na moment zamajaczył mu widok Tomeczka i Hani.

Hania, Hania... Haneczka.

Zatoczył się, jakby cała Ziemia wykonała nagły zwrot w prawo. Mdłość. Ból.

Gdzie ten dom?!

Nie poznawał okolicy, a przecież mieszkał w tym mieście od zarania wieków i przemierzył je wzdłuż i wszerz, wszerz i wzdłuż. Jakieś nowe domy... Skąd ludzie mają tyle pieniędzy, by budować i budować? No, tak. Nie wszyscy są sierżantami policji... Co poniektórzy zdobyli lepsze wykształcenie albo wpadli w objęcia skutecznego biznesu. Gdyby mógł zacząć od nowa, to kim chciałby być? Chyba nie policjantem... Z drugiej strony ta robota nie była nudna jak siedzenie w biurze i przewracanie idiotycznych papierów.

Przemknęło mu przez myśl, czy aby nie popił i czy jego pobyt w zagajniku oraz ból głowy nie wiązały się z tak mało wyrafinowanym powodem, jak zatrucie alkoholem. Szybko wykluczył taką możliwość jako zupełnie bzdurną. Nikomu nie dałby się namówić na coś podobnego, a sam do lustra nigdy nie popijał.

Świat zawirował niedbale.

A może jednak? Zatrucie alkoholem wywoływało wiele nieprzyjemnych skutków.

Przytknął dłoń do ust i chuchnął. Niczego nie poczuł, ale czy gość po popijawie może w wydychanym powietrzu zdiagnozować obecność alkoholu? Wątpliwe. To, że niczego nie wykrył, mimo niepewnego rozstrzygnięcia uspokoiło go.

Powłócząc całym sobą, chwiejnie podążał przed siebie.

Dom! Gdzie jest to cholerne mieszkanie, w którym znalazłby ukojenie?

Ktoś go minął. Bodaj kobieta, ale pewności nie miał. Wyglądała, jeśli to faktycznie kobieta, nieco pokracznie, nieco śmiesznie, nieco strasznie. Przyglądała mu się świecącymi oczkami, przykrytymi chmurną powagą podejrzliwości. Rzucił jej ukradkowy rewanż w postaci niemej pogardy. Niech się wypcha. Każdy może być chory.

Szedł, po omacku wgłębiając się w miasto. Dopiero po paru długich minutach rozpoznał jedną z ulic. Zatrzymał się, by odpocząć. Oparty o przydrożny słup bezwiednie obrzucił mimowolnym spojrzeniem kilka przejeżdżających samochodów.

Nagle zauważył coś w rodzaju bezkształtnego cienia, który prześliznął się tuż obok niego. Nie zdążył się temu przyjrzeć, gdyż zjawisko szybko przestało istnieć. Kolejne złudzenie. Czasem zdarzają się niejasne imaginacje, które nikną tak samo szybko, jak się pojawiają.

Arendarska. Tak nazywała się ulica, którą wypadało udać się w stronę własnego mieszkania.

– Wszystko w porządku? – usłyszał niespodziewanie. – Może trzeba pomóc?

Obejrzał się. Tym razem był pewien, że to kobieta. Całkiem ładna i skądinąd znajoma.

– Nie, nie trzeba... – chciał powiedzieć, ale z krtani wyrwał mu się chrapliwy jęk.

– Jest pan zakrwawiony. Coś się stało? – nie ustępowała.

– Boli mnie głowa – przyznał.

– Jest pan ofiarą jakiegoś wypadku?

Nie pamiętał żadnego wypadku. Pokręcił przecząco głową, ale zaraz pożałował tego ruchu. Czaszkę rozsadzała kolejna fala uporczywego, ostrego cierpienia.

– Myślę, że jest panu potrzebna natychmiastowa pomoc lekarza.

Zgodził się z tą tezą. Lekarz z pewnością posiadał środki mogące uśmierzyć obezwładniający go ból.

– Mam tu samochód. Podwiozę pana, dobrze?

– Dziękuję... – wydukał i poszedł za kobietą do jej wozu.

W przychodni znaleźli się niemal od razu. Dolina nie wiedział, czy stracił przytomność, czy może zasnął. Pokój zabiegowy lśnił nienaganną czystością i białymi meblami.

– Co się stało, panie sierżancie? – rozpoznał głos doktora Patrosza. – Pamięta pan? Jakiś wypadek? Ktoś pana napadł?

Napadł? Kto wie? Całkiem niewykluczone, że natknął się na coś, co zasługiwało na interwencję policjanta, choć na służbie, wnioskując po braku munduru, chyba nie był. Bez dwóch zdań czuł się policjantem bez względu na porę dnia czy nocy. Mogło się także zdarzyć, że dopadł go ktoś, komu zalazł za skórę. Wypuszczony na

DZIESIĘĆ

wolność bandzior podjął się zemsty. Dlatego całe to jego podłe samopoczucie, boląca głowa, krew...

Doktor przyjrzał mu się bardzo dokładnie.

– Bił się pan z kimś?

Bił? Nie pamiętał.

– Dlaczego? – spytał niepewnie.

– Twarz we krwi, otarte dłonie, porozrywane odzienie...

– Nie wiem...

– Coś panu szczególnie dolega?

– Głowa. Boli mnie głowa.

– Coś jeszcze?

– Nie wiem. To najbardziej.

Doktor obmacał czaszkę. Nic szczególnego nie znalazł.

– Zrobimy zastrzyk i przejdzie – zwrócił się do pielęgniarki.

Ukłucia Dolina nawet nie zauważył. Ogarnęła go ciemność. Poczuł się zagubiony. Później przed oczyma przewinęło się kilka obrazów: dom Mareczka, Mareczek, Hania.

Hania!

Kuchnia, pięści, Mareczek... Następnie zobaczył świątynię. W jej wnętrzu na ołtarzu stała rzeźba. Nie dojrzał szczegółów. Zapadła ciemność...

Z głębi duszy wydobył się przeraźliwy bulgot. Coś ścisnęło jego gardło i poczęło dusić.

– Zostawcie mnie! – wrzasnął nagle, na ile starczało powietrza w płucach.

Znowu nie kojarzył miejsca. Obok siebie ujrzał złowieszcze, wykrzywione mordy z wyłażącymi z orbit ślepiami. Karykaturalne grymasy wyrażały ich prawdziwą, potworną naturę.

– Jesteście nikim! – wycedził przez zęby. – Myślicie, że coś znaczycie? Że macie jakąś wartość?! Sądzicie, że stanowicie o swoim życiu? Trup jest trupem. Nie może nic! Jesteście tępi i chciwi. Tajemnica? – zwrócił się do jednej z maszkar – Nie ma żadnych tajemnic! Myślisz, że nikt nie wie, co zakopałeś w swoim zapyziałym ogródku?! – Doktor Patrosz cofnął się zupełnie zaskoczony. Wyglądał na autentycznie wystraszonego. Zupełnie jakby usłyszał coś, czego nikt nie miał prawa wiedzieć. – Ja wiem! Wszyscy jesteśmy złodziejami i kłamcami, wszyscy mordujemy, wszyscy coś ukrywamy! Nikt nie jest bez winy! Ty też nie... – zwrócił się do drugiej kreatury. – Wiem, czego pragniesz, o czym śnisz po nocach, co drąży twoją pożądliwą duszę... Co? Nie masz tego? Musisz się otworzyć, porzucić ograniczenia... – Wlepił wzrok w te wybałuszone, zszokowane gały. – Sumienie? Wypal sumienie! Sumienie to przeżytek!

Dolina odepchnął oba potwory. Musiał uciekać. Natychmiast! Bezwzględnie! Zerwał się na równe nogi i wystrzelił z ciasnego, dusznego pomieszczenia.

Wewnątrz głowy dźwięczały obcobrzmiące, drapieżne słowa. Nie znał ich znaczenia, ale był pewien, do czego nawołują. Pomiędzy nimi słyszał dobrze rozpoznawalne imię: Hania!

∗ ∗ ∗

Mareczek siedział w swoim samochodzie. Obserwował okna mieszkania Doliny oraz wejście do klatki schodowej. Nasłuchując pod drzwiami, stwierdził brak jakichkolwiek odgłosów. Dlatego też przyjął, że Mirka w mieszkaniu nie ma. Postanowił na niego poczekać.

Obok zmartwienia zachowaniem przyjaciela dręczyły go te nieszczęsne N i B. Nie potrafił o niczym innym myśleć, jak tylko o tym. Jakaś tajna organizacja? Stowarzyszenie? Religia? Nic z tego nie pasowało do Mirka. Znał go na tyle długo i dobrze, by wcześniej podejrzeć jakieś nietypowe zachowania. Jedyną rzecz, do jakiej mógłby się przyczepić, był ten jego entuzjazm związany z kosmitami. Zatkało go. Kosmici! Ciągle nie brał ich pod uwagę na poważnie. A jeśli Sieciowo stało się areną jakiejś gry związanej właśnie z nimi? Z kosmitami? Z obcymi?

Wyobraził sobie Predatora uganiającego się za mieszkańcami Sieciowa z wielką pieczątką, którą zawzięcie stempluje swoje ofiary, opatrując je trójwymiarowymi literami N i B. Potem skrzywił się z niesmakiem. Akurat!

Dobrze... ale jeśli naprawdę to oni? Jeśli to nie jakiś Predator ani E.T., ale rzeczywista pozaziemska inteligencja, której przydarzył się najzwyklejszy, nieszczęśliwy wypadek? Być może szukają sposobu na przetrwanie albo znakują ludzi, by się nimi do czegoś posłużyć. Ale dlaczego miałyby to być zwykłe, ziemskie litery? Bez sensu...

DZIESIĘĆ

Włączył radio. Z głośnika sączyła się leniwie muzyka z filmu, który znakomicie kojarzył. „Gladiatora" oglądał z dziesięć razy. Losy rzymskiego generała opowiedziano w pełnej napięcia fabule na tyle dobrze, by film otrzymał Oskara. Jemu też się podobał. Upór i dążenie do celu głównego bohatera budziły podziw. Siłą napędową była zemsta. Tego nie pochwalał, ale rozumiał miłość. Maximusowi odebrano najukochańsze osoby, a jego samego wtrącono w niewolę. Jako gladiator walczył o przetrwanie tak długo, aż dopiął swego. Mareczkowi często brakowało determinacji. Zbyt często poddawał się przy byle okazji. Nie tak postępował generał. Różniły ich motywacje. Właściwie częsty brak motywacji u Mareczka. Dlatego oglądał ten film z tęsknotą do zmiany wnętrza. Potrzebował metamorfozy własnej duszy. Tak to czuł i jak na razie mógł do niej tylko tęsknić. Nie dawał sobie rady z samym sobą. Być może nie było tego widać na zewnątrz. Nauczył się odgrywać kogoś, kim w rzeczywistości nie był. Dla postronnych jawił się silnym, noszącym broń i posiadającym władzę policjantem. Prawdziwy obraz jego istoty był zgoła odmienny. O nim nie wiedziała nawet Hania. Przed nią także odgrywał kogoś godnego szacunku, ale w głębi duszy zasługiwał jedynie na litość. Jak nikt, znał własne słabości i ułomności. Ukrywał je pod grubą warstwą złudzeń i bardzo się starał, by tak pozostało. Siebie oszukać nie próbował. Był świadom, że tego nie potrafi.

Ostatnie takty umilkły. Rozpoczęła się rozmowa. Znów o polityce i religii. Zaogniająca się z dnia na dzień sytuacja na arenie politycznej Bliskiego Wschodu wymagała radykalnych środków w celu zapobieżenia wybuchowi kolejnej wojny. Stawiany pod murem medo-perskich ambicji Izrael odgrażał się zastosowaniem niekonwencjonalnych środków odstraszających, mając na celu obronę swojej suwerenności oraz bezpieczeństwo własnych obywateli. Czym owe niekonwencjonalne środki mogły się okazać, komentowano na całym świecie. Eksperci podejrzewali, że racjonalnie myślący Kneset nie posunie się do wykorzystania broni atomowej, którą to maleńkie państwo dysponowało od dawna, ale sięgnie po broń zupełnie innego rodzaju. Ponoć dobrze poinformowane źródła donosiły o niszczących wszelkie źródła energii w promieniu wielu setek kilometrów od miejsca detonacji głowicach elektromagnetycznych.

Według biegłych, zastosowanie broni tego typu doprowadziłoby do technologicznego cofnięcia zaatakowanego kraju o setki lat.

Mareczek przygryzł wargi. Jeśli to prawda, świat wkraczał w nową erę zbrojeń.

Będący w studiu goście dywagowali na temat możliwości bez-krwawych rozstrzygnięć oraz wprowadzenia w życie nowego planu pokojowego. Dla co poniektórych ów plan wydawał się mało realny z powodu fundamentu, na którym opierał się ciągnący się przez całe tysiąclecia konflikt na linii Ismael-Izaak. Fundament ten miał charakter o wiele głębszy, niż powszechnie postrzegano i wynikał z negacji Bożych planów. „Taka negacja, czegokolwiek by nie dotyczyła, zawsze prowadzi do katastrofalnych w skutkach konsekwencji" – dowodził jeden z rozmówców. Inni raczyli się z nim nie zgadzać, sugerując, że tego rodzaju argumentacja wkracza na śliskie podłoże, jakim bez wątpienia zawsze była i jest religia.

Mareczek dobrze wiedział, że w tamtym rejonie świata nie da się oddzielić polityki od spraw kultu. Podziały religijne przenika-ły działalność polityczną oraz gospodarczą, ba, nawet kulturalną i sportową tak bardzo, że nie dało się ich rozdzielić. Dlaczego leżący na Bliskim Wschodzie Izrael brał udział w sportowych rozgrywkach europejskich? Właśnie dlatego. Trudno było przypuszczać, by reprezentacja żydowska udająca się na mecz, dajmy na to, do Iranu, tenże mecz rozegrała, nie mówiąc już o powrocie do ojczyzny.

Przełączony na inny kanał odbiornik zagrał jakąś lekką melodię przywodzącą na pamięć początek wieku. Aspirant westchnął ciężko. Doliny nadal nie było widać.

✳ ✳ ✳

Kesja powoli przeczytała fragment Prawdy: „To λοιπον αδελφοι μου ενδυναμουσθε εν κυριω και εν τω κρατει της ισχυος αυτου. ενδυσασθε την πανοπλιαν του θεου προς το δυνασθαι υμας στηναι προς τας μεθοδειας του διαβολου οτι ουκ εστιν ημιν η παλη προς αιμα και σαρκα, αλλα προς τας αρχας, προς τας εξουσιας, προς τους κοσμοκρατορας του σκοτους, του αιωνος τουτου προς τα πνευματικα της πονηριας εν τοις επουρανιοις. δια τουτο αναλαβετε την πανοπλιαν του θεου, ινα δυνηθητε αντιστηναι εν τη ημερα τη πονηρα και απαντα κατεργασαμενοι στηναι."

DZIESIĘĆ

– „W końcu nabierajcie mocy w Panu i potężnej Jego mocy. Ubierzcie całą zbroję Boga, abyście mogli stanąć przeciw matactwom diabolicznym. Bo nie walczymy przeciwko krwi i ludzkiej naturze, ale przeciw Archontom, Panowaniom i Władzom tego świata ciemności, przeciw duchowym niegodziwościom w Niebiosach. Dlatego weźcie całą zbroję Boga, abyście mogli stanąć przeciw nim w dniu złym i uczyniwszy wszystko, ostać się." – przetłumaczyła na głos. – Tak, chcę całej zbroi i chcę stać niewzruszenie! – powiedziała buńczucznie, po czym pchnięta nagłym impulsem zajrzała do pokoju tatusia.

– Mogę na chwilę wyjść? – zapytała przymilnie.

Tatuś spojrzał na zegarek.

– Za godzinę w domu, dobrze?

– Za godzinę. Dzięki!

Wsunęła szybko pantofle i wybiegła na podwórko.

Witold zanurzył się w cieniu samochodu. Usiadł w jego wnętrzu, nakazał komputerowi pokładowemu zaciemnienie wszystkich szyb i sparował pamięć okularów z tabletem. Z eksytacji drżały mu dłonie. Dane przekopiowały się błyskawicznie. By lepiej słyszeć, założył wysokiej klasy słuchawki i przełączył do nich dźwięk z urządzenia. Zawładnęła nim niepohamowana potrzeba usłyszenia wszystkiego raz jeszcze. Z powodu rozpalonych do granic wytrzymałości emocji nie był w stanie zapamiętać tego, co działo się w sanktuarium. Dlatego też pokładał wielką nadzieję w zdobyczach nowoczesnej elektroniki, a dokładnie w sprzęcie, którego użył do rejestracji tego niesamowitego wydarzenia, jakiego był uczestnikiem.

Obraz z wnętrza świątyni zakołysał się nieco. Zaraz ukazała się budząca podziw i grozę świetlista sfera, ołtarz, dziewczynka, rzeźba kobiety. Do jego uszu dobiegał znajomy szum pochodzący z sanktuarium. Czekał na przesłanie. Przez moment ekran tabletu stał się mocno jaskrawy, po czym, dzięki dobrej optyce oraz elektronicznej korekcji rekordera, powrócił do akceptowalnej jasności. Był to ten moment, kiedy Róża spojrzała wprost na niego. Ten jej straszny wyraz oczu ugrzązł w jego świadomości jak wróg mafii w betonowej stopie. Bał się, że pociągnie go na jakieś upiorne dno. Gdzieś w podświadomości przemknęła myśl, że oczy dziewczynki mogą hipnotyzować i należy się ich bezwzględnie strzec. Wzdrygnął się i zdał sobie sprawę z tego, że kadr filmu już dawno się zmienił. Zaraz potem uświadomił sobie, że nic nie słyszy. Nic, to właściwie za dużo powiedziane – nadal dochodziły do niego odgłosy z wnętrza sanktuarium, ale z całą pewnością nie było słów dziewczynki, która bez wątpienia mówiła tam donośnym, choć dziecięcym głosikiem.

Zdumiony zdjął słuchawki, spojrzał na nie z wyrzutem, po czym założył z powrotem. Wyregulował głośność, ale nadal „nic" nie dobiegało jego uszu.

Zastanowił się. Co tu nie pasowało? Nie miał wątpliwości, że podczas nagrywania filmu brzmiały dwa głosy. Ten drugi, kobiecy i dojrzały, dźwięczał w jego głowie. Zasłaniając uszy, nie obronił się przed nim. Mówił, a on stosownie do rozkazującego tonu słuchał. Przesłanie pierwsze powinno być nagrane. Właśnie – powinno, a nie było! Dlaczego? Złudzenie? Nie sądził, by tak było. Z zachowania zebranych wokół niego ludzi jasno wynikało, że i oni słyszeli jednoznaczny, ustny przekaz.

Wpadł na pomysł. Połączenie z netem pozwoliło na skorzystanie z przepastnych zasobów cybernetycznej chmury. Po chwili natknął się na to, czego szukał. Aplikacja wczytała plik z nagraniem, po czym odpowiednie ustawienia pozwoliły na ponowne odtworzenie nagrania.

„Jestem z wami! – głos dziewczynki drążył umysł zupełnie tak samo, jak tam, w świątyni. – Przybywam, by dać wam pokój. Moim pragnieniem jest wasza radość, miłość i odpocznienie od wszelkich zgryzot. Jeśli będziecie mnie słuchać, dam wam wszystko, czego pragniecie...".

Witold Pawlicki uśmiechnął się z wyraźną satysfakcją. Był niezły w te klocki. Całkiem niezły. Odkrył powód braku oczekiwanej fonii. Dziewczynka wyrażała się w rejestrze, który operował poza słyszalną przez człowieka skalą. Niesamowite! Ze wszech miar nieprawdopodobne! Dlaczego? Przekaz podprogowy zawierający coś więcej niż tylko słowa? I do tego równoległy? Hipnoza? Był pod wrażeniem. Skonstatował, że dzieje się coś na tyle niezwykłego, by nie przejść bez echa w wyższych kręgach – zarówno rządowych, jak i tych religijnych. Poselstwo niosło ze sobą polityczne zaprosze-

DZIESIĘĆ

nie oraz religijną pociechę. Co będzie działo się dalej, zobaczy, ale istotniejsze dla niego samego było to, jak zinterpretować usłyszane informacje. Przesłanie odbyło się na dwóch zupełnie różnych płaszczyznach. Jedna miała charakter oficjalny i dotyczyła ogółu, druga całkowicie osobista, dotycząca tylko i wyłącznie jego samego. Wniosek? Ktokolwiek przemawiał, wiedział, co i jak powiedzieć, by dotrzeć i zachwycić. Potem powinna nastąpić metanoja. Dokładnie tego się spodziewał. Czuł, że o to właśnie chodzi, że taki jest ukryty cel. Nadawca wiadomości dążył do zmiany myślenia u odbiorcy, by osiągnąć jakiś ukryty cel! Jeśli ktoś posiadał mentalność poddaną religii – przemawiał jako madonna. Wobec niego – człowieka racjonalnego, o wiele bliższego nauce, należało zastosować odmienną taktykę, wykraczającą poza sferę wiary. Zauważył jednak istotną wspólną cechę obu torów przekazu – obietnice pokoju, szczęścia, wolności. Czegóż człowiek pragnął więcej niż właśnie tych rzeczy? Historia rodzaju ludzkiego od zarania targana była konfliktami, wojnami, chęcią dominacji, problemami wynikającymi z zepsutej natury, której egoizm górował nad zaspakajaniem potrzeb cierpiących. Obietnice pokoju i wiecznej szczęśliwości idealnie pasowały do pragnień i tęsknot za światem bez bitew, krwi i łez...

Witold Pawlicki drgnął. Obietnice obietnicami, ale kto tak naprawdę stał za nimi?

✳ ✳ ✳

Światło słoneczne, ostre i oślepiające poraziło nie tylko jego wzrok. Dolina zatoczył się, tracąc poczucie równowagi i oparł się o stojący przy chodniku samochód. Utracona na moment orientacja powracała powoli i niezdecydowanie. Świat chwiał się chaotycznie, co wywoływało nowe fale mdłości.

Wreszcie, po minucie czy dwóch, Dolina odzyskał pożądaną stabilność i rozejrzał się bardziej świadomym wzrokiem. Stał nieopodal ośrodka zdrowia. Po ulicy jeździły samochody, w pobliżu poruszali się przechodnie. Pozornie nic niepokojącego, a jednak wewnątrz siebie czuł coraz wyraźniejsze drżenie, coś groźnego, coś mrocznego, co opanowywało każdy jego członek, poddając pod swoje panowanie i żądając pełnej uległości. Dolina początkowo usiłował się sprzeciwić, ale wraz z kolejnymi protestami pojawił się i potęgował coraz znaczniejszy ból w okolicach mostka. Wraz z wewnętrznym przyzwoleniem i oddaleniem wszelkiego oporu w niebyt, ból ustał.

W postrzeganiu okolicy zaistniała jakaś subtelna zmiana, której nie potrafił jeszcze wychwycić i nazwać.

Hania, Hania, Hania...

To jedno imię pobrzmiewało w umyśle z rosnącą natarczywością. Nie ulegało wątpliwości, że kochał ją na zabój. Od ponad trzydziestu lat tłamsił to uczucie jako niemożliwie do spełnienia. Usiłował zdobyć się na związki z innymi kobietami, bez powodzenia. W podświadomości tkwiła ona – Haniuś! Dziś mógł ją mieć. Dziś chciał ją mieć!

Obrócił się na pięcie i obrał właściwy kierunek. Nic go nie obchodziło. Chciał mieć Haniuś tylko dla siebie!

Nie zważając na panujący na ulicy ruch, wstąpił na asfalt. Nie dosłyszał gwałtownego hamowania. Dopiero oparta o jego udo maska samochodu zwróciła jego uwagę.

– Jak chodzisz, baranie?! – wydarł się wystający z okna kierowca.

Dolina przyjrzał mu się od niechcenia. Niski głos w głowie podpowiedział ripostę.

– Zamknij ryja! – odwarknął.

– Co? – kierowca nie krył zdumienia bezczelnością niefrasobliwego przechodnia, którego uratował refleks prowadzącego i sprawny układ hamulcowy wozu. – Powtórzysz, debilu?

– Ryj na kłódkę! – wycedził pewny siebie sierżant.

– Słyszeliście? – powiedział kierowca do kogoś w samochodzie.

Dolina, zmrużywszy nieco oczy, dojrzał jakieś zwaliste postacie, ale nie obeszło go to nic, a nic.

Wszystkie drzwi pojazdu otwarto niemal równocześnie. Z wnętrza karoserii wynurzyli się czterej masywnie zbudowani mężczyźni. Każdy z nich wyglądał jak opuszczający ciemną jaskinię troglodyta. Albo zawodnik walk Pride, albo zwolniony z ciężkiego więzienia zbir.

Kierujący samochodem splunął szparą między zębami.

– Te, wujek, twoja matka spadła z dwóch stron łóżka naraz, że se życia nie szanujesz? – wygarnął jeden z troglodytów.

Wszyscy czterej zmierzali w stronę Doliny. Ten zszedł z ulicy na chodnik, ale nie miał zamiaru cofnąć się ani o krok.

DZIESIĘĆ

Co poniektórzy przechodnie najwyraźniej zauważyli, co się święci, gdyż poczęli wycofywać się z zagrożonego rejonu.

– Ktoś ci nadepnął na ten zakazany pysk? – odparł Dolina, błyskawicznie komentując nieco zdeformowaną twarz adwersarza. – Nie zdążyłeś uciec przed walcem?

– Jesteśmy głodni, wujek, kapujesz? – wtrącił się drugi, wytatuowany bodaj na całym ciele. Jedynie twarz miał pozbawioną kolorowych wzorów. – Dawno nikogo nie zjedliśmy.

– To se kup banana – przedrzeźniającym tonem odwinął się Dolina.

Okrążyli go. W ręku jednego z nich błysnęło ostrze sporego noża. Inny machnął ręką, rozsuwając wnętrze „batona" – teleskopowej pałki.

Dolina uśmiechnął się szyderczo.

– Chcecie się poruszać, szczyle? – zapytał, uginając nieco kolana.

– Stoisz nam na drodze, wujek – rzucił kierowca, tym razem plując pod nogi sierżanta. – I widzę, że nie tylko nam – dodał, taksując jego potargany wygląd.

Dolina nie czekał na atak. Wewnętrzna siła znowu zapanowała nad jego ciałem. Uderzył pierwszy. Najbliżej stał gość z batonem. Jedno, szybkie uderzenie w pobliże grdyki natychmiast zwaliło go z nóg. Błyskawicznie wyciągnięta dłoń Doliny uchwyciła baton w ostatniej chwili. Zamachnął się pałką, choć trzymał ją z niewłaściwego końca. Cios wytrącił nóż z ręki drugiego napastnika, który zawył z bólu i zwinął się wpół. Zamach trzeciego minął szczękę Doliny o milimetry. Ten odwinął się i z półobrotu kopnął go w piszczel, wywołując głośny trzask. Pozostał czwarty troglodyta, który zniknął z oczu sierżanta, kiedy zajmował się drugim zbirem. Kątem oka dostrzegł jakiś cień, ale było za późno. Wielki, ważący dobrze ponad sto kilogramów osiłek dopadł go od tyłu i sprawnie założył chwyt, którym począł naciskać na jego krtań i dusić. Sierżant zamachał bezradnie rękoma, nie mogąc dosięgnąć napastnika.

Wtedy usłyszał głos. Był chrapliwy, nisko brzmiący, pełen niepowstrzymanej agresji. Dobywał się z wnętrza jego umysłu. Słowa, które do niego docierały, nie miały nic wspólnego z rozpoznawalnymi przez Dolinę językami. Głos stawał się coraz głośniejszy, wreszcie krzyczący i wyjący...

Hania...! Przed oczyma Doliny pojawiła się Hania. Uśmiechała się i mówiła do niego słodko – Mireczku...

∗ ∗ ∗

Kesja pędziła na swoim rowerze, ile tylko starczało mocy w nogach. Skręcała, pochylając się na zakrętach jak wprawna mistrzyni MTB. Musiała się spieszyć i miała ku temu dwa powody. Po pierwsze obiecała wrócić do domu przed upływem godziny. Po drugie, czuła, że jeśli nie dojedzie na miejsce o czasie, sprawa przepadnie i cokolwiek odzyskać będzie bardzo trudno. Przez chwilę zastanawiała się, czy o wszystkim nie powiedzieć tatusiowi, ale tak na dobrą sprawę nie była całkowicie pewna, czy ma rację. Na wszelki wypadek zabrała ze sobą telefon. Jeśli będzie trzeba, zadzwoni i wezwie rodzica na ratunek.

Śmigała zatem przez miasto, pokonując znakomicie znane sobie ścieżki rowerowe, które pozwalały na bezpieczne i szybkie poruszanie się po Sieciowie. O tej porze dnia ruch zwiększył się nieco i była zmuszona skoncentrować się na niesfornych przechodniach naruszających eksterytorialność ścieżki. Kiedy znalazła się w pobliżu ośrodka zdrowia, gdzie pracowała jej ciocia Bernatka, okoliczności zmusiły ją do raptownego hamowania. Obok budynku mieszczącego przychodnie lekarskie kłębił się jakiś ludzki tłumek. Podjechała bliżej, badając wzrokiem przyczynę zamieszania. Na chodniku dostrzegła kilka leżących, dziwacznie poskręcanych postaci. Pośród nich stał wysoki, chudawy mężczyzna.

Poczuła smutek. Głęboki, przejmujący, sięgający do samego dna duszy. Kiedy tylko zobaczyła tego człowieka, wiedziała, że jest skazany, że poddał się tej przemożnej, niszczącej sile, która opanowała przed nim inne osoby i wydał się na potępiający wyrok.

∗ ∗ ∗

Długowłosa blondynka o niebieskich oczach powoli przetoczyła się na górskim rowerze tuż obok, z utkwionym w nim, przeszywającym wzrokiem. Dotarła do niego ukryta w jej młodych oczach, przejmująca i dotkliwa żałość, a może i czająca się gdzieś tuż za nimi troska, która otulała jej duszę. Dolina powiódł za nią wzrokiem, ale dziecko zniknęło za stojącymi w pobliżu gapiami.

DZIESIĘĆ

Omiótł szybkim spojrzeniem najbliższe otoczenie. Na chodniku, w dziwacznych pozach leżało czterech, potężnie zbudowanych mężczyzn. Pomiędzy nimi zobaczył nóż i teleskopową pałkę. Nie wiedzieć dlaczego, zgromadzeni gapie patrzyli właśnie na niego, a z ich twarzy wyzierało zmieszane z czymś w rodzaju strachu zdumienie.

– Trzeba dzwonić po policję – powiedział ktoś z zebranych.

– Właśnie.

– Już dzwonię – poinformował ktoś jeszcze.

Do Doliny dotarło, że powodem całego zamieszania był on sam, a leżący pokotem faceci to jego dzieło. Nie pamiętał, co się stało. Niczego nie pamiętał! Ani tego, jak się tu znalazł, ani spotkania z tymi ludźmi. Co spowodowało, że doszło do bójki? W jaki sposób ją wygrał? Co prawda w szkole policyjnej uczono go samoobrony, ale nie był na tyle zdolnym uczniem, by poradzić sobie z czterema mięśniakami naraz!

Ogarnęła go panika. Gorączkowo szukał wyjaśnienia sytuacji. Musiał coś ze sobą zrobić. Natychmiast!

– Panie sierżancie! – zabrzmiało od strony wejścia do ośrodka zdrowia.

Głowy obecnych osób zwróciły się ku nadbiegającemu mężczyźnie.

– Jest pan z policji? – zapytał facet z komórką.

Dolina skinął głową.

– Nic panu nie jest? – zapytał dobiegający do nich doktor Patrosz. – Usłyszeliśmy, że...

– Nie wiem, co się stało... – odpowiedział słabo. – Nic nie pamiętam...

Tłumek pytająco spoglądał na doktora.

– To zapewne wynik urazu, wypadku... nieszczęścia – oznajmił lekarz. – Chcieliśmy panu pomóc, ale pan wybiegł tak nagle z gabinetu...

Sierżant przyjrzał mu się niepewnie.

– Wypadek? – zapytał.

– Zapewne – powiedział doktor, siląc się na pewność w głosie. – Koleżanka znalazła pana na ulicy... pokiereszowanego, zakrwawionego.

– A ci... tu...? – bąknął zaniepokojony.

– Napadli na pana! – rzucił ktoś z tłumu.

– Napadli... – powtórzył zagubiony Dolina. – Dlaczego napadli?

– Panie, a czy to ważne? – zagrzmiał jakiś niski głos. – Bandyci jak nic. Dobrze im tak. Paru mniej, to i spokojniej w mieście będzie.

Tłum zafalował z aprobatą, a doktor Patrosz pochylił się nad jednym z leżących. Potem obejrzał drugiego, zbadał puls trzeciemu. W międzyczasie przy czwartym mężczyźnie znalazła się pielęgniarka.

– Nie żyje – powiedziała z przestrachem.

– Pozostali również – dodał zdumiony doktor.

Zgromadzeni ludzie cofnęli się. Część z nich, by uniknąć konsekwencji bycia świadkiem w sprawie, natychmiast oddaliła się z tego miejsca. Po chwili do tego samego wniosku doszli inni i zrobiło się całkiem pusto. Pozostał sierżant, doktor i pielęgniarka Bernatka. Z budynku ośrodka wybiegły jakieś dwie osoby, ale Dolina przestał rejestrować, co dzieje się wokół niego. Zrobiło mu się ciemno przed oczami. A przecież horoskop przepowiadał pomyślność!

– Zrobiłeś, co trzeba było – usłyszał w środku głowy. – To nie twoja wina. Spisałeś się znakomicie. Jesteś bohaterem...

– Nieprawda! Zabiłem ludzi! – odparł bezgłośnie myśli.

– W obronie koniecznej... a to dopuszczalne. – Nikt nie może mieć do ciebie pretensji. „Merkury przyniesie ci powodzenie na niwie zawodowej"... Pamiętasz?

Owszem. Przeczytał takie zdanie i prawie uwierzył.

– To prawda: będziesz bohaterem. Zrobiłeś to w pojedynkę. Sam. Jeden przeciw czterem. Ci ludzie to przestępcy. Gangsterzy na wakacjach. Przyjechali tu wprost w twoje policyjne ramiona... – w głowie zagrzmiał sadystyczny rechot kogoś, komu ta sytuacja sprawiała jednoznaczną przyjemność.

– Zostaw mnie!!! – wrzasnął Dolina, na ile tylko starczyło mu pary w płucach.

Doktor Patrosz, wietrząc kolejną zmianę zachodzącą w policjancie, cofnął się o krok. Pielęgniarka Bernatka uczyniła wręcz odwrotnie – zbliżyła się z zamiarem ocucenia nieszczęśnika.

Dolina poczuł dotknięcie, ale nie pojmując, kto znowu dobiera mu się do skóry, chciał odwinąć się na odlew, by powstrzymać kolejną napaść. W tej sekundzie pielęgniarka padła jak rażona na bruk. Dolina odczuł mocno ujście ze swego ciała olbrzymiej dawki

DZIESIĘĆ

energii, po czym znacznie słabnąc, osunął się na ziemię. Po krótkiej chwili zerwał się z miejsca, rozejrzał się nieobecnym wzrokiem i pędem wystrzelił przed siebie. W jego żyłach wściekle buzowała rozpalona krew. Wiedział, że nie może pozostać tu ani chwili dłużej. Biegł, nie oglądając się za siebie...

✷ ✷ ✷

Dzwoniący telefon sprawił, że Mareczek podskoczył na fotelu. Był tak zamyślony, że chwilowo stracił kontakt z otoczeniem. Połączenie przyszło z posterunku.

– Szefie, otrzymałem wiadomość ze szpitala w Wolczycach – zaczął Wolgant, który pełnił obowiązki oficera dyżurnego. – Myślę, że powinien pan wiedzieć.

– Mów.

– Dzwonili w sprawie tego gościa, co to podprowadzili mu auto. Wie pan, o kogo chodzi?

– Sierżant był z nim nad jeziorem. Auto się znalazło, a jego odwieźli do szpitala. Ponoć źle się poczuł. Co z nim?

– Odezwali się dwa razy. Najpierw, że niby gość od tej zatopionej Toyoty chce pilnie rozmawiać z sierżantem, ale połączenie nagle zostało przerwane. Potem, za jakieś pół godziny dali znać, że to już nieaktualne...

– Dlaczego? – zainteresował się Mareczek.

– Bo facet nie żyje...

Mareczka zatkało. Wolgant patrzył na niego z ekranu smartfona z nieco głupim wyrazem twarzy.

– Nie żyje? – upewnił się po chwili.

– Powiedzieli, że rozległy zawał.

Mareczek, od tak, z marszu nie mógł przyjąć tego do wiadomości.

– Ja pierniczę... Przecież dzisiaj z nim rozmawiałem i wcale nie wyglądał na chorego... Ani nie był stary... – dywagował na głos.

– Dopytywałem, o co szło – kontynuował posterunkowy. – Ponoć facet miał jakąś ważną wiadomość, ale nie chciał nic powiedzieć personelowi, tylko policjantowi z Sieciowa.

– Coś jeszcze?

– Chciałem dodzwonić się do sierżanta, ale nie odbiera.

– Nie odbiera... – powtórzył Mareczek. Zaraz potem wpadł na pomysł, którego wcześniej nie odkrył tylko z powodu zaćmienia umysłu. Był prosty i miał realną szansę na powodzenie. Wystarczył jeden spełniony warunek – Sprawdzisz mi coś systemie – powiedział.

– Jasne, co tylko szef każe – odparł Wolgant.

– Znasz numer telefonu Doliny, więc wbij go w lokalizator i powiedz mi, gdzie teraz jest.

– Chwilunia... – Posterunkowy, by spełnić prośbę przełożonego, odłożył swój smartfon na bok.

Aspirant liczył na to, że podwładny ma przy sobie włączony telefon. Jeśli zostawił aparat w domu albo wyłączył, cały plan spali na panewce.

Po owej „chwiluni" Wolgant na powrót ukazał się w kadrze i zajaśniał pełnym zadowolenia uśmiechem.

– Mam – orzekł. – Kieruje się... – zerknął na monitor komputera i nieco zawiesił głos – w stronę Sieciówki.

– Dokładniej? – w pytaniu Mareczka można było wyczuć samozadowolenie.

– Rzekłbym, że... tam... gdzie znaleźli Toyotę.

Mareczek chwilę pomyślał.

– Czy to nie jest w pobliżu Malinówki?

– Dokładnie tak, szefie. Jakieś pół kilometra stamtąd.

Aspirant, nie zastanawiając się dłużej, odpalił silnik i z piskiem opon wykonał pojazdem ostry zwrot. Malinówka była tym miejscem, gdzie znaleziono pierwszą ofiarę z tatuażem! Każdy oznaczony literami człowiek jak dotąd umierał lub ginął w trudnych do pojęcia okolicznościach. Dolina mógł być następny. Należało się pospieszyć. Mareczek wcisnął pedał gazu do oporu, a wóz żwawo skoczył do przodu.

∗ ∗ ∗

Kesja, znalazłszy się u progu świątyni, oparła rower o kilkusetletni mur i zadarła głowę ku dzwonnicy. Potęga masywnej budowli mogła przytłaczać, ale na niej nie robiła wrażenia. Ludzkie dzieła. Cóż znaczyły? Czym mogły się poszczycić? Jaki kryły majestat? Ułamek chwili i płonęły, waliły się w gruzy, niknąc z oczu z beznadziejnymi jękami rozpaczy na martwych ustach.

DZIESIĘĆ

Główne wejście otwarte na oścież zapraszało do środka.

Wzdrygnęła się nieco. Jeszcze nigdy nie oglądała tego gmaszy-ska od wewnątrz i bynajmniej nie szło o sam budynek. Istota rzeczy tkwiła w tym, co lęgło się tu, w jego środku, mając wymiar wybie-gający daleko poza doczesność i ludzką percepcję. Dlatego do tej chwili tu nie wchodziła.

Tym razem miała pełne przekonanie, że powinna znaleźć się we wnętrzu sanktuarium.

Omiotła wzrokiem ławy, złocone, ogromne kandelabry, freski zdobiące sufity, malowidła w ozdobnych ramach zawieszone na ścianach i posągi nieznanych jej ludzi. Wiedziała jednak, do czego owe dzieła służą. Szczególnie obrazy i figury przedstawiające rze-komo wybitne postaci z przeszłości, którym to składano nabożną cześć. A przecież to tylko dzieła sprawnych artystów – pomyślała – malarzy, którzy bardzo różnie wyobrażali sobie tę samą osobę i na każdym wizerunku odzwierciedlali ją całkiem inaczej. Albo rzeź-biarzy, którzy z jednej części drewna czynili postać, a drugą palili w ogniu, by się ogrzać. Kesja nie wiedziała, jak można klękać i od-dawać pokłon czemuś, co jest tylko kawałkiem kolorowego płót-na albo uformowaną szczapą drewna i wołać do dzieł ludzkich rąk o ratunek...

– Te rzeczy nie mają poznania, ani rozumu, ich oczy są ślepe, tak że nic nie widzą, serca twarde jak kamień i nic nie czują – wyszep-tała pod nosem.

Wiedziała jednak coś jeszcze. Rozumiała, że drewno, płótno czy kamień nic nie znaczą, a istota tego, co niebezpieczne, kryje się tuż za nimi. Głębia – niebezpieczna, straszna, sięgająca dalej, niż potra-fił ogarnąć ludzki rozum.

Wstąpiła powoli, zrazu jakby płochliwie stawiając kolejne kro-ki do czasu, kiedy obok niej przepłynął delikatny półcień i skiero-wał się w stronę bocznej nawy, omijając łukiem grupkę zebranych przy dużym, kamiennym stole. Uśmiechnęła się i nabrała odwagi.... Spłynęło na nią silne przekonanie, że to jest ten czas, ta chwila, w ja-kiej powinna tu się znaleźć. Mogła być całkowicie pewna.

Posunęła się naprzód już znacznie sprężystszym krokiem, wbi-jając wzrok w rzeźbę kobiety, która znajdowała się w centralnym punkcie tego, co prawdopodobnie zwano ołtarzem. Przelotnie zerknęła na podziurawione, kolorowe witraże. Jej usta drgnęły, ale nie czas, by zajmować się efektem gradobicia. Z grona zebranych przed nią ludzi oderwała się jedna z postaci i ruszyła ku niej nieco chwiejnym, kołyszącym się krokiem. Echo wywołane twardymi podeszwami rozniosło się po sanktuarium.

Mężczyzna w długiej do samych stóp szacie podszedł do niej z przylepionym do twarzy przyjemnym uśmiechem.

– Już jest po nabożeństwie, dziecko – powiedział silący się na szept kapłan Henryk. – Przyjdź jutro, o dziewiętnastej. Będzie kolejne objawienie.

– Nie sądzę – odparła na tyle głośno, by jej słowa usłyszeli pozostali, zebrani nieco dalej ludzie.

– Słucham? – w głosie kapłana zabrzmiało niedowierzanie.

– Nie liczyłabym na to, by jutro doszło do jakiegokolwiek objawienia, wizji, apokalipsy, jasnowidzenia czy czegoś w tym rodzaju – wyjaśniła nieco dobitniej.

– Nie bardzo rozumiem...

Podeszła na tyle blisko, by przyjrzeć się zgromadzonym przy ołtarzu ludziom. Trzech kapłanów, kobieta i kilkuletnia dziewczynka przyglądali się jej badawczo. A właściwie czyniła to tylko dojrzała część zebrania, gdyż dziecko spozierało na nią z ukosa, drapieżnie i z odrazą.

Kesja natychmiast uchwyciła to przeszywające spojrzenie i pod jego naporem nie ustąpiła ani ustępować nie zamierzała.

– Wcale mnie to nie dziwi, że pan nie rozumie. Moim zdaniem z tego, co się tutaj dzieje, nie rozumie pan nic, a nic.

Kapłan zmarszczył czoło. Ton dziewczynki, na oko uczennicy trzeciej, może czwartej klasy, zaskakiwał i wpędzał w zakłopotanie.

– A gdzie są twoi rodzice? – przyszedł mu w sukurs drugi kapłan.

– Nie wolno tu przychodzić bez rodziców? – odpowiedziała pytaniem.

– No... – zaciął się kapłan Jacek.

– Przyszłam tu do tych dwóch „pań" – rzuciła śmiało Kesja, wskazując palcami dziecko i rzeźbę na ołtarzu. – Nie do panów.

– Do mnie? – zapytała kobieta, nie zrozumiawszy jej wypowiedzi.

– Do pani córki i tego, co stoi o tam, za wami – wyraziła jaśniej.

– A po co? – wtrącił się trzeci z duchownych, który z trudem konstatował, co rozgrywa się na jego oczach. Zupełnie nie pasował

DZIESIĘĆ

mu wiek, blond włosy, zielona sukienka dziewczynki i jej nad wyraz dojrzałe i silne wypowiedzi.

– Czas zakończyć przedstawienie! Prawda, Różyczko...? – spytała Kesja.

* * *

Wodząc wokół zmartwionym wzrokiem, Mareczek nigdzie nie dostrzegł swojego kolegi. Okolica okazała się bezludna. Przeszedł wzdłuż brzegu i zlustrował ślady na trawie. Bez trudu stwierdził, że w niedalekiej przeszłości znalazło się tu kilka pojazdów. Jednym z nich była biała Toyota.

Pierwsze miejsce, w jakim mógłby się spodziewać Doliny, uznał za chybione. Drugim była Malinówka. Kiedy rozmawiał z posterunkowym Wolgantem, system śledzący koordynaty komórki sierżanta wskazywał, że jej właściciel zmierza gdzieś w ten rejon. Do samej Malinówki było niedaleko. Mareczek rozważył, czy podjechać tam samochodem, czy może raczej udać się pieszo i wybrał drugą opcję. Dolina poruszał się na piechotę. Jadąc, mógłby nie zauważyć kolegi w zaroślach, a tego bardzo nie chciał.

Skutki bijatyki dawały się mocno we znaki. Mareczka bolała twarz, dłonie, obite żebra, stłuczony piszczel. Na dodatek rwała go zraniona w trakcie burzy ręka. Wyjęte ze schowka wozu proszki, łyknął w miarę gładko.

W tej chwili najważniejszy był Dolina. Mirek popadł w poważne tarapaty i bez dwóch zdań należało mu pomóc. Jak? Tego nie wiedział, ale poczucie męskiej przyjaźni obligowało go do działania. W pierwszej kolejności musiał kumpla odnaleźć. Potem będzie próbował rozmawiać. Da mu do zrozumienia, że niedawne wydarzenia to zaszłość, do jakiej nie warto wracać, że trzeba zacząć od początku, w zupełności ignorując niepotrzebne słowa, zdania i emocje. Należało pogrzebać wszelkie animozje i dać sobie szansę na nowy rozdział. Potem powinni spróbować dojść do źródła nieszczęścia, do powodów dziwnego samopoczucia Doliny i utraty racjonalności. Bo że Mirek chwilowo postradał rozum, nie ulegało wątpliwości...

* * *

Dolina brnął przez wysoką trawę kompletnie zagubiony. Bezwiednie toczył wzrokiem po otoczeniu, przepatrując okolicę w poszukiwaniu nie wiedzieć czego.

Poprzez jaźń przepływały sprzeczne informacje i uczucia. Ogólny chaos, jakiemu uległ, z minuty na minutę stawał się coraz głębszy. Przedzierając się przez bujnie rozrastające się krzewy malin, nie czuł zadawanego przez ostre kolce bólu. Wypełniała go rozpacz daleko dotkliwsza niż zadrapania i sińce.

Owładnęło go dramatyczne uczucie, że gdzieś zagubił samego siebie.

* * *

Samochód sunął po pustej drodze. Zatopiony w myślach Witold Pawlicki rozważał różne możliwości. Warianty nasuwały mu się raptem trzy: pierwszy – kosmiczny, drugi – duchowy, a trzeciego, po dwóch myślach nie brał pod uwagę i uważał za mało sensowny.

Kosmici. Jeśli Sieciowo stało się miejscem, gdzie obca cywilizacja dążyła do podjęcia kontaktu, to nagromadzenie powtarzających się manifestacji oraz podobnych zjawisk w ostatnich dziesięciu latach osiągnęło skalę wręcz niewiarygodną. Zaskakujące rzeczy działy się w Stanach Zjednoczonych, Argentynie, Australii, Chinach, Egipcie, Rosji. Na wszystkich kontynentach, w tak wielu krajach. Teraz także w Polsce. Tego typu wydarzenia zawsze odnotowywano gdzieś tam... Owszem, zdarzały się incydenty w kraju, ale do tej pory weryfikacja tych zjawisk stanowiła niemałą trudność. Tym razem paranormalne zjawiska działy się na oczach setek ludzi. Co prawda katastrofy latającego spodka nikt nie udokumentował, ale liczba świadczących o tym zdarzeniu osób okazała się powalająca. Witold nawet nie usiłował podważać ich świadectw. Wiedział dobrze, że zjawiska związane z UFO i zdarzeniami paranormalnymi, rządzą się zupełnie innymi prawami niż znany im świat. Osobiście uwiecznił aktywność świetlistej kuli w świątyni, rejestrując obraz, który, przynajmniej w początkowej fazie odtwarzania, nie współgrał z dźwiękiem. Okazało się, że zjawisko posiadało treść paranormalną, warstwę, którą należało odkryć. Czy fonia wykraczająca poza słyszalne przez człowieka rejestry była wszystkim, co się wtedy wydarzyło? Nie wiedział. Domniemywał, że nie. Fale mózgowe odebrały przekaz jako

DZIESIĘĆ

prawdziwy dźwięk, ale co w nim jeszcze ukryto? Do niego samego dotarło coś zupełnie innego, coś, co korespondowało z oficjalnym stanowiskiem nolozjastów. I właśnie to intrygowało. Czy stał się kolejnym medium channelingu? Czy ktoś chciał wykorzystać go do przekazania nolozjastycznej braci kolejnej transmisji z Kasjopei, Oriona albo Plejad? „Jesteśmy bliżej, niż przypuszczasz. Wiemy, co was czeka. Podejmujemy walkę, stoczymy bitwę, by świat mógł zaistnieć na nowo! Potrzebujemy was. Wy potrzebujecie nas! Jesteśmy tu ze względu na ciebie, ze względu na każdego z was! Chcemy wam dać pokój i oświecenie. Dać nową energię, oczyszczenie, uzdolnić was do nowego życia..." – zapamiętał to bardzo dobrze, choć te słowa usłyszał tylko jeden raz. Właśnie! Jak mógł zachować je w pamięci, skoro nie posiadał takiej naturalnej umiejętności?

Zadrżał. Przekaz podprogowy. W tego typu rzeczy trudno uwierzyć, ale on taką możliwość brał pod uwagę. „Pij Colę!" i „Jedz Popcorn!". Ktoś dowodził, że ukryte w filmie pojedyncze klatki z cichym przekazem powodują chęć kupowania powyższych produktów. Tę teorię podważano, dowodzono oszustwa, ale czy w rzeczywistości zbadano ludzki mózg na tyle, by uznać, że pod pewnymi warunkami to naprawdę nie jest niemożliwe?

Świat duchowy. To druga ewentualność, którą bez dwóch zdań traktował jako gorszą, bardziej realną i o wiele niebezpieczniejszą. Z powodu tego przekonania trzymał dystans wobec praktyk gorliwych i ślepo wierzących w dobre intencje „kosmicznych braci" nolozjastów. Ani razu nie wziął udziału w parareligijnych uroczystościach, jakie organizowali kreujący się kapłanami, oddający cześć przybyszom z przestworzy, weterani ruchu. Głęboko w umyśle utkwiło mu to, o czym mówił ojciec. „Świat, to nie tylko to, co widzą nasze oczy. Wokół nas istnieje coś, czego nie doceniamy, co traktujemy jak bajkę, co się wyśmiewa i parodiuje" – powtarzał, kiedy rozmawiał z ludźmi o wierze. Dodawał jeszcze, że każdy człowiek może być tylko po jednej ze stron – właściwej albo niewłaściwej i wyłącznie jedna jest zwycięska. Do Witolda zbyt powoli docierało, że wbrew powszechnym opiniom nie było na świecie strefy buforowej, neutralnej, w której można by czuć się niezależnym. Ojciec nigdy nie miał wątpliwości, do jakiej kategorii ludzi się zalicza. Tych wątpliwości była pozbawiona mama. Witold naiwnie liczył na to, że znajduje się jeszcze coś pomiędzy.

Zarówno w przypadku kosmitów, jak i sfery duchowej Witold odnajdywał pewne wspólne cechy: ciemność i światłość, konieczność zmian i potrzebę ratunku. Ludzkość potrzebowała czegoś w rodzaju resetu, likwidacji tego, co złe i przykre, a potem nowego startu. Tęsknota prokurowała oferty, zupełnie jakby nadawała ton składającym owe oferty posłaniom.

Punkt trzeci – ogólna, głęboka hipnoza nie wchodziła w grę.

Witold dodał gazu. Niewielkie wzniesienie, na jakie wjeżdżał, dawało możliwość spojrzenia na piękną panoramę obejmującą część Sieciówki oraz otaczające jezioro lasy. Bywało, że zatrzymywał się tu kilkakrotnie, by nacieszyć oczy pięknem polskiego krajobrazu. Ponoć z powodu sporych połaci malinowych krzewów, miejsce to nazywano Malinówką.

Kiedy samochód znalazł się na szczycie, tuż nad karoserią przemknęło coś, czego Witold w tym miejscu się nie spodziewał. Zahamował gwałtownie. Zjeżdżając z szosy na wypłaszczony skrawek trawy, wyskoczył z samochodu, po czym pobiegł kilkanaście metrów, by znaleźć się na garbatym ziemistym kopcu. Stąd lepiej widział rozciągający się poniżej skrawek wzgórza i część jeziora.

Doskonale widział także świetlistą, opalizującą delikatnym pomarańczem kulę.

✳ ✳ ✳

Mareczek stanął jak wryty. Znad Malinówki nadleciała świetlista sfera, po czym zawisła tuż nad linią wody. Ogarniające go bezbrzeżne zdumienie wywołało cichy jęk. Obserwował to zjawisko z odległości pięćdziesięciu metrów wtulony pomiędzy dwa jałowce. Słyszał o pojawiających się świetlistych kulach w okolicach świątyni. Istniały podejrzenia, że to samo zjawisko mogło stanowić przyczynę wypadku, w jakim spłonął policyjny furgon. Czy kule były niebezpieczne? Jedna z nich przemknęła nad polem zboża, nie czyniąc żadnych szkód, ale uznał, że ostrożności nigdy za wiele.

Kątem oka zauważył jakieś poruszenie.

Dolina! Mirek podążał przed siebie wprost w zasięg kuli, która poczęła zmieniać średnicę i z początkowych trzech metrów stała się

DZIESIĘĆ

na tyle obszerna, by we wnętrzu ukryć całkiem sporego rodzinnego vana.

Mareczek kombinował, co robić.

– Mirek! – zawołał, nie opuszczając względnie bezpiecznego schronienia.

Dolina jakby nie usłyszał. Szedł dalej, gapiąc się wprost w opalizujące zjawisko.

Mareczek zaklął raz i drugi. Nie mógł patrzeć, jak przyjaciel pakuje się w kolejne tarapaty, ale jednocześnie obawiał się przysporzenia problemów samemu sobie.

– Mirek...! – spróbował raz jeszcze, ale i to nie przyniosło skutku. Dolina nie zwrócił na niego uwagi, ani tym bardziej nie zmienił kursu.

Mareczek szybko wydobył telefon. Obiektyw komórki objął zachowanie sierżanta, gdy rozległ się przeraźliwy pisk. Mareczek tylko przez moment utrzymał aparat we właściwym położeniu, po czym zmuszony przez narastający dźwięk, zasłonił dłońmi uszy, upuszczając urządzenie na trawę.

W ciągu kilku sekund Mareczek odnosił wrażenie, jakby cały świat walił mu się na głowę.

✶ ✶ ✶

Witold przyklęknął na kolano, wyjął smatrfon i zaczął filmować. Bardzo dobrej jakości dwuobiektywowa kamera, dawała możliwość kręcenia trójwymiarowych filmów. Kolejny raz zdarzył mu się wyjątkowy materiał.

Nie wiadomo skąd pojawił się wysoki, szczupły, zmierzający w stronę powiększającej się sfery mężczyzna. Kiedy był już całkiem blisko, rozległ się niesamowity pisk. Witold z trudem ułożył aparat na trawie w takiej pozycji, by nie stracić możliwości dalszego obejmowania obiektu kadrem i szybko zasłonił dłońmi uszy. To, co zobaczył, przerosło jego oczekiwania. Kula powiększyła swoją objętość, po czym skurczyła się gwałtownie i z impetem wniknęła do wnętrza nieznajomego mężczyzny. Ten padł jak rażony na ziemię, a ogłuszający dźwięk nagle ustał.

Dolina stracił kontakt z otoczeniem. Ostatnim uczuciem, jakie zarejestrował, był upadek w nieogarniętą czeluść. W jego wnętrzu zapanowała ciemność. Mrok był absolutnie nieprzenikniony, wszechogarniający, wypełniający każdą, najmniejszą nawet komórkę. W jego umyśle zapanowało coś więcej niż tylko chaos, jakiego doświadczał od niedawna i do jakiego powolutku zaczynał przywykać.

Ogarnęła go histeria!

$$* * *$$

Pisk ustał, jakby go kto uciął nożem. Mareczek podniósł głowę, którą wysoko brzmiący, przeraźliwy ton niemal rozerwał na strzępy. Świetlisty obiekt zniknął. Dolina leżał na ziemi z bezładnie rozrzuconymi ramionami. Mareczek błyskawicznie zlustrował okolicę i rzucił się biegiem do przyjaciela.

Obrócił go na wznak. Był nieprzytomny. Oddychał nierówno, zmierzony przez aspiranta puls wydawał się za szybki. Najważniejsze było to, że żył.

– Mirek! – krzyknął mu do samego ucha. – Mirek, słyszysz mnie?!

Potrząsnął nim parokrotnie. Dolina uniósł nieco powieki, ale dało się ujrzeć jedynie błyszczące białka oczu. Jego ciało przelewało się bezwładnie przez ręce Mareczka.

– Obudź się, do jasnej cholery! – wrzasnął ponownie aspirant. Podwładny zaskoczył. Jego stawy nabrały minimum sprężystości. Poruszył ręką. Dolina uniósł głowę, a z jego ust potoczył się jakiś niezrozumiały bełkot.

– Co? – zapytał Mareczek, nic nie rozumiejąc.

Dolina seplenił niemiłosiernie, język mielił jakieś słowa, wargi drżały bez składu, ale głębia jego duszy robiła wszystko, by wyartykułować jakieś logiczne zdanie.

– Mirek, nic nie rozumiem. – Mareczek szarpnął Doliną z nadzieją, że tym sposobem przywiedzie go do przytomności. – Obudź się!

Kiedy padło ostatnie słowo, Dolina zesztywniał. Mareczek przestraszył się tej nagłej zmiany. Odskoczył nieco, nie spuszczając kolegi z oka. Dolina naprężył się jak struna, wygiął w łuk i zwiotczał.

DZIESIĘĆ

Zaraz potem otworzył oczy. Jego wzrok sprawiał wrażenie całkiem przytomnego.

– Co się stało? – zapytał słabo.

– Ja piernczę, Mirek, ale mnie przestraszyłeś! – Mareczek odetchnął z nietajoną ulgą i na powrót przypadł do kolegi. – Zemdlałeś...

– Zemdlałem? Dlaczego?

– Bo ja wiem? Była tu kula! Może to od tego...? Wydawała taki dźwięk, że nie można było wytrzymać.

W tej chwili Dolina z trudem obrócił się na bok i gwałtownie zwinął w kłębek. Z jego ust wydobył się dziki ryk cierpienia przeplatany obcobrzmiącymi słowami, których nie sposób było zrozumieć.

Mareczek wybałuszył oczy i jęknął:

– Co...?!

Dolina darł się bez opamiętania. Wyglądał, jakby w jego wnętrznościach działo się coś strasznego – wił się, prostował i wyginał, wykręcał się na różne strony. Nagle znalazł się na czworakach i gwałtownie zwymiotował. Zamiast zwykłej treści żołądkowej z jego ust wydobywały się zardzewiałe gwoździe i śruby.

Mareczek odskoczył przerażony. Chciał zadzwonić po pomoc, ale nie znalazł telefonu. Smartfon musiał leżeć w trawie pod jałowcem. Pobiegł tam szybko, a kiedy odwrócił się z aparatem w dłoni, zobaczył Dolinę siedzącego na ziemi. Jego wbity w drugi brzeg jeziora wzrok wydał się całkowicie nieobecny.

– To jakiś obłęd... – wyszeptał Mareczek.

W tym momencie z góry zbiegł ku nim jakiś mężczyzna. Aspirant nie poznał go od razu. Po chwili zorientował się, że to nolozjasta, którego spotkał na miejscu wypadku.

– Byłem w pobliżu, widziałem kulę i wszystko, co się stało... – wysapał Witold Pawlicki.

– Skąd pan się tu wziął?

– Jechałem do hotelu, kiedy tuż nad moim samochodem przeleciała kula.

Mareczek zajął się na powrót sierżantem.

– Radziłbym go nie dotykać – powiedział kategorycznie Pawlicki.

Aspirant popatrzył na niego zdziwiony.

– Niby dlaczego?

– Może być niebezpieczny. Widziałem... – Witold nie był pewny, czy to, co powie, dotrze do rozmówcy – jak ta kula wnikała do wnętrza ciała pańskiego kolegi.

– Słucham?

– Wiem, co widziałem. – Witold miał mocny argument. Odtworzył nagrany materiał. Mareczek zobaczył kulę, potem idącego w jej stronę Dolinę i w tej chwili usłyszał zdławiony głos nolozjasty:

– Proszę spojrzeć...

Podążył za jego wzrokiem i oniemiał z wrażenia.

Spod powierzchni Sieciówki wyłonił się wielki, stalowoszary, ociekający wodą dysk...

– To nieprawdopodobne... – jęknął Pawlicki.

UFO zawisło kilka metrów nad wodą, jakby badając możliwości swojego napędu. Mareczek był pewien, że śni. Przecież wojskowi z majorem Witkiewiczem na czele odnaleźli swój uszkodzony Projektor i wywieźli do laboratorium. Czym zatem było to, co teraz widział na własne oczy?!

Nie wierzył. Nie! Teraz zdawał sobie sprawę, że absolutnie nie miał racji!

Dysk lewitował nad powierzchnią wody całkiem bezgłośnie.

Zatem kosmici naprawdę istnieją! Witold Pawlicki przełączył tryb smartfona na nagrywanie i skierował obiektywy na NOL-a. W jego umyśle zakotłowało się. Nie mógł zaprzeczyć temu, co przyjmował zmysł wzroku.

Zatem kosmici! Zatem obcy! Zatem kontakt z pozaziemską cywilizacją stał się niezaprzeczalnym faktem!

Mareczek bezwiednie podszedł bliżej wody.

Pawlicki stał nieco z boku, z tyłu.

Między nimi znalazł się Dolina.

Nikt nie zauważył, kiedy sierżant Mirosław Dolina podszedł od tyłu do swego przełożonego, aspiranta Tomasza Mareczka i wyszarpnąwszy z przytroczonej do pasa kabury pistolet, szybko wymierzył i strzelił.

Prosto w usta.

Swoje własne usta.

* * *

DZIESIĘĆ

Świetlista sfera wprawiła dorosłych zebranych w niemały popłoch. Kesja obserwowała ją w bezruchu. Mocno skupiona Róża zerkała to na kulę, to na Kesję, której posyłała wzrokiem zabójcze pioruny. Kula płynęła w powietrzu bardzo powoli, jakby badając teren. Kesja cofnęła się o dwa kroki, a kula przyspieszyła. Dziewczynka uśmiechnęła się delikatnie i spojrzała na Różę. Dziecko powinno bawić się w piaskownicy, zamiast mordować tymi swoimi strzelającymi, niebieskimi oczkami. Rodzice popełnili szereg błędów, które kumulowały się w tej małej istocie od dłuższego czasu, by poddać ją pod moc obcych sił. Wszystkie podejmowane decyzje wpływają na rzeczywistość, czy się tego chce, czy nie. Ślepota na to, co duchowe, była chorobą wszystkich ludzi. Tylko nieliczni doznali uzdrowienia. „Jeśli Prawda was wyswobodzi, prawdziwie wolnymi będziecie" – przeczytała i tego kurczowo się trzymała. Była wolna i nie widziała w tym własnej zasługi. Wierzyła. Tylko tyle. Inni nie wierzyli i to był ich największy problem. Wierzyć w Prawdę i wierzyć Prawdzie, to dwie różne rzeczy. Dzięki tatusiowi i mamusi potrafiła to rozróżnić. Najpierw uznała Prawdę, a potem konsekwentnie pozwalała się jej zmieniać. Rodzice Róży nie szukali Prawdy, dlatego ściągnęli na siebie tyle problemów. Nie zdając sobie sprawy z prawdziwych konsekwencji podejmowanych wyborów, ponosiło się ich skutki z całą bezwzględnością. Pokłosie jednego nieprzemyślanego „tak" można było odczuwać do końca własnego życia i nie tylko własnego. Następstwa potrafiły ciągnąć się przez całe pokolenia, powodując ból i cierpienie wielu ludzi.

Kula mieniła się kilkoma kolorami naraz, co przyprawiało o mętlik w głowie. Naraz dał się słyszeć coraz głośniejszy gwizd, po czym przerodził się on w niemożliwy do zniesienia pisk. Kesja zasłoniła uszy dłońmi i przycisnęła je do głowy, jak tylko potrafiła najmocniej. Sfera powiększyła swoją objętość, po czym błyskawicznie się skurczyła i z wielkim impetem wpadła w ciało dziewczynki. Róża nieco się zachwiała, ale nie upadła.

Kapłani oraz matka dziewczynki, jakby porażeni padaczkowymi konwulsjami, zwijali się w poskręcanych pozach.

Na twarzy Róży pojawił się szyderczy, agresywny grymas.

– Czego ode mnie chcesz? – zapytała charczącym głosem, zupełnie niepodobnym do tego, którego można byłoby się spodziewać po kilkuletnim dziecku.

Na ustach Kesji pojawił się przelotny uśmiech. Nie chciała pokazać, że się ucieszyła.

– Dlaczego mówisz do mnie, jakbyś był sam? – zapytała z satysfakcją. – Jest was wielu.

Róża, rzucając bojowe wyzwanie wilczym spojrzeniem spode łba, zniżyła głowę.

– Wypchaj się... – warknęła.

– Nie macie władzy, by mi rozkazywać – odparła spokojnie Kesja.

– Mamy władzę nad wszystkim.

– We mnie nie macie nic.

– Tak ci się tylko wydaje.

– Dobrze o tym wiecie. Dlaczego nie skręcam się jak oni? – Wskazała na leżących obok ludzi.

Róża rzuciła przelotne spojrzenie. Bez trudu można było wypatrzyć zakłopotanie na wykrzywionej w dziwnym grymasie twarzy.

Milczenie Róży Kesja odczytała jednoznacznie.

– A więc zgadza się.

Róża syknęła przez zęby.

– Wasze imiona – zażądała Kesja, wykorzystując zakłopotanie Róży, a właściwie bytów, które nią w tej chwili zawładnęły.

– Po co ci one? – z wnętrza Róży wydobył się zupełnie inny głos. Nie był tak charczący, jak poprzedni, ale brzmiał równie nisko.

– Wiecie, do kogo należę? – spytała Kesja.

Zapadła cisza.

– Czy wiecie, do kogo należę? – powtórzyła bardziej zdecydowanym tonem.

– Być może...

– Więc wiecie. Bardzo dobrze.

– I co z tego?

– W Jego imieniu rozkazuję wam wyjawić, kim jesteście!

Róża cofnęła się o krok.

– W imieniu Jesz...

– Dobrze! – przerwał trzeci głos. – Powiemy...

Kesja uśmiechnęła się szybkim błyskiem.

DZIESIĘĆ

– Jesteśmy Archontami.

– A... – Kesja postąpiła krok naprzód. Róża uczyniła krok w tył.
– Wiem, coście za jedni. Archontów było dziewięciu. Władali miastami w dziewięciu. Więc jest was tylu?

Po chwili ciszy, jakby nastąpiła jakaś narada, kolejny głos powiedział:

– Ośmiu.

– Gdzie dziewiąty? – zapytała Kesja, marszcząc groźnie brwi.
Znów milczenie.

– Gdzie dziewiąty?

– Nad jeziorem.

– Nad jeziorem... – powtórzyła z zadumą. Jezioro, a właściwie to, co przydarzyło się tam kilka dni temu, stanowiło jeden z elementów rozsypanych w nieładzie puzzli, które chciała poukładać.

– Więc przedstawienie ze statkiem kosmitów to wasze dzieło?
Pauza.

– Wasze?!

– Nie, nie nasze. Potrafimy je naśladować.

– Więc czyje?

– Jest ktoś jeszcze.

Kesja czuła, że w Sieciowie dzieje się bardzo źle. Widywała ludzi, którzy dali przyzwolenie wrogiej mocy na zawładnięcie własnym życiem i znaleźli się pod jej przemożnym działaniem. W takich przypadkach ratunek stanowił wielką trudność, co nie znaczyło, że był niemożliwy. Dana osoba powinna szukać wyzwolenia, pragnąć go, a potem dać się uratować, kiedy nadchodziła pomoc. Dobra Nowina była skierowana do wszystkich. Także do tych, którzy popadli w otchłań zniewolenia. Większość z nich uważała jednak, że niczego ani nikogo nie potrzebują. Chcieli stanowić o swoim własnym życiu, a w rzeczywistości popadali w sidło, z którego nie potrafili samodzielnie się wyrwać. Kesja dobrze wiedziała, że nie ma wielu alternatyw – albo było się po stronie Ciemności, albo Światłości. Trzecia możliwość była złudzeniem, które Ciemność przedstawiała w szarych barwach, mamiąc i oszukując, jak na ojca kłamstwa przystało.

– Kto to? – zapytała.

– Renegaci.

Uśmiechnęła się nieco wyraźniej.

– Podzielone królestwo?

– Nie twoja sprawa – odparł ktoś nowy. Jego ton był silny, władczy.

– Jesteś Eponymos?

Milczenie.

– Jestem Archont Eponymos.

– Wiem, kim jesteś – orzekła Kesja. – Masz władzę nad innymi.

– Mam władzę.

– Ale nie nade mną – dodała zaraz.

– Nie, nie nad tobą.

– Który z was jest nad jeziorem?

Pauza.

– Archont Polemarchos.

– Dowódca wojsk i minister spraw zagranicznych w jednej osobie – pokiwała głową z uznaniem.

– To wasze, ludzkie wyobrażenia...

– Być może – ucięła szybko. – Co skłoniło go do tej wycieczki?

Cisza.

– Po co tam się wybrał? – zapytała jeszcze raz, dobierając nieco inne słowa, gdyby nie zrozumiał poprzedniego zapytania.

– To jego sprawa – usłyszała oschłą odpowiedź.

– Wiecie, po co przyszłam... – zakomunikowała bardziej, niż zapytała.

Nie odpowiedzieli.

– Moje zwycięstwo jest w Tym, który zwyciężył. Masziah Jeszua jest Hegemonem nad Władzami, nad Panowaniami, nad wami, Archontami. W Jego imieniu nakazuję wam, uwolnijcie to dziecko!

Szarpnięta jakimś ogromnym wstrząsem Róża, została uniesiona w górę, w powietrze i rzucona na ołtarz. Z jej wnętrza poczęły wydobywać się kolejne świetliste sfery. Każda posiadała nieco odmienny odcień. Wszystkie bardzo podobnie opalizowały. W świątyni zapanował wyjątkowy koloryt i specyficzny klimat. Zerwał się wiatr wywołujący coraz silniejszy hałas.

Kule światła otaczały Kesję, a ona liczyła: jedna, dwie, trzy... w końcu siódma. Ósmej nie było.

– Precz!!! – wrzasnęła, ile miała sił w płucach, by pokonać hałas.

Sfery wystrzeliły z wnętrza sanktuarium z ogromną, trudną do zmierzenia prędkością.

DZIESIĘĆ

Róża leżała bezwładnie na kamiennym ołtarzu tuż obok dumnie wyprostowanej figury madonny. Z oczu rzeźby płynęły krwistoczerwone strugi łez. Kesja podeszła powoli do dziewczynki, zachowując przy tym czujność. Zauważyła, że kapłani oraz matka dziecka odzyskują władzę nad własnymi ciałami.

Pełne zwycięstwo było tuż, tuż...!

Brakowało ósmej świetlistej sfery. Dziewiąta znajdowała się nad jeziorem. Tego była pewna. Tak samo nie miała żadnych wątpliwości, że ósma nie opuściła ciała dziecka.

Nieopodal zauważyła półcień, który przesuwał się w pobliże ołtarza.

Westchnęła i skierowała oczy ku Niebu. Zaraz przyszło przekonanie – mocne i niezachwiane.

– Masziah Jeszua, wiesz kto to? – zapytała.

– Dręczysz mnie... – odpowiedział kobiecy, dojrzały i cierpiący głos.

– On jest jedyną Drogą.

– Zostaw mnie w spokoju... – wydobyło się z ust nieprzytomnej Róży.

– Nie ma innych pośredników. Jest tylko On jeden – kontynuowała Kesja. – Tylko w Nim jest ratunek.

– Odejdź!!!

Półcień zbliżył się na tyle, by znaleźć się tuż za figurą kobiety.

Kesja odwróciła na moment głowę. Kapłani i kobieta pozbierali się na tyle, by obserwować dalszy rozwój wypadków. Ucieszyła się. Matka dziewczynki wyraźnie chciała ruszyć na ratunek swojemu dziecku. Kesja powstrzymała ją sugestywnym skinieniem dłoni.

– Jesteś rzeźbiarzem? – zapytała.

Cisza.

– „Nie uczyń sobie posągu, ani żadnego obrazu tego, co jest wysoko na niebie, co jest nisko na ziemi i co w wodzie, poniżej ziemi. Nie będziesz się przed nimi korzył, ani im służył, gdyż Ja jestem twój Bóg, wiekuisty Bóg żarliwy, odpłacający winę ojców wobec synów, wnuków i prawnuków tych, którzy Mnie nienawidzą." – zacytowała z pamięci. – Znasz te Słowa?

– Znam wszystkie Słowa! – głos zaczął przybierać inną, coraz bardziej chropowatą barwę. – Odejdź!!!

– Czy ty uczyniłeś rzeźbę tej kobiety?

– Tak, ja jestem rzeźbiarzem – przyznał wreszcie głos. – Ale to nie moje dzieło.

To wyznanie było zaskakujące. Kesja strzeliła:

– To sprawa renegatów?

– Tak, to ich dzieło – wydobywający się z ust Róży dźwięk przypominał teraz głos starego, schorowanego mężczyzny. – Nie dręcz mnie...!

Kesja nie zamierzała odpuścić. Kapłani i kobieta musieli usłyszeć prawdę. Spojrzała jeszcze raz w stronę półcienia. Przyszła jej pewna myśl i uznała ją jako podpowiedź.

– Czy krew na policzkach tej rzeźby to twoja rzecz?

– To ja jestem rzeźbiarzem! – wycharczała wciąż nieprzytomna Róża. – Dzieła ludzkich rąk są moją własnością! To moje dzieło.

– Archont Basileus! Bożek religii i kultów! – orzekła Kesja mocnym głosem. – Znam twoje imię i przez zwycięstwo Jeszuy, nakazuję ci opuścić to dziecko!

– Nieee!!! – straszny, rozdzierający charkot wypełnił całą świątynię. Ciało Róży uniosło się nieco ponad blat ołtarza. Kesja zauważyła, że matka dziewczynki zerwała się z miejsca, ale jeszcze raz pokazała jej, że nie powinna się wtrącać.

W tym momencie jednocześnie stały się dwie rzeczy: z ciała Róży wydobyła się błyskawicznie rosnąca krwista sfera, a tuż za nią rozbłysło nowe źródło światła.

Kesja czekała na tę chwilę. Kochała Zbawiciela, kochała, kiedy wyrażał swoją moc! Półcień przestał być półcieniem. W błysku oślepiającego światła ukazała się wielka postać z ogromnym mieczem w jednej dłoni i łańcuchem w drugiej. Posłaniec! Widziała go w ostatnich dniach kilka razy subtelnie poruszającego się w pobliżu skazanych. Czekał na właściwy czas i ten właśnie nadszedł. Kesja wiedziała, że Jeszua nie pozwoli zniszczyć Róży. Była tego pewna i nie pomyliła się. Masziah Jeszua polecił swemu Posłańcowi śledzić Archontów. Renegatów zapewne także. O to mogła być spokojna.

Uderzenie miecza było rychłe i precyzyjne. Łańcuch omotał krwistą sferę, a właściwie to, co w sobie skrywała. Uwięziwszy Archonta, Posłaniec skoczył z rozpiętymi, ogromnymi skrzydłami, ciągnąc za sobą łańcuch z bezradnym więźniem do mrocznej czeluści.

DZIESIĘĆ

Ciało Róży opadło na ołtarz. Matka podbiegła do córki z rozpaczliwym płaczem i otuliła ją swymi ramionami. Róża otworzyła oczy.

– Mamo... – wyszeptała słabo.

Kesja zauważyła, że to nie wszystko. Szybko pomogła zdjąć dziewczynkę z ołtarza. Półcień przemknął tuż obok niej. W jednej chwili sanktuarium rozświetlił jasny płomień palącego się ognia, który po kilku sekundach zgasł.

Przerażeni kapłani na własne oczy widzieli, jak w ciągu chwili madonna została strawiona przez ogień i zupełnie spopielona. Jakieś przelotne tchnienie zdmuchnęło popiół i po figurze pozostał tylko czarny ślad na kamieniu ołtarza.

Kesja spojrzała na zegarek i zmarszczyła nos. Mijała godzina, odkąd wyszła z domu. Będzie musiała wytłumaczyć się ze spóźnienia.

„Nie pożądaj domu bliźniego swego,
nie pożądaj żony bliźniego swego ani jego sługi,
ani jego służebnicy, ani jego wołu, ani jego osła,
ani żadnej rzeczy, która należy do bliźniego twego.”
Księga Wyjścia 20, 17

Epilog

Szpitalne korytarze tchnęły chłodem. Kesja szła obok tatusia i mocno ściskała jego dłoń. Bała się. Wspomnienia sprzed dwóch lat wróciły z wielką siłą. Bywała tu wiele razy, by odwiedzić mamusię. Mama niechętnie oddawała się pod opiekę szpitala, ale bywało, że nie potrafiła swobodnie oddychać. Wtedy sprzęt medyczny stawał się nieodzowny. Zmuszona cierpieniem przyjeżdżała tu na kilka dni, aż dolegliwości ustępowały na tyle, by mogła wrócić do domu.

Mamusia nie lubiła tego miejsca. Bardzo nie lubiła.

Kesja również.

Dziś znalazła się tu z powodu mamusinej siostry, cioci Bernatki. Wczorajszego wieczora kobieta straciła przytomność i nie odzyskała jej do tej pory. Kiedy umarła mamusia, jedyną rodziną cioci pozostawała ona i tatuś. Właśnie dlatego przyjechali tu, by dowiedzieć się, co się stało, by pomóc, jeśli tylko byłoby to możliwe oraz by dać jej odczuć, że nie jest sama.

Wjechali na trzecie piętro przestronną, jasną windą. Tuż za oszklonymi drzwiami przywitał ich informacyjny robot.

– Państwo do kogo? – zapytał przybyszów miłym, męskim głosem.

– Do pani Rawskiej – oznajmił Gabriel Mirski.

– Czy może pan podać imię pani Rawskiej?

– Bernadeta.

– Pani Rawska nie może państwa przyjąć – zakomunikował robot.

– Dlaczego?

– Pacjentka jest nieprzytomna.

– Wobec tego chciałbym porozmawiać z lekarzem.

– Oczywiście. Proszę za mną. – Poruszający się na niedużych kołach sztuczny twór wykonał zgrabny zwrot i ruszył w głąb korytarza. Gdyby nie jego znajomość korytarzowych zawiłości oddziału, sami najpewniej błądziliby dobrych kilka minut, zanim udałoby się dotrzeć do opatrzonego tabliczką ordynatora gabinetu.

DZIESIĘĆ

– Poczekasz, kochanie? – bardziej zarządził, niż zapytał ojciec.

– Oczywiście – odrzekła z uśmiechem.

Gabriel Mirski zastukał w drzwi i wszedł do środka.

Kesja usiadła na plastikowym krzesełku. Personel, pacjenci, roboty, hałas wynikający ze zwykłego, roboczego zamieszania nie pozwalały się skupić. Ukryła twarz w dłoniach i całym sercem przylgnęła do Jeszuy, który dawał w problemach niezachwiany pokój i wytchnienie – zawsze i wszędzie. Kochała go za to całą sobą. Cieszyła się, że mogła przychodzić do niego w każdej chwili, także teraz.

Krzesełko dotkliwie uwierało. Wstała z zamiarem krótkiego spaceru. Minęła kilka sal, dyżurkę pielęgniarek i tuż za nią, tknięta niepodziewanie mocnym impulsem, zatrzymała się. Zajrzała do najbliższego pokoju. Błyskawicznie zlustrowała korytarz. Nikogo nie dojrzała, więc weszła do środka. Wewnątrz znajdowały się dwa łóżka. Pierwsze było puste, na drugim, przypięta wiązką kabli do sprzętu medycznego, leżała jakaś kobieta.

Tą kobietą była ciocia Bernatka.

✳ ✳ ✳

– Więc kiedy będzie pan coś wiedział, panie ordynatorze? – spytał Gabriel Mirski z głęboką nutą smutku w głosie.

– Jak już nadmieniłem, czekamy na wyniki wszystkich badań – odparł lekarz. – Jeszcze dziś zamierzamy zrobić rezonans. Powiem panu wprost: nie mam pojęcia, co dolega pana szwagierce. Dopóki nie posiadamy szczegółowego wglądu w sytuację, na wszelkie wnioski jest zbyt szybko.

– Oczywiście...

Ordynator pokręcił się nieco na krześle, jakby chciał o coś zapytać. Mirski popatrzył na niego wyczekująco.

– Jeszcze pewna delikatna kwestia – zaczął ordynator.

– Tak?

– Nie wiem, jak bliska jest panu pańska szwagierka i na ile się znacie... – zawiesił nieco głos – ... ale interesuje mnie pewien nietypowy szczegół, który posiada pani Rawska...

– Z pewnych względów nie utrzymujemy ze sobą zbyt zażyłych relacji, ale postaram się pomóc.

Doktor wydał się nieco ośmielony.

– Chodzi o tatuaż.

– Tatuaż?

– Tak, pani Rawska posiada bardzo nietypowy, usytuowany tuż poniżej karku, tatuaż. Zaczyna się na wysokości dziewiątego kręgu. Wie pan coś na ten temat?

Mirski skrzywił się nieco. Bernatka i tatuaż? Niemożliwe.

– Od kiedy pamiętam, szwagierka piętnowała tę modę. Jest pielęgniarką. Wie pan, zakażenia, wirusy i temu podobne. Twierdziła, że tego rodzaju zabiegi zagrażają zdrowiu. Poza tym uznawała, że tatuaże bardziej szpecą, niż zdobią. Jest zasadniczą osobą. Nie wydaje mi się, by odstąpiła od własnych dewiz – powiedział nieco się krzywiąc. – A z jakiego powodu to... nietypowy tatuaż?

– Posiada trójwymiarową głębię. Kiedy się pan przyjrzy, zupełnie jakby wnikał w ciało. Jako lekarz stykam się z wieloma pacjentami, którzy pozwalają sobie na rozmaite malunki tu i ówdzie, ale nigdy nie widziałem czegoś podobnego.

Gabriel Mirski zamyślił się. To do niej niepodobne, ale ludzie jako żywe, myślące istoty zmieniają czasem poglądy na tę, czy tamtą sprawę. Bernatka nie musiała pod tym względem być wyjątkowa.

– Co przedstawia ten tatuaż? – zapytał.

– To duże litery N i B. Posiadają niepowtarzalny koloryt oraz na tyle zaskakującą perspektywę, że można się w niej dopatrzeć... siebie samego.

– Siebie samego?

– Właśnie. Być może brzmi to niedorzecznie, ale kiedy przyglądałem się temu z bardzo bliska, towarzyszyło mi takie odczucie, jakbym wpatrywał się w głąb własnej duszy. To bardzo subiektywne. Nie potrafię tego w żaden sposób uzasadnić.

„NB". Mirski nie miał pojęcia, cóż mogą one oznaczać. Bywa, że ludzie robią sobie różne dziwne rzeczy z powodu miłości do jakiegoś człowieka. Szczególnie zauważalne było to u celebrytów, którzy z lubością obnosili się ze swoimi miłościami, miłostkami oraz podkreślającymi je napisami i malunkami zdobiącymi bardziej lub mniej widoczne partie ciała.

Czy siostra Julki oszalała na punkcie jakiegoś mężczyzny, którego inicjały dała sobie wyskrobać na skórze? Wątpił w taką ewentual-

ność, ale jako całkowicie niemożliwą wykluczyć nie mógł. Wiedział o pewnym znaczącym szczególe, który podważał taką teorię, choć z drugiej strony w pewnym sensie ulżyłoby mu, gdyby teoria miłosna okazała się prawdziwa.

Mirski przyjrzał się doktorowi. Ordynator był skupiony oraz bez wątpienia wypowiadał każde słowo całkiem poważnie. Co mógł oznaczać wpływ tatuażu na duszę szanowanego pana doktora?

– Nie mam pojęcia, co by to mogło być. Nie potrafię panu pomóc – odparł po chwili. – Czy mógłbym zobaczyć szwagierkę?

– Oczywiście. Zaprowadzę pana.

Mareczek leżał zatopiony w swoich myślach i co chwilę wycierał cieknące po policzkach łzy. Nie umiał się powstrzymać. Nie chciał się powstrzymać i nie miał zamiaru nawet próbować. Obok niego leżała Hania, mocno przytulona, by choć w tak ograniczonym wymiarze dać mu wsparcie...

To, co się wydarzyło, nie mieściło mu się w głowie. Mirek, jego najlepszy kolega zastrzelił się na jego oczach, z jego broni, a on, by go powstrzymać przed tym strasznym, desperackim krokiem, nie zrobił zupełnie nic. Dlaczego tak się stało? Myślał nad tym. Przecież odszukał Mirka właśnie po to, by uchronić go przed zagrożeniem. W rzeczywistości przyniósł mu śmierć. Gdyby tam nie poszedł, Mirek żyłby do tej pory. Gdyby nie zabrał ze sobą broni, Mirek żyłby do tej pory. Gdyby okazał czujność, zapewne Mirek do tej pory by żył.

Gdyby, gdyby, gdyby... Można było od tego „gdyby" oszaleć!

Za kilka godzin powinien stawić się u szefa w Wolczycach. Na przesłuchanie, na sąd za niefrasobliwość, za bezmózgowie... za śmierć. Wcześniej było mu głupio powiedzieć o ludziach z tatuażem, o ich śmiertelnych zejściach. Teraz sprawa posunęła się daleko dalej i oparła się o niego samego. Co gorsza, także o kolejnego trupa, jak mawiał sierżant.

„Mawiał"... Mareczek musiał się przestawić i przyzwyczaić do tego, że o koledze należało myśleć w czasie przeszłym.

Spod gęstego od wyrzutów przygnębienia wpełzła wściekłość – na samego siebie, na Dolinę, na tatuaż, na kosmitów.

Właśnie...

Nad jeziorem całą swoją uwagę skupił na wyłaniającym się spod wody statku obcych. W pierwszej chwili sądził, że widzi autentyczny pojazd kosmiczny. Dysk miał średnicę kilkudziesięciu metrów, kolor przybrudzonej stali, obłe, symetryczne kształty. Okazał im się dokładnie taki, jak w swoich chaotycznych zeznaniach opowiadali widzący jego upadek świadkowie. Wtedy pojawiła mu się jeszcze jedna myśl. Wojsko! Być może eksperyment armii trwał nadal i stali się jego częścią...

W momencie strzału z broni UFO zniknęło. Nie spadło do jeziora, nie odleciało w przestworza, ale od tak – zniknęło! Tego był więcej niż pewien. Obiekt rozpłynął się w powietrzu w chwili, kiedy Dolina odebrał sobie życie.

Tatuaż, UFO, Dolina.

Uznał, że te sprawy łączą się ze sobą, ale nie potrafił tego uzasadnić. Był ciekaw, do czego dojdzie oficjalne dochodzenie...

Musiał się zbierać.

$$* * *$$

Gapił się w monitor. Tyle Witold Pawlicki robił od dłuższego już czasu, nie potrafiąc wydobyć się spod napierającej lawiny depresyjnych wspomnień. Gdyby policjant nie miał przy sobie broni... Gdyby stał bliżej...

Niestety wszystko opierało się na gdybaniu. Stało się, jak się stało i niczego nie można było cofnąć. Gość postąpił nieprzewidywalnie. Nie był w stanie odgadnąć jego zamiarów. Całkiem niewykluczone, że facet sam ich nie znał. Świetlista kula, która wniknęła do jego wnętrza. To musiał być prawdziwy powód jego zachowania, przyczyna obłędu. A w końcu i samobójstwa...

Witold, stojąc z tyłu i nieco z boku, dokładnie widział moment strzału. Ten szybki ruch wysokiego, chudego mężczyzny przyciągnął jego uwagę, odrywając wzrok od fatamorgany, która wisiała nad taflą wody. Zaraz potem, kiedy wystrzelona kula rozbryzgała mózg, szaro-stalowy dysk kosmitów zniknął. Przestał istnieć w jednej sekundzie. Od tak!

Pawlicki dobrze zapamiętał moment, w którym czaszka mężczyzny rozerwała się od środka, dając kuli złudną wolność. To właśnie

DZIESIĘĆ

stało przed jego oczami od wielu godzin. Od tego nie potrafił się oderwać.

Poza filmami nie oglądał żadnej śmierci. Na żywo, to w ogóle inna, przerażająca rzeczywistość... Dlatego przeżywał. Dlatego miętolił w palcach skrawek papieru z adresem i godziną, gdzie i o której miał się stawić, by złożyć zeznania...

Śmierć na żywo.

A powód tej śmierci? Wydawał się oczywisty. Witold wspomniał ojca i słowa, którymi cytował Pismo: „A to nie osobliwość, gdyż sam szatan zmienia sobie postać na anioła światłości".

Stali się pionkami w jakiejś diabelskiej grze. Tego był pewien...

– Coś się stało?

Gabriel Mirski stał tuż za swoją córką, która zastygła w bezruchu tuż po przekroczeniu progu sali intensywnej terapii. W jego pytaniu było bardzo mało ciekawości, a bardzo wiele niepokoju i ostrożności. Znał swoje dziecko bardzo dobrze. Od chwili zdiagnozowania raka u Julki spędzali ze sobą bardzo wiele czasu. Wiedział, że Kesja potrzebuje wsparcia, ciepła i przede wszystkim modlitwy. Zarówno jemu, jak i Julce, najbardziej zależało na tym, by Kesja, czyli Miły Zapach, stała się miłym zapachem nie tylko dla nich jako rodziców, ale przede wszystkim dla samego Boga. Ich pragnienia dotarły do Nieba, a modlitwy zostały wysłuchane. Ogromna, trudna do opisania radość. Nigdy nie zapomni tego uczucia, kiedy Kesja oznajmiła, że poznała Zbawiciela, który nazywa się Masziah Jeszua, że stała się własnością Boga. Ciężko chora Julka oznajmiła wtedy, że spokojnie może odejść do Pana. Popłakali się – z radości.

Tego, co działo się z Kesją później, Julia już nie widziała. Gabriel nie wiedział, skąd wypływa nietypowe, jak na jej wiek zachowanie, ale to, że ośmioletnia wtedy dziewczynka spędza tak wiele czasu nad Pismem oraz inną, najrozmaitszą literaturą, traktował z wielką przychylnością. Czasem nawet „wyganiał" ją na podwórko, by się pobawiła z koleżankami, bądź pojeździła na rowerze w obawie, że Kesja do końca utraci przyjemności okresu dzieciństwa.

Gabriel widział, jak bardzo jego córka przeżywała chorobę mamy i jej odejście. Byli przy jej śmierci razem, modląc się gorliwie i płacząc. Kiedy Julia oddała ostatnie tchnienie, Kesja niespodziewanie uspokoiła się, twierdząc, że duch mamy odszedł do Pana. Wtedy, jako mąż i ojciec nie docenił tego, co powiedziała, ani tego, jak się zachowała. Przeżywał śmierć żony i matki swojego dziecka. Bolał nad tym, co się stało. Dlatego nie zauważył faktu, który odkrył dopiero pół roku później.

Kesja, jak każdy, kto naprawdę stał się własnością Boga, otrzymała dar. Każdy dar od Boga miał swoją wartość i konkretne przeznaczenie. Gabriel znał wielu ludzi, którzy mieli swój własny charyzmat, ale nie potrafili albo nie chcieli z niego robić właściwego użytku. Inaczej sprawa miała się z Kesją, dziewczynką, której wiek mógł budzić wątpliwości i zastrzeżenia co do tak szczególnego obdarowania. Gabriel odkrył, że dar Kesji polegał na rozróżnianiu duchów. Niespełna ośmioletnie dziecko dostrzegło opuszczającego ciało matki ducha. I bynajmniej nie szło o zjawę z filmów grozy. Chodziło o tę część ludzkiej istoty, która stanowiła własność Boga. Potrafiła także rozpoznawać duchowe byty, które zbuntowały się przeciwko swemu Stwórcy, o istoty wbrew naturze przejmujące we władanie ludzi, którzy w jakiejś części swego jestestwa im na to przyzwolili.

– Ciocia... – wyszeptała cicho Kesja.

– Dlaczego to dziecko...? – powiedział głośno ordynator.

Gabriel przerwał protestacyjną mowę wyciągniętym w górę palcem, czym zdziwił lekarza jeszcze bardziej. Dla niego nie liczyły się panujące tu zasady ani przepisy.

– To moje dziecko. Proszę o chwilę cierpliwości, panie doktorze. Chyba wiemy, co dolega mojej szwagierce. – Ton, jakim wypowiedział to zdanie, był mocny i przekonujący na tyle skutecznie, by szefujący oddziałowi lekarz powstrzymał się od sprzeciwów. – Co, ciocia? – zapytał jeszcze raz.

– Nie jest sama – odpowiedziała smutno, ale pewnie.

– Nie jest sama...?

– Tak, jestem tego pewna. Ciocia Bernatka nie jest chora... i nie jest sama.

Gabriel kątem oka zerknął na ordynatora.

– Proszę się nie wygłupiać – powiedział doktor, chcąc wyjść na korytarz.

DZIESIĘĆ

Gabriel zatrzymał go wysuniętym w bok ramieniem i zamknął drzwi.

– Myślę, że powinniśmy zamienić zdanie – powiedział ciepło, ale stanowczo.

W tym momencie Bernadeta Rawska gwałtownie usiadła na swoim łóżku, zrywając z siebie znaczną część czujników. Otworzyła oczy, „spoglądając" przed siebie wyłupiastymi białkami.

– Zooostawcie mnieee! – zawyła. – Chcę być samaaa! Panie doktorze, Panie doktoooorze!!! Niech mi pan pomoże! Prooooszę!

Doktor ruszył ku pacjentce. Gabriel od razu zorientował się, że czyni coś, czego nie powinien teraz robić i szarpnął ordynatora za rękaw.

– Proszę mnie wysłuchać – powiedział szybko. – Nie potrafię panu tego niczym udowodnić, ale moja szwagierka padła ofiarą ataku obcego, duchowego bytu.

Mirski spodziewał się protestu, wyśmiania, kpiny. Doktor spojrzał na niego całkiem poważnie.

– Jesteście z Sieciowa, tak? – spytał, niespodziewanie zmieniając front.

– Tak, z Sieciowa.

– Mieszka tam mój brat – doktor zniżył głos, jakby zważywszy na bliskość dyżurki pielęgniarek, nie chciał, by ktokolwiek usłyszał, co ma do powiedzenia. – Powiedział mi, że do Sieciówki spadło UFO. Czy to prawda?

Mirski był zaskoczony. Doktor wydawał się człowiekiem mocno stąpającym po ziemi, racjonalistą oceniającym sytuację według dostępnych dowodów. Pytaniem o statek obcych zbił go z tropu.

– Dlaczego pan o to pyta?

– Powiedzmy, że mam nietypowe zainteresowania, hobby. Wie pan, co to hobby?

Mirski nie całkiem rozumiał.

– Jakiego rodzaju?

– To nieistotne...

– Pan interesuje się holistyką – wtrąciła się Kesja, która wyłoniła się zza pleców ojca. – Prawda?

Ordynator wybałuszył oczy. Zerknął na ojca.

– Wydaje mi się, że ten tatuaż i stan pana krewnej mają ze sobą coś wspólnego... – wydukał.

– Skąd takie wnioski? – spytał Gabriel.

– Intuicja...

– To nie żadna intuicja... – powiedziała mocnym tonem Kesja, wwiercając się wzrokiem w zdeprymowanego lekarza – ... ale oni. Oni szepczą to do ucha.

– Jacy: „oni"?

– Duchowi przewodnicy. Wielu ludziom wydaje się, że w sferze duchowej mogą robić, co tylko chcą całkiem bezkarnie. Używają specjalnych przedmiotów, świętych amuletów, zawiązują na ciele nitki, trzymają się guzika na widok kominiarza. Stosują białą magię. Przeoczają jednak, że nie ma białej i czarnej magii – powiedział Mirski. – A za każdym jej rodzajem stoją ci „oni". Jak pan sądzi, kto?

Po chwili zastanowienia padła odpowiedź:

– Przewodnicy duchowi bronią nas przed złem, uzdrawiają, przepowiadają, co się stanie...

– Jest pan wykształconym człowiekiem...

– To nie ma nic do rzeczy – przerwał ordynator. – Wiem, w jak wielu przypadkach zachodnia medycyna jest bezradna. Chcę pomagać ludziom. Chcę ich skutecznie leczyć...

– Dlatego sądzi pan, że energoterapia, wizualizacje, afirmacje, anielskie karty, regresing czy mandale mogą pomóc? – rzuciła szybko Kesja.

Doktor i ojciec popatrzyli na nią z takim samym, zdumionym wyrazem twarzy. Gabriela zaskakiwała co rusz. Wiedzą i dojrzałością. Jeśli kwestia wiedzy mogła się zawierać w pochłanianych przez nią książkach, to dojrzałości w wypowiedziach oraz w patrzeniu na otaczającą ją rzeczywistość nie mogła uzyskać wyłącznie przez sprawny intelekt oraz spostrzegawczość. Gabriel wiedział, że zaczątkiem zmiany postrzegania świata była choroba i śmierć Julki, ale i w tym traumatycznym doświadczeniu nie upatrywał głównej przyczyny. Podejrzewał raczej coś znacznie głębszego i istotniejszego. Z autopsji znał źródło, które potrafiło czynić więcej, niż sięgały jego wyobrażenia i marzenia. Tym źródłem było Niebo, a dokładniej sam Bóg.

DZIESIĘĆ

– Skąd ty to wszystko wiesz, dziecko? – wyjąkał zdumiony lekarz.
– Człowiek to materia, umysł i duch. Dlatego trzeba go postrzegać całościowo – próbował się usprawiedliwić.

– Człowiek to soma, psyche oraz pneuma, proszę pana – odparła.
– Ale nie tylko to. Człowiek to jeszcze sarks, które jest naturą dziedziczoną po przodkach. Syneidesis, to sumienie, które podpowiada, co jest dobre, a co złe oraz kardia, czyli serce. O tym powinien pan wiedzieć najlepiej. Jeśli serce otwiera się dla zła, dla własnych pożądliwości, przychodzą pańscy duchowi przewodnicy, a właściwie duchy, które w pewnych kręgach nazywa się demonami – te słowa Kesja wypowiedziała bardzo szybko i popatrzyła swoimi jasnymi, niebieskimi oczami w głębię duszy starszego od siebie o kilkadziesiąt lat mężczyzny. Nie czekając na reakcję, dodała: – Czy słucha pan demonów?

– Ja...? – w tonie tego pytania wyraźnie brzmiała dezorientacja.

– Bo widzi pan, nastały czasy, kiedy wielu porzuciło wiarę, oddając się zwodzącym duchom i nauczaniom demonów.

– Demony to wymysł religii, droga panno – odparł doktor.

– Cóż, mamy raczej inne zdanie na ten temat – wtrącił Gabriel. – Poparte mocnymi doświadczeniami.

– Doświadczeniami, powiada pan? Jak rzekł klasyk: „Dopóki nie zobaczę, nie uwierzę.”

Na te słowa Kesja obróciła się na pięcie i energicznie podeszła do łóżka cioci Bernatki. Znów leżąca na wznak kobieta naprężyła się niczym łęczysko łuku.

– Kim jesteś?! – rzuciła mocnym tonem Kesja.

Ciało kobiety rzuciło się w prawo, potem w lewo, by znów naprężyć się do granic możliwości.

– Odeeejdź...! – zawibrowała warcząca odpowiedź. – Nieee chcę cię tuuutaj!

– Wiesz, kim jestem?

– Dręczycielem!

– Kesja, przestań! – powiedział ostro ojciec. – Z tym nie można igrać!

Dziewczynka rzuciła mu zdecydowane spojrzenie.

– Wiem, co robię – odparła z przekonaniem.

– To nie zabawa.

– Tatusiu, wiem, co robię! – powtórzyła, kładąc silny akcent na każde wypowiedziane słowo.

– Nie może pan na to pozwolić – wtrącił lekarz, niepewnie taksując wzrokiem leżącą pacjentkę, dziecko i jej ojca. – Tu jest szpital! – dodał i chcąc wyjść z sali, zastał zamknięte drzwi, choć te nie posiadały zamka na klucz.

Gabrielowi gwałtownie podskoczył puls. Nie wiedział, jak się zachować. W myślach wypowiedział kilka słów modlitwy. Popatrzył w oczy córki. Znał ten wyraz oczu. Zobaczył w nich pewność. To nie była pewność siebie. To była wiara.

Jeszcze raz się pomodlił.

Kątem oka dostrzegł jakiś półcień, który przesunął się od okna pod ścianę, tuż ku wezgłowiu łóżka.

– Dobrze – szepnął.

– Ale kto to zamknął... – Ordynator chciał wyjść. Pacjentka rzuciła mu straszne, pełne agresji spojrzenie, które zmroziło go do samego szpiku. Szarpnął bezskutecznie klamkę.

– W imieniu Jeszuy, Zwycięzcy nad śmiercią, rozkazuję ci, mów, jak się nazywasz! – powiedziała ostrym tonem Kesja.

Z ust kobiety wypłynął potok dziwnie brzmiących słów. Ordynator stężał w jednej chwili. Nie trzeba było wnikliwości, by widzieć wypełniające go przerażenie. Kobieta mówiła płynnie męskim, tubalnym i nieprzyjemnie charczącym głosem, używając przy tym obcego mu akcentu. W trakcie wypowiadania kolejnych zdań wyginała się nienaturalnie na wszystkie strony. W końcu padło imię:

– Nergal! Bóg światła, bóg niebios, bóg podziemia, bóg zaraz!

– Bóg jest tylko jeden – zaprzeczył Gabriel. – I na pewno ty nim nie jesteś!

– Gabrrrielll! – wysyczały usta kobiety. – Znam twojego imiennika, pyszałka, który nosi posłania... Nie urasssstasz mu do...!

– Dlaczego tu jesteś? – przerwała Kesja. Szybko myślała, skąd zna to imię. Przypomniała sobie, gdzie o nim czytała. – Dlaczego opuściłeś Babilończyków?

– Zossstaw mnie...

– Dlaczego tu jesteś?

– Sumerowie, Babilończycy, wy... Podróżuję... Zwiedzam... Bawię się... wami! Te wasze ciekawskie dusze... są takie chłonne... – ton

DZIESIĘĆ

wypowiedzi zmienił się na nieco inny, jakby delektujący się czymś, co było świeże i miłe. – ... takie otwarte na to, co chcę powiedzieć, pokazać. Wasze pożądliwości... są takie ożywcze, takie orzeźwiające. Karmicie mnie! Z jakiej przyczyny miałbym tu nie być? Ta wasza ludzka, zabłąkana natura. Jesteście tacy ciekawi, chętni do grzechu.

– Dlaczego wybrałeś tę kobietę? – zapytał Gabriel i zaraz pożałował tego, co zrobił.

– Nie wiesz? – Twarz Bernatki wykrzywił odrażający grymas. Głos stał się dziwnie namiętny, jakby miłosny. – Naprawdę nie wiesz? Ona szaleje z pożądania. Ona pożąda od dawien dawna. Ona pożąda ciebie...

– W imieniu Jeszuy, jedynego Zbawiciela, rozkazuję ci: wyjdź z tej kobiety! – zdecydowanym, kategorycznym wręcz tonem nakazała Kesja.

– Z tobą się jeszcze policzę! – odparł Nergal. – Myślisz, że jesteś niewinna, bo jesteś taka młoda?

– Żaden demon nie ma we mnie nic, co mógłby mieć dla siebie – odparła odważnie.

– Każdy grzeszy. A zapłatą za grzech jest śśśmierć! – wysyczał demon.

– Zapłatą za grzech jest śmierć, ale moje życie jest z łaski, mam życie wieczne z łaski. Moim Zbawicielem jest ten, któremu jesteś winien posłuszeństwo. W imieniu Jeszuy, wyjdź!

Wszyscy zobaczyli, jak ciało kobiety unosi się w górę i opada na łóżko.

Gabriel chciał jak najszybciej ocucić szwagierkę, ale Kesja powstrzymała go przed tym zbyt szybkim ruchem.

– To nie wszystko... – powiedziała, nie spuszczając oczu z cioci.

W trakcie rozmowy córki z Nergalem przez umysł Mirskiego przemknęła pewna błyskawiczna myśl, ale zdążył ją zarejestrować.

– Mówił pan o tatuażu – zwrócił się do lekarza.

– Tak – odpowiedział zdławionym jękiem.

– Jakie to były litery? Może pan przypomnieć?

– N i B.

Zatem faktycznie może być ich dwóch... Pierwszy to Nergal. A drugi? – pomyślał przerażony.

Ordynator nagle ominął Kesję i przewrócił na bok nieprzytomną i bezwładną pacjentkę. Na jej plecach zobaczyli barwny, tchnący nieprzeciętną głębią tatuaż o kształcie stylizowanej litery B.

Kobieta znów naprężyła się jak struna.

– Jak śmieeesz!!! – zawyła Bernatka innym, pełnym niepohamowanej agresji głosem. – Kto pozwolił ci mnie dotykać!

Doktor cofnął się jak oparzony, ale kobieta dopadła go i łapiąc jedną ręką za gardło, błyskawicznym susem wskoczyła na łóżko. Ordynator zawisł w powietrzu i z resztką tchu w płucach usiłował złapać oburącz dłoń kobiety, by uwolnić się z jej miażdżącego uścisku.

Mirski dopadł do lekarza i złapał go wpół, podnosząc nieco ku górze, by cały ciężar ciała nie opierał się na złapanej przez pacjentkę szyi.

– Puść!!! – wrzasnęła dziewczynka. – Rozkazuję ci: puść go!!!

Mężczyzna opadł na Gabriela, przygniatając go całym ciężarem omdlałego już ciała.

– Kim jesteś?! – zapytała natychmiast.

– Ze mną nie pójdzie ci tak łatwo... – wycharczał nowy przeciwnik.

– Mów, kim jesteś? Jakie jest twoje imię?

Z ust cioci Bernatki wydobył się przypominający bulgotanie gęstej cieczy śmiech.

Doktor z trudem wracał do przytomności.

Gabriel czuł się jak we śnie. Słyszał przerażający głos. Wiedział, że wydobywa się z ciała kobiety, która była siostrą jego ukochanej żony. Widział swoją własną dziesięcioletnią córkę, która rozmawia z tym głosem. Modlił się żarliwie o trzeźwość. O zwycięstwo!

– Po co ci to wiedzieć? – warknął demon.

– Dobrze, najpierw zadam ci inne pytanie. Czy to ty stworzyłeś rzeźbę płaczącej krwią kobiety?

Rechot.

– Tak, to moje dzieło. Wy, ludzie, kochacie wyobrażenia, podobizny, które można zobaczyć i dotknąć. Potrzebujecie figurek, obrazków, obrzędów, amuletów, nawet kosmitów, więc stworzyłem kosmitów, mówiłem jak kosmita – zarechotał. – Nie potraficie wierzyć na słowo. To dobrze... Więc robię znaki, cuda, niesssamowitości...!

DZIESIĘĆ

– My wierzymy – powiedziała nieco na wyrost, nie uwzględniając wszystkich obecnych w pomieszczeniu. – My wierzymy Prawdziwemu Słowu.

– Wy? Jacy wy?

– Mój tata, ja...

– I koniec! Tylko wy! – przerwał jej głos. – Reszta to pomiot egoizmu... Zadufani w sobie i swoich pragnieniach. Was nienawidzę, ich kochaaam...

– Twoje dzieło spłonęło! – oznajmiła Kesja, nagle zmieniając taktykę ataku. – Nie ma już „świętej" figury.

Chwila ciszy.

– Jak to nie ma...?! – wycharczał głos. – Ja jestem Baal! Ja jestem panem i władcą! To moja własność!!!

Uśmiechnęła się. Wróg stracił czujność.

– Więc jesteś Baal, pan burzy. Tobie lano posągi, budowano ołtarze kadzidlane i sporządzano aszery.

– Piękne czasy... – przyznał z rozrzewnieniem Baal.

– Ale byli też tacy, którzy wszystko to obracali w pył. Pamiętasz judzkiego króla Jozjasza?

– Nienawidziłem go... – dobył się jadowity syk. – Pomiot...

– Dziś możesz nienawidzić mnie – powiedziała odważnie. – Bo ja jestem jak Jozjasz. Zaczął panować, gdy miał osiem lat, pamiętasz? Zaczął szukać Boga Dawida i choć był młody, czynił, co prawe w Jego oczach. To on roztrzaskał twoje ołtarze, świątynki na wzgórzach, porozbijał aszery, bałwany i odlewane posągi kruszył na miał, a potem rozrzucał na groby tych, którzy ci składali ofiary. On odnalazł Pisma i odnowił świątynię prawdziwego Adonai, pamiętasz to wszystko?

– Zaaamilcz! Nie chcę tego sssłuchać!

– Za to Adonai obdarzył go obietnicą – nie ustępowała. – Jozjasz przywrócił Paschę.

Rozległ się ryk – straszny, przerażający, pełen gniewu i nienawiści.

– W imieniu paschalnego Baranka, w imieniu Jeszuy, przez Jego ofiarę, krew i zmartwychwstanie, nakazuję ci: wyjdź z tej kobiety!

Półcień.

Kesja zerknęła w miejsce, gdzie znajdował się jeszcze chwilę temu.

Ciało cioci Bernatki zesztywniało niczym jakaś kłoda drewna.

– W imieniu jedynego Zbawiciela nakazuję ci uwolnić tę kobietę! – krzyknął Gabriel Mirecki, stając tuż obok córki.

Bernadetę Rawską rozdarł nowy, przerażający krzyk, po czym wiotczejąc, opadła na łóżko.

W sali intensywnej terapii niespodziewanie rozbłysło oślepiające światło.

Gabriel dojrzał w nim szybko poruszające się, solidne ogniwa łańcucha.

✳ ✳ ✳

Witold Pawlicki po raz dziesiąty oglądał nagranie z Malinówki i nie dowierzał własnym oczom. Zobaczył na nim świetlistą kulę, dwóch mężczyzn, ale nie ujrzał żadnego śladu latającego dysku obcych. Otarł dłońmi twarz. Był zmęczony, wręcz wyczerpany i pokonany.

– Złudzenie, omam, gra pozorów... – wyszeptał do siebie samego. – Jednak...!

Teraz wiedział.

Wziął do ręki telefon i wybrał dobrze sobie znany numer. Dobiegły go ledwie dwa sygnały.

– Tato – powiedział nieco łamiącym się głosem. – Muszę z tobą porozmawiać...

✳ ✳ ✳

Mareczek odejmował od ucha telefon bardzo powoli. Wiadomość jaka dotarła do jego uszu, musiała wniknąć w głąb umysłu. Spodziewał się zaledwie części informacji, którą przekazał posterunkowy Siemaszko. Łowiący na Sieciówce wędkarze znaleźli czyjeś zwłoki. Mareczek wiedział, że wcześniej czy później mogą natknąć się na złodzieja samochodu, który podczas ucieczki wraz ze swoim feralnym łupem najprawdopodobniej wpadł do wody. Mikołaj Śnieżewski, takie dokumenty znaleziono przy nieboszczyku. Ciała znaleziono dwa. Drugie pojechał zobaczyć Wolgant. Z niemałą trudnością rozpoznał w nich Nowickiego, młodego człowieka, którego podejrzewali o kradzież drogiego telefonu.

DZIESIĘĆ

Mareczek spojrzał w górę, na wznoszący się przed nim wielo-piętrowy budynek szpitala. Przyjechał tu przymuszony przez Hanię, która wymogła na nim wizytę u lekarza. Według jej oceny obrażenia związane z wypadkiem oraz bijatyką z Mirkiem zasługiwały na po-nowne oględziny fachowca. Mareczek miał nadzieję, że nie będzie to trwało zbyt długo. Spieszyło mu się. Musiał stawić się przed ko-mendantem, komisarzem Wieruchem.

Policzył raz jeszcze. Dziesięć osób, dziesięciu nieboszczyków. Czy złodziej samochodu miał tatuaż? Aspirant spodziewał się, że i u niego znajdą to dziwne „logo". Z powodu śmierci Mirka, nie uniknie dochodzenia, nie umknie drążącym temat pytaniom. Będzie musiał przyznać się do popełnionych błędów. Bał się tego, co go czekało.

Tuż u wejścia do budynku minął się z uśmiechniętym mężczyzną i około dziesięcioletnią dziewczynką. Wyglądali jak ojciec z córką. Dziewczynka mówiła coś żywo mężczyźnie, ale kiedy spotkał się ich wzrok, nagle zamilkła.

Dziecko spojrzało na niego z dziwnym wyrazem w oczach.

Mareczkowi przemknęło przez myśl, że to głęboki, przejmujący smutek...

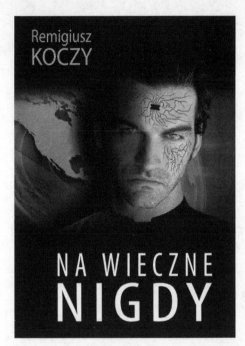

NA WIECZNE NIGDY
- REMIGIUSZ KOCZY

„Wielu bowiem przyjdzie pod moim imieniem i będą mówić: Ja jestem Mesjaszem. I wielu w błąd wprowadzą. Będzie głód i zaraza, a miejscami trzęsienia ziemi. Lecz to wszystko jest dopiero początkiem boleści. Wtedy wydadzą was na udrękę i będą was zabijać, i będziecie w nienawiści u wszystkich narodów, z powodu mego imienia. Lecz kto wytrwa do końca, ten będzie zbawiony."

Ewangelia Mateusza 24

Kiedy Aleks Wolonerz, były agent służb specjalnych, podejmuje się doręczenia nielegalnej przesyłki, nie przypuszcza, jak diametralnie zmieni się jego życie. Nie ma pojęcia, że panujący reżim Nowego Świata zrobi wszystko, by przejąć pancerną kasetę. Jej zawartość w rękach opozycji stanowi groźną broń przeciw panującemu porządkowi. Prawda was wyswobodzi – powiedział Jezus. Nieliczni, którzy są świadomi powstałej po Pochwyceniu sytuacji, gorliwie jej poszukują. Czy dla wszystkich Boże Słowo jest Prawdą, dla której warto oddać swoje życie?

„NA WIECZNE NIGDY" - to trzymający w napięciu thriller o wartkiej akcji, w którym zwyczajni i niezwyczajni ludzie znaleźli się w czasach przepowiedzianych przez samego Jezusa. Czy to, co ma do powiedzenia Bóg, jest dla nich najważniejsze...?